D0608724

LA RÉVOLUTION FRANÇAISE

I

De Turgot à Napoléon (1770-1814)

DU MÊME AUTEUR

CHEZ LE MÊME EDITEUR

La Gauche et la Révolution française au milieu du XIXe siècle : Edgar Quinet et la question du jacobinisme 1865-1870 (présentation Marina Valensise), Hachette, 1986.

La République du centre (avec Jacques Julliard, Pierre Rosanvallon), Hachette, Coll. « Pluriel », 1989.

La Révolution (1770-1880), Hachette, 1991.

La Révolution française (avec Denis Richet), Hachette, Coll. « Pluriel », 1986.

L'héritage de la Révolution française (sous la direction de), Hachette, 1989.

La Révolution française II, Terminer la Révolution, De Louis XVIII à Jules Ferry (1814-1880), Hachette Littératures, Coll. « Pluriel », 1997.

CHEZ D'AUTRES EDITEURS

Dictionnaire critique de la Révolution française (avec Mona Ozouf), Flammarion, 1988.

Le passé d'une illusion : essai sur l'idée communiste au XXe siècle, Laffont/Calmann-Lévy, 1995.

FRANÇOIS FURET

LA RÉVOLUTION FRANÇAISE

I

De Turgot à Napoléon (1770-1814)

HACHETTE
Littératures

Avertissement

La Révolution française éclate en 1789, mais la date à laquelle elle se termine est incertaine. Elle n'a pas de clôture canonique à l'américaine, comme la Constitution de 1787, devenue l'arche sacrée de la nation. Non qu'elle prétende se survivre indéfiniment à elle-même, à la soviétique. Mais elle offre un exemple intermédiaire. Elle a voulu, comme la révolution américaine et quasiment à la même époque, fonder dans la loi un corps politique d'individus libres et égaux ; mais elle n'a cessé de reprendre les termes de l'entreprise et d'en reculer l'échéance ou le succès, reproduisant à l'infini la crainte d'avoir été confisquée.

De son cours, on peut tracer une histoire brève, en l'arrêtant à la chute de Robespierre, ou à l'avènement de Bonaparte. Le parti que j'ai pris ici est au contraire d'en écrire une version longue, étalée sur plus de cent ans, entre Turgot et Gambetta. L'idée centrale est que seule la victoire des républicains sur les monarchistes, en 1876-1877, donne à la France moderne un régime qui consacre durablement l'ensemble des principes de 1789 : non seulement l'égalité civile, mais la liberté politique. C'est ce premier siècle de la démocratie en France que j'ai tenté de peindre et de comprendre.

Il tient en deux grands cycles, que les hommes du XIXe siècle ont beaucoup commentés. Le premier constitue la Révolution française au sens étroit du terme, de l'Ancien Régime à l'Empire napoléonien. Il comprend la succession des types d'autorité publique qui meubleront le répertoire des luttes politiques françaises : la dynastie des Bourbons, la monarchie constitutionnelle, la dictature jacobine, la République parlementaire, le bonapartisme. Celui-ci parvient à enraciner l'héritage révolutionnaire dans un État administratif centralisé, supposé « fermer » la Révolution.

Mais en 1814, l'Empire vaincu par l'Europe coalisée inaugure une deuxième série d'événements à travers laquelle recommence la première : dans des circonstances nouvelles, mais aussi dans la mémoire obsédante de ce qui a déjà eu lieu. Non seulement l'Ancien Régime et la Révolution s'affrontent à nouveau ; mais s'opposent alors également les traditions conflictuelles nées de la Révolution elle-même : 1789 et 1793, les Droits de l'homme et le jacobinisme, la liberté et l'égalité, le gouvernement représentatif et le bonapartisme.

Les Bourbons restaurés tombent en 1830 parce qu'ils sont soupçonnés de vouloir rétablir l'Ancien Régime. La monarchie de Juillet sombre en 1848 d'avoir voulu confisquer au profit du petit nombre le droit de suffrage. La IIe République retrouve un court instant la fraternité démocratique de la fête de la Fédération, mais doit briser une insurrection populaire en juin 1848 avant de mettre aux prises les deux traditions royalistes et le neveu Bonaparte. Même cette séquence de l'histoire de France qu'on avait crue unique, liée à un homme incomparable et à des temps exceptionnels : l'Empire, réapparaît pour vingt ans, sans guerre, sans héros, sans gloire militaire, sans général victorieux, de par la seule tyrannie des souvenirs. La défaite de 1870 ramène la révolution parisienne, suivie de la dernière tentative de restauration des Bourbons. Double échec qui ouvre la voie à la victoire durable de la Révolution française, dans une version républicaine qui trouve enfin l'accord du pays.

Il existe pourtant entre les deux cycles de cette longue histoire une différence essentielle. A la fin du XVIIIe siècle, la Révolution a brisé toutes les structures de l'Ancien Régime. Au XIXe siècle, les préfets survivent aux révolutions. La Constitution administrative du pays, qui date du Consulat, traverse toute l'époque comme un monument intouchable. Ainsi, l'État centralisé assure à sa manière la continuité de l'autorité publique et de l'être-ensemble national ; mais en même temps, il ne cesse de radicaliser les luttes civiles post-révolutionnaires autour de l'héritage de 1789. Car s'il est le centre vital de la nation, il suffit de s'en saisir pour être maître de la société. Ce sur quoi les Français s'accordent attise paradoxalement leurs divisions : ce qu'ils ont de conservateur est aussi ce qu'ils ont de révolutionnaire, noué autour d'une conception commune de l'État. C'est exactement la leçon de Tocqueville, quand il note que Napoléon « en construisant cette puissante hiérarchie... a rendu tout à la fois parmi nous les révolutions plus faciles à faire et moins destructives* ».

En investissant l'État par le suffrage universel, au nom de l'égalité des citoyens, les républicains des années 1870 parviennent à fonder durablement la loi dans la souveraineté du peuple. C'est déjà, ou c'est encore, ce que les hommes de 1789 avaient cherché à faire...

---

* Alexis de Tocqueville, *L'Ancien Régime et la Révolution, in Œuvres complètes*, t. II, vol. 2, p. 274, note.

1770-1786

1770

Le dauphin épouse l'archiduchesse Marie-Antoinette.

Juin-décembre

Conflit du gouvernement avec le Parlement à propos du duc d'Aiguillon.

Décembre

Disgrâce de Choiseul.

1771

20 janvier

Cent trente magistrats du Parlement de Paris sont exilés.

23 février

Le chancelier Maupeou réorganise la justice : les magistrats sont nommés par le gouvernement et le Parlement de Paris démembré.

1774

10 mai

Mort de Louis XV.

24 août

Maupeou et Terray quittent le ministère que Maurepas, Vergennes et Turgot ont rejoint peu avant ; ce dernier devient Contrôleur général des Finances.

13 septembre

Turgot établit la libre circulation des grains.

12 novembre

Louis XVI rappelle les parlements.

1775

Sacre de Louis XVI.

Malesherbes et le comte de Saint-Germain rejoignent le ministère.

Édit du comte de Saint-Germain.

Du Pont de Nemours rédige pour Turgot son *Mémoire sur les municipalités à établir en France.*

Avril-mai

Guerre des Farines.

1776

Janvier-février

Turgot abolit les corporations et remplace la corvée par une imposition en argent.

12 mai

Disgrâce de Turgot.

4 juillet

Déclaration d'indépendance américaine.

1777

Juin

Necker devient Directeur général des Finances.

1778

Naissance de Madame Royale.

Morts de Voltaire et Rousseau.

6 février

Traité d'alliance entre la France et les États-Unis d'Amérique.

12 juillet
Création d'une assemblée provinciale dans le Berry.

1779

Abolition du servage dans les domaines royaux.

1781

Naissance du dauphin.
Ordonnance de Ségur.

Février
Necker publie son *Compte rendu au roi.*

Mai
Renvoi de Necker.

1783

3 septembre
Traité de paix avec l'Angleterre.

10 novembre
Calonne devient Contrôleur général des Finances.

1785

Naissance du futur « Louis XVII ».
Affaire du Collier.

1786

Traité de commerce franco-anglais qui abaisse les droits de douane dans chaque pays.

20 août
Calonne propose son plan de réforme.

29 décembre
Louis XVI annonce la prochaine convocation d'une assemblée de notables.

I

L'Ancien Régime

1770-1786

La Révolution française a baptisé ce qu'elle a aboli. Elle l'a appelé l'« ancien régime ». Mais par là, davantage que ce qu'elle supprimait, elle a défini ce qu'elle voulait être : une rupture radicale avec le passé, rejeté dans les ténèbres de la barbarie. Quant à ce passé lui-même, sa nature, son histoire, les hommes de la Révolution n'en disent guère plus que la formule de malédiction dont ils usent pour le désigner, et qui est inventée très tôt, dès la fin de l'été 1789 : Sieyès, dans son fameux pamphlet de janvier de la même année, a déjà porté condamnation globale de cette « nuit », par opposition au jour tout juste en train de se lever. Le sentiment d'un passé tout entier corrompu par l'usurpation et l'irrationalité est sûrement une des voies par où *Qu'est-ce que le Tiers État ?* pénètre si rapidement et si profondément dans l'opinion publique. Si bien que l'historien qui considère l'histoire de France dans la deuxième moitié du XVIIIe siècle, quelques décennies avant la Révolution, peut entrer dans cette histoire par cette question de l'« ancien régime » : qu'est-ce que les hommes de 89 ont voulu dire par là ? Quel passé avaient-ils en tête, pour le maudire si entièrement ? Ce régime auquel ils avaient le sentiment de mettre fin, de quand datait-il, et qui l'avait instauré ? L'étrangeté énigmatique de la *tabula rasa* française, qui a tant déconcerté et indigné le député libéral qu'est l'Anglais Burke, en 1790, peut encore servir d'introduction aux dernières décennies du XVIIIe siècle français.

Comme hier, le roi de France est un monarque absolu. L'adjectif veut dire qu'il jouit de la *summa potestas* définie par Jean Bodin : il n'est pas soumis aux lois puisqu'il est leur source. Souveraineté qui d'ailleurs peut être exercée par le peuple (démocratie), ou par un petit nombre (aristocratie), mais qui en France a trouvé son support le plus parfait, la monarchie, depuis les origines de la nation. Le roi est au principe de toute autorité publique, de toute magistrature et de toute législation. Sa *dignitas*, c'est-à-dire à la fois son office et sa fonction, est immortelle, reçue à la mort de son prédécesseur, transmise à son successeur au-delà du caractère mortel de sa personne privée. Cette possession viagère de la plus haute autorité sur terre, il n'en doit compte qu'à Dieu, vraie source de cette source de toute loi humaine. Car il y a derrière le pouvoir des rois, quelque absolu qu'il soit, cette essentielle limitation qu'est un pouvoir plus grand, infiniment grand celui-là, auprès duquel même les monarques ne sont rien. Du coup, celle-ci entraîne l'obligation de se conduire en souverain chrétien.

Mais ce respect des lois divines n'est pas la seule « loi » à laquelle le roi de France, absolu, délié des lois, doit se soumettre. Il s'est élaboré au cours des siècles ce qu'il est probablement excessif de nommer une « Constitution », ou même un corps de doctrine, mais ce qui apparaît rétroactivement comme un ensemble de principes coutumiers intouchables et imprescriptibles : la règle de succession par ordre de primogéniture mâle, la foi catholique du souverain, le respect de la liberté et de la propriété des sujets, l'inaliénabilité du domaine royal. Au-dessus des lois, mais soumis à des lois, le roi de France n'est pas un tyran : la monarchie française, État de droit, ne doit pas être confondue avec le despotisme, qui est le pouvoir sans frein d'un maître. Reste que le despotisme est la tentation de la monarchie, comme l'a expliqué Montesquieu : il suffit pour dégénérer que celle-ci méconnaisse le « dépôt des lois ».

Cette conception traditionnelle a-t-elle changé au XVIIIe siècle, à la tête de l'État ? Pas dans son fond. Elle s'est sensiblement infléchie, sous Louis XIV, dans le sens d'une divinisation du roi lui-même. A partir de l'idée de l'origine divine de son pouvoir, le Grand Roi a suscité ou laissé construire autour de sa personne un culte qui est le centre de la civilisation de Cour à Versailles. Il y entre bien d'autres éléments que la vieille doctrine monarchique, et cette divinisation du roi est d'ailleurs assez vite un facteur d'affaiblissement de la royauté, comme on le verra avec ses successeurs : ni Louis XV ni Louis XVI ne sauront porter comme leur illustre ancêtre le poids d'une charge devenue inséparable de leurs personnes privées. D'instrument d'acclamation cérémonielle, la Cour deviendra sous leurs règnes le champ des coteries malveillantes, encouragées par l'air du temps. Pourtant, l'idée d'un roi seul dépositaire de la souveraineté, conformément à une ancienne tradition, et la notion d'une monarchie à la fois absolue et coutumière ont incontestablement survécu, dans l'esprit du roi et de ses légistes, à la surenchère absolutiste. Témoin le fameux texte de Louis XV, lu en 1766 devant le Parlement de Paris, pour condamner les prétentions des hautes cours judiciaires du royaume à contrôler ou même à partager l'autorité royale : « Entreprendre d'ériger en principes des nouveautés si pernicieuses, c'est faire injure à la

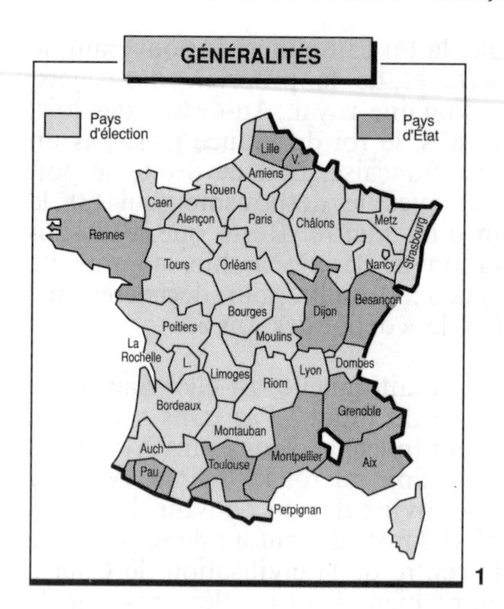
GÉNÉRALITÉS
Pays d'élection
Pays d'État
Lille
V.
Amiens
Rouen
Caen
Alençon
Paris
Châlons
Metz
Strasbourg
Rennes
Tours
Orléans
Nancy
Besançon
Dijon
Bourges
Poitiers
Moulins
La Rochelle
L.
Lyon
Dombes
Limoges
Riom
Bordeaux
Grenoble
Montauban
Auch
Montpellier
Aix
Toulouse
Pau
Perpignan
1

GOUVERNEMENTS
Flandre
Artois
Picardie
Lorraine
Normandie
Ile de France
Champagne
Alsace
Bretagne
Maine
Orléanais
Anjou
Touraine
Bourgogne
Franche-Comté
Nivernais
Poitou
Berry
Bourb.
Aunis
Saintonge-Angoumois
Marche
Limousin
Lyonnais
Auvergne
Guyenne et Gascogne
Dauphiné
Provence
Béarn
Languedoc
Foix
Roussillon
Corse
2

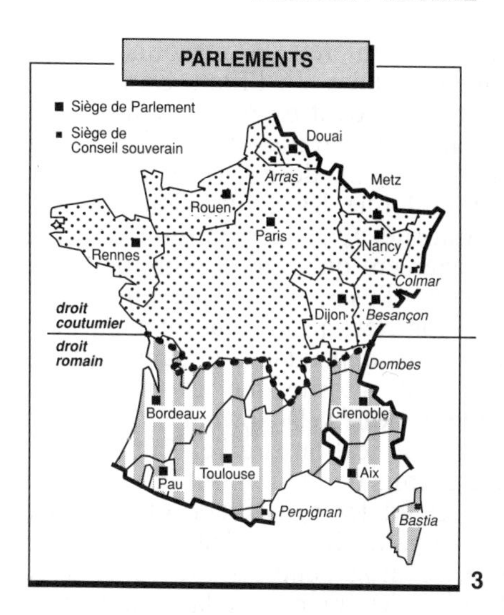
PARLEMENTS
Siège de Parlement
Siège de Conseil souverain
Douai
Arras
Metz
Rouen
Paris
Nancy
Rennes
Colmar
Dijon
Besançon
droit coutumier
droit romain
Dombes
Bordeaux
Grenoble
Toulouse
Aix
Pau
Perpignan
Bastia
3

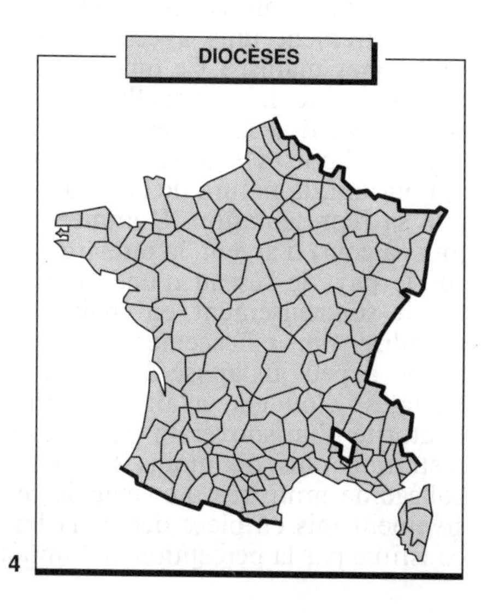
DIOCÈSES
4

magistrature, trahir ses intérêts et méconnaître les véritables lois fondamentales de l'État. Comme s'il était permis d'ignorer que c'est en ma personne seule que réside la puissance souveraine, dont le caractère propre est l'esprit de conseil, de justice et de raison. Que c'est de moi seul que les Cours tiennent leur existence et leur autorité. Que la plénitude de cette autorité, qu'elles n'exercent qu'en mon nom, demeure toujours en moi et que l'usage n'en peut jamais être tourné contre moi. Que c'est à moi seul qu'appartient le pouvoir législatif, sans dépendance et sans partage. Que c'est par ma seule autorité que les officiers de mes Cours procèdent non à la formation, mais à l'enregistrement, à la publication et à l'exécution de la loi, et qu'il leur est permis de me remontrer ce qui est du devoir de bons et fidèles conseillers. Que l'ordre public, tout entier, émane de moi. Que j'en suis le gardien suprême. Que mon peuple n'est qu'un avec moi et que les droits et les intérêts de la nation, dont on ose faire un corps séparé du monarque, sont nécessairement unis avec les miens et ne reposent qu'en mes mains. » Ce qu'ont écrit les conseillers du roi pour être lu solennellement dans cette fameuse séance dite de « la Flagellation », lequel des prédécesseurs de Louis XV ne l'eût pas fait sien ?

Pourtant, la nature de la royauté a changé plus vite que sa représentation. Dominée par les guerres, toujours à court d'argent, la monarchie n'a cessé d'étendre sur le pays le réseau d'une administration dont elle tenait soigneusement en main les fils, de façon à mobiliser plus efficacement hommes et richesses. Elle a peu à peu juxtaposé à la pyramide des vassalités féodales, d'où elle avait tiré son premier principe, l'autorité d'un souverain placé au centre d'une administration plus ou moins centralisée, coiffée par un collège de ministres. Le cœur de ce système, progressivement mis en place depuis la fin du XVe siècle, est constitué par la perception de l'impôt direct, organisée par le Contrôleur général des finances à l'aide des administrateurs préposés à cette tâche, chacun à l'intérieur de sa généralité : les intendants. Investi à l'origine d'une sorte de magistrature de justice, le roi est devenu le chef d'un gouvernement ; seigneur des seigneurs, il est aussi le patron d'une bureaucratie naissante. Les deux rôles, loin d'être incompatibles, se sont superposés ; mais le second caractérise l'absolutisme, et trouve son image classique au XVIIe siècle : Colbert en est le plus illustre symbole. Le meilleur spécialiste de la question, Michel Antoine[1], date le passage de l'État de justice à l'État de finances de 1661, au début du règne personnel de Louis XIV. Au moment précis où le roi constitue le centre de ce vaste théâtre de sa personne qu'est la Cour, il devient aussi le personnage le plus élevé de la grande machinerie abstraite de l'administration. Il règne encore sur son royaume comme détenteur de la *dignitas* immortelle qui a enveloppé ses ancêtres, mais déjà aussi comme sommet de l'État. La seconde partie de sa fonction mord d'autant plus facilement sur la première que l'absolutisme a tendance à fragiliser par le culte royal l'image traditionnelle de la royauté, alors qu'il enracine l'institution dans l'accomplissement de fonctions modernes.

Mais l'originalité principale de cette évolution tient à ses effets sur la société. Elle tend bien sûr, d'un côté, au nivellement d'un monde aristocratique hérité des temps féodaux. Car les grands commis de la monarchie, dont Colbert a été le symbole, n'ont cessé de s'irriter contre les obstacles opposés à l'administration royale par les privilèges des uns et des autres ; la logique de leur action vise à unifier leurs administrés comme autant d'individus également soumis aux mêmes lois, à la même réglementation et aux mêmes impôts. Il ne suffit pas que la monarchie ait peu à peu privé l'aristocratie de ses droits politiques, grignoté ses pouvoirs de justice, rendu inutile cette fonction de protection qui caractérisait les temps féodaux ; il ne suffit pas qu'elle ait réduit les plus grandes familles du royaume à mendier un regard du roi à Versailles ; encore faut-il qu'elle exerce sur tous les corps et les ordres du royaume, à commencer par la noblesse, l'action uniformisatrice inséparable dans son cas de la formation de la nation.

Mais d'un autre côté, dans le temps même où elle souhaite l'uniformité, la monarchie administrative multiplie les obstacles à cette uniformité : là se noue ce qui est sans doute sa contradiction principale. En effet, les rois de France n'ont pas construit et étendu leur pouvoir sur une société passive ; ils ont eu au contraire à en négocier chaque accroissement — et par exemple les fameux impôts « extraordinaires », désignés ainsi parce qu'ils sont nouveaux — avec un monde social organisé sur le principe aristocratique, en ordres et en corps hiérarchisés. Titulaire de fonctions inédites, assumant un rôle sans précédent, le roi reste aussi, selon la tradition, le plus haut seigneur de la pyramide féodale. Mais il a d'immenses besoins d'argent. Pour se donner les moyens de l'interminable guerre de suprématie qu'ils livrent aux Habsbourg, les Bourbons — et, avant eux, les Valois — ont fait argent de tout. Ils ont progressivement instauré une administration centralisée pour percevoir la taille, bientôt la capitation, et tenter d'accroître la richesse du royaume ; ils ont affermé à des fermiers généraux une panoplie d'impôts indirects. Mais l'impôt ne suffit pas à la tâche. La monarchie fait argent aussi des privilèges et « libertés » (les deux mots ont le même sens) du corps social.

Le privilège est fait des droits particuliers des corps, par rapport à la société dans son ensemble : franchise fiscale des bourgeois d'une ville, règles de cooptation d'une corporation, exemptions du droit commun que confère la propriété d'un office, avantages attachés à la qualité de noble... Les origines en sont multiples. Si certaines se perdent dans la nuit des temps, la plupart ne sont pas si anciennes : l'État monarchique a généralement renégocié les modalités des privilèges anciens, ou inventé et remodelé sans arrêt les termes des « libertés » récentes. Le mécanisme est simple. Pressée par ses besoins d'argent, la monarchie émet un emprunt par l'intermédiaire d'un ou plusieurs corps du royaume : l'ordre du clergé, ou l'Hôtel de Ville, ou la Compagnie des secrétaires du roi. Le corps en question, s'il ne dispose pas de tout l'argent nécessaire, doit le trouver en le gageant sur ses biens, constitués avant tout par la valeur marchande des avantages exclusifs dont il jouit, définis par l'« office » possédé par chacun de ses membres. En contrepartie, le roi garantit à nouveau ces privilèges, au besoin les étend, quitte à en menacer à nouveau le principe, dix ou vingt ans après, pour se procurer à nouveau de l'argent frais grâce à une renégociation des avantages consentis. L'ensemble de la société à ordres (qu'on peut aussi appeler société aristocratique) joue ainsi pour le pouvoir le rôle d'une vaste banque, en l'absence d'une Banque d'État (seuls les Anglais en ont une depuis le tout début du XVIIIe siècle) ; mais elle s'en trouve profondément transformée.

La monarchie a vendu une portion de la puissance publique, incluse dans une bonne part de ces offices — ceux qui comportent par exemple l'exercice de la justice. L'institution est ancienne, mais la propriété héréditaire d'une charge publique ne date que du XVIIe siècle, et dès lors les ventes de ces offices ont proliféré, rythmées par les besoins d'argent du roi, à partir de la guerre de Trente Ans. Certains d'entre eux, les plus élevés et par conséquent les plus chers, ouvrent l'accès à la noblesse, avec des modalités variables selon les prix, en une ou plusieurs générations. A côté de l'intendant, fonctionnaire nommé et révocable, les rois ont ainsi constitué un corps de serviteurs de l'État propriétaires de leurs charges. Arme à double tranchant, car si la vente massive d'offices permet à la fois de faire rentrer dans les caisses l'argent de ceux qui en ont gagné — avant tout les roturiers riches — et de lier ainsi au sort de l'État le nouveau et puissant groupe des officiers, dominé par les parlements, elle présente aussi un double inconvénient. D'abord tous ces officiers jouissent de l'indépendance que donne la propriété, même s'ils ont de temps en temps à en renégocier le prix avec le roi : n'étant pas révocables, ils peuvent, le jour venu, résister au monarque — notamment à l'aide du droit de « remontrances » qu'ont les parlements au moment d'enregistrer un édit royal qui ne leur convient pas. Ensuite et surtout, sur un autre plan, l'anoblissement par l'argent introduit dans la société aristocratique un principe qui lui est aussi étranger que l'entrée dans la noblesse, par la volonté du roi, des grands commis de l'État administratif : si la noblesse dépend des hasards de la fortune ou de la volonté du roi, qu'est-elle, que peut-elle être ? De cette question à l'intérieur du deuxième ordre du royaume il n'y a pas meilleur observateur, à la fin du règne de Louis XIV, que le duc de Saint-Simon. La noblesse française a cessé d'être une sorte de gentry à l'anglaise, ouverte en bas aux nouveaux venus par l'usage, pour peu qu'ils aient fait l'acquisition d'une seigneurie. En amont, ses membres doivent franchir une frontière juridique, tenue par la monarchie administrative, pour être acceptés comme tels. En aval, ils sont soumis ensuite à la règle de dérogeance, qui les exclut de la plupart des professions. Bref, la noblesse est un corps défini par l'État qui en tient registre, et par un ensemble de privilèges, honorifiques et réels, dont les premiers ne sont pas les moins convoités, puisqu'ils donnent le droit d'entrée au théâtre de la différence sociale.

La monarchie administrative est donc un compromis instable entre la construction d'un État moderne et une société aristocratique remodelée par cet État. D'une part elle ne cesse de subvertir sournoisement le tissu social traditionnel en égalisant les rangs par la soumission générale à son autorité unique et en disloquant les hiérarchies de la naissance et de la tradition, désormais réduites à la jouissance d'exemptions ou de distinctions. D'autre part, elle « castifie » la société à ordres en la monnayant, pesant chaque privilège à son meilleur prix et faisant de l'esprit de corps une passion de la séparation. Au sommet de l'édifice, elle seule dit qui est noble et qui ne l'est pas : tout candidat ou tout catéchumène doit oublier d'où il est venu, abandonner toute activité industrielle ou commerciale, pour n'être qu'un privilégié, figurant comme tel sur les registres séparés de l'administration fiscale, avant d'espérer un jour, pour sa famille, l'attention des généalogistes du roi. Cette évolution est probablement essentielle dans la formation de ce que l'on pourrait appeler « l'esprit national » : même après la Révolution et l'égalité, Bonaparte fera de ce qu'il nomme, avant Stendhal, la « vanité » des Français, un des ressorts de sa domination. L'exemple est venu de la noblesse d'Ancien Régime, définie par ce qui la sépare du corps social, acceptant comme son essence ce dont 1789 fera son principe d'exclusion. Pour comprendre comment la monarchie française a déraciné cette noblesse de la nation avant que la Révolution ne l'en chasse, il faut lire l'admirable chapitre IX du livre II de *L'Ancien Régime* de Tocqueville, peut-être le plus profond de ce livre profond : tout s'y trouve.

De ce système mêlé de monarchie absolue et de société aristocratique, le XVIIIe siècle a aggravé les tensions. La mort de Louis XIV, en 1715, après un règne interminable, a restitué de l'indépendance à la société. Le Régent a favorisé le mouvement. Aucun des successeurs du Grand Roi n'est plus en situation de contrôler même la Cour, pour ne rien dire de la Ville. Tout conspire à les affaiblir : le mouvement des idées, la croissance des richesses, l'émergence d'une opinion publique. Pourtant, la vieille monarchie française, à la fois très ancienne et très nouvelle, celle des Valois et celle des Bourbons, reste longtemps le centre d'une incomparable civilisation.

Elle n'est plus, comme au siècle précédent, cet instrument précaire de la mobilisation des ressources nationales pour mener une guerre presque permanente aux Habsbourg ; elle hérite des progrès accomplis sous Louis XIV, non des contraintes que celui-ci avait subies ou voulues. Ses bureaux sont animés par une petite armée de commis et de techniciens, souvent formés, à partir de la deuxième moitié du siècle, dans des écoles spéciales créées à cet effet, comme les Ponts et Chaussées et les Mines. En même temps s'est élaborée la spécificité des règles administratives, à travers l'idée de privilège appliquée à l'État et à ses serviteurs : renversement significatif qui étend le particularisme du droit des personnes à l'ensemble de la machine de l'État pour émanciper les fonctionnaires du roi au nom de l'intérêt public. Les matières administratives reçoivent leurs règles propres, sanctionnées par leurs propres juridictions, couronnées par le Conseil du roi. L'État moderne se met en place.

L'esprit du siècle aidant, il a plus de soins et d'argent à consacrer aux grandes tâches de la modernité, l'urbanisme, la santé publique, le développement agricole et commercial, l'unification du marché, l'instruction. L'intendant est désormais bien en place, ayant le pas sur les autorités traditionnelles, et la main à tout. Il est au centre d'un vaste effort de connaissance et de réforme administrative, multipliant les enquêtes économiques et démographiques, rationalisant son action à l'aide des premières statistiques sociales de notre histoire menées à l'échelon national. Il arrache au clergé et à la noblesse presque tout ce qui leur reste de fonctions d'encadrement local ; même l'enseignement élémentaire, vieille chasse gardée de l'Église, passe de plus en plus sous sa coupe et menace de se développer d'une manière qui inquiète bien des « philosophes », soucieux de ne pas voir les travaux de la campagne désertés par tous ces futurs Français instruits. Loin d'être réactionnaire, ou prisonnier d'intérêts égoïstes, l'État monarchique du XVIIIe siècle est un des principaux agents du changement et du progrès — un chantier permanent de la réforme « éclairée ».

Mais il reste en même temps lié au compromis social élaboré durant les siècles précédents, et d'autant plus incapable de toucher à la société à ordres qu'il en détruit plus complètement l'esprit par son action. Cette société se défait sous la pression conjuguée du mieux-être économique, de la multiplication des initiatives et des désirs individuels, de la diffusion de la culture. L'argent et le mérite butent contre la « naissance » : ils trouvent, sur leur chemin, l'État garant des privilèges. Par l'anoblissement, par la vénalité des offices les plus convoités, cet État continue à intégrer dans le deuxième ordre du royaume les roturiers qui l'ont le mieux servi — ceux surtout qui ont gagné le plus d'argent, souvent à son service (dans les offices de finances par exemple) — mais ce faisant, il expose dangereusement son autorité. En effet, la « vieille » noblesse (non seulement celle du Moyen Age, relativement rare, mais aussi celle qui date du XVIe et du XVIIe siècle), souvent moins riche que les anoblis récents, en éprouve du ressentiment et insiste pour reporter en amont la vraie distinction à ces fameux « quatre degrés » (c'est-à-dire quatre générations de noblesse) qui définissaient le vrai « sang bleu ». Quant à la nouvelle noblesse, elle agit comme tous les nouveaux venus dans ce type de système : à peine la barrière étroite franchie, elle ne songe qu'à la fermer derrière elle, car la multiplication des bénéficiaires dévaluerait ce qu'elle vient d'acquérir. De là cette manie française du « rang » qui se répercute du haut en bas de la société, et où se trouve sans doute, par réaction, une des grandes sources de l'égalitarisme révolutionnaire. Sous l'Ancien Régime, l'État devient inséparable de ce nœud de passions et d'intérêts, puisque c'est lui qui distribue les rangs, bien trop parcimonieusement pour une société en expansion. Il ne réussit qu'à aliéner « sa » noblesse, sans jamais avoir les moyens d'organiser une classe dirigeante à l'anglaise.

De cette crise de la noblesse française, au XVIIIe siècle, tout témoigne, mais pas dans le sens où on l'entend habituellement. Car la noblesse n'est pas un groupe — ou une classe — en décadence. Jamais elle n'a été aussi brillante : jamais civilisation n'a été aussi « aristocratique », marquée à ce point par l'adaptation des grandes manières de la Cour à la conversation des salons, que la civilisation de l'âge des Lumières. Adossée à une importante propriété foncière (mais infiniment moindre que celle de la gentry anglaise), associée souvent aux grandes affaires du commerce, possédant des intérêts dans la gestion des finances du roi, la noblesse riche porte la prospérité de l'époque. Mais la noblesse en tant qu'ordre ne parvient jamais à ajuster ses rapports avec l'État. Avec ses pouvoirs traditionnels, elle a perdu l'essentiel de sa raison d'être, et n'arrive pas à redéfinir sa vocation politique dans le cadre de la monarchie administrative. Depuis la mort de Louis XIV, elle s'est trouvée grosse de trois destins virtuels : devenir une noblesse « polonaise », hostile à l'État, nostalgique de ses juridictions anciennes, prête à la reconquête d'un âge d'or ; ou une noblesse « prussienne », associée à un despotisme éclairé, classe de service administratif et militaire liée à une vaste propriété foncière, colonne vertébrale de l'État national ; ou enfin une noblesse « anglaise », contrôlant dans une Chambre des Lords, mais avec les Communes, une monarchie constitutionnelle, aristocratie parlementaire d'une classe politique plus vaste où l'argent donne un libre accès.

Or la noblesse française n'a épousé aucune de ces voies ; l'État ne lui en a ouvert aucune. La première était sans espoir, rêve passéiste d'une identité perdue ; elle a nourri en France un certain anarchisme nobiliaire, jamais une politique. La seconde était peu compatible avec une société civile riche et développée, une noblesse qui ne possède que le quart de la terre et constituée d'officiers propriétaires de leurs charges. Il est significatif qu'elle ait eu souvent pour avocats de petits nobles pauvres — ceux-là mêmes en faveur desquels la monarchie a esquissé un traitement préférentiel dans l'armée, avec l'ouverture des écoles militaires spécialisées (1776). Mais il suffit de voir le tollé suscité en 1781 par l'ordonnance de Ségur, réservant les grades d'officiers dans certains corps militaires aux jeunes nobles titulaires de quatre degrés de noblesse, pour mesurer l'inadaptation d'une solution « prussienne » à la situation française. Quant à la voie anglaise, elle est tout simplement incompatible avec le principe même de la monarchie absolue, puisqu'elle suppose un partage de souveraineté. D'ailleurs, les lieux où l'idée s'élabore plus ou moins, comme les parlements, sont aussi ceux où l'on défend ardemment la société aristocratique à la française, fondée sur le privilège. Or une noblesse à l'anglaise suppose au moins la fin des exemptions fiscales ; c'est un minimum requis pour la constitution d'une classe dominante assise sur la richesse et la condition de cette monarchie des propriétaires souhaitée de côtés si différents — Turgot et Necker pour une fois ensemble.

Là se noue la crise à la fois sociale et politique du XVIIIe siècle français, où trouve sa source une partie de la Révolution et de ses prolongements au XIXe siècle. Ni le roi de France ni la noblesse ne proposent de politique qui puisse rassembler État et société dirigeante autour d'un minimum de consensus : l'action royale oscille de ce fait entre despotisme et capitulation. Notamment sur la question cruciale de l'impôt, qui soulève tous les intérêts et toutes les passions : la place de chacun dans la société, et l'idée que chacun s'en fait, sont à la fois en jeu. Mais si l'État ne peut montrer la voie, incapable de briser ces mille liens par lesquels il s'est ligoté à la société des corps, la noblesse ne le peut guère plus, qui a perdu son identité avec son autonomie sociale. Elle n'a qu'un principe de réunification : la défense des privilèges au nom d'une personnalité collective dont elle a perdu le secret, et dont elle ne peut ranimer autrement le souvenir ou la légende.

Ainsi, Louis XIV avait pu maîtriser le processus de promotion et d'unification des élites à l'intérieur d'une société à ordres, pour en faire une des arches de la construction de l'État. Louis XV, déjà, n'y arrive plus, et Louis XVI moins encore. Ils sont constamment tiraillés entre les exigences de l'État administratif et leur solidarité avec la société aristocratique. Cette fidélité, ils ne la portent pas seulement dans leur sang, comme les descendants de la plus illustre famille de la noblesse française, qui règne depuis tant de siècles sur le royaume : ils l'ont mêlée à quelque chose de plus moderne, qui tient à la fois du sentiment et de la nécessité — car la société aristocratique du XVIIIe siècle est largement l'œuvre des Bourbons, depuis la fin du XVIe. Puisque ceux-ci ont construit l'État moderne en vendant des offices, des privilèges, des statuts et des rangs, comment leurs descendants pourraient-ils renier la parole de leurs prédécesseurs ? D'ailleurs, comment pourraient-ils se passer matériellement de privilèges, qui constituent les ressources du royaume ? C'est par exemple tout l'enjeu de la réforme tentée par le Chancelier Maupeou en 1771, dans les dernières années de Louis XV : le roi peut-il renier ce qu'il a garanti, au nom de l'autorité de l'État ?

Ainsi les rois de France passent-ils leur temps à céder tantôt aux uns, tantôt aux autres, à osciller entre les clans et les coteries de Cour, les philosophes et les dévots, les jansénistes et les jésuites, les physiocrates et les mercantilistes. Essayant plusieurs politiques, sans jamais les conduire jusqu'au bout. Soutenant Machault, puis Choiseul ; Maupeou, puis Turgot. Chaque fois, l'action de l'État suscite l'hostilité d'une partie des groupes dirigeants sans les souder jamais, soit en faveur d'un despotisme éclairé à la Maupeou, soit pour un réformisme libéral à la Turgot. Ces élites du XVIIIe siècle sont inséparablement proches du pouvoir et révoltées contre lui. En réalité, elles règlent leurs conflits internes au détriment de l'absolutisme. Même la crise de 1789 sera impuissante à refaire leur unité, sauf dans l'imagination des idéologues du Tiers État : ni le déclenchement de la Révolution, à travers ce que les historiens appellent « la révolte aristocratique », ni le comportement révolutionnaire de maints députés nobles à la Constituante, ni l'œuvre même de la Constituante ne sont intelligibles sans référence à cette crise entre la monarchie et la noblesse au XVIIIe siècle. Si la Révolution française — comme toutes les révolutions — rencontre à ses débuts des résistances aussi faiblement coordonnées, c'est que l'Ancien Régime politique est mort avant d'avoir été abattu. Mort de sa solitude, mort de ne plus trouver aucun appui politique dans « sa noblesse », alors que celle-ci est plus que jamais au centre de sa vision de la société.

Si tel est l'ordre des choses dans le gouvernement du royaume, que dire alors de l'ordre intellectuel ! Cette société que la monarchie a morcelée, la culture du siècle l'unifie : l'opinion publique est éclose dans le crépuscule de la Cour et dans la naissance d'un formidable pouvoir, qui va durer jusqu'au suffrage universel, la toute-puissance de Paris. La noblesse de Versailles et de la capitale lit les mêmes livres que la bourgeoisie cultivée, discute Descartes et Newton, pleure sur les malheurs de Manon Lescaut, fête les *Lettres philosophiques*, l'*Encyclopédie*, ou *La Nouvelle Héloïse*. La monarchie, les ordres, les corps ont séparé les élites en les isolant dans des bastions rivaux. Les idées en forment au contraire l'intersection, qui a ses lieux privilégiés : les salons, les académies, les loges franc-maçonnes, les sociétés, les cafés et les théâtres ont tissé une communauté des Lumières qui mêle la naissance, l'argent et le talent, et dont les rois sont les écrivains. Mélange instable et séduisant de l'intelligence et du rang, de l'esprit et du snobisme, ce monde est capable de critiquer tout, y compris et surtout lui-même ; il préside sans le savoir à un formidable remaniement des idées et des valeurs. Comme par hasard, la noblesse anoblie, robe et surtout finance, y joue un rôle essentiel. Elle jette un pont entre le monde d'où elle sort et celui où elle est parvenue : témoignage supplémentaire de l'importance stratégique de cette zone charnière de la société, cherchant à tâtons, avec cette ironie un peu masochiste qui accompagne le double sentiment de son étrangeté et de sa réussite, quelque chose qui ne ressemble ni au monde d'où elle vient, ni à celui où elle est parvenue.

Le nouveau royaume des idées est le laboratoire où va se forger la notion d'« ancien régime », sans qu'il la formule comme telle avant la Révolution. Ce qui le caractérise dans le domaine politique, pour ne rien dire de son éclat philosophique et littéraire, est en effet l'ampleur et la force de la condamnation portée sur le présent — y compris l'Église et la religion. Il y a un côté violemment anticlérical et anticatholique dans la philosophie française des Lumières, qui n'a pas d'équivalent dans la pensée européenne. Par exemple Voltaire et Hume : Voltaire n'est probablement pas, des deux, le plus irréligieux, lui qui est déiste, et tient au moins la religion pour indispensable à l'ordre social. Mais si Hume discrédite les preuves rationnelles de l'existence de Dieu, y compris celle par les causes finales si chère à Voltaire, il n'y a dans son discours philosophique rien de l'agressivité antireligieuse qu'on trouve chez l'homme de Ferney. Il vit en paix avec la diversité des Églises protestantes, alors que le Français fait la guerre à l'Église catholique. La France a eu ses guerres de Religion, mais pas de Réforme victorieuse. Au contraire, l'absolutisme a déraciné le calvinisme par la force nue : la Révocation de l'édit de Nantes (1685) consacre le roi de France dans son rôle de protecteur de l'Église catholique, et l'Église comme indissolublement unie au roi. On a peu étudié le mouvement français des Lumières sous le rapport de ce qu'il doit à ce tout récent passé. Pourtant, dans cette France ramenée au catholicisme par l'intolérance religieuse et le pouvoir royal, l'Église et la monarchie absolue constituaient ensemble une cible presque naturelle aux attaques d'une « philosophie » d'autant plus radicale qu'elle n'était pas adossée, comme en Angleterre, à une révolution religieuse préalable.

D'ailleurs, cette révolution religieuse indépendante s'est cherchée encore, à l'intérieur du catholicisme cette fois, sous la forme du jansénisme : nouvelle surenchère sur le miracle de la Grâce divine dans un monde livré au péché. Mais ce jansénisme de solitaires livrés à la méditation sur la Grâce a probablement contribué à l'isolement de l'Église dans l'ancienne société française ; il a trop insisté sur la difficulté de l'ascèse indispensable au pécheur qui veut recevoir les sacrements, et porté une condamnation trop vive sur tant de ministres de la religion, jésuites en tête. D'ailleurs, le mouvement janséniste lui-même est, au XVIIIe siècle, happé par la politique et subordonné à elle, devenu gallican et parlementaire, drapeau qui unit petit peuple et grands juges contre l'Église et bien souvent contre le roi, au nom des droits de la nation. La mutation de ce protestantisme tardif, à la française, en mouvement des libertés nationales, en dit long sur la sécularisation de l'esprit public. Au XVIe siècle, la politique avait été tout enveloppée de religion ; au XVIIIe, même les courants d'opinion qui ont une origine religieuse sont absorbés par le débat sur la Cité, contre l'absolutisme du roi et l'Église son alliée. Il est certainement vrai que la Révolution, à la fin du siècle, n'a pas cherché délibérément le conflit avec l'Église catholique ; mais bien des éléments de la culture du siècle l'y portaient cependant, et elle y est entrée comme naturellement, sans pourtant l'avoir décidé ni en avoir mesuré la portée.

Avec l'Église, l'autre grand accusé est la monarchie absolue, incapable de comparaître au tribunal de la raison. Non pas la monarchie en soi, car personne n'imagine de République dans un grand pays, mais cette monarchie-là, encombrée de préjugés « gothiques », distributrice de privilèges arbitraires, régnant sur un royaume plein de vestiges de la féodalité. Il importe peu que la France soit dans la réalité le pays d'Europe le moins féodal, du fait de l'action même de l'État administratif, dès lors que c'est aussi le pays où la critique de la Cité par la raison est la plus systématique : du coup, ce qui reste de la féodalité — les droits seigneuriaux par exemple, ou les derniers serfs du royaume — est perçu comme d'autant plus oppressif qu'il est précisément résiduel. Et des traits postérieurs à la féodalité — les privilèges octroyés par le roi en échange d'argent prêté, la structure corporative de la société, la noblesse largement déracinée de la terre et définie par l'État, par exemple — sont inclus dans la condamnation globale de ce monstre historique : non seulement une « monarchie féodale » (les deux caractères, déjà, ne sont pas faciles à penser ensemble) mais, au surplus, un « despotisme administratif ». Le caractère incohérent de la définition a au moins le mérite de mettre en valeur la nature de l'accusation. La royauté, trop moderne pour ce qu'elle a conservé et reconstruit de traditionnel, trop traditionnelle pour ce qu'elle a déjà d'une administration moderne, tend à se constituer elle-même en bouc émissaire d'une société de plus en plus indépendante, et pourtant toujours ligotée au pouvoir, privée de droits et de représentation politiques, en train de penser son autonomie en termes de gouvernement de la raison.

Car cette royauté réaffirme son image de toujours, ou son mystère : l'incarnation de la nation par le roi. En 1766 par exemple, dans cette fameuse « séance de la flagellation » citée plus haut, Louis XV est apparu au Parlement pour disqualifier ce qui s'appelle déjà « l'opinion » : il signifie que la discussion publique n'a lieu qu'à l'intérieur du corps de la monarchie, qu'il figure par sa personne, fabriquant seul de l'unité avec le patchwork des particularismes. Or, dans les faits, la monarchie a perdu son autorité sur l'opinion : elle n'obtient plus le consentement, n'impose plus son arbitrage sur les questions brûlantes de l'heure — la lutte des jansénistes et des parlements avec l'Église, la réforme fiscale, la querelle du commerce des grains. Surtout, Paris multiplie les pamphlets et les débats, dominés par les gens de plume, orchestrés par les salons et les cafés. La centralisation opérée par l'administration monarchique a son cœur bureaucratique à Versailles, auprès du roi, mais elle a également fait de Paris le foyer unique de la discussion publique. Faute d'un système de représentation enraciné dans les provinces, elle a centralisé l'opposition à côté des bureaux de Versailles, à Paris ; faute d'associer les élites au gouvernement du royaume, elle a constitué la vie littéraire de la capitale en forum de la réforme de l'État. D'ailleurs, la Couronne suit le mouvement : elle aussi achète des défenseurs, paie des plumes, finance des pamphlets, défend sa cause devant ce nouveau tribunal.

Le terme le plus important déjà de ce monde, dès le milieu du siècle, et plus encore dans les dernières années du règne de Louis XV, est celui d'« opinion ».

La dérive sémantique du mot est significative. A partir de la définition classique qu'en donne encore l'*Encyclopédie* (l'opinion, la *doxa* grecque, opposée à la vraie connaissance), le substantif en vient à désigner généralement, dix ou vingt ans plus tard, quelque chose de très différent : un contrepoids au despotisme, élaboré par les gens de lettres. L'« opinion » est produite plus généralement par l'activité de la société, son développement, sa richesse croissante, ses « lumières » : thème constant dans cette France de fin de siècle, et qui reçoit son élaboration systématique de l'autre côté de la Manche, chez les économistes et les philosophes écossais. Elle constitue un tribunal public, par opposition au secret du roi ; universel, par contraste avec le particularisme des lois « féodales » ; objectif, au contraire de l'arbitraire monarchique : bref, une Cour d'appel de la raison, jugeant de toutes les matières de l'État, au nom d'une figure unique de l'intérêt public. C'est le moyen d'en terminer avec la société des ordres et des corps sans tomber dans le désordre des intérêts particuliers et des factions. Bien avant la Révolution, cette idée transfère les caractères de la souveraineté royale à une nouvelle instance, unique elle aussi, et qui reste d'ailleurs calquée sur l'idée monarchique. Il n'est que de former sur les ruines de la monarchie féodale une monarchie de la raison. C'est dans ce transfert qu'une révolution est en cours.

Pourtant, dans les quatre dernières années de sa vie, entre 1770 et 1774, Louis XV a engagé à soixante ans la bataille décisive de son règne, et probablement du dernier siècle monarchique. Il a voulu briser les parlements, ressaisir l'initiative et son autorité, refaire l'unité de la nation autour du trône. L'affaire s'est nouée en janvier 1771, par l'intermédiaire de Maupeou — un doctrinaire de l'autorité royale. Fils d'un Chancelier qui fut président au Parlement de Paris, premier président lui-même jusqu'en 1768, ce nouveau Chancelier a la clairvoyance et l'acharnement des transfuges. Ce petit homme savant et travailleur a fait de sa fonction une passion. Pour briser les prétentions parlementaires à contrôler le pouvoir royal sous le prétexte du droit de remontrance, Maupeou a défendu aux parlements de correspondre entre eux et de faire la grève de la justice. Résultat : refus d'enregistrement, lit de justice, nouvelles remontrances. En janvier 1771, c'est l'épreuve de force : cent trente parlementaires parisiens sont exilés, et toute la grande robe se met alors en grève. Maupeou riposte en février par la réorganisation générale de la justice : cinq conseils supérieurs sont désormais chargés de toutes les matières civiles et criminelles dans l'immense juridiction du Parlement de Paris, le parlement étant confiné à son droit d'enregistrement et de remontrance. Surtout, innovations capitales, la vénalité des offices et celle de la justice sont abolies. Les nouveaux magistrats, nommés à vie par le roi, seront appointés par la couronne. Non sans peine, Maupeou trouve et installe ses nouveaux juges, ses nouvelles chambres.

C'est plus qu'une réforme. C'est une révolution sociale : il s'agit de l'expropriation d'un ordre, habitué depuis plusieurs siècles à se transmettre de père en fils la charge familiale. En ce sens, toute la noblesse est frappée, et avec elle toute la société des corps.

Elle ne riposte pas seulement au nom de ses intérêts et dans la solitude de l'égoïsme. Elle enveloppe au contraire la défense de ses propriétés dans celle des libertés du royaume. La Cour des aides l'a parfaitement exprimé, dès le 18 février, dans des remontrances rédigées par son premier président, Malesherbes : « Notre silence nous ferait accuser par toute la nation de trahison et de lâcheté. Les droits de cette nation sont les seuls que nous réclamons aujourd'hui... Les cours sont aujourd'hui les seuls protecteurs des faibles et des malheureux ; il n'existe plus, depuis longtemps, d'états généraux, et, dans la plus grande partie du royaume d'états provinciaux ; tous les corps, excepté les cours, sont réduits à une obéissance muette et passive. Aucun particulier dans les provinces n'oserait s'exposer à la vengeance d'un commandant, d'un commissaire du conseil, et encore moins à celle d'un ministre de Votre Majesté. » Et voici le trait final : « Interrogez, Sire, la nation elle-même puisqu'il n'y a plus qu'elle qui puisse être écoutée de Votre Majesté. »

Ce beau texte marque une date. La revendication parlementaire s'est élargie jusqu'à l'appel national. Bien sûr, ce recours est encore celui de la tradition : les États Généraux. Mais la tradition enveloppe ici l'avenir avec le passé, le réformisme des philosophes avec la société des corps intermédiaires : un homme comme Malesherbes n'y perçoit aucune contradiction, puisque c'est la restauration du passé qui est pensée comme la condition nécessaire de l'avenir. Cette donnée profonde de la conscience collective explique, autant que les intermittences royales, la popularité des parlements. Malgré Voltaire, qui continue contre eux — et aux côtés du parti dévot ! — sa guerre de libelles, l'opinion publique voit dans les récents vainqueurs des jésuites ses indispensables défenseurs. Les petits offices se rassemblent derrière les grands, la basoche derrière les magistrats, tous les corps et toutes les autonomies locales et provinciales derrière les privilèges les plus solides. Contre l'arbitraire d'un seul, la démocratie se mobilise derrière l'oligarchie, le peuple derrière la noblesse : c'est la tradition du siècle et sa dynamique politique.

Le roi n'a qu'un moyen, toujours le même, pour dissocier ce courant de plus en plus puissant : prendre l'initiative des réformes, particulièrement sur le plan financier et fiscal. Il le peut d'autant plus que, dans les années 1770-1774, la couronne vient de s'affranchir du greffe en brisant les parlements, et qu'il a théoriquement le champ libre.

Le Contrôleur des finances est un ancien conseiller clerc au parlement, l'abbé Terray. Sans doctrine particulière, mais intelligent et rapide, il est de la race de ces financiers empiristes qui se méfient de l'innovation abstraite et s'enferment dans l'équilibre budgétaire. Sa gestion est à la fois efficace et impopulaire, financièrement saine et politiquement déplorable. Quand il entre en fonction en 1769, il trouve un déficit budgétaire de 100 millions, une dette exigible de plus de 400 millions et tous les revenus de 1770 consommés par anticipation, sans un sou en caisse. A sa sortie de charge, en 1774, le déficit budgétaire est ramené de 100 à 30 millions, et les dettes de l'État sont réduites de 20 millions. Mais ces chiffres forment le bilan de l'historien, non celui des contemporains.

Car la création par Terray de recettes supplémentaires a emprunté les voies les plus classiques : d'une part, la spoliation des créanciers de l'État ; de l'autre, l'augmentation de la fiscalité, notamment indirecte. Ce sont la diminution des pensions, la réduction des rentes sur l'État, la suspension de certains paiements comme les « billets des fermes » dus à des prêteurs capitalistes. Ce sont aussi de nouvelles taxes sur la consommation. C'est encore la prorogation du second vingtième, justifiée d'ailleurs par cette indication lucide : « Nous ne doutons pas que nos sujets... ne supportent les charges avec le zèle dont ils ont donné des preuves en tant d'occasions, et nous y comptons d'autant plus que le prix des denrées, une des causes d'augmentation de nos dépenses, a en même temps bonifié le produit des fonds de terre dans une proportion supérieure à celle de l'accroissement des impositions. »

L'incontestable réussite technique de la gestion Terray — qui se mesure d'ailleurs au succès croissant des emprunts monarchiques — a sans doute fait gagner du temps à la monarchie. Mais elle s'accompagne aussi, à plus long terme, d'un double échec politique. Elle dresse d'abord contre le roi et son ministre non seulement le monde de l'agiotage capitaliste, mais aussi tout le peuple des rentiers. Surtout, plus profondément, elle marque les limites étroites d'un réformisme monarchique : Terray cherche une meilleure productivité de l'impôt, mais sans pouvoir procéder à une révision générale de l'assiette fiscale, dont il a eu pourtant, comme les autres, l'idée. Bref, le caractère traditionnel du redressement financier opéré en 1771-1774 permet de préciser l'analyse du dernier et du plus grand ministère de Louis XV : le régime ne crée aucun contrepoids réformiste, ne lance aucune contre-offensive fiscale de nature à dissocier la coalition anti-absolutiste qu'a nouée la guerre faite aux Parlements. Pour reprendre la terminologie du temps, il s'agit moins d'une tentative de despotisme éclairé que de despotisme tout court. Louis XV vieillissant n'est pas devenu le roi de Voltaire. Il cherche en vain à ressusciter Louis XIV.

C'est dire, en ces années, sa solitude. Quand il meurt le 10 mai 1774, il est si perdu dans l'opinion qu'il faut l'enterrer de nuit, comme à la sauvette. Paris n'a pas prié pour le salut du roi. Michelet fixe à ce moment la mort de la monarchie en France.

Fils du dauphin mort en 1765, né lui-même en 1754, Louis XVI n'a pas encore vingt ans quand il reçoit la redoutable succession de son grand-père. Il ne peut parler avec les ministres qui ont vu Louis XV pendant sa dernière maladie et pourraient ainsi le contaminer. Or, il lui faut arbitrer très vite entre les deux clans de la Cour. D'un côté le parti dévot, qui souhaite la poursuite de la politique Maupeou, l'écrasement définitif des parlementaires, du jansénisme et des philosophes. Mesdames, filles de Louis XV et tantes du nouveau roi, se sentent fortes du départ précipité de Madame du Barry, et l'Église se prévaut de la moralité retrouvée. Mais il y a contre eux tout le parti « choiseuliste » : l'impatience de l'ancien ministre de Louis XV, disgracié en 1770, qui piaffe à Chanteloup depuis plus de quatre ans, son réseau d'amitiés nobiliaires et parlementaires, sa popularité intacte, enfin l'appui escompté de la nouvelle reine de France, dont Choiseul a fait le mariage.

Mais la reine reste prudente et le roi, déjà, choisit de ne pas choisir. Louis XVI rappelle auprès de lui un ancien secrétaire d'État à la Marine, disgracié depuis un quart de siècle, donc étranger aux luttes récentes : le comte de Maurepas, qui prend le titre de ministre d'État. Il va être beaucoup plus. Car il y a dans ce vieillard de soixante-treize ans, qui a attendu si longtemps dans l'exil, beaucoup d'ambition rentrée, beaucoup de savoir-faire et d'esprit, et cette sensualité du pouvoir qui couronne son existence sur le tard. Installé dans un appartement tout proche de celui du roi, Maurepas gouverne les premières années du règne.

Du triumvirat, d'Aiguillon part le premier, irrémédiablement compromis par l'amitié de Madame du Barry : Vergennes, qui doit tout à Maurepas, lui succède aux Affaires étrangères. Le mois suivant, remaniement secondaire : Turgot, intendant du Limousin, bien introduit auprès de Maurepas, est nommé à la Marine. Mais la grande question est celle des parlements et de la gestion financière, celle de Maupeou et Terray. Elle est tranchée le 24 août par le départ des deux ministres. Louis XVI donne les sceaux à Miromesnil, et fait passer Turgot au Contrôle général.

C'est le deuxième nom qui a marqué pour l'histoire le premier ministère du règne de Louis XVI. Et c'est dans une grande mesure justice car on peut écrire avec Edgar Faure que « le contrôle général des finances était la cause finale de Monsieur Turgot[2] ». Ce fils d'une dynastie d'officiers, d'abord destiné à l'Église, a eu presque l'obsession du service de l'État : dans sa vie de conseiller au Parlement, de maître des requêtes, puis d'intendant du Limousin, avant qu'il n'accède au

Contrôle général, il n'a eu qu'une passion — celle du bien public. Cette passion prend sa source dans des convictions intellectuelles très fortes : Turgot est un philosophe dans l'administration de l'État. Cette exception à la règle qui sépare, au XVIIIe siècle, les praticiens de la politique et les spécialistes des idées est un moment rare et fragile, où se joue, après Maupeou et sur un registre tout à fait différent, l'autre dernière chance de l'Ancien Régime : celle d'une monarchie à la fois libérale et rationnelle.

Le fond de la philosophie de Turgot est celui de l'école physiocratique, dont il est un des excellents esprits. Il y a un ordre naturel des sociétés, intelligible par la raison, et que par conséquent le devoir, la sagesse des gouvernements est de réaliser : type de pensée diamétralement opposée à l'idée, si souvent nourrie dans l'opposition parlementaire, qu'il y aurait, perdue dans la nuit des temps, une « Constitution » du royaume où reposeraient les droits originaires de la nation en face du roi. Turgot ne reconnaît pas d'autre autorité que celle de la raison, seule fondatrice d'un véritable ordre social. La société s'en trouve tout à fait autonome par rapport à son passé, l'idée de tradition vidée de tout contenu et l'État, au contraire, chargé d'incarner cette raison qui est en même temps l'intérêt public. L'absolutisme royal n'est absolu que dans le sens où il a pour fonction d'instaurer l'ordre naturel : une agriculture productive, une rente foncière en plein essor gérée par les propriétaires et animant dans la liberté des échanges tous les circuits de l'économie. La vieille notion de « lois fondamentales » est détournée de son sens originel pour signifier exactement le contraire : elle ne renvoie plus à l'histoire et à la tradition, mais à la raison, à la propriété, aux droits des propriétaires. En substituant l'idée de propriété à celle de privilège, la pensée physiocratique en général et Turgot en particulier mettent la protection des libertés dans le langage moderne de l'universel.

Le texte qui l'exprime avec la plus grande clarté est le fameux *Mémoire sur les municipalités*, rédigé pendant ces années du ministère Turgot, et sous son autorité, par son conseiller et ami Du Pont de Nemours, autre affidé de la physiocratie. Nous savons par Condorcet, qui est aussi dans l'entourage proche du nouveau Contrôleur général, et farouche partisan du ministère, que Du Pont a mis en forme une vieille idée de Turgot, à la fois fiscale et politique. Pour transformer l'assiette et la collecte de l'impôt, afin d'aider au développement de la productivité agraire et de l'économie, il s'agit de mettre en place un système d'assemblées représentatives de la société propriétaire, chargées d'élaborer la réforme, de veiller à son application et de se substituer, au moins pour une part, aux intendants du roi. Turgot, qui est plutôt disciple de Gournay que de la secte physiocratique *stricto sensu*, n'a jamais aimé l'idée du « despotisme légal », suivant laquelle le bon pouvoir monarchique ne peut être partagé, puisqu'il est supposé être l'instrument de l'évidence de la raison. Il a imaginé au contraire une pyramide d'assemblées élues, de la municipalité paroissiale à la « municipalité générale » du royaume, en passant par deux degrés intermédiaires. Dans ce dispositif à quatre étages, dont Du Pont a laissé la description, où chacun délègue au niveau supérieur, les électeurs sont les propriétaires, au prorata de la valeur de ce qu'ils possèdent : le « franc-citoyen » répond au critère de richesse qui permet d'obtenir un suffrage plein, le citoyen « fractionnaire » est celui qui est obligé de se grouper avec d'autres pour avoir la même unité de pouvoir électoral. Dans ces assemblées ne siègent donc que peu de membres, condition de leur fonctionnement rationnel ; elles seraient chargées, chacune à leur niveau, de la réforme et de l'administration fiscales. Turgot a bien en tête, pour un avenir dont il n'est pas maître, l'idée d'une seule contribution générale pour tous les revenus ; mais le mémoire de

Du Pont ne va pas jusque là et se borne à proposer une réforme de la taille destinée à soulager l'exploitation, en frappant seulement les propriétaires pour accroître la productivité des cultures.

L'aspect le plus original du projet tient à cette représentation de la société et à son auto-administration, sur la base de la propriété. La monarchie de Turgot selon la raison est aussi une monarchie en copropriété entre le roi et tous les possesseurs de biens-fonds. Il y a dans cette conception, en plus d'un diagnostic précis sur la crise entre État et société dont meurt l'Ancien Régime, un discours très moderne : ce qu'il s'agit de représenter, ce sont les intérêts de la société, et non pas, comme chez Rousseau par exemple, la volonté politique des associés. De ces intérêts, les parlements, ces cours de justice peuplées de juges qui ont acheté la noblesse en même temps que leur office, ne peuvent être dépositaires, puisqu'ils ont des privilèges à défendre : il faut donc imaginer des structures tout à fait neuves. Le projet permet de comprendre comment l'idée de la *tabula rasa*, qui va faire une si brillante carrière révolutionnaire, sort naturellement de l'Ancien Régime, fabriquée par lui.

Enfin, ces intérêts à représenter produisent de l'unité sociale, par la médiation de la raison : conception différente de celle de la « main invisible » d'Adam Smith, bien que le problème soit posé dans des termes comparables. La version française de la société libérale ne comporte pas ce miracle d'équilibre final qui fait de l'ordre avec du désordre. Elle suppose chez tous les acteurs, et d'abord dans l'État, la présence d'une contrainte extérieure et supérieure à la société — celle de la raison — conjurant l'anarchie d'une communauté définie en termes d'intérêts individuels. Les municipalités de Du Pont traitent à leur manière la question qui sera l'obsession de Condorcet : à quelles conditions obtenir une décision rationnelle d'une assemblée ? Dès ses origines, la pensée française de la représentation se prémunit contre la hantise de la dissolution sociale par le recours à la raison et à la science : oscillation qui ne cessera de la hanter et de la définir pendant un siècle, jusqu'à Guizot et Jules Ferry.

Voici donc à pied d'œuvre la première et la dernière équipe de philosophes montant pacifiquement à l'assaut de l'Ancien Régime, avec l'appui fragile d'un jeune roi. Si les idées sont révolutionnaires, l'instrument ne l'est pas. Condorcet, dans l'ombre du Contrôleur général, commence l'apprentissage du monde et du métier politiques, où il ne sera jamais bien à l'aise. La philosophie a enfin rencontré l'État.

Mais la promotion du 24 août 1774 indique d'emblée les limites de cette expérience politique et économique. Le nouveau garde des Sceaux, Miromesnil, ancien premier président du parlement de Rouen — un des plus turbulents du royaume —, a refusé de siéger, depuis 1771, au « Parlement Maupeou ». Le renvoi du Chancelier a d'ailleurs suscité un tel enthousiasme à Paris que ses conséquences sont comme évidentes : deux mois après, les parlements sont rappelés, l'hérédité et la vénalité des charges rétablies. Les « garanties » exigées en retour par le jeune roi — telles l'interdiction des démissions collectives et de l'interruption de la justice — sont si fragiles qu'elles font l'objet immédiat des plaintes de l'avocat général Séguier, dans la séance d'enregistrement des édits de rappel.

Turgot n'a pas eu de part directe à la décision. Mais il a donné son accord. Est-ce habileté tactique vis-à-vis du jeune souverain et de Maurepas, qui veulent plaire à l'opinion ? Est-ce l'influence de son ami Malesherbes ? Toujours est-il que ce nouveau Contrôleur a toujours été réticent devant le « despotisme légal » de ses amis physiocrates, pénétré du sentiment qu'il faut épouser l'opinion pour l'éduquer plutôt que se jeter à la traverse du courant. En réalité, comme l'en a prévenu Condorcet, il vient de donner la main à ceux qui seront parmi ses plus redoutables adversaires. Le prévoit-il ? Ce n'est pas sûr. Au moins peut-il considérer que la popularité du nouveau ministère lui laisse dans l'immédiat les mains libres.

Dans le domaine financier, rien n'est urgent. La succession de Terray, l'héritage d'une gestion à la fois efficace et impopulaire, constitue le meilleur des avènements. Par prudence, Turgot ajourne son vieux projet, mûri dans l'intendance de Limoges, d'améliorer l'assiette de la perception de la taille. Il ménage également la Cour : les seuls « retranchements » qu'il opère sur les dépenses de l'État visent les charges de perception fiscale et les bénéfices exorbitants de la ferme.

Mais tout n'est pas tactique dans cette lenteur. Turgot est moins un financier qu'un économiste. Il croit moins aux techniques budgétaires qu'à la croissance de la production. En bon physiocrate, il lie les plus-values fiscales à l'enrichissement du royaume, qui dépend lui-même de la priorité donnée à la politique céréalière. Il s'en est expliqué en 1770 dans ses *Lettres sur la liberté du commerce des grains* : les inégalités annuelles des quantités et des prix du blé ne peuvent être réduites que par la liberté du commerce. La hausse qui s'ensuivra sera celle, lente et progressive, d'un prix moyen, créatrice d'emplois et de salaires plus élevés ; le grand trend de la prospérité physiocratique remplacera les violentes contractions cycliques qui sèment périodiquement misère et famine.

Une première expérience libérale avait été tentée en 1763-1764. Sous l'influence de la conjoncture et des économistes, la liberté du commerce intérieur et, dans certaines limites, celle de l'exportation du blé avaient été autorisées. Mais la hausse continue qui avait alimenté l'euphorie des propriétaires et le « laisser-faire » des libéraux avait pris de telles proportions qu'elle avait offert aux « réglementaires » leur revanche.

C'est au nom du peuple malheureux, en 1770-1771, en plein maximum cyclique des prix, que Terray était revenu à l'interdiction d'exporter et à la politique traditionnelle d'approvisionnement frumentaire par l'État, pour peser sur les prix. Il avait rétabli à cet effet, non le régime ancien dans la circulation entre provinces, mais la réglementation complexe des marchés.

C'est cette réglementation que Turgot supprime par l'édit de septembre 1774, dont le beau préambule est une longue pédagogie libérale, qui résume l'argumentation des *Lettres*. Voltaire commente dans une lettre à d'Alembert : « Je viens de lire le chef-d'œuvre de M. Turgot. Il semble que voilà de nouveaux cieux et de nouvelles terres. » Mais déjà, l'accueil général n'est pas à l'unisson, et une phrase de Baudeau, l'abbé physiocrate, à propos de ce préambule, éclaire les événements à venir : « Les deux extrémités du peuple ne l'entendirent point, savoir : les gens de la Cour et du premier étage de la ville et ceux de la populace. J'ai remarqué depuis longtemps entre ces deux extrêmes une grande conformité de penchants et d'opinion. » La Cour : tout pas vers une économie libérale menace un monde de droits acquis. Le premier étage de la ville : les parlementaires sont hostiles aux innovations des économistes autant qu'à celles des philosophes. La « populace », enfin, vit dans la terreur séculaire du pain cher, qu'elle n'impute pas à la nature des choses mais à la méchanceté des hommes.

Le drame se noue au printemps suivant avec la conjoncture. De onze sous les quatre livres, prix de l'été et de l'hiver, le pain passe à quatorze sous : moins cher qu'au moment de la « pointe » Terray, mais plus relativement, puisque les stocks ont été épuisés par les chertés antérieures. Dans la deuxième quinzaine d'avril 1775 se développe autour de Paris une sorte d'émeute généralisée, qui culmine dans la capitale même les premiers jours de mai. Cet épisode, connu sous le nom de guerre des Farines, marque, dans la France moins pauvre du XVIIIe siècle, la permanence des vieilles émotions populaires mobilisées par la conjoncture. Les contemporains favorables à Turgot y ont vu la main d'un complot aristocratique ou clérical, dont nous n'avons aucune autre preuve que la convergence des intentions hostiles au ministre. Les historiens insistent aujourd'hui sur ce qui anticipe en 1775 la révolte rurale de juillet-août 1789 : cette comparaison souligne l'identité des mentalités et des réactions populaires devant la cherté et la misère. Même type de propagation anarchique des rumeurs, même revendication spontanée de la taxation et de la protection de l'État, même cortège de violence et de pillage des marchés et des boulangeries. Le 5 mai, à Brie-Comte-Robert, aux termes du rapport du contrôleur fiscal Dufresne, quatre cents personnes « qui nous ont paru être des artisans des villages des environs dudit Paris », s'ameutent devant sa maison ; une quarantaine pénètrent chez lui et lui demandent « sur un ton de fureur » de leur donner du blé à douze livres « comme à Choisy-le-Roi ». Ils ajoutent que « si on les pendait, ils ne languiraient pas tant que de mourir de faim ».

Soutenu par le roi, Turgot s'est rendu maître de l'émeute dès le 4 mai. Mais son expérience libérale en est discréditée à terme. Le Parlement de Paris condamne solennellement sa politique. A Versailles, les intrigues des clans reprennent contre le Contrôleur : notamment de la part des choiseulistes, qui ont le soutien capital de la reine, mécontente de la nomination de Malesherbes à la maison du roi au cours de l'été 1775. Necker prend date en publiant *La Législation et le commerce des grains*, retour offensif du dirigisme. Toute une société de monopoles et de privilèges fait bloc contre l'innovation libérale.

Turgot, menacé, choisit la « fuite en avant » : c'est cette audace ou cette imprudence tactique qui ont alimenté la thèse d'un ministre doctrinaire, insouciant des réalités. En janvier 1776, il fait signer au roi un train de six édits, qui comportent en réalité deux réformes importantes : celle de la corvée, remplacée par une imposition en argent sur les propriétaires fonciers ; celle des corporations de métiers, qui sont purement et simplement abolies.

Les édits apparaissent moins redoutables par ce qu'ils contiennent que par ce qu'ils annoncent : Turgot est suspecté de vouloir détruire l'organisation traditionnelle du royaume. La fin de la corvée fait craindre celle de la société seigneuriale ; la disparition des jurandes préfigure la confusion des « rangs » et des « états ». Toute une société fait bloc contre cette perspective : clergé, noblesse, magistrature, et les secteurs organisés de la vie urbaine traditionnelle — basoche, maîtres et marchands. Les ennemis d'hier font l'union sacrée : magistrature et clergé, choiseulistes et parti dévot, finance et petite noblesse. Que pèsent, en face, Voltaire ou Condorcet, les philosophes et les économistes ? La vérité est que les réformes de Turgot touchent assez à la société nobiliaire pour la dresser contre lui et pas assez pour en séparer des couches importantes de la bourgeoisie. Elles montrent les impasses politiques de cette société censitaire souhaitée par les physiocrates et révèlent les résistances de la société civile ainsi que la force de la contre-offensive nobiliaire. De haut en bas, la société aristocratique se rassemble autour du même réflexe de défense, admirablement défini par un mot de Trudaine : ils ne sont pas « sûrs, le lendemain, de se lever sur leur état ».

Les édits passent pourtant, après une longue bataille au Parlement. Mais Turgot s'est isolé dans le ministère et à la Cour. Tout le monde est contre lui : Maurepas, la reine, les frères du roi, ses tantes, le prince de Condé. Malesherbes hésite et veut démissionner. Louis XVI cède au courant général et renvoie Turgot le 12 mai 1776. Dès août, les corporations sont rétablies dans des formes nouvelles, et la corvée soumise au rachat aléatoire des paroisses.

Ainsi, après la faillite de la tentative néo-absolutiste du triumvirat, c'est l'échec de la monarchie philosophique et réformatrice. En six ans, ces deux voies d'arbitrage par l'État ont été explorées en vain. Au terme de ce double naufrage, restent une opinion de plus en plus anti-absolutiste et une monarchie qui se défait.

Le roi qui est monté sur le trône en 1774 est le troisième fils du dauphin, lui-même fils de Louis XV[3]. Son père avait épousé en premières noces Marie-Thérèse d'Espagne, qui mourut en couches à vingt ans et dont la disparition le laissa inconsolable. Il avait été remarié très vite, en 1747, à Marie-Josèphe de Saxe ; faute de l'aimer, il lui fit au moins beaucoup d'enfants : une première fille, morte très jeune ; puis Louis-Joseph, duc de Bourgogne, né en 1751 ; Marie-Joseph, duc d'Aquitaine, en 1753 (et mort l'année suivante) ; enfin, en 1754, l'enfant qui sera Louis XVI, et qui reçoit le titre de duc de Berry. Sa naissance est suivie de celle de deux frères cadets, qui régneront, eux aussi, mais sur la France d'après la Révolution, entre 1814 et 1830 : Louis-Stanislas, comte de Provence, né en 1755, et Charles Philippe, comte d'Artois, en 1757. Enfin, deux filles ferment le ban, Marie-Adélaïde Clotilde, en 1759, puis Elisabeth Philippine Marie-Hélène, en 1764 : cette Madame Elisabeth qui partagera la captivité de son frère à la prison du Temple.

Ce qui fait du duc de Berry l'héritier du trône, dans cette vaste famille qui n'échappe pas aux malédictions d'une forte mortalité infantile, c'est la mort de son frère aîné le duc de Bourgogne, à dix ans, en 1761. Son père, le dauphin en titre, meurt en 1766. Si bien que le futur Louis XVI connaît son destin à onze ans : il sera le roi de France.

Cette dévolution héréditaire opérée par la main de Dieu rompt ce que la main de Dieu semblait pourtant avoir préparé : la mort a frappé l'enfant que tout désignait pour le trône, au profit de celui qui ne manifestait que des dispositions ordinaires. Autant Bourgogne était vif, charmeur, adulé, précocement autoritaire et génétiquement roi, autant Berry est renfermé, solitaire, sans grâce. Le chagrin de ses parents, et du grand-père — papa-Roi, comme il l'appelle —, ne lui vaut aucun regain d'affection ; c'est au tour de ses jeunes frères, Provence et Artois, d'être les préférés. Bref, le futur Louis XVI a été le mal aimé de la famille.

Disgrâce psychologique qui ajoute probablement ses effets à l'héritage paternel, qui l'éloigne de son grand-père et par là même du métier de roi. Car son père, le dauphin, a été toute sa vie écarté d'un rôle et même d'un apprentissage politiques. En effet, sous Louis XV, la famille royale a transposé à la Cour de France une pièce du répertoire bourgeois. D'un côté le roi et sa maîtresse, Madame de Pompadour, qui règne sur Versailles, et même, à en croire ses ennemis, sur la politique du royaume : elle est la protectrice du parti « philosophique », de Choiseul et de l'alliance autrichienne. De l'autre côté, la reine, Marie Leczynska, malade et vieillissante, mais forte de la fidélité outragée de ses enfants, gardiens de la morale et de la religion.

Or le dauphin a pris le parti de sa mère : il est le symbole et l'espoir du « parti dévot », l'homme des jésuites, l'adversaire acharné de Choiseul et de la politique autrichienne. Ce gros homme presque obèse, intellectuellement paresseux, partagé entre la sensualité et la dévotion à la manière des Bourbons, est tenu soigneusement éloigné des affaires par Louis XV. Il n'oublie jamais le respect qu'il doit à son père ; mais il en est le reproche vivant et le rival potentiel. Il meurt trop tôt — neuf ans avant son père — pour régner. Mais il a suivi avec assez de soin l'éducation de ses enfants pour les préparer à leur futur rôle, comme s'il avait compris que le trône de France allait « sauter » cette fois non plus deux, mais une génération.

Quand il meurt, en 1766, c'est le duc de la Vauguyon, gouverneur des Enfants de France, qui reste responsable du nouveau dauphin, sans que le programme d'études soit en rien modifié. Programme sérieux, élève appliqué, mais qui ne méritent peut-être pas les éloges excessifs dont une historiographie de réhabilitation a voulu les entourer. En matière de programme, peu d'innovations : le fond des leçons et des « entretiens » rédigés pour l'instruction du futur roi reste un mélange de religion, de morale et d'humanités auquel l'ombre de Fénelon prête un caractère irréel, et la lourdeur du duc-pédagogue un brin de grandiloquence. En ce qui concerne l'élève, il n'y a rien dans ses devoirs qu'une pensée docile et plate, à l'image de ce qu'on lui inculque. Le style, parfois élégant, y est plus intéressant que la pensée, toujours banale : dans ces bergeries sur la monarchie paternelle, commentaires superficiels du *Télémaque* ou de la *Politique tirée de l'Écriture sainte*, le futur roi n'apprend ni à conduire un raisonnement ni à gouverner un État.

La grande affaire — et le plus grand échec — de sa jeunesse a été son mariage, négocié dès 1768 sous l'influence du parti Choiseul, avec une princesse autrichienne : la plus jeune fille de Marie-Thérèse, l'archiduchesse Marie-Antoinette. L'union est célébrée en 1770 ; le dauphin a seize ans ; elle, quinze. Pendant sept ans — jusqu'à l'été 1777 —, il n'arrivera pas à coucher avec elle. Pendant sept ans, la Cour de Versailles, Paris, le royaume, les Cours étrangères feront de ce fiasco, selon les cas, un problème d'État ou un objet de moquerie, l'un n'excluant pas l'autre.

Quand il devient roi (1774), Louis XVI est l'humilié de ce vaudeville européen.

Il n'était pas impuissant à proprement parler, comme son frère Provence, mais incapable de conclure — et, de toute façon, peu porté vers l'amour et les femmes. On conçoit que cette anomalie ait intrigué son libidineux grand-père, en dehors même du tort qu'elle faisait à l'avenir du royaume. D'ailleurs il y entrait peut-être, tout justement, un désaveu du grand-père cynique et blasé, aux mains de la Du Barry, et comme une fidélité à l'héritage paternel : les Bourbons, par Louis XVI, finiront dans la vertu, mais sans en capitaliser le crédit, puisque cette vertu a commencé par être ridicule. Il semble que ce soit finalement une discussion avec son beau-frère Joseph, venu incognito en France au printemps 1777 qui ait libéré Louis XVI de son inhibition. En août, la correspondance des Cours signale l'événement, et la grossesse de la Reine le confirme l'année suivante. Le futur empereur d'Autriche — aidé peut-être, ce n'est pas sûr, par une petite opération — a réglé l'affaire en famille, mais sans pouvoir en effacer les traces dans l'opinion, et moins encore dans le couple royal.

Ainsi, l'homme encore adolescent auquel échoit le trône, le 10 mai 1774, à la mort de son grand-père, a-t-il d'avance une longue pratique de la solitude, que renforcera l'exercice du pouvoir. C'est ce qui donne à sa personnalité ce caractère « indéchiffrable » que notent les contemporains, et sur lequel Marie-Antoinette, dans ses lettres à sa mère, s'interroge aussi.

Quand il devient roi de France, à vingt ans, Louis XVI est un jeune homme un peu gauche, avec un corps porté déjà à l'embonpoint, un visage plein, le nez Bourbon, un regard de myope qui n'est pas sans douceur. Michelet insiste sur l'hérédité germanique (par sa mère, la fille de l'Électeur de Saxe) de ce prince lourd, lent, au sang épais, qui mange et qui boit trop. Mais on peut aussi bien rapporter ces caractères au père, le dauphin, fils de Louis XV et de Marie Leczynska. Ce qui domine les témoignages du temps sur le jeune roi, hormis cette absence de grâce, c'est la difficulté qu'il a à communiquer et même à réagir. Sans conversation, sans distinction, il a du bon sens, mais l'esprit court : le meilleur document à cet égard est le journal qu'il tient de ses activités quotidiennes, où sont notés, avec les chasses, des repas, des entrevues, des événements familiaux. Cet agenda ne laisse jamais passer la moindre émotion, le moindre commentaire personnel : on y lit une âme sans vibrations fortes, un esprit assoupi dans l'habitude.

En revanche, que d'exercice physique ! L'énergie qu'il économise dans ses contacts avec les hommes ou ses rapports avec sa femme, Louis XVI la dépense à la chasse, sa passion. Il veille avec un soin méticuleux à l'entretien des forêts et des bêtes, connaît les hommes et les chiens des équipages, et consacre de longues heures, plusieurs fois par semaine, à traquer le cerf : passe-temps typiquement Bourbon dont il sort épuisé et heureux, avec la soirée pour entendre commenter l'exploit de l'après-midi. Autre exercice caractéristique de cette nature solitaire et un peu aride, le travail manuel, le bricolage, la serrurerie : au-dessus de son appartement, Louis XVI s'est fait installer une petite forge, où il fabrique avec un talent modeste clés et serrures. De là, il peut encore monter un étage, gagner son belvédère pour observer au télescope tout ce qui se passe dans les jardins de Versailles. Certains jours, il en profite pour se promener dans les combles du château et y courser les chats perdus.

On comprend comment, de ce personnage finalement moyen, les historiens ont pu faire un héros ou un incapable, un martyr ou un coupable : ce roi honorable, au caractère simple, peu fait pour le rôle qu'il doit assumer et pour l'histoire qui l'attend, se prête aussi bien à l'émotion devant l'injustice du destin qu'au réquisitoire contre l'imprévoyance d'un souverain. Par ses qualités privées, Louis XVI n'est pas le monarque idéal pour incarner le crépuscule de la royauté dans l'histoire de France : il est trop sérieux, trop fidèle à ses devoirs, trop économe, trop chaste, et, à sa dernière heure, trop courageux. Mais à travers son attachement viscéral à la tradition, l'adolescent qui a passé sa jeunesse dans les jupes de Mesdames tantes et à l'ombre du parti dévot restera l'homme d'une monarchie qui n'est plus faite ni pour lui ni pour l'époque.

Michelet l'a bien saisi, qui voit dans cette royauté à l'image de Dieu le mal par excellence de l'Ancien Régime. Il comprend que Louis XVI en est un mauvais symbole final, trop scrupuleux, trop familial, trop « national » aussi (à travers la guerre contre l'Angleterre, l'indépendance américaine). Il paiera, en fait, pour son grand-père, le vieux roi dépravé, l'homme du Parc aux Cerfs et de l'Autriche. Le drame de la monarchie française s'est joué pour Michelet sous Louis XV. Quand le petit-fils monte sur le trône, il est trop tard : cette monarchie est morte.

Intuition profonde qui explique où se trouve le véritable échec de Louis XVI : moins dans sa politique au jour le jour, intérieure ou extérieure, qui a ses grandes heures, que dans son impuissance à ranimer durablement le grand corps expirant de l'ancienne royauté. Le nouveau roi reçoit en 1775 la consécration du sacre à Reims, comme ses prédécesseurs, mais la seule consécration légitime est désormais celle de l'opinion. Il l'obtient un moment par sa jeunesse, sa bonne volonté, le retour des parlements, et Turgot ; mais il laisse trop vite s'enliser cette popularité dans l'impopularité de la Cour et de la reine.

La reine est une archiduchesse d'Autriche, fille de l'impératrice Marie-Thérèse, mariée au dauphin en 1770 à la suite d'une longue manœuvre diplomatique de Choiseul. Elle est flanquée par sa mère de l'ambassadeur Mercy-Argenteau, à la fois mentor et espion, qui a reçu la mission de faire fructifier le capital autrichien investi dans le mariage français ; mais elle ne réussit pas longtemps dans le rôle difficile qui lui est assigné. Elle ne trouve aucun point d'appui à la Cour : hostile à la Du Barry, la dernière maîtresse en titre de Louis XV, elle est de ce fait proche du « parti dévot » et des filles du roi, qui voudraient mettre un terme à l'inconduite de leur père ; mais autrichienne, donc créature du parti Choiseul, elle se trouve le symbole même d'une politique rejetée avec le ministre en 1770, et dont les adversaires sont au pouvoir, y compris, dans la famille royale, les tantes du roi et son propre mari, le futur roi. Peu instruite, aussi mal préparée que possible au rôle d'antenne de l'Autriche à Versailles que sa mère voudrait lui voir jouer, elle doit vivre au surplus ces longues premières années où la Cour s'interroge tous les matins sur ce qui s'est passé dans son lit, ou plutôt sur ce qui n'y a pas eu lieu : commentaire innombrable qui passe très vite, selon la pente du siècle, de Versailles à Paris, et qui lui prête bientôt, à défaut d'un mari, des amants et même des maîtresses. Quand les enfants viendront enfin (une fille d'abord, la future Madame Royale, en 1778 ; un dauphin en 1781 ; encore un fils en 1785 et une fille l'année suivante), le mal est fait : l'image de l'Autrichienne et de la Messaline est fixée par les libelles parisiens. Il y entre, de son côté, une part de légèreté, due à son caractère : c'est une princesse peu instruite, mal aimée, sans intelligence des choses et des hommes. Mais à cette reine étrangère, sans racines, sans appuis, le monde de Versailles a offert un rôle quasi impossible.

Sa personnalité recèle quelque chose d'irrémédiablement fermé, une inattention aux conseils et aux circonstances qui rend son comportement difficile à déchiffrer. L'ambassadeur Mercy-Argenteau s'en plaint à Marie-Thérèse, pour se faire pardonner ses échecs dans la manipulation de la jeune souveraine. Plus tard, Mirabeau, et puis Barnave font la même expérience. Ils savent ou ils devinent que Marie-Antoinette est du couple royal le caractère le plus fort, mais ils se heurtent à son secret. C'est l'heure du malheur, qu'elle affronte avec courage, grandie par la solitude, mais identique à ce qu'elle a toujours été, un peu indifférente au monde extérieur.

En face de la ville, la Cour figure déjà, quand Marie-Antoinette arrive en France, l'image presque parfaite de ce qui s'appellera un peu plus tard l'Ancien Régime. C'est l'absolutisme qui a inventé Versailles, où Louis XIV a installé, loin de Paris et du peuple, son pouvoir sans partage, instrument d'une autorité sans contrôle. Mais de surcroît, ce pouvoir s'est entouré d'une aristocratie parasite, dansant autour de lui le ballet de la courtisanerie, moitié vice moitié servilité. D'instrument de domestication des nobles, sous Louis XIV, la Cour est devenue sous Louis XVI le symbole de leur domination. Le roi ne règne plus sur eux, il leur obéit : c'est dans ce télescopage entre la monarchie absolue et l'aristocratie que se fabrique le rejet global de ce qui n'est plus dans les faits ni une monarchie absolue ni une aristocratie, mais quelque chose né de la décadence des deux principes et qui survit encore de leur complicité aux dépens du peuple.

A cette image que fabriquent les libellistes parisiens, Louis XVI apporte sa contribution par son manque de goût pour les grandes affaires et cette sorte de mollesse un peu empruntée qui est le trait le plus visible de son caractère. Mais le roi prend toujours soin de l'image de son métier, ne transige jamais sur la tradition, et pourrait même, par son sérieux et sa vertu privée, susciter à nouveau pour son personnage et sa fonction un respect que le vieux Louis XV n'avait pas laissé intact. Or cette nouveauté — un Bourbon chaste — devient elle-même une cible : ce roi fidèle est impuissant, ce souverain vertueux a épousé une dévergondée.

Encore maintient-il au moins la façade de la Cour et abrite-t-il son fragile rapport au monde dans le respect de l'étiquette, dernier legs de la tradition. L'imprudente Autrichienne bouscule au contraire ce dernier rempart et dévoile la débandade derrière les murs. Elle veut et obtient ses appartements privés, fait une petite Cour dans la Cour, où elle s'amuse avec ses amis choisis, détruisant la nature du spectacle public qu'offre la monarchie à Versailles, dont elle ne laisse plus voir que les coteries aristocratiques. L'opinion ressent profondément le manquement aux servitudes et au décor du règne : Marie-Antoinette offre une cible triplement vulnérable — reine, étrangère, femme enfin. On avait chansonné les maîtresses des rois. On déteste plus encore les amants de la reine. En féminisant son objet, la frustration de l'opinion s'est muée en haine, et atteint Marie-Antoinette au mal secret de sa vie. Inversant la réalité, elle condamne dans la reine les plaisirs que celle-ci n'a pas eus.

Une affaire célèbre donne en ces années la mesure de l'impopularité de Marie-Antoinette. Le cardinal de Rohan, évêque de Strasbourg, grand seigneur fastueux, mélange d'ambition extrême et d'extrême futilité, s'est mis en tête de reconquérir la faveur de la reine, qui lui reproche et sa vie et ses « mots ». Il s'abouche avec un ménage d'aventuriers qui lui fait miroiter des intelligences à la Cour, et une réconciliation possible : il leur remet cent cinquante mille livres pour rencontrer, dans un bosquet de Versailles, une reine imaginaire — au vrai, une comparse — qui promet le pardon. Mais ce n'est pas assez : il faut qu'il achète encore, pour le compte d'une reine qui raffole de diamants, un collier de presque deux millions, destiné d'abord à Madame du Barry, et devenu trop cher pour la reine de France. Le manège est dévoilé dans l'été 1785, quand les joailliers réclament en vain la première échéance. Le collier a été expédié à Londres. Dans cette affaire qui éclaire la vie de Cour du demi-jour de l'office, et où ne manque même pas le conseil de l'alchimiste Cagliostro, c'est Rohan qui est dupe, mais c'est aussi Rohan qui est plaint ; déféré au Parlement, il est « déchargé » d'accusation : la reine est descendue si bas dans l'opinion qu'il n'est pas coupable de l'avoir cru pis que légère, vénale. Paris l'acclame. Le royaume pense comme le cardinal. Quand il n'y a plus de majesté, il n'y a plus de lèse-majesté.

Ce verdict de l'opinion disqualifie, de proche en proche, tout le monde de la Cour : les deux frères du roi ; Provence, l'intrigant sournois ; Artois, l'ami de la reine ; le cousin Orléans, autre sournois qui attend son heure au Palais-Royal ; l'aristocratie, qui déguste les derniers jours heureux de ce que Talleyrand a appelé « la douceur de vivre ». A s'émanciper des contraintes extérieures de la conduite et de la dévotion, la Cour est effectivement devenue un miracle quotidien d'esprit et de plaisir. Mais elle mobilise contre elle toute la ville. Jalouse d'un monde dont elle est exclue, ennemie d'un luxe qui discrédite son esprit d'économie, laboratoire de la démocratie, du travail et du talent, la ville bourgeoise jette ses refoulements et ses espoirs dans la bataille. Cette Cour où règnent les nobles, il faut donc qu'elle soit à la fois ruineuse, réactionnaire, débauchée, et qu'on mobilise contre elle la raison, le progrès, la morale.

Les deux derniers attendus du réquisitoire sont plus que défendables. Mais le premier ? Le naufrage des finances publiques lui donne une résonance particulière. En réalité, la Cour n'absorbe que 6 % des revenus du trésor : le pourcentage est relativement faible. De plus, l'opinion mélange constamment dans l'anathème deux ordres de dépenses : celles du faste et des fêtes, et celles des places. Financièrement, c'est le deuxième poste qui est important : tout n'y est pas compressible

— les troupes de la maison du roi par exemple, qui émargent au budget de Versailles, ne peuvent plus guère être amputées après les réformes de 1775. Mais les gaspillages spectaculaires se multiplient, tant est permanente à Versailles la confusion entre les pensions ou les dons, les rémunérations d'offices publics, la revente spéculative des avantages de la fonction, les combinaisons financières. Enfin, dans l'entourage de Marie-Antoinette, l'arbitraire de la faveur est de plus en plus voyant. Madame de Lamballe, qui a déjà 170 000 livres comme surintendante de la maison de la reine, se fait donner 600 000 livres sur les domaines de Lorraine, plus 54 000 pour son frère. Les Polignac, autres protégés célèbres de la reine, sont inscrits pour 700 000 livres de pension.

En s'attaquant aux gaspillages de Cour, Louis XVI n'eût pas sauvé les finances, mais il eût peut-être sauvé plus : la monarchie. Sa faiblesse devant la Cour a été le symbole de la démission de la monarchie devant l'aristocratie.

Cette érosion du pouvoir royal que marque la victoire de la noblesse de Cour n'est pas si rapide qu'elle empêche Louis XVI de cueillir les derniers fruits des progrès du siècle, et d'une meilleure gestion des richesses et des hommes. Il y a d'autres exemples d'un pouvoir qui se défait et d'une administration qui perdure.

Depuis Choiseul, la France prépare sa revanche de la guerre de Sept Ans. En 1775 — en pleine affaire Turgot —, le roi appelle à la guerre un vieux condottiere retraité, le comte de Saint-Germain, qui « prussianise » en deux ans, avec l'aide efficace des bureaux, le système militaire français. Il élague les corps trop lourds et trop coûteux, comme la maison du roi, dont les charges sont les plus chères ; il réduit les milices : autant de gagné pour la vraie armée dont les effectifs sont doublés. Sous l'impulsion de Gribeauval, l'artillerie française devient la meilleure d'Europe ; sur les conseils de Guibert, la colonne légère renouvelle la tactique militaire : telles sont les deux grandes dettes de la Révolution à l'égard de l'Ancien Régime.

Enfin, Saint-Germain s'attaque à la vénalité des charges militaires. Il a plaidé toute sa vie la cause de la noblesse pauvre ; il est l'homme d'une noblesse militaire à la prussienne, spécialisée dans le métier des armes. Ne pouvant racheter d'un coup toutes les charges, il décide qu'elles perdront un quart de leur valeur à chaque vacation, de façon à en éteindre la finance en quatre générations.

Après Saint-Germain, Ségur poursuit l'œuvre de rénovation technique. Il en conserve l'inspiration sociale, en la rétrécissant encore, par le règlement de 1781 qui réserve certains grades militaires aux rejetons possédant au moins quatre degrés. Mais c'est comme à contrecœur, puisqu'il déclare au Conseil : « Il vaudrait mieux attaquer le préjugé déraisonnable qui ruine toute la noblesse en ne lui permettant d'autre activité que celle des armes. » Alors que l'attaque contre la vénalité des charges plaisait à la noblesse pauvre, riche uniquement de son titre et désireuse de n'en voir pas diminuer la valeur, l'édit des quatre degrés réunit toute la noblesse ancienne. Il est essentiellement dirigé contre les anoblis, puisqu'il disqualifie au sein du deuxième ordre toute la noblesse postérieure au milieu du règne de Louis XIV. Témoignage significatif du mécanisme de distinction aristocratique sans cesse à l'œuvre dans l'ancienne société, par lequel des privilèges nouveaux viennent compenser, chez ceux qui les possèdent depuis longtemps, le risque d'une inflation de titres provoquée par les besoins financiers de la monarchie. Ce mécanisme qui « castifie » le deuxième ordre fait plus encore de mécontents au sein du Tiers État que chez les anoblis récents : en reculant constamment la barrière qui ouvre la voie au plus haut statut social, il la rend moins accessible encore à ceux qui n'ont pas franchi les étapes préliminaires. Ce que les bourgeois du Tiers tiennent à juste titre pour de la morgue aristocratique trouve bien souvent sa source dans des conflits intranobiliaires. Le grand seigneur « féodal » qui méprise le financier anobli (bien qu'il en épouse souvent la fille) donne le ton à ce que Mirabeau a appelé une « cascade de mépris », ressort psychologique de l'ancienne société française. Adoptée pour reconstruire une noblesse militaire, l'ordonnance dresse le Tiers État contre la « réaction ». Il n'y a pas de réforme de l'État qui soit compatible avec le renforcement de l'inégalité, même si l'intention est de substituer au privilège et au parasitisme le service de l'État.

C'est sous le long ministère de Vergennes (1774-1787), diplomate méthodique et prudent, qu'aboutit l'effort de redressement extérieur entrepris depuis Choiseul : dès cette époque, la revanche contre l'Angleterre en est le but. Vergennes n'abdique pas pour autant en Europe, où le partage de la Pologne a fait reculer l'influence française ; il refuse dès lors de donner la main aux ambitions allemandes de l'allié autrichien, et maintient l'équilibre entre les maisons de Brandebourg et Habsbourg. Mais le conflit américain donne l'occasion du grand dessein contre l'Angleterre.

Dans ce conflit qui se noue en 1773-1776, et où la volonté d'indépendance américaine s'est drapée dans la Déclaration des Droits (1776), l'opinion française a toutes les raisons de prendre parti : celles du patriotisme et celles de la philosophie, dont la conjonction dessine une nouvelle passion. Un bureau américain installé à Versailles enrôle des volontaires aux noms illustres, La Fayette, Noailles, Ségur. Fort du pacte de famille, Vergennes cherche l'appui de l'Espagne, puis tergiverse. Il se décide à signer au début de 1778 un traité d'alliance avec les nouveaux États-Unis : c'est très vite la guerre, à laquelle l'Espagne se joint l'année suivante.

Pendant que le conflit naval se poursuit dans des prouesses réciproques et que Suffren venge aux Indes les défaites de la guerre de Sept Ans, la décision se fait en Amérique même : l'armée de secours envoyée de Versailles aux colons américains, commandée par Rochambeau se joint à la flotte de Grasse et aux troupes de Washington pour faire capituler le corps expéditionnaire anglais à Yorktown, dans la baie de Chesapeake (1781). Le traité de paix est signé à Versailles en septembre 1783. La France n'y gagne que la liberté de fortifier Dunkerque, plus Saint-Pierre-et-Miquelon, Tobago, les comptoirs du Sénégal. Mais elle a pris sa revanche sur l'Angleterre et effacé la honte du traité de Paris en 1763.

Pourtant, la dynamique des pouvoirs faibles est telle que leurs victoires mêmes tournent à leur perte. La guerre d'Amérique n'a pas multiplié seulement dans le royaume les admirateurs de la Déclaration de 1776, qu'on appellera bientôt les « Patriotes ». Elle a aussi coûté, en cinq ans, plus d'un milliard de livres et aggravé le mal chronique du royaume : les finances.

Mal chronique, parce que les remèdes n'en sont pas administrables, et le deviennent de moins en moins au fur et à mesure que s'affirment ensemble leur urgence et leur impossibilité. Les dépenses publiques n'ont cessé d'augmenter avec les devoirs de l'État. La réorganisation de la marine, sous Sartine, est en train d'engloutir des sommes qui se multiplient chaque année. Le service de la dette publique est de plus en plus lourd.

Après Turgot, et quelques mois de réaction traditionaliste, voici le tour de Necker. La monarchie multiplie les thérapeutiques : après l'économiste libéral, le banquier dirigiste. Mais le choix ne résulte pas d'une alternative doctrinale. Il marque en réalité un tournant essentiel dans la politique de la monarchie : le recours à la pure technique financière et à la confiance des banques se substitue aux velléités de réforme fiscale. C'est un double signe des temps, caractéristique des abandons du pouvoir et de la puissance croissante du capitalisme bancaire. Non que les ancêtres de Louis XVI n'y aient jamais eu recours. Mais ils ne l'ont jamais installé au Contrôle général.

Au vrai, non seulement banquier, mais suisse et protestant, Necker n'a pas le titre traditionnel : il est d'abord directeur du Trésor, sous le contrôle fictif d'un contrôleur dessaisi, et l'année suivante, tout seul, directeur général des finances. Mais c'est souligner d'autant plus les limites techniques de ses attributions : Necker n'a pas d'entrée au Conseil du roi où se prennent les grandes décisions, notamment la paix ou la guerre. Il ne pourra pas, comme Terray contre Choiseul, comme Turgot contre Vergennes, s'opposer à la guerre et à son cortège de dépenses : il est précisément chargé de s'en acquitter sans douleur. Pour reprendre une distinction classique sous l'Ancien Régime, son avènement marque la démission de la finance en face de la banque. Les grands officiers des finances royales — on les appelle les « financiers » — sont à bout d'imagination et de ressources : les banqueroutes Terray ont fini par porter un coup au vieil emprunt en rente perpétuelle. Voici l'heure de la banque, et d'un capitaliste privé, sans office et sans patrie, mais qui sent l'opinion, et bon placeur d'emprunts. Après lui, les grands officiers revenus — Joly de Fleury, d'Ormesson, Calonne — restent prisonniers de ces techniques.

Signe des temps, cette démission de l'ancienne monarchie devant l'argent est saluée avec joie par l'opinion publique : la méfiance vis-à-vis du pouvoir et le prestige de l'argent s'y donnent la main. Et puis il y a le personnage de Necker, acharné à plaire, orchestré par la propagande familiale, naturalisé par la réussite et par l'opinion. Ce banquier est aussi un penseur, qui laissera une œuvre importante, écrite pour l'essentiel après cette période, durant les loisirs laissés par l'échec politique. Mais quand il arrive pour la première fois au pouvoir, c'est moins sa pensée qui est fêtée par Paris que sa réussite et son image : ce plébiscite du public est un phénomène très moderne. Turgot avait reçu également cet accueil, mais il était du sérail, destiné normalement au Contrôle général. Necker, lui, a fait fortune dans des spéculations brillantes sur la Compagnie des Indes, n'a pas d'office ni même d'« état » dans cette société où tout est office et « état », et ne possède, en dehors de l'argent, qu'un autre bien insaisissable : la faveur de l'opinion. Il en a fait son chemin vers le pouvoir. Les vendredis de Madame Necker sont un des hauts lieux de Paris, où le maître de maison dépense l'argent gagné en faisant à la sensibilité et à la vertu l'hommage de conversations politiques et littéraires. Un *Éloge de Colbert*, une polémique contre le « laisser-faire » de Turgot ont rassuré en outre les économistes de la tradition : Necker n'entend pas abandonner les pauvres à la cruauté du marché. Bref, le banquier suisse est peut-être moins révolutionnaire que l'intendant libéral. A la Cour, en outre, on craint moins d'un homme qui a tout à faire oublier, et qui peut donner à la monarchie les secrets modernes de l'argent. Les rentiers parisiens, eux, exultent comme s'ils s'installaient au pouvoir. C'est pourquoi l'opinion salue un génie là où Maurepas n'a vu qu'un banquier.

Sa gestion sera plutôt celle de la modernisation administrative. Orchestrées par la propagande philanthropique à la mode, les réformes de fond de ce ministre-sauveur touchent surtout à la gestion de l'appareil financier de l'État : allégement des charges du recouvrement fiscal, extinction d'un certain nombre d'offices inutiles, démembrement de la ferme générale, tentatives pour améliorer la comptabilité publique, et enfin, dans un autre ordre d'idées, abolition de la servitude personnelle dans les domaines du roi. Mais ce protestant ne fait pas un geste en faveur de ses coreligionnaires, par peur des parlements et du clergé. Ce roturier ne propose aucune réforme fiscale, par crainte des réactions nobiliaires. Ce qu'il imagine de plus important en matière proprement politique est de reprendre l'idée d'une représentation du royaume auprès du roi.

Il ne connaît pas le mémoire préparé par Du Pont pour Turgot, mais son projet n'a pas besoin d'antécédents précis, tant il est dans l'air du temps. Il en a exposé les principes au roi dans un texte confidentiel, qui sera publié en 1791 : confier la gestion fiscale et économique des provinces à des assemblées de propriétaires, formées pour moitié du Tiers État, pour un quart de la noblesse et pour un quart du clergé, et votant par tête. Necker conserve la distinction des ordres (en doublant, il est vrai la représentation du Tiers) alors que Turgot (ou Du Pont) ne considéraient que les propriétaires. Il renonce aussi au principe électif. Quatre de ces assemblées sont créées en 1779-1780 : l'une en Berry, l'autre en Dauphiné, la troisième en Haute Guyenne, la quatrième à Moulins. Les premiers membres sont nommés par le roi, et cooptent ensuite leurs collègues. Mais même cette tentative timide se heurte tout de suite à une opposition forte : courtisans, intendants, parlements, inquiets de ces nouveaux pouvoirs ; l'institution fonctionne seulement en Berry et en Haute Guyenne. L'épisode illustre une fois de plus l'incapacité de la monarchie à donner aux classes éclairées les moyens organisés d'être parties prenantes à l'administration du royaume.

Faute de pouvoir avancer vite dans une politique de réformes, le banquier Necker gère un déficit et paie la guerre d'Amérique à coups de loteries royales et d'emprunts de plus en plus coûteux. Son expédient principal est la multiplication de l'emprunt viager, pain bénit pour la banque, qui se spécialise de plus en plus dans le placement des effets publics, préfigurant ainsi un de ses grands rôles ultérieurs sous la Restauration et la monarchie de Juillet. Car non seulement Necker emprunte en viager sans distinguer les taux d'intérêts d'après les classes d'âges des prêteurs, mais il laisse en outre aux rentiers le choix des « têtes » sur la vie desquelles court l'intérêt. C'est l'occasion pour les prêteurs d'imaginer des variétés presque infinies de combinaisons spéculatives : la plus célèbre est mise au point par les banques genevoises, qui regroupent les capitaux locaux autour de trente demoiselles en bas âge, sélectionnées sur expertise médicale pour leurs chances optimales de survie. Le chiffre de trente correspond au souci de trouver le plus petit nombre à partir duquel joue le calcul des probabilités. Les Hollandais iront jusqu'à quatre-vingts. Chacune d'entre ces demoiselles, entourée des soins vigilants et solidaires de tout ce qui a un nom à Genève, recèle une fortune dans le battement de son cœur. La ville prend le deuil à la disparition précoce de Pernette Elisabeth Martin, morte à huit ans, le 16 juillet 1788, et emportant avec elle un capital de plus de deux millions de rentes viagères. Mais cette catastrophe est l'exception, et les progrès du pronostic démographique assurent la richesse des prêteurs et de leurs intermédiaires bancaires. C'est le symptôme de toute une mentalité nouvelle ; les vieux expédients fiscaux de la monarchie tournent au triomphe du capitalisme mobilier.

Au total, entre 1776 et 1781, cinq cent trente millions d'emprunts de tous genres alimentent le trésor et financent une guerre d'autant plus populaire qu'elle est plus indolore. L'argent continue d'affluer, et la revente spéculative des contrats de rente enrichit l'agiotage parisien. Si l'État y compromet gravement son propre avenir, Necker conserve sa popularité. En 1781, pour riposter aux intrigues de Cour qui lui cherchent un successeur, il publie le *Compte rendu*, bilan qui passe sous silence les dépenses du budget extraordinaire et fait apparaître un excédent de recettes de dix millions. Après trois ans de guerre et sans un impôt nouveau, c'est vraiment la finance miraculeuse ! Mais si le petit livre jouit d'une vogue publique immense, il noue le conflit à la Cour. Le Parlement rédige des remontrances sur les assemblées provinciales, les ministres du roi sont jaloux et les « vieux financiers » lucides : le déficit réel tourne autour de quatre-vingts millions. Necker veut prendre appui sur l'opinion. Il demande le titre de ministre d'État, en même temps que la généralisation du régime des assemblées provinciales. Sur le refus du roi, il tombe en mai 1781.

Ses successeurs, Joly de Fleury puis d'Ormesson, usent médiocrement et comme timidement de la routine ordinaire. Augmentation des impôts de consommation, troisième vingtième, ventes d'offices, emprunts surtout : plus de quatre cents millions en deux ans et demi. Quand d'Ormesson se brise contre la ferme, dont il supprime le bail trois ans avant son terme, en 1783, la coterie à la mode des Vaudreuil et des Polignac fait passer son candidat, Calonne.

L'homme vaut mieux que ce rapprochement, mieux aussi que sa réputation posthume. Il est supérieur à cette figure de liquidateur malhonnête où l'a enfermé l'historiographie révolutionnaire. Il a sur bien des points des idées qui sont en avance sur son temps : son plan repose notamment sur la conception moderne que les dépenses de l'État doivent favoriser la circulation de l'argent, créer du pouvoir d'achat, « amorcer » la reprise économique comme condition de la plus-value fiscale.

Cette interprétation de Calonne à la lumière de Keynes réhabilite en effet une partie de sa gestion. Le nouveau Contrôleur général anime toute une politique économique : travaux publics, équipement des ports, réseau routier, encouragements divers aux entreprises industrielles et commerciales, création d'une nouvelle Compagnie des Indes. Il dépense pour investir. Il paie pour inspirer confiance : les arrérages (l'arriéré des intérêts dus) de la rente sont honorés à l'échéance. Pour drainer vers le trésor l'argent de la spéculation, il brise l'agiotage autour des actions de la caisse d'escompte, et la spéculation sur l'importation des piastres espagnoles.

Mais à court terme, cette politique ne peut vivre que de crédit : à son arrivée au Contrôle, Calonne a trouvé, sur six cents millions de recettes annuelles, cent soixante-seize millions consommés par anticipation, deux cent cinquante absorbés par le service de la dette et trois cent quatre-vingt-dix de comptes arriérés à solder. Il emprunte de toutes mains, plus encore et plus cher encore que ses prédécesseurs : six cent cinquante millions en trois ans et demi. Necker a beau jeu, en 1784, dans son *Administration des finances*, d'expliquer à l'opinion — qui croit à son *Compte rendu* de 1781 — le mécanisme de la faillite. Car il touche au point sensible : à la rente bourgeoise, à toute une démocratie parisienne dont il est l'homme par excellence, il dénonce le dernier des grands financiers de Cour.

C'est sur ce point que la haine jacobine — ou inversement l'amitié des Polignac — ne se sont pas trompées d'objet. Le ministère de Calonne est bien celui des derniers beaux jours de l'aristocratie. Vrai fils des temps, ce descendant d'une longue lignée de graves robins, ancien intendant du roi à Lille, est l'homme des grands seigneurs. Les historiens ont été longtemps trop attentifs aux polémiques du temps et aux petites équipes d'intrigue et de spéculation qui gravitent dans l'entourage de Calonne, et anticipent à la bourse les décisions de l'État. Mais l'essentiel est ailleurs, caché souvent dans le mystère des comptabilités princières, des dons royaux et des spéculations de

Cour : c'est tout le circuit de l'argent emprunté par Calonne qu'il faudrait reconstituer pour comprendre comment ces années sont les plus brillantes sans doute de la civilisation de Cour. Versailles fête un magicien qui distribue l'argent — autre Law d'un monde plus fragile encore. En 1785, le roi dépense cent trente-sept millions en acquits au comptant, sans nom de bénéficiaires. Il efface dans ces années plusieurs banqueroutes princières : celle du comte d'Artois, la deuxième en six ans ; celles des Guéménée et des Soubise. L'« enrichissez-vous » de Calonne n'est pas celui du roi bourgeois ; il s'adresse à la société de Cour, aux maisons princières et nobles, et dans l'immédiat, à leurs financiers de service. Ce n'est ni une tentative subrepticement révolutionnaire, ni un complot de la banque internationale : c'est le dernier grand effort de restauration de la société de l'Ancien Régime dans sa gloire et dans sa splendeur.

Mais cet enlisement de l'argent emprunté dans le circuit parasitaire de la Cour condamne, à terme, ce tour de passe-passe aristocratique : jamais il n'a été plus clair que les structures sociales et politiques de l'Ancien Régime compromettent l'équilibre économique et financier. Dans un royaume où tout reste finalement gagé sur la richesse agricole et sur l'impôt prélevé sur la terre, la noblesse de Cour et le roi — en somme l'État — vivent de plus en plus au-dessus de leurs moyens : c'est ce que la ville et la rente perçoivent justement dans leur haine de Calonne.

Il est donc bien vrai que le dernier grand financier de la monarchie a contribué à cristalliser une conscience anti-aristocratique et sans doute avancé de quelques années l'heure des choix décisifs. Durant l'été 1786, il y a plus de cent millions de déficit, deux cent cinquante millions de dettes arriérées qui subsistent, et la moitié des recettes de l'année suivante dépensées par anticipation. Fidèle au seul monde qu'il conçoive et qu'il aime, Calonne exhume alors le plus grand plan de sauvetage de l'Ancien Régime élaboré par le siècle : celui des physiocrates.

C'est le 20 août 1786 qu'il propose au roi son *Précis d'un plan d'amélioration des finances*, articulé autour de l'idée d'une réforme fiscale. Il s'agit de remplacer les vingtièmes par un impôt perçu sur toutes les terres sans exception, et proportionnel aux revenus. C'est la « subvention territoriale », qui serait payée en nature : la fiscalité physiocratique a trouvé un adepte nouveau. Calonne préconise en outre l'allégement de la taille, la simplification de la gabelle et l'extinction progressive des dettes de l'État par l'aliénation du domaine royal. Une deuxième série de mesures vise à l'unification du marché national par la liberté du commerce des grains et l'abolition totale des douanes intérieures.

Enfin, comme chez Turgot, comme chez Necker, le plan est couronné par une pyramide d'assemblées consultatives qui doivent associer tous les propriétaires au gouvernement du royaume : elles devraient être élues au suffrage censitaire sans référence aux ordres traditionnels. Calonne est donc plus proche des « municipalités » du mémoire de Du Pont que des assemblées de Necker. D'ailleurs, Du Pont — toujours lui — est encore dans les coulisses. Jamais, même sous Turgot, une réorganisation si vaste et si audacieuse n'avait été proposée à Louis XVI. Le roi se laisse convaincre. Du reste, il n'a plus guère le choix, puisqu'il se refuse à une banqueroute que souhaitent certains privilégiés, indifférents au sort de la rente bourgeoise.

Mais Calonne sait qu'il n'a aucune chance de faire accepter de semblables projets par le Parlement de Paris. Il propose au roi une procédure utilisée dans le passé par Henri IV et Louis XIII : la réunion d'une assemblée de notables, nommés par la couronne, et dont on pourrait de ce fait escompter plus facilement la docilité. Malgré les réticences de Vergennes, ce mécanisme plaît au roi. Comme toujours, l'exécution est lente, alors que Calonne ne vit plus que d'expédients. Le 29 décembre 1786, à l'issue du Conseil des dépêches, Louis XVI annonce son intention « d'assembler des personnes de diverses conditions et les plus qualifiées de mon État, afin de leur communiquer mes vues pour le soulagement de mes peuples, l'ordre de mes finances et la réformation de plusieurs abus ».

Il croit ne définir qu'une procédure. C'est un engrenage.

1787-1791

1787

22 février

Réunion de l'assemblée des notables.

8 avril

Renvoi de Calonne ; ministère Loménie de Brienne.

25 mai

Dissolution de l'assemblée des notables.

Juin-août

Le Parlement de Paris refuse d'enregistrer les édits de Loménie de Brienne et en appelle aux États Généraux ; les parlementaires sont exilés.

Septembre

Négociation entre Loménie de Brienne et le Parlement de Paris.

17 septembre

La Constitution américaine est adoptée par le Congrès.

Novembre

Édit de tolérance.

19 novembre

Séance royale au Parlement de Paris ; Louis XVI

ordonne l'enregistrement des édits financiers et exile Philippe d'Orléans à Villers-Cotterêts.

1788

3 mai
Le Parlement de Paris publie une *Déclaration des lois fondamentales du royaume.*

5 mai
Arrestation des conseillers au Parlement Duval d'Éprémesnil et Goislard de Monsabert.

8 mai
Réforme judiciaire de Lamoignon qui réduit les pouvoirs des parlements.

Mai
Résistance des parlements de province.

7 juin
« Journée des tuiles » à Grenoble.

5 juillet
Le Conseil du roi prescrit de faire des recherches sur les États Généraux précédents.

21 juillet
Assemblée de Vizille.

8 août
Les États Généraux sont convoqués pour le 1er mai 1789.

24-26 août
Renvoi de Loménie de Brienne et rappel de Necker.

Septembre
Rétablissement des parlements ; le Parlement de Paris demande que les États Généraux soient convoqués dans les formes de 1614.

5 octobre
Convocation d'une seconde assemblée des notables.

6 novembre
Réunion de l'assemblée des notables.

Novembre
Sieyès publie l'*Essai sur les privilèges.*

27 décembre
Le Conseil du roi se prononce pour le doublement de la représentation du Tiers.

1789

Janvier
Sieyès publie *Qu'est-ce que le Tiers État ?*

24 janvier
Règlement électoral pour les États Généraux.

Mars
Début des élections aux États Généraux.

26-28 avril
Émeute « Réveillon » à Paris.

4 mai
Procession d'ouverture des États Généraux à Versailles.

5 mai
Ouverture des États Généraux.

6 mai
Les députés du Tiers demandent la vérification en commun des pouvoirs des députés des trois ordres.

4 juin
Mort du dauphin.

10 juin
Le Tiers décide de commencer seul la vérification des pouvoirs.

13 juin
Trois curés poitevins quittent la Chambre du clergé pour rejoindre le Tiers.

17 juin
Le Tiers se constitue en Assemblée nationale.

19 juin
Le clergé décide de se réunir au Tiers après un scrutin serré.

20 juin
Serment du Jeu de Paume.

23 juin
Séance royale où Louis XVI expose son programme et ordonne aux ordres de siéger séparément ; la séance terminée, les députés du Tiers et une partie de ceux du clergé refusent de quitter la salle contrairement aux ordres du roi.

25 juin
Quarante-sept députés de la noblesse rejoignent le Tiers.

27 juin
Le roi enjoint au clergé et à la noblesse de se réunir au Tiers.

Fin juin-début juillet
Mouvement de troupes vers Paris et Versailles.

11 juillet
Renvoi de Necker.

14 juillet
Prise de la Bastille ; son gouverneur, Launay, et le prévôt des marchands, Flesselles, sont assassinés.

16 juillet
Rappel de Necker.

17 juillet
Louis XVI arbore la cocarde à l'Hôtel de Ville de Paris où il est reçu par Bailly, le nouveau maire.

Fin juillet-août
Insurrections paysannes et Grande Peur en province.

22 juillet
Meurtres de Foulon de Doué et Bertier de Sauvigny à Paris.

4 août
Destruction du régime féodal mise en forme du 5 au 11 août.

26 août
Déclaration des droits de l'homme et du citoyen.

10 septembre
L'Assemblée rejette l'institution d'une seconde chambre.

11 septembre
Le roi se voit accorder un veto suspensif (droit de refuser la promulgation des lois pendant deux législatures).

5 octobre
Marche des femmes de Paris sur Versailles.

6 octobre
Le roi est ramené à Paris ; l'Assemblée va s'installer à Paris peu après.

29 octobre
Décret du « marc d'argent ».

2 novembre
Les biens du clergé sont mis à la disposition de la nation.

7 novembre
L'Assemblée décide que les ministres ne pourront être pris en son sein.

Décembre
Nouvelle organisation territoriale : les départements et les municipalités.

19 décembre
Création des assignats.

1790

13 février
Abolition des vœux monastiques.

13 avril
L'Assemblée refuse de déclarer la religion catholique religion d'État.

17 avril
Les assignats ont cours comme monnaie.

Avril-juin
Affrontements entre protestants et catholiques dans le Sud de la France.

12 juillet
Vote de la Constitution civile du clergé.
14 juillet
Fête de la Fédération à Paris.
31 août
La mutinerie de la garnison suisse de Nancy est réprimée par Bouillé.
4 septembre
Démission de Necker.
Novembre
Publication des *Réflexions sur la révolution de France* de Burke.
27 novembre
Les ecclésiastiques fonctionnaires publics doivent prêter serment à la Constitution.

1791

2 mars
Loi d'Allarde : suppression des corporations.
10 mars et 13 avril
Brefs pontificaux condamnant la Constitution civile du clergé.
2 avril
Mort de Mirabeau ; le 4, son corps est déposé dans l'église Sainte-Geneviève transformée en Panthéon le 3.
18 avril
Louis XVI ne peut quitter Paris pour aller célébrer ses pâques à Saint-Cloud.
16 mai
Vote de la non-rééligibilité des Constituants à la prochaine Assemblée législative.
14 juin
Loi Le Chapelier interdisant les coalitions.
20 juin
Louis XVI et Marie-Antoinette fuient Paris.

21 juin
Arrestation de la famille royale à Varennes.
25 juin
Le roi est ramené à Paris.
17 juillet
La Garde nationale réprime une manifestation au Champ-de-Mars.
Août-septembre
Révision de la Constitution.
27 août
Suppression du « marc d'argent » pour l'éligibilité à l'Assemblée mais augmentation du cens électoral.
14 septembre
Louis XVI prête serment à la Constitution ; Avignon et le Comtat Venaissin sont réunis à la France.
30 septembre
Dernière séance de l'Assemblée constituante.

II

La Révolution de 1789

1787-1791

Avec la convocation des notables, la monarchie française est entrée dans un mécanisme de consultation : un pouvoir fort, une politique définie pourraient y trouver un appui. Mais un pouvoir faible et indécis risque d'y révéler son isolement et de hâter sa chute : une seule brèche dans les murs, et c'est la débandade. La petite habileté de Calonne déclenche ainsi un des plus gigantesques écroulements de l'histoire. Elle inaugure une accélération des événements où l'historien peut voir depuis la préface d'une révolution.

Ainsi, tout part de la noblesse. Car ces notables sont nobles. Si l'on tient compte parmi eux des évêques, des parlementaires et des anoblis du Tiers État, le privilège nobiliaire et la tradition des « rangs » dominent sans partage cette petite assemblée investie soudain d'un rôle trop grand pour elle : représenter la nation auprès du roi. C'est un curieux spectacle que celui de ce Contrôleur général qui réunit les plus grands actionnaires d'une société pour leur demander la suppression des bénéfices. Mais Calonne a trop attendu de la complaisance de ses interlocuteurs. Cajolée par l'opinion parisienne, l'assemblée des notables se cabre d'autant plus facilement contre la soumission que les projets de Calonne menacent effectivement la tradition. En s'opposant à un impôt unique et proportionnel, elle défend ses intérêts tout en flattant l'opinion. Elle n'a qu'à suivre sa pente pour rejoindre par un éclat anti-absolutiste le sentiment général de la grande ville toute proche, encore nostalgique du bon Necker, et pour faire un bouc émissaire de l'homme qui cherchait une caution. Dans cette opération qui se retourne contre lui, Calonne devient l'incarnation du déficit et d'une finance de gaspillage. Les cent treize millions qui manquent et qu'il a avoués sont imputés à sa seule gestion. Dès avril, le roi cède à ses notables et remplace Calonne par un des plus véhéments d'entre eux, candidat de Marie-Antoinette, l'archevêque de Toulouse, Loménie de Brienne.

Prélat intelligent et ambitieux, l'archevêque commence par donner de toutes mains. Il prend des mesures libérales, comme la reconnaissance de l'état civil aux protestants, qui indigne le clergé. Il fait accepter par Louis XVI une réforme fondamentale de l'État : juste avant de mourir, l'Ancien Régime fait profession de renoncer à un de ses principes constituants, la centralisation administrative. Brienne a hérité de Calonne l'idée des assemblées provinciales : installées dans les généralités des pays d'élection, ces assemblées, composées des trois ordres (avec un Tiers État doublé) seront placées à côté des intendants, et elles auront vocation à s'y substituer peu à peu pour administrer le pays. Le roi nomme la moitié des membres, dans chacun des trois ordres ; la cooptation fait le reste. Une vingtaine de ces assemblées entre en fonction à la fin de l'année, laissant entre leurs sessions plénières des « commissions intermédiaires » pour veiller au grain, à côté de l'intendant largement dessaisi, au moins en théorie. Ainsi, une révolution a-t-elle eu lieu avant la Révolution, opérée par la monarchie, qui fait sa place à la société en renonçant à sa nature. Versailles ne gouverne plus grand-chose, le changement moins encore que le reste. L'heure des réformes d'en haut est passée, au profit de l'opinion publique, attentive à la démagogie des parlements.

Il faut bien en revenir au fond du problème : trouver de l'argent. Il y a dans certaines périodes de l'histoire comme une fatalité de la fonction : Brienne est conduit à reprendre l'idée d'une subvention territoriale, à laquelle il ajoute une augmentation du timbre. Il refait contre lui l'hostilité de ses collègues d'hier, qui se déclarent sans mandat pour voter ces projets : référence implicite à une autre assemblée qui aurait, elle, reçu ce mandat. Ainsi, les États Généraux naissent du grand projet nobiliaire de ressaisir le contrôle de l'État. Tout le siècle s'y rue, réformiste ou conservateur, bourgeois ou aristocrate, au nom de l'anti-absolutisme. Contre Louis XVI qui n'a jamais su diviser pour régner, voici l'heure de l'unanimité libérale : autant dire celle des parlements.

Il se produit ainsi une sorte d'élargissement progressif de la campagne : les notables renvoyés, le relais parlementaire fait passer le nouveau mot d'ordre de la Cour à la Ville, et de Paris à la province. Les grandes villes du royaume retrouvent pour quelques mois leurs interprètes traditionnels. Dès juillet 1787, après le renvoi des notables, le Parlement de Paris a réclamé les États Généraux, dont il affirme qu'ils sont seuls en mesure de consentir de nouveaux impôts : c'est pourquoi il refuse en août la partie financière du programme de Brienne. Conflit, lit de justice, exil, rappel : le scénario classique dure à peine un été. En octobre, il n'est plus question de réforme, mais simplement d'emprunt : le Parlement réinstallé subordonne l'enregistrement à la convocation des États Généraux. Nouveau sursaut de la faiblesse du pouvoir, qui impose son emprunt. Au duc d'Orléans qui objecte que c'est illégal, Louis XVI riposte ce qu'il a toujours appris : « C'est légal, parce que je le veux. » Il exile son cousin et accepte, à la fin des fins, en mai 1788, une série d'ordonnances de son garde des Sceaux Lamoignon, qui décapite les parlements : c'est Maupeou ressuscité. Prenant les devants, les magistrats viennent de réaffirmer les « lois fondamentales du royaume », le vote des impôts par les États Généraux, le droit d'enregistrement, les libertés et les droits des individus et des corps. L'armée royale cerne le Parlement de Paris, qui ne cède qu'à la force, après trente heures de sommations.

L'année 1788 voit culminer ainsi le vieux conflit qui s'est noué dès après la mort de Louis XIV entre l'administration absolutiste et les résistances parlementaires. Mais elle révèle très vite à quel point l'inégalité des forces politiques s'est accrue depuis l'avènement de Louis XVI. Entre une monarchie solitaire et discréditée qui n'a rien à offrir que des velléités et le grand mot d'ordre libérateur des États Généraux, qui unifie toutes les ambitions, le sentiment public n'hésite pas.

Les villes de province parlent même plus fort que Paris. Les magistrats des hautes cours volent au secours de leurs collègues parisiens, entourés de la même ferveur populaire. Le clergé de France et les noblesses locales ne sont pas moins ardents au combat pour « *les* libertés », en cette brève année où personne ne mesure encore l'abîme qui peut séparer, dans un mot comme celui-là, le pluriel du singulier. De fait, les provinces où les deux premiers ordres du royaume disposent des plus fortes positions politiques sont le plus acharnées à combattre le roi et les édits Lamoignon. Ce sont celles qui ont des États provinciaux ou se souviennent d'en avoir eu, et qui les redemandent : le XVIIIe siècle nobiliaire s'épanouit un instant avant de disparaître.

L'émeute gagne toutes les villes de parlement. Elle est particulièrement violente là où le conflit entre le greffe et la couronne est plus ancien, et a couvé pendant tout le siècle : en Béarn, en Bretagne et en Dauphiné. A Rennes, où la noblesse se déclare immédiatement solidaire du Parlement, gentilshommes, avocats et étudiants manifestent ensemble le 9 mai ; le lendemain, les représentants du roi sont lapidés par la foule et contraints de se réfugier au palais du gouverneur. A Grenoble, le parlement protestataire est exilé par le duc de Clermont-Tonnerre, qui commande la province. Au jour fixé du départ des magistrats, le 7 juin, le tocsin sonne et rassemble une ville déjà pleine de monde : c'est jour de marché. Toute la montagne alentour descend prêter main-forte. Les soldats de Clermont-Tonnerre sont lapidés par les tuiles jetées du haut des toits. L'émeute est si violente que le représentant du roi capitule et laisse le parlement se réinstaller.

Mais elle a fait naître aussi une institution révolutionnaire : un « comité central », dominé par des avocats comme Mounier et Barnave, et qui convoque de sa propre autorité, à la fin juillet, des États provinciaux. Dans le grand château du riche négociant Perier, où se réunissent les trois ordres, l'assemblée de Vizille annonce une époque nouvelle : contrairement à ce qui se passe à Pau ou à Rennes, les hommes du Tiers État y ont le nombre et l'autorité ; ils ne se bornent pas à réclamer la restauration des anciennes franchises provinciales mais entraînent la noblesse jusqu'à l'horizon national : à l'appel de Mounier, ils votent en effet que « les trois ordres de la province n'octroieront les impôts, par dons gratuits ou autrement, que lorsque leurs représentants en auront délibéré dans les États Généraux du royaume ». Du coup sont dépassés parlements et particularismes. Derrière l'unanimité anti-absolutiste se dessine déjà une volonté nationale.

Louis XVI, lui, ne peut plus que céder au torrent ;

le 8 août, les États Généraux sont convoqués pour le 1er mai 1789. Il est grand temps car, le 15, les paiements de l'État sont suspendus. Le 24 août, Brienne a été renvoyé. Necker est devenu l'homme providentiel, c'est-à-dire inévitable : son nom ajourne la banqueroute et rejette au néant la tentative de Lamoignon. Mais la vague de popularité qui le ramène au pouvoir est bien trop puissante pour être gouvernée : rien ne compte plus en France que la réunion prochaine des États Généraux.

C'est à cet instant précis, à la fin de l'été 1788, que l'histoire dévoile aux contemporains lucides sa signification essentielle : un peu comme au théâtre, quand la scène pivote d'un demi-tour et révèle ce qui se passe derrière la façade. Mais que se passe-t-il au juste ? La noblesse et les parlements refusent de changer quoi que ce soit au mode traditionnel de désignation et de vote des États : un tiers des représentants pour chaque ordre, et le vote par ordre, qui confèrent automatiquement la majorité aux privilégiés. Or, le Tiers État excipe de l'exemple de Vizille, où sa représentation avait été doublée, et la réunion commune : c'est avouer qu'il veut les moyens de dominer la prochaine assemblée, puisqu'il escompte — à juste titre — des ralliements dans la noblesse et le bas clergé.

Au reste, il en a déjà obtenu certains : le « parti national » — on dit aussi, et déjà, « patriote » —, qui organise la campagne pour le « doublement », réunit aux bourgeois éclairés un certain nombre d'aristocrates libéraux. Le courant d'espoir collectif est si fort qu'il déporte bien des imaginations au-delà des limites sociales, vers une nation réconciliée de vingt-cinq millions de citoyens. Si les notables du Tiers État forment dans les villes du royaume le noyau de cet immense mouvement d'opinion, coordonné au sommet par un Comité des Trente, ils n'en ont pas le monopole : bien des ralliements individuels leur viennent d'en haut, longuement répartis par la culture du siècle et la promotion des mérites. La multiplication des académies provinciales ou des sociétés franc-maçonnes, celle des clubs enfin, a préfiguré le monde nouveau où fraternisent désormais les « rangs ». Ainsi, à côté de Brissot, de Mounier ou de Barnave, ou du jeune conseiller au Parlement Du Port, plusieurs héritiers des plus grands noms du royaume ratifient d'avance la fin des privilèges : La Fayette « l'Américain », l'évêque Talleyrand tout juste nommé à Autun, le duc de La Rochefoucauld, hostile aux mœurs de la Cour, son cousin Liancourt, l'agronome philanthrope, le duc d'Aiguillon, un des plus riches propriétaires de France. Toutefois, certains de ces grands seigneurs libéraux conservent le sens des distances et imaginent aussi leur action comme une indispensable adaptation de l'aristocratie aux temps nouveaux : il faut que tout change pour que tout demeure. La révolution du Tiers État se sentira spontanément plus proche des transfuges comme l'abbé Sieyès ou le vicomte de Mirabeau, élus sur ses propres listes.

C'est qu'elle avance, dès cette fin de 1788, l'idée révolutionnaire par excellence : au-delà de l'unanimité libérale, la revendication égalitaire. La lutte contre l'absolutisme est déjà victorieuse — depuis plus longtemps d'ailleurs que ne l'imaginent les contemporains. Elle découvre alors ce qui est l'essentiel mais qui était resté enfoui, inavoué comme l'humiliation : la haine qui naît de la société à ordres et un racisme de la naissance exaspéré par la « castification » des rangs. La société aristocratique de cette fin du XVIIIe siècle, corrompue dans son principe, révèle soudain les ravages psychologiques et politiques provoqués par la hantise de la distinction : *l'honneur bourgeois récusé est devenu l'égalité*. Il y a déjà une accélération de l'histoire dans cette équation sans nuances. Le compromis entre les classes éclairées en est rendu très difficile ; au contraire, tout le Tiers État se reconnaît dans la haine de l'aristocratie. On peut le comprendre sur un exemple : l'abbé Sieyès est devenu l'homme du jour.

Sieyès. Il faut s'attarder un peu sur ce nom, qui est le meilleur symbole de la Révolution française. Jacques Bainville remarque que Sieyès a fait tenir en trois formules la marche échevelée de la Révolution française. Au début de 1789 : « Qu'est-ce que le Tiers État ? tout. Qu'a-t-il été jusqu'à présent dans l'ordre politique ? rien. » Après 1793 : « J'ai vécu. » A l'automne 1799 : « Je cherche une épée. » C'est qu'il est, de la Révolution française, non pas le plus grand homme d'action, mais le penseur politique le plus profond. C'est lui qui donne le coup d'envoi, dans l'hiver 1788-1789, avec trois brochures successives : l'*Essai sur les privilèges*, les *Vues sur les moyens d'exécution dont les représentants de la France pourront disposer en 1789* et enfin *Qu'est-ce que le Tiers État ?*, la plus célèbre, qui rend son nom fameux en quelques semaines. Tout paraît en deux mois, entre novembre 1788 et janvier 1789, à l'époque où Louis XVI et Necker prennent leurs décisions sur les modalités de convocation et de réunion des États, en pleine crise politique. Peu de livres ont agi avec autant de force sur des événements capitaux que ces trois pamphlets de circonstance écrits à la diable, mais extraordinairement forts, où un prêtre pour lequel l'Ancien Régime n'a pas été trop méchant développe au nom du Tiers État une philosophie de la Révolution.

Sieyès est un prêtre. Né en 1748 à Fréjus, dans une famille de bourgeoisie modeste qui a du mal à établir ses cinq enfants, il a suivi la filière ecclésiastique sans vocation particulière, mais comme un enfant doué pour les choses de l'esprit. Pris en main par les jésuites, ces grands découvreurs de talents, après eux par les congréganistes de la Doctrine chrétienne, il est à Paris en 1765 au petit séminaire de Saint-Sulpice — le grand est celui des rejetons nobles qui se forment pour les évêchés — où ses maîtres ne trouvent à signaler, outre son caractère « sournois », que son fantastique appétit pour les livres. Ordonné prêtre en 1772, il a tout lu de la philosophie des Lumières, française et anglaise. Les notes qu'il a prises pendant ces longues années d'études, conservées aux Archives nationales, témoignent d'une véritable boulimie intellectuelle, un peu anarchique, allant de la littérature à la métaphysique, des arts à la musique, avec une passion particulière pour la philosophie et l'économie politique : Locke et les physiocrates restent des interlocuteurs qu'il ne cesse de lire, relire, discuter, contester. Il a écrit en 1775 une *Lettre aux économistes sur leur système de politique et de morale* qu'il renonce à publier. Tout intéresse le jeune Sieyès dans le mécanisme des sociétés : l'argent, la banque, le travail, le commerce, la production, la propriété, la souveraineté, la citoyenneté — tout, sauf l'histoire. Le fond de ses curiosités et de sa pensée est politique, au sens le plus général du terme, et conforme au courant dominant de la philosophie française des Lumières : il s'agit de penser la société conformément à la raison, alors qu'elle offre le spectacle de la déraison. Sieyès est, tout jeune, un passionné du bonheur public.

Du jeune prêtre, le génie simplificateur et puissant ne trouve pas d'emploi dans le monde de l'Ancien Régime. Il a d'abord besoin de protecteurs pour se faire une place, trouver une sinécure, aider les siens. Une lettre de 1773 à son père — il a alors vingt-cinq ans —, au moment où il vient de rater un bénéfice convoité, est révélatrice et de lui et de l'ancienne société : « ... si la chose eût réussi, je devenais tout, au lieu que je ne suis rien. N'importe, je n'ai pas encore à me plaindre, puisque mon cours n'est pas achevé. Ou je me donnerai une existence ou je périrai. » Cette « existence », il la trouve dans la suite d'un aristocrate évêque, d'abord de Tréguier, puis de Chartres, Jean-Baptiste Joseph de Lubersac, philosophe comme lui, et comme lui prêtre administrateur. Voici l'abbé Sieyès installé, pourvu bientôt d'un bénéfice, puis chanoine de Chartres en 1783, enfin grand vicaire, le plus proche collaborateur de l'évêque, déjà une petite personnalité de l'Église de France. Il a un bel « état », mais sa vraie vie est ailleurs : non dans la religion — rien ne témoigne qu'il s'y soit jamais intéressé —, non plus dans la vie privée — tout indique qu'il n'en a pas —, mais dans ces livres et ces idées du siècle dont il ne cesse de débattre, la plume à la main, pour lui seul. Quand sonne l'heure de l'histoire, ce prêtre n'a rien publié mais a beaucoup écrit ; il n'a rien vécu mais a tout médité : Helvétius, Rousseau, Turgot, les physiocrates, Condillac, Hume, Smith.

Un contemporain, le Suisse Étienne Dumont, proche de Mirabeau, et l'un des observateurs les plus fins du monde politique de 1789, a laissé sur Sieyès les meilleures pages qu'on puisse encore lire. Témoin cette note, essentielle à qui veut comprendre la nature de son esprit et le secret de son comportement d'augure dès 1789-1790 : « Un jour, après avoir déjeuné chez M. de Talleyrand, nous nous promenâmes longtemps ensemble dans les Tuileries : l'abbé Sieyès se trouva plus communicatif, plus causeur qu'à l'ordinaire ; il était dans un accès de familiarité et d'épanchement, et après m'avoir parle de plusieurs de ses travaux, de ses études, de ses manuscrits, il me dit ce mot qui me frappa : “La politique est une science que je crois avoir achevée.” » Coïncidence rare, l'homme qui n'avait su écrire ses idées venait de trouver un théâtre où les mettre en scène.

Quand il publie son premier pamphlet en novembre 1788, il est clair que ce faiseur de système, cet intellectuel abstrait, proie idéale pour les grands critiques de 1789, de Burke à Taine, est aussi animé par une formidable passion. L'*Essai sur les privilèges* donne en effet le la à ce qui va être le ressort de la Révolution, quelques mois avant qu'elle n'éclate : la haine de l'aristocratie. C'est un texte très court d'une vingtaine de pages, violent, catégorique, tendu comme une flèche vers sa cible, et qui touche en son point nodal l'ancienne société : le privilège.

Qu'est-il, que peut-il être, ce privilège, sinon la corruption par excellence de l'idée de loi, puisqu'il constitue des catégories d'individus en étrangers à ce qui fait la communauté ? Sieyès pose d'emblée l'universalisme démocratique comme le droit naturel de la société, seul conforme à la raison. Or, le privilège extrait son bénéficiaire de la sphère publique de la Cité pour le définir par des intérêts particuliers qui l'en séparent en le plaçant hors de la citoyenneté. Il entraîne d'ailleurs des effets psychologiques antisociaux : le sentiment d'appartenir à une autre humanité, la passion de la domination, l'amour-propre exacerbé, etc. Sieyès n'est pas, comme Rousseau, un adversaire de la société moderne ; s'il retrouve quelques accents de Rousseau, c'est pour dénoncer la corruption morale de la société aristocratique, mais d'elle seule. De cette société, où le privilège est partout, il n'y a qu'un grand coupable, l'incarnation même du mal : la noblesse. Les nobles ont le monopole de l'honneur, grand ressort de toute société ; ils ne peuvent soutenir leur hauteur sans argent, l'autre grande récompense sociale : or, privés par leur privilège même des moyens légaux de s'enrichir, ils ne vivent qu'en parasites de Cour, étrangers à la nation, n'ayant comme industrie que la haute mendicité.

Sieyès, qui a été si long à pouvoir écrire autre chose que des notes de lecture, publie à quarante ans, porté par les circonstances, ses vingt premières pages... mais quelles pages ! La noblesse y est condamnée au tribunal de la raison, rejetée hors de la nation, constituée avec la Cour en bouc émissaire du mouvement d'opinion en faveur de la régénération du royaume. L'abbé solitaire a deviné l'événement qui vient, et du coup il le façonne aussi. Il ne manque même pas à son pamphlet ce qui sera un an plus tard « l'ancien régime », cette ligne de fracture imaginaire qui rejette au néant les siècles antérieurs : « Un temps viendra où nos neveux indignés resteront stupéfaits à la lecture de notre histoire, et donneront à la plus inconcevable démence les noms qu'elle mérite. »

Le deuxième pamphlet de Sieyès, ces *Vues sur les moyens d'exécution dont les représentants de la France pourront disposer en 1789*, traite la question des États Généraux sous l'angle de leur nécessaire transformation en « Assemblée nationale », investie de la souveraineté constituante. L'abbé connaît l'objection classique faite à la République, c'est-à-dire au gouvernement populaire, dans un grand pays : on ne peut plus réunir la nation pour lui faire discuter et voter les lois, comme dans la Cité antique. Il la contourne grâce à une théorie de la représentation, par laquelle il étend au domaine politique l'idée de la division du travail élaborée par un de ses auteurs favoris, Adam Smith. Il s'agit de « détacher de la masse des citoyens différentes classes de mandataires, dont l'ensemble des personnes et des travaux forme ce que nous appelons l'*établissement public* ». Cet « établissement » est constitué en vertu d'une « procuration » donnée par la société à ses mandataires, que ceux-ci soient les agents d'exécution, ou les législateurs. Dans tous les cas, ces mandataires ne sont donc pas des représentants de fractions du corps social (leurs électeurs par exemple), mais de toute la nation. D'ailleurs, la procédure de délégation du pouvoir législatif ne doit pas être trop démultipliée, de façon à rester proche de sa source : « Toute législature a continuellement besoin d'être rafraîchie par l'esprit démocratique ; il ne faut donc pas qu'elle soit placée à un trop grand éloignement des premiers commettants. La représentation est faite pour les représentés ; il faut donc éviter que la volonté générale ne se perde, à travers un grand nombre d'intermédiaires, dans un funeste aristocracisme. »

Ainsi Sieyès jette-t-il les bases d'une théorie du gouvernement représentatif, tiraillée dès l'origine entre le caractère inaliénable des droits de la nation, et la souveraineté déléguée de ses représentants. Avant même d'avoir lieu, la Révolution a déjà cerné ce qui sera un de ses grands problèmes.

Juste après, en janvier 1789, *Qu'est-ce que le Tiers État ?* reprend l'argumentation de l'*Essai sur les privilèges* en l'amplifiant et en la spécifiant. C'est un pamphlet plus long, plus complexe, à la fois plus théorique et plus pratique, traité et cri de guerre en même temps, mélange très annonciateur de l'esprit de la Révolution. Dans l'ordre philosophique, le début du texte montre l'étendue de la dette de Sieyès à l'égard des physiocrates et de l'économie politique anglaise : la société y est abordée sous l'angle de l'activité économique de ses membres, et comme le lieu où s'opère le progrès de la civilisation par la production des richesses. De toutes les classes utiles qui y contribuent par leur travail, la noblesse est exclue par définition, puisqu'elle ne peut exercer de profession particulière ; quant aux services publics dont elle est censée se charger, ils pourraient être plus utilement exercés par des hommes du Tiers État. Car il est absurde de mettre à la tête de l'État des gens qui se définissent par ce qui les sépare du bien public, des « étrangers au milieu de nous », dit Sieyès, une « caste » : « C'est le vrai mot. Il désigne une classe d'hommes qui, sans fonctions comme sans utilité et par cela seul qu'ils existent, jouissent de privilèges attachés à leur personne... La caste noble a usurpé toutes les bonnes places ; elle s'en est fait comme un bien héréditaire ; aussi l'exploite-t-elle, non dans l'esprit de la loi sociale, mais à son profit particulier. »

Par ce biais, Sieyès étend l'accusation à la monarchie, coupable d'être l'esclave de cette aristocratie parasite : ce n'est pas le roi qui règne, c'est la Cour. La complémentarité de la noblesse et du roi, dont

Montesquieu avait fait un jeu d'équilibre au profit de la liberté des individus, devient chez l'abbé la domination conjointe des intérêts particuliers sur ceux de la nation : argument très puissant, et promis à un grand avenir dans la mesure où il déplace la condamnation du social au politique, entraînant la vieille royauté dans la malédiction jetée sur la noblesse. La Cour est là, tout près, bruissante d'intrigues et d'argent, fête très exclusive de privilégiés, illustration sur mesure du mal dénoncé par le procureur du peuple. La centralisation monarchique a produit à la fois Versailles et Paris, *la* Cour et *la* Ville, comme pour offrir, des privilèges et de l'opinion publique, deux incarnations parfaitement antagonistes.

Sur cette excommunication de la noblesse, sur les ruines de ce régime absurde, quelle société reconstruire ? Celle que dicte la raison, ou encore la science, qui est son autre nom. Sieyès récuse toute leçon tirée du passé national, ou tout exemple venu d'un pays étranger. On saisit bien, à le lire, comment la raison révolutionnaire s'est déjà construite comme une déduction abstraite tirée de principes absolus et universels : il récuse, comme on l'a vu, tout ajustement avec l'ordre existant, condamné en son intégralité ; il dénie toute valeur d'exemple à la Constitution anglaise, bien qu'il lui reconnaisse un caractère « étonnant pour le temps où elle a été fixée ». Mais un siècle après 1688, les Français bénéficient du progrès des Lumières : « Ne nous décourageons pas de ne rien voir dans l'histoire qui puisse convenir à notre position. La véritable science de l'état de société ne date pas de loin. » En effet, puisqu'il vient de la fonder ! Un peu plus tard, Mirabeau l'appellera Mahomet.

Tous ces individus, ou l'ensemble de ces classes d'individus, engagés dans la production de la richesse sociale ou dans le service public forment une communauté politique, que Sieyès appelle une *nation* : mot capital, un des plus forts de la langue révolutionnaire, mais un des plus énigmatiques aussi, parce qu'il récupère le poids charnel de l'ensemble historique constitué par les rois pour en faire le fondement de ce qui est en train de naître, la légitimité unique du vivre ensemble. Les « droits de la nation » en face du « despotisme » royal avaient été un thème courant de l'opposition parlementaire par lequel les légistes faisaient référence à une « Constitution » coutumière du royaume, perdue dans la nuit des temps. Chez Sieyès, la nation désigne la communauté formée par l'association d'individus qui décident librement de vivre sous une loi commune, forgée par leurs représentants. Elle est la volonté constituante, le contrat social lui-même dans son acte fondateur : la noblesse n'y est pas partie prenante, puisqu'elle échappe à l'universalité de la loi et possède ses assemblées particulières.

C'est cet acte fondateur auquel peuvent et doivent procéder les prochains États Généraux : le peuple jouit déjà d'une certaine émancipation civile, à travers les progrès de ce que les philosophes écossais ont appelé « la société commerciale ». Il lui reste à se constituer en société politique pour composer enfin une nation. Le Tiers État seul le peut, puisque lui seul constitue d'avance le corps des associés à l'entreprise commune. Il n'est rien, alors qu'il est tout : telle est la formule célèbre par laquelle Sieyès donne un sens radicalement neuf à la vieille institution des États Généraux, et trace leur devoir aux futurs députés du Tiers, seuls dépositaires de la volonté nationale. Ce n'est pas assez que le nombre des membres des Communes soit doublé, ou que le vote ait lieu par tête : les privilégiés, aussi longtemps qu'ils se définissent par le privilège, ne sont pas représentables. Le Tiers doit s'assembler à part : « Il ne concourra point avec la Noblesse et le Clergé, il ne votera avec ni par ordre ni par tête... Le Tiers seul, dira-t-on, ne peut pas former les États Généraux : il composera une Assemblée nationale. »

Tel est l'argument de ce livre célèbre, qu'on peut

lire sur un double registre. Sieyès y présente déjà une théorie complexe de la formation du corps politique à partir des individus de la société civile ; il mêle un point de départ classiquement libéral, la multiplicité des intérêts privés qui caractérisent l'homme moderne, avec la construction, presque l'obsession, d'une volonté générale unitaire, imprescriptible, possédée par la Nation, déléguée et exercée ensuite par ses représentants. Mais le triomphe du pamphlet résulte moins de cette réflexion savante que de ce qu'il offre de génialement simple à la passion anti-aristocratique. Dans l'égalité retrouvée, redevenue principe naturel de toute société, l'opinion publique enterre le temps des mépris. Elle exclut les nobles de la nation. Elle fête la mort de la Cour et des courtisans, la fin de l'arrogance nobiliaire, et sa propre délivrance de l'humiliation sociale. *Qu'est-ce que le Tiers État ?* nous offre le plus grand secret de la Révolution française, ce qui va constituer son ressort le plus profond, la haine de la noblesse : en même temps qu'un penseur, l'abbé est un homme de ressentiment, qui règle ses comptes avec l'ancienne société. En vidant la querelle de sa vie avec les gens bien nés, il a touché la passion la plus forte de l'opinion, qui se retrouve en lui.

Or, c'est à l'opinion que le roi demande conseil, alors qu'il croit encore s'adresser aux ordres du royaume. Ce malentendu mérite quelques commentaires.

L'institution des États Généraux appartient à la tradition de la monarchie française depuis la fin du Moyen Age : elle a été souvent utilisée par les rois de France entre le XIVe et le XVIe siècle[4]. Elle a pour objet de réunir auprès du monarque, lorsqu'il le souhaite, la « représentation » du royaume, destinée à l'assister de ses avis et de ses conseils. « Représentation » qu'il faut entendre au vieux sens du mot — un des plus intéressants de la politique ancienne et moderne —, qui renvoie à la nature même de la société ancienne.

L'individu n'y a d'existence qu'à travers ses appartenances et ses solidarités organiques : la famille, la communauté, le corps, l'ordre, définis par des droits qui sont à la fois collectifs et particuliers, puisque ce sont des privilèges de groupe, partagés par chacun de ses membres. L'univers social est ainsi constitué d'une pyramide de corps qui ont reçu de l'histoire et du roi de France leur place et leurs titres, selon une hiérarchie conforme à l'ordre naturel du monde. La « représentation » de cet univers auprès du roi s'opère tout naturellement de bas en haut, par une succession d'effets de condensation : le niveau supérieur « représente » le niveau inférieur qu'il englobe et dont il récupère, de par sa position, l'identité. Le roi de France, tout en haut de la pyramide, subsume et incarne l'ensemble des corps qui constituent la nation, pour en faire un corps unique dont il est la tête : sa consultation des « États » n'a pour objet que de sceller à nouveau l'unité-identité de la société et de son gouvernement. Dans le cadre de cette conception du social, le processus de « représentation » n'est pas destiné à élaborer un vouloir politique commun à partir des intérêts ou des volontés des individus, mais à exprimer et transmettre, de bas en haut, et jusque tout en haut, la demande par définition homogène des corps du royaume. C'est pourquoi il est lié au mandat impératif, par lequel toutes les communautés délèguent au niveau supérieur des députés qui ne sont pas chargés de les « représenter », au sens moderne du mot, mais simplement d'être les porte-parole fidèles de leurs vœux.

Les règles de convocation n'ont jamais revêtu de forme fixe. Les modalités électorales, le droit de vote, le nombre des circonscriptions et des députés, non plus. Les États Généraux, si l'on en faisait une histoire systématique, offriraient une excellente illustration de l'incapacité, caractéristique de l'Ancien Régime français — malgré, ou à cause de son activité législative incessante —, à constituer des règles fixes de droit public et des institutions régulières : thème cher à Tocqueville, qui y voit une des origines de la *tabula rasa* révolutionnaire. Quand la décision est prise, en juillet 1788, de réunir les États Généraux pour les consulter sur les moyens de résoudre la crise que traverse le royaume, il n'existe donc pas de corps de doctrine ou de textes réglementaires qui puissent aider l'administration royale à définir les règles du jeu électoral. D'ailleurs, cette procédure de consultation est tombée en désuétude, de par la volonté des rois, depuis la première moitié du XVIIe siècle ; de sorte que, si les légistes de Louis XVI veulent trouver, à défaut d'une doctrine, un précédent qui fasse jurisprudence, ils ne peuvent se tourner que vers les États Généraux de 1614. La dernière en date des réunions a déjà près de deux siècles : il n'en existe pas d'archives, ni même de mémoire orale. Victime de ses propres pratiques, la monarchie absolue ne possède donc plus d'héritage ou de tradition qui lui permette de consulter l'opinion dans des formes incontestables.

Aussi, par l'arrêt du Conseil du roi du 5 juillet 1788, le roi demande-t-il à ses sujets d'envoyer à la Cour « des mémoires, des renseignements et des éclaircissements » sur la tenue des États. Il mobilise notamment les sociétés savantes, par le biais d'un hommage aux académies qui a provoqué l'ironie de Tocqueville, surpris qu'on mette pareil sujet au concours. Mais c'est qu'en cette fin du XVIIIe siècle, le problème du vote et de la représentation politique — au sens moderne cette fois — est réellement devenu une question philosophique, discutée par les savants, comme en témoignent par exemple les travaux de Condorcet. Si la tradition est muette, confuse, trop lointaine ou effacée, la philosophie peut répondre à sa place, à la demande même de la monarchie.

Avec le recul de deux siècles de pratique démocratique, aucun gouvernement au monde ne s'engagerait aujourd'hui, avec cette espèce d'innocence, sur un problème aux conséquences aussi vastes que les modalités d'un scrutin. Mais la monarchie française n'a précisément pas cette expérience. Elle se fie à l'esprit nouveau, déjà dominant, pour revisiter l'institution ancienne peu réglée. Non que les choses aient cette simplicité d'épure, puisque beaucoup d'intrigues politiques traversent le champ de la décision réglementaire : l'entourage royal cherche à régler ses comptes avec les privilégiés, coupables d'avoir déclenché la révolte, alors que Necker, le ministre, sinon le plus influent, au moins le plus populaire, explore prudemment la voie vers une monarchie à l'anglaise. Mais dans les deux textes clefs du 27 décembre 1788 et du 24 janvier 1789, ainsi que dans tous les documents relatifs à l'organisation des prochains États Généraux, l'économie générale des pensées et de la décision est bien commandée par ce dialogue de l'esprit nouveau avec une tradition perdue, qu'il investit de toutes parts sans l'effacer.

Le 6 novembre 1788, au moment où Louis XVI retrouve l'assemblée des notables pour prendre son avis sur la question, Necker, en ouvrant la session, souligne le changement intervenu depuis 1614 et avance l'idée d'« équité » dans la représentation : ce qui signifie non seulement le doublement du Tiers, mais la proportionnalité entre le nombre des représentés et leurs représentants. Les deux propositions se justifient par les transformations récentes de l'économie et de la société. C'est la mise en œuvre de la première qui va peser le plus sur la suite des événements, après qu'a eu lieu en juin la fusion des députés des trois ordres en Assemblée nationale. Mais c'est la seconde qui est, dans l'ordre intellectuel, la plus révolutionnaire. En effet, même si elle apparaît pour l'heure limitée aux seules élections du Tiers État, elle est inséparable de l'idée moderne de représentation : cherchant à instaurer un rapport stable entre tout représentant et le nombre de ses électeurs, elle renvoie au concept d'individus porteurs de droits égaux dans la formation du pouvoir politique et d'une assemblée « nationale ».

A lire d'ailleurs les délibérations des notables, qui sont des nobles, on s'étonne moins de les trouver, dans l'ensemble, hostiles au doublement du Tiers et aux innovations que de les voir consacrer tant de commentaires à cette idée d'une proportionnalité nécessaire entre la population d'une circonscription électorale et le nombre de ses députés. On pourrait multiplier les citations en ce sens, extraites d'une réunion qui rassemblait le Gotha de la monarchie française. La part qu'elle fait à l'argumentation contraire à ses décisions finales sur le doublement du Tiers et la proportionnalité entre mandants et mandataires montre à quel point la majorité de ces « notables » est peu assurée de l'imprescriptibilité de ses droits. D'ailleurs, quand elle en vient à discuter des modalités du vote à l'intérieur du Tiers État, cette assemblée de privilégiés opine à une très large majorité en faveur du suffrage universel, sans faire aucune distinction entre le droit d'élire et celui d'être élu — alors que cette distinction sera caractéristique de la législation révolutionnaire.

Du coup, le rapport Necker du 27 décembre 1788 sur la préparation du règlement électoral peut aussi faire la part belle à l'esprit du temps. Rappelé au pouvoir par l'opinion plus que par la royauté, l'administrateur-philosophe rencontre enfin l'occasion de mettre en œuvre ses idées sur la nécessité de faire participer au pouvoir des assemblées élues, représentatives des besoins de la société. Mais le banquier protestant, qui se souvient de son échec de 1781, sait aussi mieux que personne qu'il lui faut amadouer les grands et la noblesse, en ménageant plus encore leur amour-propre que leurs intérêts, comme il l'a intelligemment noté dans l'*Administration des finances* (« Ce sont les distinctions d'état qui forment, en France, le plus ardent objet d'intérêt ; on n'est pas fâché, sans doute, qu'elles favorisent les combinaisons pécuniaires, mais, quand les idées de supériorité sont ménagées, le sentiment le plus actif est satisfait »). De là le caractère contradictoire de son texte, à mi-chemin entre la tradition et l'innovation. Non pas au sens où s'opérerait un compromis politique à l'intérieur de chacun des points en discussion : certaines questions sont traitées selon l'esprit d'innovation, les autres abandonnées à la tradition, ou plutôt à l'idée que l'on s'en fait. Deux esprits se disputent le texte ministériel, mais simplement superposés, sans avoir fait l'objet d'une tentative de conciliation.

Ils sont tous les deux successivement affirmés dès le début du rapport ; le premier prend appui sur le précédent de 1614, le second sur l'opinion publique. Une opinion qui est, sur le plan des principes, la référence primordiale du ministre, puisqu'elle l'amène à faire la recommandation fondamentale de proportionner le nombre des députés du Tiers État à l'importance de la population représentée : « Il n'y a qu'une seule opinion dans le royaume sur la nécessité de proportionner, autant qu'il sera possible, le nombre de députés de chaque bailliage à sa population, et puisque l'on peut, en 1788, établir cette proportion d'après des connaissances certaines, il serait évidemment déraisonnable de délaisser ces moyens de justice éclairée, pour suivre servilement l'exemple de 1614. » Tout est dit dans ces quelques lignes, à travers l'hommage indirect rendu à l'effort statistique des intendants et de leurs services : la royauté de l'opinion, qui tire son unanimité du savoir et de la justice, en même temps qu'un type de représentation politique moderne, fondé à la fois sur les droits égaux des individus et la rationalité technico-administrative. A noter aussi le refus d'une imitation « servile » du précédent de 1614.

Par l'intermédiaire de son ministre, la monarchie elle-même oppose la raison et la justice à la tradition.

La recommandation du doublement du Tiers est faite à partir d'un exposé des motifs du même ordre. Sur ce point, le plus brûlant du débat national en cours, Necker présente d'abord prudemment la liste des partisans de chacune des deux thèses. Mais cette double énumération fait apparaître l'incomparable supériorité de poids et de nombre du camp des novateurs, puisqu'il comporte en fin de compte, en plus d'une minorité des notables et de la noblesse, « le vœu public de cette vaste partie de vos sujets connue sous le nom de Tiers État ». Enfin, pour faire bonne mesure, le ministre invoque « ce bruit sourd de l'Europe entière, qui favorise confusément toutes les idées d'équité générale » : manière d'introduire dans la pesée de la décision royale l'argument clef, promis à l'avenir que l'on sait dans la pensée du XIXe siècle, de l'irréversibilité de l'histoire. L'histoire contre la tradition : on mesure à travers cette opposition à quel point la monarchie française elle-même, contrairement à ce qu'écrira Burke, a cessé de se référer à une vision traditionaliste de la Constitution du royaume, pour ouvrir la voie en apparence à la réforme, en fait à une subversion de son esprit et de son histoire. Dans la nécessité du changement préconisé par le ministre, il entre moins le souci d'un bricolage institutionnel que le sentiment d'une évolution inévitable.

Mais en même temps qu'il opère ce déplacement capital de l'idée de représentation au profit du Tiers État, au nom des progrès de la civilisation, le texte de décembre insiste plus que jamais sur la séparation des ordres dans la consultation qui va s'ouvrir et la réunion qui doit s'ensuivre : ce qui annule, en théorie, le doublement du Tiers, puisque les ordres siégeront séparément ; dès lors, quel que soit le nombre des députés de chaque entité, les deux ordres privilégiés garderont le pas sur la troisième assemblée. Il est intéressant, à cet égard, que cette séparation des ordres soit recommandée de façon plus radicale qu'au XVIe siècle ou en 1614, où les assemblées de bailliage avaient souvent mêlé la noblesse et le Tiers État. Si bien qu'au moment même où il se réclame, au moins implicitement, d'une conception démocratique du vote à l'intérieur du Tiers, le pouvoir royal en renforce d'un autre côté, par rapport même à sa propre tradition, le caractère aristocratique.

Cette contradiction centrale se retrouve tout au long des dispositions réglementaires qui organisent les élections, telles que les fixe le texte du 24 janvier. D'un côté, en dehors même de la séparation étanche des ordres, le règlement se réclame de la tradition, insiste sur l'idée d'une Assemblée simplement destinée à conseiller le roi, prescrit dans les villes la réunion des habitants par corps et compagnies de métiers, multiplie les cas particuliers et les exemptions au nom de privilèges acquis. Surtout, il conserve la procédure traditionnelle du cahier de doléances, censé présenter les vœux unanimes de chaque communauté : procédure inséparable de l'idée du mandat impératif, et incompatible avec toute compétition électorale publique, selon le schéma moderne.

Mais d'un autre côté, le texte du 24 janvier, également préparé par Necker, fait appel à l'esprit du temps, à l'évolution des mentalités, souligne la nécessité de rendre la représentation des bailliages à peu près proportionnelle à leur population et se fixe comme objectif une « assemblée représentative de la nation entière ». L'ensemble du travail réglementaire élaboré dans le texte de janvier et dans ceux qui suivent témoigne de la volonté d'instaurer, dans toute la mesure du possible, un principe « fixe », et d'organiser une consultation de tous les habitants du royaume, en faisant de chaque Français majeur inscrit sur les registres de l'impôt un électeur. Comme l'a bien vu Michelet, le peuple français, paysannerie en tête, va faire pour la première fois son entrée massive dans un scrutin politique, au printemps 1789.

Au surplus, aucune distinction n'est établie entre droit d'élire et droit d'être élu : tout individu accédant aux assemblées électorales — c'est-à-dire n'importe quel Français majeur — acquiert automatiquement la faculté de se présenter aux suffrages de ses concitoyens. Si l'on considère ensemble cette naissance de l'égalité politique et l'ajustement du nombre de sièges à la population des bailliages, le règlement électoral de Louis XVI — concernant le seul Tiers État — est comparable à un scrutin d'arrondissement moderne, compliqué par les différents niveaux d'élection, de la paroisse au chef-lieu de bailliage.

Ainsi la monarchie française a-t-elle mêlé, dans l'organisation d'une consultation qu'elle a voulue, l'esprit de tradition et l'esprit de géométrie, le respect des précédents et l'innovation démocratique. Il n'y a pas lieu de s'étonner qu'elle s'ingénie, ici et là, à rester fidèle à son passé : la structure de la société à ordres fait partie de la nature même du système monarchique. Mais il est en revanche surprenant qu'elle juxtapose à trois consultations, plus soigneusement distinguées que jamais, correspondant aux trois ordres du royaume, la mise en œuvre générale des principes démocratiques modernes : comme si la conformité partielle à la vision traditionnelle du pouvoir et de la société n'était destinée qu'à donner au conflit de l'aristocratique et du démocratique sa pureté déjà révolutionnaire.

La vérité historique invite à prêter plus d'innocence aux acteurs de ce prologue. Car ce qui confère à cette espèce d'interrègne entre l'Ancien Régime et la Révolution sa transparence exceptionnelle n'est pas l'autonomie et la volonté du gouvernement du royaume : son éclat vient au contraire de ce que la vieille monarchie prête une dernière fois son visage aux ambiguïtés de la société et à l'esprit du temps. Elle décide la réunion des États Généraux sans savoir que, si l'Ancien Régime a un passé, et même un très long passé, la monarchie n'a jamais eu de tradition représentative, ni même de véritable tradition tout court, au sens de la Constitution anglaise. Incapable de reconstruire une institution sur ce néant, elle cède aux deux pentes que lui offrent son histoire et son temps : celle de l'aristocratie et celle de la démocratie. Au moment où elle distingue la noblesse jusqu'à l'intérieur d'elle-même et la sépare de la nation, elle donne au Tiers État les moyens d'incarner cette nation et de la rassembler. Non seulement elle lègue la démocratie à la Révolution, mais, avant de mourir, elle lui offre les moyens de se constituer en corps politique national contre l'aristocratie.

Un élément qui, lui, doit tout au hasard, ajoute son poids de désordre à la situation. La crise politique se trouve accélérée par une des plus grandes tempêtes économiques et sociales du siècle : le ciel aussi est révolutionnaire. Tout a commencé par la mauvaise récolte : les pluies et les inondations de 1787, puis la sécheresse, enfin la grêle du 13 juillet 1788 qui ravage l'Ouest de la France — tout s'est ligué contre la moisson, catastrophique. Le débouché rural manque à l'industrie urbaine, qui débauche : la résistance de l'entreprise est d'autant moins forte qu'un traité de commerce franco-anglais de 1786, en réduisant les tarifs d'entrée de la production anglaise en France, l'a rendue plus vulnérable. C'est vrai surtout du textile, grande industrie de l'époque et domaine par excellence de la précocité anglaise : au début de 1789, il y a douze mille chômeurs à Abbeville et vingt mille à Lyon. Les intendants indiquent la progression de la mendicité et du vagabondage. Signal traditionnel de la crise et des alarmes sociales, la flambée des prix vient amputer un revenu déjà atteint par le chômage : à Paris, à la fin du printemps, le pain est à 4 sous la livre, alors que l'équilibre précaire du budget populaire est atteint autour de 3 sous.

Aussi la violence monte-t-elle de partout : des campagnes, où le petit paysan n'arrive plus, sur sa récolte, à nourrir sa famille, payer son seigneur et le roi ; des villes, où le petit peuple réclame du travail et la taxation du pain. A la fin de l'hiver 1788-1789 qui a été si rude, des troubles éclatent de la Provence à la Bourgogne, de la Bretagne à l'Alsace : paysans et ouvriers pillent des greniers, arrêtent des transports de grains, menacent les seigneurs qui réclament leurs redevances et les intendants qui symbolisent l'impôt. A Paris, en avril, une foule de misérables pille la grande fabrique de papiers peints du sieur Réveillon avant de se faire massacrer par la troupe.

Dans ce grand mouvement anarchique où se dissout l'autorité, on retrouve les éléments traditionnels des émeutes frumentaires de l'Ancien Régime. Mais la nouveauté tient à une sorte d'orientation unanime du mouvement, qui naît de la conjoncture politique. Peu importe que la revendication réglementaire des masses urbaines soit contradictoire avec le « laisser-faire » des philosophes. C'est un problème que l'avenir posera, non le présent. Dans l'immédiat, la crise rassemble tout le Tiers État contre les privilèges seigneuriaux, contre l'assiette de l'impôt et pour une réforme profonde de la société politique traditionnelle. L'émeute de subsistance coïncide avec l'effervescence politique des clubs et des sociétés éclairées, le grondement des faubourgs avec les discours révolutionnaires du Palais-Royal. Bref, le soulèvement des misérables donne à la conscience révolutionnaire la force du nombre et le sentiment de l'urgence. Pendant toute la période des élections aux États Généraux, le ton des mille brochures et pamphlets qui s'adressent aux Français a sensiblement monté : Sieyès a donné le la.

De cette rupture sociale, les cahiers de doléances, rédigés suivant l'usage par les assemblées locales des trois ordres, présentent une image plus nuancée. Il est vrai que ni le paysan misérable ni le compagnon en chômage ne s'y expriment directement, puisqu'ils ne savent pas écrire, et si peu parler en public. Au sein de ces assemblées de paroisse ou de corporation réunies dans l'église du village ou du quartier, ils n'ont probablement pas eu beaucoup de porte-parole. La vieille institution du mandat impératif, qui sous-tend la pratique du « cahier », suppose d'ailleurs l'accord unanime des mandants sur les consignes données aux mandataires. C'est ce qui fait de cette multitude de textes, issus de la plus vaste consultation publique de notre histoire moderne, un ensemble difficile à interpréter et sans doute trompeur : sous le couvert du peuple tout entier, ce sont surtout les légistes qui s'expriment ; ils ont le plus souvent présidé les assemblées et mis en forme les doléances. A l'intérieur du Tiers État, l'existence de plusieurs niveaux électoraux a agi aussi comme un filtre des revendications. On ne retrouve pas dans les cahiers le radicalisme révolutionnaire de *Qu'est-ce que le Tiers État ?*, pourtant célébré par un vaste public de lecteurs. Cet écart prémunit l'historien contre les simplifications et lui permet de saisir, même grossièrement, l'existence de plusieurs types d'opinion publique. A Paris, la Révolution est déjà anticipée dans beaucoup d'esprits, mais les Français dans leur masse attendent encore de Louis XVI les réformes qu'ils jugent indispensables.

Il est vrai que ces réformes revendiquées constituent un formidable programme de changement. Quasiment tous les ordres — le clergé avec moins de virulence que les deux autres — réclament la fin du « despotisme » et une monarchie contrôlée. Les États Généraux sont devenus bien autre chose qu'un recours financier. Ils sont investis de la mission de « régénérer » le royaume par une Constitution décentralisatrice et libérale, assurant à jamais les droits naturels des individus tels que les a conçus la philosophie du siècle : liberté individuelle, propriété, tolérance intellectuelle et religieuse, vote obligatoire de l'impôt par des réunions périodiques. Le roi, une fois libéré des influences néfastes de son entourage, reste le garant suprême de ce nouveau bonheur social. Les cahiers nobles sont là-dessus aussi réformateurs que ceux des bourgeois.

Au-delà de cette espèce d'unanimité nationale — qui est déjà, en elle-même, une révolution — apparaissent les multiples conflits sociaux de l'ancienne France : cette société des « états » et des « rangs » est par excellence celle des particularismes. Bien des cahiers opposent par exemple paysans riches et pauvres sur le partage des communaux, négociants et maîtres des corporations sur la liberté du travail, évêques et curés sur la démocratisation de l'Église, noblesse et clergé sur la liberté de la presse. Mais la distinction essentielle sépare les ordres privilégiés du reste de la nation. Car le Tiers État n'est pas seulement partisan du vote par tête, destiné à asseoir sa prépondérance politique, ou de l'égalité fiscale, à laquelle la plupart des cahiers de la noblesse ont fini par consentir. Il réclame aussi la pleine égalité des droits, l'admission de tous aux fonctions publiques et aux grades militaires, l'abolition des droits seigneuriaux, avec ou sans rachat : bref, la fin de la société à ordres. Or, dès lors qu'il ne s'agit plus d'un nouveau gouvernement de l'État mais d'un nouveau droit civil, les privilégiés se cabrent contre cette révolution supplémentaire de l'égalité : la majorité de leurs cahiers l'indique clairement.

La révolte des parlements, la démission du pouvoir, la convocation des États ont ainsi déterminé déjà deux modifications capitales. Ils ont transmis peu à peu l'autorité publique à l'Assemblée qui va se réunir, du fait même de l'unanimité qui s'est dégagée autour d'une réforme libérale de la monarchie. Mais en même temps, les modalités de la convocation et la campagne électorale ont exhibé la plaie secrète et profonde de la société : l'inégalité de la naissance, qui sépare le Tiers État des ordres privilégiés. Déjà, il n'y a plus de transformation de la monarchie qui ne s'accompagne forcément, pour être acceptée, d'un bouleversement de la société aristocratique : c'est le prix que paie l'absolutisme pour sa manipulation systématique des statuts et des rangs. L'évolution est plus manifeste encore si l'on passe des cahiers, qui sont la partie visible du scrutin de 1789, à l'élection des députés, qui est leur part secrète. En effet, puisque les procédures électorales ont largement cassé les structures traditionnelles du royaume, et comme aucun débat contradictoire de programmes ou d'idées n'a été prévu avant le vote des différentes assemblées, les députés du Tiers État qui sortent victorieux de l'interminable consultation sont moins les élus du peuple que ceux des intrigues et des compromis qui ont précédé le vote. Or, les vainqueurs sont tous des adversaires déclarés de l'aristocratie, soigneusement choisis dans le Tiers, à de très rares exceptions près comme l'abbé Sieyès ou le vicomte de Mirabeau, qui ont brûlé leurs vaisseaux dans leurs ordres respectifs.

C'est l'inestimable contribution d'Augustin Cochin, au début du XXe siècle, d'avoir compris cet aspect des élections de 1789, et d'en avoir montré les mécanismes sur l'exemple breton et bourguignon. En Bourgogne par exemple, tout s'est joué dès l'automne 1788, autour d'un petit comité dijonnais qui a élaboré la plateforme « patriote » : doublement du Tiers, vote par tête, mais aussi exclusion des anoblis et des agents des seigneurs des assemblées roturières — précaution significative, fondamentale, contre le risque d'une contamination aristocratique de la volonté du Tiers État. A partir de là, le comité patriote investit tous les corps constitués. D'abord les avocats, presque gagnés d'avance, puis la petite robe, les médecins, les corporations, l'hôtel de ville enfin, par l'intermédiaire d'un des échevins et sous la pression des « citoyens zélés » : finalement, le texte concocté en petit comité est devenu le vœu unanime du Tiers de la ville de Dijon. De là il gagne, sous l'autorité usurpée du corps de ville dijonnais, les autres cités voisines, où s'opère le même débordement des autorités constituées par les avocats et les robins. L'intendant Amelot, protégé de Necker, adversaire des parlements, considère les événements d'un œil favorable. En décembre, les nobles s'organisent, autour de ce qui a été à Dijon il y a si peu de temps le parti philosophique et parlementaire. Ils veulent cette fois résister à la surenchère égalitaire des avocats, leurs anciens alliés, mais ils sont écartés du camp patriote, qui règne sur les cahiers et sur les élections.

L'histoire du scrutin de 1789 reste largement à écrire. Elle a été très longtemps cachée par le seul examen des cahiers, qui en constitue souvent le masque. Tout un réseau de propagande et de manipulation y joue un rôle à la fois presque évident, et encore mal connu. L'historien repère certains grands pôles, comme le Comité des Trente qui comporte bien des grands noms de demain — Mirabeau, Du Port, Talleyrand, La Fayette ou le petit comité qui s'organise autour du duc d'Orléans, avec Sieyès et Laclos. Mais on n'en connaît pas dans le détail les intrigues et les résultats. Faute de posséder des procédures et des institutions, la démocratie égalitaire naissante se développe à travers les circuits de l'opinion éclairée légués par le siècle : clubs, loges franc-maçonnes, sociétés de pensée. Il y a dans la révolution qui se lève plus d'action délibérée et concertée que l'histoire n'en a conservé de traces, et pourtant personne n'imagine, ne peut imaginer le caractère sans précédent de ce qui est en cours. Car l'apparence est encore celle de l'Ancien Régime et le roi de France escompte, comme dans le passé, ressaisir son autorité de la division même de ses sujets. Mais il n'est que temps. Les députés aux

États arrivent à Paris fin avril. La séance d'ouverture est prévue à Versailles le 5 mai.

Or, entre mai et août 1789, tout l'Ancien Régime s'est effondré. En trois mois, l'espace d'une saison, dans l'été le plus extraordinaire de notre histoire, rien n'est resté debout de ce que les siècles et les rois avaient constitué. Les Français ont fait du rejet de leur passé national le principe de la Révolution.

Une idée philosophique s'est incarnée dans l'histoire d'un peuple.

Tout commence avec les députés, qui ont d'emblée refusé de s'incliner devant le roi. Le grand problème, au jour où se réunissent les États dans la salle de l'hôtel des Menus Plaisirs, est celui du vote par tête ou par ordre. Louis XVI réitère son choix par le protocole de réception des députés, qui respecte scrupuleusement les distinctions traditionnelles ; à la séance d'ouverture, il indique en outre sa volonté de limiter la compétence des États à l'examen du seul problème financier.

Mais il n'a pas les moyens de cette politique. Car il ne peut compter, en face des quelque six cents députés du Tiers État, sur la totalité des deux Assemblées privilégiées. Dans le clergé, où les luttes intérieures ont été vives, il n'y a que quarante-six évêques sur trois cents députés, et bien des curés de campagne subissent l'attraction de leurs voisins du Tiers État. Un tiers du groupe de la noblesse est gagné aux idées libérales, dominé par la réputation du parlementaire Du Port et le prestige américain de La Fayette.

La forte députation du Tiers État frappe au contraire par son homogénéité sociale et politique : pas de paysans, d'artisans ni d'ouvriers, mais une vraie collectivité bourgeoise, instruite et sérieuse, unanime dans son désir de transformer l'État et la société. Les hommes de loi, qui sont les plus nombreux, ne s'y sentent pas distincts des marchands et des négociants ;

les notoriétés locales de la province française, dont c'est l'heure par excellence, n'y sont pas intimidés par Paris. Les bretons Lanjuinais et Le Chapelier, les normands Thouret et Buzot, le dauphinois Barnave, le nîmois Rabaut Saint-Étienne, l'artésien Robespierre marchent du même pas que Bailly, l'académicien parisien. Sous la grisaille anonyme des costumes et des origines se cache la plus forte volonté collective qui ait jamais animé une Assemblée. La seule concession qu'elle fasse à ces temps aristocratiques — mais c'est aussi une habileté — est de laisser la vedette à deux transfuges des ordres privilégiés : Sieyès, élu in extremis par le Tiers État de Paris, et le vicomte de Mirabeau, rejeté par son ordre, accueilli par le Tiers État d'Aix-en-Provence. Le penseur et l'artiste de la Révolution.

Le premier, nous l'avons déjà rencontré, au moment où il a jeté le gant à l'Ancien Régime, dès la fin de l'année précédente. Le second, quadragénaire lui aussi, a également à régler un lourd contentieux avec l'ordre des choses. Mais alors que l'abbé est un homme d'études, qui a longuement cultivé une sorte de rage froide contre la vieille société, Mirabeau, lui, en a vécu l'injustice de l'intérieur, dans les désordres de sa vie. Né dans une famille connue de la noblesse provençale, fils du célèbre marquis physiocrate, passionné d'agronomie et d'économie politique, son enfance et son adolescence constituent une vraie chronique d'Ancien Régime, où les conflits avec le père sont entrecoupés d'exils, de lettres de cachet et de prisons. C'est un caractère volcanique : tout jeune, il abandonne son régiment, multiplie les dettes, compromet les femmes — dont la sienne —, couche avec sa sœur, rosse ses rivaux. Son père multiplie les poursuites et les interdictions judiciaires, le fait emprisonner plusieurs fois. Les deux hommes s'épuisent à plaider en justice le contentieux familial.

De cette vie extraordinaire et misérable, Mirabeau

sort vers 1780 en gagnant sa vie par sa plume : même lui abaisse son grand nom à de petits emplois dans la troupe nombreuse qui vit de la menue monnaie des lumières, comme si c'était l'inévitable passage vers les grands rôles de demain. La France est un pays littéraire. Les grandes œuvres et les grandes idées ont rencontré l'accueil d'un vaste public, et lui sont servies par une armée de polygraphes qui sent le marché. Littérateur, le vieux marquis de Mirabeau, son père, était un excentrique ; lui fait comme les jeunes roturiers ambitieux de son âge et n'imagine qu'une voie vers la notoriété : écrire. Que font d'autres, à la même époque, et Barnave, et Brissot, et Desmoulins, et Saint-Just ? Puisque la littérature a assumé la fonction politique, elle se trouve être aussi l'antichambre de la politique. En attendant, Mirabeau vend sa plume, et celle des autres, sans beaucoup de délicatesse sur les moyens : il n'en a jamais eu, il n'en aura jamais. Dans les dernières années de l'Ancien Régime, cet aristocrate désargenté écrit pour les puissants du jour, publie en faveur de Calonne contre Necker, pour l'agioteur Panchaud contre ses rivaux, une série de mémoires souvent écrits par d'autres — notamment par son associé Clavière, de Genève, par le jeune Brissot, autre aventurier littéraire de moindre volée. Même son ami Chamfort a un moment travaillé pour lui.

Mirabeau a tout raté ; avec 89, tout va lui sourire. Cet homme dispersé, intermittent, infidèle, vénal, saisit au vol la chance de sa vie : être élu député du Tiers d'Aix-en-Provence aux États Généraux, prêter sa voix torrentielle à la nation nouvelle. Rejeté par les siens, le fils le plus méprisé de l'ancienne noblesse a tout pour devenir le personnage le plus brillant d'une Assemblée révolutionnaire. Son talent oratoire, sa rapidité d'esprit, sa colère contre le passé, son tempérament, qui jusque-là n'ont pas trouvé d'emploi. Mais quelque chose aussi de plus caché, qui en fait au milieu de tous ces légistes du Tiers État un personnage exceptionnel. Car on chercherait en vain, dans les hommes de la Révolution, un pareil dosage de la naissance et de la bohème. Beaucoup des leaders de 1789 s'avéreront des nobles — La Fayette, les Lameth, Talleyrand —, mais un noble libéral n'est pas un noble déclassé, au contraire : l'esprit de liberté est un bien largement commun à la bourgeoisie et à l'aristocratie. Quant à la bohème, Dieu sait qu'elle est bien représentée dans la Révolution française ; mais, en 1789, son heure n'est pas encore venue : quand elle sonnera, en 1792, la naissance sera devenue une malédiction. Au printemps 1789, en revanche, la France cherche encore à tâtons, dans le chaos des événements, la constitution d'une classe politique à l'anglaise, mêlant la noblesse libérale à la bourgeoisie éclairée. Or, cette fusion qui s'étale sur plusieurs siècles dans l'histoire anglaise, voici que le vieux royaume doit l'assumer d'un coup, par la démocratie, et dans le tumulte populaire. Qui peut s'en porter garant devant la toute jeune « nation » ? Qui est à la fois assez démocrate et assez aristocrate pour incliner la France d'hier devant la Révolution ? Mirabeau est le seul noble assez déclassé, et le seul déclassé assez noble pour unir le passé à cet avènement.

De ce métissage providentiel, il va tirer, en grand musicien, des accents superbes. La Révolution lui révèle son génie en lui fournissant son théâtre et son emploi. L'Assemblée qui se réunit à Versailles en mai 1789 comporte nombre d'hommes intelligents et capables, qui se sont illustrés dans leurs métiers ou qui ont fait déjà, pour certains, de brillantes carrières. Lui apporte à cette communauté sérieuse le trait, l'invention, l'imagination. Il trouve les mots décisifs de l'époque. Il en serait le grand homme s'il ne traînait après lui la rumeur de scandale et d'argent qui est son héritage d'Ancien Régime. Mais il va en être au moins, bien souvent, la voix. Ce polygraphe, cet amateur, cet agité a découvert l'étrange puissance d'incarner, et il y investit sa formidable énergie : il est un des meneurs des grands débats de ces premiers mois.

Dès le 6 mai, le Tiers État se rebaptise « Communes », comme si le nom nouveau lavait de la vieille humiliation. Ainsi, d'un seul mouvement, il tient ferme contre le roi. Pendant plus d'un mois, il refuse d'entreprendre la vérification des pouvoirs séparé des deux autres ordres ; maître, par son nombre, de la grande salle, il choisit d'attendre et de laisser jouer l'attraction de sa pesanteur sociale. Ce long mois de mai 1789 est celui de la révolte passive. Loin d'user les députés roturiers, il les soude en une seule âme : le 10 juin, à l'appel de Sieyès, le Tiers État invite les deux autres Chambres à se joindre à lui pour une vérification commune des pouvoirs de « tous les représentants de la nation ». L'appel commence le 12 ; le 13, les premiers fléchissements se produisent à l'intérieur du clergé, et trois curés du Bas Poitou, en rejoignant les Communes, donnent le signal d'un ralliement qui s'amplifie les jours suivants. Forte de ces ralliements cléricaux, l'Assemblée devient le 17, à l'appel de Sieyès, « l'Assemblée nationale ».

Formule dont elle a longuement débattu, car elle a conscience de franchir un pas décisif. Mounier, prudent déjà et déjà insensible à ce qui est en train de se passer chez ses collègues, a plaidé pour une définition qui ouvre la porte à un compromis avec les ordres privilégiés : « Assemblée légitime des représentants de la majeure partie de la nation en l'absence de la mineure partie. » Mirabeau a proposé que la réunion du Tiers se constitue en « représentants du peuple français ». Mais le mot de « peuple » recèle une acception partielle, et basse — celle de la *plebs* romaine —, alors que le terme d'« Assemblée nationale » ne comporte pas d'ambiguïté. Par ce seul nom, le Tiers rejette au passé toute la société à ordres et crée un nouveau pouvoir, indépendant du roi. Le lendemain, il s'attribue le vote de l'impôt et place les créanciers de l'État « sous la garde de l'honneur et de la loyauté de la nation française ». Manière habile de dire à la foule si proche des bourgeois parisiens que si la banqueroute est une habitude royale, la protection de la démocratie rentière est une innovation révolutionnaire. C'est bien une autre souveraineté qui vient d'être baptisée : la Révolution est née.

L'audace du Tiers État divise l'autre camp, mais durcit ce qui en reste. La masse des députés du clergé bascule vers l'Assemblée nationale ; un tiers de la noblesse vote également la « réunion ». Mais à l'heure du péril, la plupart des évêques et la majorité des nobles redécouvrent en Louis XVI leur protecteur naturel. Ils se pressent à Marly, où le roi s'est retiré avec sa peine, après la mort récente de son fils aîné ; ils lui prêchent la résistance. En même temps Necker, mais d'un autre point de vue, a senti que le roi doit reprendre l'initiative. Il avance l'idée d'une séance royale des États, où Louis XVI dira l'acceptable et l'inacceptable. Marché conclu. Mais qui définira l'acceptable ? Qui va écrire le discours royal ? En attendant, sous prétexte des préparatifs nécessaires à cette séance, la grande salle des Menus Plaisirs est fermée.

Les députés de « l'Assemblée nationale » trouvent donc porte close le 20 juin. Ils se rendent alors dans une grande salle voisine, celle du Jeu de Paume, qu'ils immortalisent par le fameux serment « de ne jamais se séparer et de se rassembler partout où les circonstances l'exigeront, jusqu'à ce que la Constitution du royaume soit établie et affermie sur des fondements solides ». A tout hasard, la réponse est donnée d'avance à d'éventuelles menaces du pouvoir.

Mais que veut le roi ? Pour une fois — la première et la dernière —, il l'exprime clairement le 23 juin, dans les deux déclarations qu'il fait lire. Necker a préparé la première version, mais ses adversaires, soutenus par Marie-Antoinette et Artois, ont eu le dernier mot sur le texte final. Du coup, Necker n'est pas venu. Ce testament monarchique accorde le consentement de l'impôt et des emprunts par les États, la liberté individuelle et celle de la presse, la décentralisation administrative ; il forme le vœu que les privilégiés acceptent l'égalité fiscale. Mais il ne dit rien sur l'admission de tous à tous les emplois et n'envisage le vote par tête que pour certains problèmes limités, en s'y refusant explicitement pour tout ce qui a trait aux futurs États Généraux. Enfin, il maintient expressément les hiérarchies de la société aristocratique. Bref, la monarchie fait sa part à la revendication libérale, mais récuse l'égalité des droits : elle n'accepte que les réformes qui ont l'agrément nobiliaire. La menace des avocats a réuni pour une fois les bureaux et les ducs ; mais c'est au lit de mort de l'ancienne monarchie.

Aussitôt le roi parti, suivi des députés de la noblesse et des prélats, le jeune marquis de Dreux-Brézé, grand-maître des cérémonies, s'approche des hommes du Tiers, immobiles et silencieux : « Messieurs, vous connaissez les intentions du roi. » Dans les minutes qui suivent, la Révolution trouve trois formules romaines pour exprimer les temps nouveaux. Bailly : « La nation assemblée ne peut recevoir d'ordre. » Sieyès : « Vous êtes aujourd'hui ce que vous étiez hier. » Mirabeau : « Nous ne quitterons nos places que par la force des baïonnettes. » L'Assemblée décide qu'elle persiste dans ses précédents arrêtés, et décrète l'inviolabilité de ses membres.

Dans ces jours décisifs, Louis XVI a-t-il les moyens d'imposer sa politique ? Il ne le tente même pas. Dès lors, la résistance des privilégiés se désagrège par ralliements successifs. Le 27 juin, le roi lui-même accepte le fait accompli, en invitant « son fidèle clergé et sa fidèle noblesse » à se réunir au Tiers. Le soir, Paris illumine. L'Assemblée nationale est devenue constituante.

Deux pouvoirs sont dès lors en présence ; l'un tout neuf, soudainement issu des États Généraux, l'autre légué par les siècles : l'Assemblée et le roi. Que veut dire cette coexistence dans les faits ? La monarchie absolue est morte, la monarchie aristocratique esquissée le 23 juin est mort-née. Une monarchie et une Assemblée nationale peuvent-elles vivre ensemble ? A quelles conditions ? Matière constitutionnelle absolument inédite, la question est d'abord, dans l'immédiat, celle de la force publique. En principe, celle-ci appartient toujours entièrement au roi. Ce n'est plus qu'une apparence.

Que veut Louis XVI, dans ces semaines capitales ? C'est une des interrogations dont dépend l'avenir, et elle est posée déjà dans toute sa plénitude. Pourtant, l'historien ne peut y apporter que des réponses vraisemblables : le remue-ménage de décisions et de contre-décisions qui se fait à la Cour n'a pas laissé de traces. Le 23 juin, Necker avait été battu par ses adversaires, partisans de l'affrontement avec les avocats du Tiers État : il n'y a pas lieu de douter de son témoignage, que l'examen des discours confirme. Entre la fin de juin et le 10 juillet, tout donne à voir que la pente de Versailles est à la revanche, et Louis XVI laisse se développer une politique de concentration militaire autour de Paris. Est-ce contre l'Assemblée, ou bien contre Paris ? Le résultat le plus clair de cette menace commune, sur des esprits de toute façon portés à la brandir, est d'unifier les craintes de la foule parisienne et celles des députés de Versailles.

A Paris, c'est l'effervescence quotidienne, le meeting permanent. Rien ne porte au calme du côté de l'économie : le pain n'a jamais été si cher, les sans-travail sont nombreux, grossis d'une population récemment poussée vers la capitale par la misère des campagnes. Les boutiquiers et les rentiers, ossature de l'ordre urbain, s'alarment sur la valeur de leurs créances sur le Trésor royal : quand Necker perd du terrain à

Versailles, eux aussi se sentent menacés. Mais ni la dureté de la vie ni l'inquiétude sur les intérêts ne permettent de comprendre l'agitation générale, qui est de nature politique. Les États Généraux, la proclamation de l'Assemblée nationale, le serment du Jeu de Paume, la victoire des députés du Tiers ont cristallisé à Paris une opinion publique révolutionnaire, à la fois populaire et bourgeoise, alimentée par une navette permanente avec Versailles. Cette opinion a ses assises centrales au Palais-Royal, où convergent les « patriotes » de toutes obédiences, pour écouter les orateurs et les agitateurs. La Ville tient enfin sa revanche sur Versailles, où elle a sa tête de pont, déjà victorieuse à la Cour. Or les nouvelles qui parviennent au début de juillet et l'arrivée des troupes forment autant de signes d'une contre-offensive nobiliaire, baptisée depuis le printemps « complot aristocratique ». C'est avec le sentiment d'avoir à vaincre un ennemi formidable tapi dans l'ombre que la révolution parisienne est debout plusieurs semaines avant d'agir.

Or, l'autorité royale est en train de sombrer avec la discipline des soldats : cajolés par les bourgeois parisiens, mécontents de la dureté de leurs officiers, gagnés aussi par l'éveil de l'esprit public, ils sont de cœur avec Paris. Le 30 juin, une foule énorme a ouvert à plusieurs d'entre eux, emprisonnés pour indiscipline, les portes de l'Abbaye, à Saint-Germain-des-Prés. C'est dans ce climat que les troupes appelées en renfort par la Cour commencent à arriver : l'atmosphère du Palais-Royal gagne bien des régiments, même étrangers. Une seule étincelle, et c'est l'incendie.

La voici : le 11 juillet, avant même que toutes les troupes appelées soient présentes, le roi exile Necker et congédie ses ministres libéraux. Le nouveau ministère, constitué dans la coulisse depuis plusieurs semaines, et dont Breteuil est l'âme, est une affiche de Contre-Révolution ; mais, à lui seul, le renvoi de Necker dit tout à l'opinion, qui l'interprète aussitôt comme signe doublement néfaste : banqueroute et Contre-Révolution.

La réaction est immédiate, dès l'après-midi du 12 ; l'émeute parisienne, que rallient les soldats des gardes françaises, est déjà maîtresse de la ville. Besenval, qui commande à Paris au nom du roi, se replie sur le Champ-de-Mars, d'où il ne bougera plus : le 13 juillet, la vague populaire brise les octrois, symboles détestés de la ferme générale, et pille les boutiques d'armuriers. Un nouveau pouvoir sort de l'ombre, préparé par les notables des districts électoraux du printemps : ce « Comité permanent », dont la première mesure est d'organiser une milice de volontaires, veut à la fois organiser et contrôler l'insurrection. Dans la nuit du 13 au 14, tout Paris illuminé par instruction du Comité entend circuler les premières patrouilles du nouvel ordre social. La Garde nationale est née.

A l'aube du 14, l'émeute se rend maîtresse de l'Hôtel des Invalides, où elle trouve trente-deux mille fusils ; c'est aussi pour y chercher des armes qu'elle pense ensuite à la Bastille. Mais cette admirable intuition collective est aussi d'un tout autre ordre : il n'y a pas de meilleur symbole de l'ennemi que la prison légendaire qui barre de ses huit grosses tours l'entrée du faubourg Saint-Antoine. La fin de ce monstrueux anachronisme urbain, politique et humain, doit marquer comme naturellement l'avènement de la liberté.

La Bastille capitule au milieu de l'après-midi, après une fusillade sanglante, et devant les canons pris aux Invalides. Les vainqueurs — tout un peuple traditionnel, boutiquiers, rentiers, artisans, compagnons — inaugurent alors le spectacle du sang, qui va être inséparable de tous les grands épisodes révolutionnaires. Le gouverneur Launay, traîné par les quais jusqu'à l'Hôtel de Ville, est abattu place de Grève ; le prévôt des marchands, Flesselles, subit le même sort. Leurs têtes coupées, fixées à des piques, sont exhibées jusqu'au Palais-Royal.

La chute de la forteresse, dont personne sur le moment n'a fait l'événement décisif qu'il est devenu, n'arrête pas l'insurrection : une semaine après, le 22, un des hommes du ministère Breteuil, Foulon de Doué, est pendu par le peuple devant l'Hôtel de Ville en même temps que son gendre, Bertier de Sauvigny, intendant de Paris, accusé « d'avoir fait couper les blés en verd » pour affamer les pauvres gens ; l'obsession frumentaire continue à être la forme principale de l'accusation et de la terreur populaire contre les hommes du « despotisme ministériel ».

Mais c'est bien le 14 juillet que la bataille décisive s'est jouée : car Louis XVI, résolu le 11, a déjà abdiqué le 14. A Versailles, la Cour le presse d'avis contradictoires : contre le comte d'Artois, qui lui conseille déjà de se réfugier à Metz sous la protection de troupes fidèles, il se résigne à rester, c'est-à-dire à céder. Le 15, il annonce à l'Assemblée le rappel de Necker et le renvoi des troupes ; le 17, il se rend à Paris dans l'après-midi, et consacre les nouvelles autorités nées de l'insurrection, Bailly et La Fayette, devenus maire et commandant de la Garde nationale. L'accueil populaire, d'abord très réservé, ne se réchauffe qu'à l'Hôtel de Ville, lorsque Louis XVI arbore à son chapeau la cocarde municipale bleue et rouge — celle qui va donner naissance au drapeau révolutionnaire quand La Fayette y ajoute le blanc de l'ancienne France. Bref, c'est la capitulation du roi que la foule acclame avec sa présence.

La victoire de Paris entraîne celle des villes ; partout, les bourgeoisies du royaume prennent en main et canalisent le torrent des émotions urbaines. Elles relaient comme naturellement les intendants sans forces et les gouverneurs sans troupes, généralisant l'exemple parisien de la Garde nationale. C'est la revanche des « communes » contre la centralisation monarchique, la fin de ces « corps de ville » dans les mains de la monarchie. Mais la victoire de la liberté sur le despotisme n'est pas celle des vieilles franchises de la société aristocratique. Elle s'est faite au nom des nouveaux principes et s'accompagne du sentiment très vif de l'unité nationale autour de ces nouveaux principes : de ville à ville se tissent tout de suite des liens de fraternité révolutionnaire et s'organisent, selon le vieux mot latin, des « fédérations ». L'idée nationale est inséparable de la démocratie locale, qui en est la condition et la garantie.

La révolution urbaine triomphe dans la joie. Les violences populaires qui marquent ici et là cette immense passation de pouvoirs ne troublent pas encore la bonne conscience bourgeoise. Le roi semble s'être incliné. Et tandis que la Bourse salue la confiance retrouvée par la reprise des cours, la noblesse commence à partir. La Cour donne l'exemple. Ces courtisans qui n'ont rien prévu ont perdu depuis trop longtemps l'habitude d'agir en commun et de se battre. Une première vague de plusieurs milliers de départs se produit en juillet-août. Le comte d'Artois, le prince de Condé, le duc d'Enghien, Breteuil, les Conti, les Polignac, donnent le signal au lendemain du 14 juillet. Tous ces grands noms de la Cour abandonnent le roi et la reine dans le malheur ; ils leur reprochent une faiblesse dont ils ont été les profiteurs et les artisans. Ils vont continuer, de l'autre côté du Rhin, à discréditer à la fois la monarchie et la noblesse auprès de la France nouvelle. C'est un rôle dont ils ont le secret depuis la mort de Louis XIV.

Mais ni le roi ni la Cour n'ont encore bu la coupe jusqu'à la lie. Car la subversion de l'ordre traditionnel est si générale qu'elle laisse apparaître, après la révolte des députés et en même temps que l'insurrection municipale, une troisième révolution, née des profondeurs sociales du royaume : elle apporte à la Révolution parisienne, qui a tranché pour les députés contre Louis XVI, le soutien anarchique de l'immense monde paysan. Tout s'est joué à Paris, et la journée du

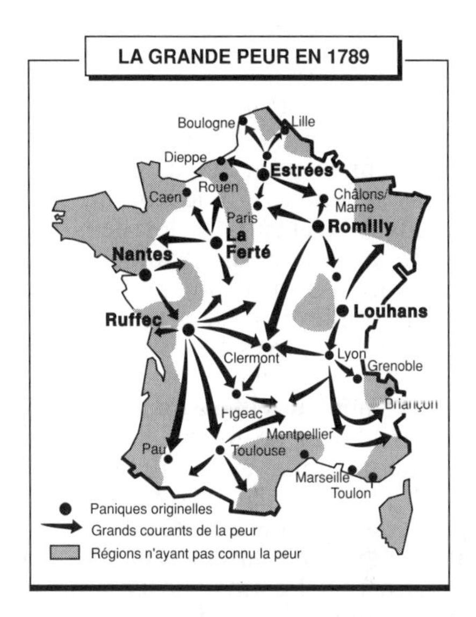

LA GRANDE PEUR EN 1789

14 juillet a inauguré la longue, l'exclusive domination — elle allait durer un siècle — de la capitale sur la vie publique française. Mais pour une fois, qui ne se reproduira plus, la campagne, au lieu de simplement suivre, s'est soulevée dans le même sens.

Dès le printemps, la conjoncture électorale a réveillé chez les paysans un espoir aussi violent que le désespoir né de la crise : l'injustice du prélèvement seigneurial et de l'impôt royal est un cri général des cahiers. Dans le même temps, la misère chasse sur les chemins et autour des chaumières des centaines de vagabonds, qui aggravent l'insécurité chronique des campagnes. La peur des « brigands », née du fond des âges, rôde plus que jamais autour d'un village qui s'endort dans la crainte. De partout, la voix mystérieuse des rumeurs murmure au paysan que, catastrophe ou bonheur, apocalypse ou avènement, le moment est décisif.

La violence éclate dans la deuxième quinzaine de

juillet, et prend parfois très clairement la forme d'une guerre sociale : dans le bocage normand, en Hainaut, en Alsace, en Franche-Comté et dans la vallée de la Saône, les paysans armés attaquent le château ou l'abbaye ; ils viennent y brûler dans la joie collective les vieux titres de leur servitude, comme si la destruction des archives seigneuriales les délivrait une fois pour toutes de la dîme et du champart. Mais dans le reste du royaume, l'insurrection paysanne prend une tournure plus complexe : c'est ce que l'on a appelé la Grande Peur, dont Georges Lefebvre a reconstitué les cheminements. La nouvelle de la prise de la Bastille parvient tardivement au village ; non sans avoir revêtu en chemin des allures de fin du monde, multipliant les réflexes de panique et de défense. C'est aussi l'époque de la moisson, date capitale de la vie rurale, et les brigands dévastateurs en sont plus redoutables. L'affabulation paysanne, fascinée par les échos de la propagande urbaine, les imagine comme les mercenaires des ennemis du peuple et de ce complot aristocratique qui a un autre visage : l'invasion étrangère. En Limousin, c'est le comte d'Artois qui accourt de Bordeaux avec une armée de seize mille hommes. A l'Est, on craint les Allemands, en Dauphiné les Savoyards, en Bretagne les Anglais. De village en village, la fausse nouvelle s'amplifie, s'enrichit de légendes et tyrannise le plat pays. Les paysans veillent et s'arment comme ils peuvent. On suit ainsi, de jour en jour et de pays en pays, le cheminement et la ramification des « peurs » : c'est la forme à la fois panique et menaçante que prend la vieille jacquerie à l'heure de la Révolution française.

A Versailles, les députés découvrent avec surprise la fragilité sociale d'une civilisation si brillante pourtant de l'éclat des « lumières ». Bourgeois ou nobles, ils sont tous peu ou prou propriétaires, et tous d'une manière ou d'une autre : les droits seigneuriaux aussi sont une propriété, et il arrive d'ailleurs que des roturiers en jouissent, quand ils ont acquis une seigneurie. Mais rétablir l'ordre au nom de la propriété briserait l'unité du parti « patriote » ; les nouvelles milices bourgeoises s'uniraient aux mercenaires royaux contre le peuple des campagnes, au plus grand profit du roi. L'autre idée est de donner satisfaction aux paysans pour les attacher à la nation révolutionnaire, mais dès lors il faut le faire plus rapidement et plus largement que prévu ; l'égalité fiscale ne suffira pas, ni l'abandon de ce qui subsiste en France de l'ancienne servitude personnelle. C'est tout le régime des redevances seigneuriales et ecclésiastiques qui se trouve mis en cause.

Après avoir penché un instant vers la répression, la majorité de l'Assemblée en a senti l'impossibilité politique et s'est engouffrée dans l'autre stratégie. Dans la nuit du 3 au 4 août, une centaine de députés réunis dans un café de Versailles par le « club breton » a décidé de prendre l'initiative des réformes inévitables. Le 4 au soir, la noblesse libérale donne le signal : c'est par les voix d'un cadet de famille pauvre, le vicomte de Noailles, et d'un des plus riches seigneurs du royaume, le duc d'Aiguillon, que l'émeute paysanne se fait entendre des députés. Le ton philanthropique de cette fameuse séance est donné par ces nobles qui abdiquent sur l'autel de la nation des titres féodaux si anciens : finie l'oppression des paysans, finies les distinctions « gothiques », finis les privilèges diviseurs. Mais l'enthousiasme de l'égalité civique n'exclut pas le calcul. Aiguillon a conclu à l'égalité fiscale, à l'abolition pure et simple des corvées et des servitudes personnelles ainsi qu'au rachat des autres droits féodaux « au denier 30 ». Ce taux d'intérêt assez bas — 3,3 % — indique assez que le grand seigneur a pris soin d'évaluer au plus haut le capital qui doit être racheté. Il s'agit de reconvertir le vieux droit seigneurial en bon contrat bourgeois : les nobles sauvent l'essentiel, et les propriétaires du Tiers gagnent tout à l'égalisation de la terre noble et de la terre roturière. La dîme, seule, est abolie sans indemnité : en termes de revenus, le clergé est le grand perdant du 4 août.

L'abandon du principe féodal est déjà si important que toute une magie du renouveau s'empare de l'Assemblée : c'est à qui viendra le plus vite abandonner à la tribune les privilèges de l'ancien monde, au milieu des ovations générales. La nuit parlementaire la plus célèbre de notre histoire consacre ainsi la fin de la vénalité des offices et l'admission égalitaire aux emplois, l'abandon de tous les privilèges provinciaux ou locaux et le triomphe de l'esprit « national ». Les vieux parlements, déjà oubliés, si vite dépassés, subissent le sort commun. Le régime « féodal » est effacé. A trois heures du matin, pour l'associer solennellement à la naissance du monde nouveau, l'Assemblée proclame Louis XVI « restaurateur de la liberté française » : formule qui désigne encore dans le passé national quelque chose digne d'être « restauré ».

Il est vrai que les débats continuent jusqu'au 11 août, pour que soient rédigés en bonne et due forme les votes exaltés de la grande nuit. Le décret final, rédigé par Du Port, indique que « l'Assemblée nationale détruit entièrement le régime féodal ». Il consacre la fin des privilèges personnels et l'admission de tous à tous les emplois, la justice égale et gratuite pour tous, l'abolition de toute survivance de servitude personnelle et la suppression de la dîme, qui pesait si lourd sur l'exploitation paysanne. Sont déclarés au contraire rachetables la plupart des redevances seigneuriales et les offices de judicature : l'Assemblée a voulu sauver toutes les propriétés en les intégrant dans le nouveau droit.

En fait, la liquidation de ce que les hommes du 4 août ont appelé le « régime féodal » sera plus lente que ne le donnent à croire les décrets du 11 août. Ces textes furent en effet complétés en 1790 et 1791 par plusieurs décrets supplémentaires. Le rachat des offices de judicature supprimés fut une procédure longue, qui prit plusieurs années. A la campagne, le rachat des droits seigneuriaux était trop onéreux pour les paysans et des émeutes reprirent sporadiquement, ici et là, en Quercy par exemple : l'abolition sans indemnité fut votée en juillet 1793. Pourtant, malgré les précautions et les lenteurs, il y a dans la perception du 4 août par l'Assemblée et par les contemporains quelque chose qui reste pour l'historien fondamentalement vrai : l'idée d'une rupture avec l'ancienne société et de la fondation d'une société nouvelle.

Le paysan s'est senti victorieux du seigneur. Le bourgeois a brisé le privilège aristocratique. Ce que les députés ont baptisé « féodal » comporte une extraordinaire variété de propriétés et de droits, puisqu'ils y ont mêlé des traits qui sont bien des héritages féodaux — comme les survivances de la mainmorte, ce qui reste des justices seigneuriales, ou les droits payés par le tenancier à son seigneur — et des éléments qui n'ont rien à voir avec la féodalité — comme le prélèvement ecclésiastique de la dîme — ou sont postérieurs à l'époque féodale, comme la vénalité des offices. Au fond, ce que le texte du 11 août appelle la destruction du « régime féodal » est la liquidation de la société aristocratique bricolée par la monarchie absolue sur les ruines de la féodalité. Ce qui disparaît en août 1789, et pour toujours, c'est la société des corps définis par des privilèges partagés. Ce qui naît, c'est la société moderne des individus, dans sa conception la plus radicale, puisque tout ce qui peut exister d'intermédiaire entre la sphère publique et chaque acteur de la vie sociale est non seulement supprimé, mais frappé de condamnation. La Révolution retrouve là encore une idée qu'avait avancée Sieyès à la fin de *Qu'est-ce que le Tiers État ?* : à l'intérieur de l'individu moderne, il y a deux parts légitimes ; celle du privé, qui l'isole dans la jouissance de soi, des siens et de ses intérêts, et celle du citoyen, qui au contraire lui est commune avec tous les autres citoyens, et forme par agrégation la souveraineté publique. Mais la troisième, celle de l'individu social, qui tend à créer des coalitions intra-sociales sur la base d'intérêts particuliers, doit être impitoyablement exclue de la Cité. La haine de la société aristocratique a porté les hommes de la Révolution française à bannir les associations au nom d'un individualisme radical : deux ans plus tard, la loi Le Chapelier le confirmera solennellement par l'intermédiaire des associations.

Si bien que les textes du 11 août ne fondent pas seulement, ni même surtout, cette société des propriétaires dont avaient rêvé les réformateurs éclairés de la monarchie au XVIIIe siècle. La définition n'est pas véritablement fausse : pour peu qu'on ne confonde pas propriétaire et capitaliste — la France de cette époque est un pays agraire —, on peut bien écrire que la nuit du 4 août, par l'égalité de tous devant la loi, institue le caractère universel du contrat de propriété : non une nouvelle société économique, mais une nouvelle société juridique. Simplement, la nature des décrets a une autre portée. Par l'interdiction dont ceux-ci frappent, au-delà du privilège, toutes les associations entre particuliers, ils excluent de la formation de la souveraineté les intérêts que tels ou tels individus contractants ont en commun dans la société civile, et peuvent avoir envie de voir garantis ou défendus dans l'État. Or, si la sphère publique, pour avoir une existence légitime, doit passer par une négation aussi radicale des intérêts en jeu dans la société moderne, la question de sa constitution et de son autorité ne s'en trouve pas simplifiée : comment traiter l'écart entre l'homme social et le citoyen ?

C'est le problème principal de l'été, pour l'Assemblée constituante ; en détruisant le « régime féodal », celle-ci vient de redéfinir les Français en individus libres et égaux devant la loi. Elle doit ensuite les constituer comme tels en corps politique. Deux débats sont à cet égard essentiels. Le premier concerne la Déclaration des droits de l'homme, dont le principe a été retenu dès avant le 14 juillet. Mais la discussion, traversée par tant d'événements spectaculaires, dure jusqu'à la fin août. Elle est longue, complexe, contradictoire, et passe à travers le filtre de nombreuses rédactions préparatoires du texte final, voté le 26 août.

La Déclaration américaine de 1776 est présente à tous les esprits, mais aussi l'abîme qui sépare la situation du vieux royaume de celle des ex-colonies américaines, peuplées de petits propriétaires aux mœurs démocratiques, cultivant depuis l'origine l'esprit d'égalité, sans ennemis extérieurs, sans héritage aristocratique ou féodal. Comme dans le cas américain, la Déclaration française doit avoir pour objet de fonder le nouveau contrat social dans le droit naturel, conformément à la philosophie du siècle, et d'énumérer solennellement les droits imprescriptibles que chaque contractant possède, et que l'entrée en société lui garantit. Mais en France, ces droits ne sont pas comme par avance en harmonie avec l'état social ; ils vont être proclamés au contraire après une violente rupture avec le passé national, et contre la corruption de l'ancienne société, qui a foulé au pied si longtemps jusqu'à l'idée même d'un contrat. De là beaucoup de craintes, chez les plus modérés du camp révolutionnaire : Mounier, par exemple, redoute l'effet d'anarchie qui peut naître du contraste entre la proclamation de droits théoriques possédés également par tous les individus et la situation sociale réelle de ces individus — la pauvreté, l'inégalité, les classes. D'où la demande compensatrice d'une Déclaration des devoirs du citoyen, pour souligner l'obligation en même temps que la liberté. Ces débats, réputés pour leur abstraction, montrent à l'évidence que les députés voient très bien la portée du problème qu'ils traitent. Ils viennent de consacrer l'émancipation complète de l'individu : que devient dès lors le lien social ? Beaucoup d'entre eux veulent en affirmer le caractère également primordial. Cette discussion est la grande première d'un fameux topos de la philosophie politique moderne. L'idée que l'affirmation des droits subjectifs des individus comme fondation du contrat comporte le risque d'une dissolution sociale a hanté, depuis Burke, la pensée politique européenne, des conservateurs aux socialistes ; elle est déjà tout à fait présente dans les débats de juillet et d'août 1789 à l'Assemblée constituante, notamment dans ce qui commence à être appelé le parti « monarchien », mais aussi au-delà.

Pourtant, ce sont les « patriotes » qui l'emportent facilement et c'est une simple Déclaration des droits de l'homme, préambule à la Constitution à venir, qui est votée le 26 août. Texte noble et bien écrit, souvent proche des formulations américaines. L'essentiel est dit en très peu de phrases, qui laissent ouverts des débats d'interprétation. D'abord, ce qui a été fait le 4 août : « Les hommes naissent et demeurent libres et égaux en droits. » Quels droits ? La liberté, la propriété, la sûreté et la résistance à l'oppression, avec ce qui en découle : égalité civile et fiscale, liberté individuelle, l'admission de tous à tous les emplois, *habeas corpus*, non-rétroactivité des lois, garantie de la propriété. Mais ce qui différencie le plus nettement la Déclaration française des textes américains concerne l'articulation de ces droits naturels avec la loi positive. Dans le précédent américain, ces droits sont perçus à la fois comme précédant la société et en harmonie avec son développement ; ils sont d'ailleurs inscrits aussi dans son passé, à travers la tradition jurisprudentielle de la Common Law anglaise. Dans la France de 1789, au contraire, l'accent est mis sur un certain volontarisme politique : c'est la loi, produite par la nation souveraine, qui est placée en suprême garantie des droits. Article IV : « La liberté consiste à pouvoir faire tout ce qui ne nuit pas à autrui. Ainsi l'exercice des droits naturels de chaque homme n'a de bornes que celles qui assurent aux autres membres de la société la jouissance de ces mêmes droits. Ces bornes ne peuvent être déterminées que par la loi. » Article XVI : « Toute société, dans laquelle la garantie des droits n'est pas assurée, ni la séparation des pouvoirs déterminée, n'a point de constitution. » Ainsi, c'est à la société d'assurer les droits des individus, par l'intermédiaire de la loi, « expression de la volonté générale », référence constante des articles de la Déclaration. L'inspiration dominante des Constituants français est légicentriste : marquée d'emblée par l'idée de « volonté générale » appelée à définir l'étendue et l'exercice des droits, et par le refus d'aucune autre autorité que le souverain en la matière.

Or, ce souverain, qui est désormais le peuple, ou la nation, il reste justement à lui donner forme, à le constituer : problème extraordinairement difficile, pour de multiples raisons. La France est une nation moderne, trop vaste pour qu'on puisse y convoquer les citoyens sur la place publique, et leur faire voter les lois. C'est une nation très ancienne aussi, qui a dans son héritage un roi héréditaire, tête de ce qu'un des députés appelle « le colosse gothique de notre ancienne Constitution ». Tout a disparu en trois mois de la souveraineté entière qu'il possédait sur un royaume que sa personne incarnait. En lieu et place, une société désormais faite d'individus libres et égaux d'une part, un peuple qui s'est réapproprié la souveraineté, d'autre part : comment organiser cela ? Problème constamment imaginé depuis Hobbes par les philosophies du contrat, mais qui se pose pour la première fois dans l'existence d'une des plus anciennes monarchies européennes.

Pour comprendre comment les hommes de la Révolution le traitent, tournons-nous vers le début de la grande discussion constitutionnelle, fin août-début septembre : il s'agit, après avoir fait la Déclaration des droits, d'organiser les nouveaux pouvoirs publics par une vraie Constitution. Non par un monument incertain fait de coutumes antiques et de retouches aléatoires, comme la monarchie d'Ancien Régime, mais par un ensemble d'institutions fondé sur les nouveaux principes, qui sont aussi ceux de la raison. Mais déjà cette définition laisse en dehors du camp « patriote » une petite minorité des révolutionnaires d'hier, à vrai dire inquiets depuis juin du caractère pris par les événements et des violences de juillet : on y trouve Mounier, l'homme de Grenoble, Malouet, un intendant de la marine, des nobles libéraux comme Lally-Tollendal ou Clermont-Tonnerre. Ce qui unit ces Monarchiens, comme on va les appeler, c'est le désir de « terminer la Révolution » — thème qui commence son interminable carrière dans la politique française ; ce sont aussi quelques convictions fondamentales qui les rapprochent de Necker et les isolent de la majorité de l'Assemblée.

Ils sont hostiles à la *tabula rasa* révolutionnaire, à la reconstruction d'une société politique sur la volonté ou sur la raison. Ils croient que l'été extraordinaire peut n'avoir été qu'une parenthèse féconde, s'il conduit à réformer dans un sens libéral, à l'anglaise, ce qu'ils appellent le « gouvernement monarchique », héritage du passé national. Leur idée est une cosouveraineté du roi et de deux Chambres : rupture avec l'absolutisme, mais retrouvailles avec ce qu'aurait dû devenir une monarchie fidèle à ses origines. Un abîme politique et intellectuel sépare donc les Monarchiens de l'esprit dominant de la Révolution depuis juin. Ils sont les hommes de la continuité des temps et de l'ajustement des institutions : ce que la tradition politique française offre de plus proche de Burke, et qui suffit à donner une idée de leur isolement politique dans la France de 1789. Ils bataillent en vain pour le bicaméralisme, sans comprendre qu'à une Assemblée qui avait tant lutté pour réunir trois parlements en un seul, c'était une tentative sans espoir de recommander le retour à une division entre Chambre haute et Chambre basse. Le fantôme de l'aristocratie n'a pas besoin d'eux pour rôder encore autour de la Constituante, mais il les a marqués d'avance comme des vaincus.

Le même débat du début septembre où ils sont écrasés comporte un autre enjeu, plus central : celui du droit de veto royal sur le pouvoir législatif, donc de la nature et de l'attribution de la souveraineté. Là-dessus, les orateurs patriotes sont unanimes à exclure le roi non seulement de l'origine, mais de la détention de la souveraineté. La monarchie n'était qu'un pouvoir tout juste constitué, par l'acte même de l'Assemblée qui la réinventait par son vote, sans égard pour son histoire. La prérogative de souveraineté pleine et entière appartenait donc à l'Assemblée, déléguée par la nation pour faire une Constitution ; ensuite, une fois les pouvoirs constitués, elle serait incarnée par le pouvoir législatif, dont le roi, chef du pouvoir exécutif, ne serait que le bras séculier. Ce qui est frappant, à lire ces débats, c'est l'obsession de légitimité qui les traverse, l'accent mis sur l'absolu transfert de souveraineté, et le caractère indivisible, ontologiquement unitaire de cette souveraineté. Le pasteur Rabaut Saint-Étienne, député du Tiers État de Nîmes, le dit par exemple au nom de tous : « Le souverain est une chose une et simple, puisque c'est la collection de tous sans en excepter un seul : donc le pouvoir législatif est un et simple : et si le souverain ne peut pas être divisé, le pouvoir législatif ne peut pas être divisé. » Ailleurs, le même jour (4 septembre), il parle, comme beaucoup, de la « volonté générale ». Dans ces formulations un peu rustiques qui ne conservent rien de la complexité du concept chez Rousseau, les mots du *Contrat social* permettent pourtant de nommer les réalités nouvelles tout en masquant ce qu'elles empruntent, sans le savoir, au passé : le caractère indivisible et illimité de la souveraineté est un héritage absolutiste, que la « volonté générale » transpose en termes d'autonomie des individus produisant une autonomie collective.

Mais de cette chimie démocratique qui va droit de l'individuel à l'universel, Rousseau avait exclu la représentation, comme incompatible avec le principe même de la volonté. Les Constituants, en revanche, mêlent à une conception si unitaire du souverain une certaine naïveté sur les mécanismes de la représentation. Là encore, la théorie la plus systématique est mise en avant par Sieyès, dont on a vu qu'il pense cette représentation politique, indispensable dans des ensembles aussi vastes et complexes que les nations modernes, par analogie avec la division du travail dans l'économie : les « représentants » sont des préposés à l'activité législative, agissant sur procuration de la société, élus en fonction de capacités particulières par leurs circonscriptions, mais tenant leur mandat de la nation entière, et donc collectivement souverains. De cette théorie complexe, les patriotes de l'Assemblée n'épousent pas tous les arguments ; mais le sentiment commun est bien de faire voter les citoyens éclairés et capables d'autonomie, de façon à faire coïncider volonté et raison, et de résoudre ensemble les problèmes posés par Rousseau et les physiocrates. La volonté générale des Constituants finit en fait dans la souveraineté d'une Assemblée censée concentrer en son sein à la fois des individus libres et l'évidence de la raison.

L'attribution finale au roi — malgré l'avis de Sieyès — d'un veto suspensif sur les décrets de l'Assemblée pendant deux législatures, ne modifie pas cette économie générale de la Constitution nouvelle. Car il ne s'agit pas d'un pouvoir constitué comme un contrepoids, à l'américaine, à l'intérieur d'une souveraineté partagée : le veto provisoire du roi est conçu comme une simple possibilité d'appel à la nation, droit donné au chef de l'exécutif de faire vérifier que les représentants sont fidèles à la volonté générale. Il ne change rien à la nature du système constitutionnel qui s'installe, où l'Assemblée est souveraine, et où le roi n'exerce qu'un pouvoir second, délégué par elle, comme le président d'une République qui aurait pris le nom d'une monarchie. Formidable équivoque dont les conséquences ne cesseront de dominer en aval l'histoire politique française, de cet été 1789 jusqu'à cette fin du XXe siècle, où le problème a été résolu par la Constitution de 1958, modifiée en 1962.

D'ailleurs, ces conséquences se manifestent tout de suite, dès la fin de septembre 1789, et vont confirmer l'interprétation « républicaine » des textes déjà votés. Louis XVI hésite à donner sa sanction aux décrets du 11 août, à la Déclaration des droits de l'homme et aux premières dispositions constitutionnelles. Il cherche à finasser, alors que l'Assemblée considère tous ces votes comme autant de parts du pouvoir constituant, hors de la sanction royale. Comme au début juillet, il ouvre une crise politique en situation de faiblesse.

L'issue en est d'autant plus prévisible que l'agitation n'a guère cessé à Paris, entretenue par les élections municipales et la pédagogie révolutionnaire des journaux, et qu'elle croît rapidement en septembre, alimentée par le débat sur le veto et la crise de subsistances. Car si la récolte de 1789 est bonne, elle n'est pas encore battue, et la « soudure » n'est pas faite. Les troubles de l'été rendent plus difficiles que jamais la circulation des grains et l'approvisionnement des marchés. Le chômage se trouve brutalement aggravé par l'émigration de bien des familles aristocratiques qui ont congédié leurs domestiques et privé de travail leurs fournisseurs de l'artisanat parisien. L'argent se cache dans l'attente des jours meilleurs : l'échec des deux emprunts Necker, en août, a ravivé les craintes de la bourgeoisie rentière.

Quand arrive à Versailles, à la fin septembre, le régiment de Flandre rappelé par le roi, tout Paris se sent menacé à nouveau par la Contre-Révolution et parle — déjà — d'une fuite du roi à Metz. Du coup, l'ensemble du parti patriote unifié par l'été — députés de Versailles, Garde nationale, démocratie parisienne — se prépare à une nouvelle journée pour contraindre le roi au recul. La Fayette et Bailly, qui ne peuvent l'ignorer, et qui restent le recours de la loi dans cette anarchie urbaine, ne se mettent pas en travers. Mirabeau, qui est déjà partisan d'un pouvoir royal fort, n'a pas l'habitude d'aller à contre-courant ; du reste, ayant pris la mesure de Louis XVI, il est possible qu'il appuie les intrigues Orléans pour une éventuelle succession, dans l'espoir de réconcilier monarchie et popularité.

Dans cette situation dangereuse, au milieu de tant de menaces, Louis XVI et Marie-Antoinette offrent un drapeau à l'émeute.

Le 1er octobre, les officiers des gardes du corps du roi ont invité à dîner ceux du régiment de Flandre, dans la belle salle de l'opéra de Versailles. A la fin du banquet, où l'on a beaucoup bu à la santé de la famille royale, le roi, et la reine avec le dauphin dans les bras, paraissent dans leur loge. Une immense acclamation les reconduit jusqu'à leurs appartements, où l'on foule aux pieds la cocarde tricolore. L'insulte dresse Paris dans la colère : le dimanche 4, le Palais-Royal des grands jours réclame une marche sur Versailles. Il s'agit de ramener le roi à Paris.

Est-ce pour l'isoler de la Cour maudite ? Ou pour que Paris retrouve avec son roi le pain qui lui manque ? La Révolution française commence son rapport tumultueux avec la pauvreté urbaine. Le petit peuple révolutionnaire continue à mêler le frumentaire et le politique : le 5 octobre, une longue colonne où dominent les femmes se forme à l'Hôtel de Ville et se met en route pour Versailles. Peu après, les quinze mille gardes nationaux entraînent La Fayette à leur suite. Il pleut sur ce lundi d'automne qui est la dernière journée du roi de France à Versailles. Rentré précipitamment de la chasse, Louis XVI cède après avoir songé à fuir : il promet aux femmes de faire ravitailler Paris, à l'Assemblée de signer les décrets du 4 août. Mais l'arrivée du deuxième cortège parisien à la nuit tombante fait rebondir la crise : deux commissaires de la Commune qui escortent La Fayette demandent le retour du roi.

Tout s'ajourne au lendemain ; mais le peuple, qui a campé sur la place d'armes, finit par envahir le château au petit matin. La Fayette, accouru pour protéger la famille royale, ne peut que consacrer la victoire populaire : du balcon de la cour de marbre où il apparaît avec un Louis XVI muet et bouleversé, il promet et il calme. Louis XVI annonce lui-même son départ pour Paris : comme en juillet, c'est sa défaite qui rend au roi l'acclamation du peuple. L'immense cortège populaire s'ébranle au début de l'après-midi. Après les gardes nationaux, un pain à la baïonnette, après les femmes armées et les soldats du roi désarmés, le carrosse royal, aussi lourd qu'un cercueil, suivi des députés et de la foule victorieuse. Le peuple a imposé du même coup l'emblème tricolore et les autres symboles de sa révolte : il ramène « le boulanger, la boulangère et le petit mitron ». A la nuit tombée, après un crochet par l'Hôtel de Ville, Louis XVI arrive aux Tuileries, prisonnier dans sa capitale. Une deuxième vague d'émigration déserte le pays.

En quittant Versailles, la monarchie obéit à la force des choses : tout juste un mois après avoir été replacée par les députés sous le joug du nouveau souverain, elle est ramenée à Paris sous sa surveillance. Ces deux jours d'octobre, aussi décisifs que la journée du 14 juillet, marquent le terme de la solitude solaire où Louis XIV avait donné à voir la toute-puissance royale au peuple de ses sujets. Du coup, ils liquident aussi dans les faits le peu qui restait de cette puissance ; ils manifestent dans la rue la force illimitée de la souveraineté du peuple, décrétée par l'Assemblée. A Paris, le vaste château mélancolique où le couple royal s'installe est plus ou moins à l'abandon depuis que le petit Louis XV l'a quitté, en 1722, pour aller à Versailles : depuis, il a abrité un caravansérail de squatters, y compris l'Opéra et la Comédie-Française, pendant un temps. Le couple royal, suivi d'une petite Cour, est à Paris comme en exil.

Pour en terminer avec cette année 1789, et même pour aller un peu plus loin qu'elle, reste à examiner le chapitre des rapports de la Révolution avec l'Église catholique et avec la religion traditionnelle des Français, par où la Révolution ajoute un élément capital à la cassure sans précédent qu'elle introduit dans l'histoire nationale.

Cette cassure-là, pourtant, n'a pas été délibérément voulue. Il est bien vrai que la philosophie française des Lumières est d'esprit anticlérical, parfois antireligieux, et que la civilisation démocratique en train d'inaugurer son règne substitue les droits de l'homme au monde selon l'ordre divin. Vrai aussi, sur un autre plan, que le clergé a été le premier ordre du royaume, et l'Église le plus grand partenaire de la monarchie absolue. Mais si elle est inévitablement atteinte, à ce titre, dans la liquidation de « l'Ancien Régime », la religion catholique n'est pas menacée en tant que telle par la majorité révolutionnaire de l'Assemblée constituante. Les historiens républicains du XIXe siècle, tels Michelet ou Quinet, l'ont souvent noté avec raison (pour le regretter, d'ailleurs) : la Révolution de 1789 n'a pas eu l'intention de substituer une religion nouvelle à l'ancienne. Son ambition s'est « limitée » à la reconstruction radicale du corps politique sur des principes universels. Elle comporte bien par là, au moins formellement, des traits qui l'apparentent au message religieux ; mais l'Assemblée constituante n'a jamais franchi le pas qui eût mis en concurrence, ou en contradiction, l'idée révolutionnaire et la foi catholique. Si, pourtant, elle a très vite ouvert une crise aux conséquences incalculables entre Révolution et catholicisme, c'est à travers une logique politique de lutte contre l'Ancien Régime. En déracinant l'Église catholique de la société, en la privant de ses équilibres et de ses biens, elle a violemment séparé la démocratie française de la tradition catholique. Ici se noue un conflit fondamental et pourtant circonstanciel, dont nous sortons à peine, deux cents ans après.

On peut en repérer les origines dès l'été 1789, puisque l'Église catholique est la grande perdante des réformes de l'été et de l'automne. Elle est atteinte le 4 août comme propriétaire de droits « féodaux », mais ces droits doivent lui être remboursés, selon la loi commune. Plus onéreuse est, dans les jours qui suivent, la suppression des dîmes, sans indemnité cette fois. Exception qui a scandalisé Sieyès — statue de l'égalité devant la loi —, et que Mirabeau justifie comme la contrepartie du caractère public des services rendus par l'Église : si la dîme est une contribution trop chère pour ce qu'elle sert à financer (l'éducation, l'assistance), la nation est en droit d'en disposer.

Mais le pire était à venir. L'Église allait payer aussi le déficit, origine de la réunion des États Généraux. Le 2 novembre 1789, sur proposition de Talleyrand, évêque d'Autun, l'Assemblée mettait « à la disposition de la nation » les biens du clergé, pour les utiliser à rembourser la dette nationale. Là encore, l'exposé des motifs était tiré de la notion de service public : l'Église ne devait pas être considérée comme vraiment propriétaire, mais simple usufruitière de ses biens, destinés à lui permettre de remplir des fonctions elles-mêmes révocables. D'ailleurs, ce type de confiscation n'avait rien d'inédit dans l'histoire de l'Europe, puisque la couronne d'Angleterre et les princes allemands l'avaient pratiquée sous le drapeau du protestantisme, et que Joseph II, le beau-frère de Louis XVI, en avait donné un exemple plus récent en Autriche au nom du despotisme éclairé. Dans le cas français, les hommes de 1789, qui ne sont pas spécialement anticléricaux, et nullement antireligieux dans l'ensemble, ont fait d'une pierre deux coups : ils résolvent le problème de la dette publique en dépossédant un des ordres privilégiés de l'Ancien Régime.

Sans compter un troisième gain, le plus important : en vendant au public, par lots, les biens de l'Église, ils amarrent solidement à la Révolution une grande partie des Français, à travers les acquisitions nouvelles. Dans une première étape (décembre 1789), la Constituante autorise le Trésor à émettre pour quatre cents millions de billets portant intérêt à 5 %, et préférentiellement admis dans l'achat des propriétés ecclésiastiques, devenues biens nationaux. Cette première émission va servir à acquitter les dettes les plus criantes de l'État. Mais dès l'automne 1790, l'Assemblée franchit un pas de plus : la dette s'est aggravée avec l'engagement pris en août de rembourser le capital des offices supprimés ; les impôts anciens ne rentrent plus, les nouveaux pas encore et la situation politique n'offre rien d'assez sûr pour décourager la spéculation. En septembre, juste après la démission de Necker, discrédité depuis un an, l'assignat devient papier-monnaie, sans intérêt, à cours forcé, malgré toutes les voix compétentes qui s'élèvent (Talleyrand, Condorcet, Du Pont de Nemours) pour en prévoir la dévaluation rapide en face de la monnaie métallique. Il va être le grand moyen financier de la Révolution, mais aussi son arme politique : « Les assignats, dit Montesquiou, seront le lien de tous les intérêts particuliers avec l'intérêt général. Leurs adversaires eux-mêmes deviendront propriétaires et citoyens par la Révolution et pour la Révolution. » Ainsi la Révolution s'est-elle donné un formidable instrument politique pour intéresser bourgeois et paysans à son avenir, par le même acte où elle prenait le risque de s'aliéner à terme une grande partie de la population catholique.

Car, sur ce plan des rapports avec l'Église, les députés sont entraînés depuis la fin de 1789 dans une logique dont ils n'ont sans doute pas prévu les contraintes. Si l'Église n'est qu'une corporation sous la juridiction du pouvoir civil, que dire et que faire des corporations existant en son sein, comme les ordres conventuels ? Le Comité ecclésiastique de l'Assemblée fait voter en février 1790 un texte stipulant que la loi ne reconnaît plus les vœux monastiques et autorise la libre sortie des couvents de ceux qui le souhaitent. Pendant la discussion, l'évêque de Nancy veut obtenir de l'Assemblée la reconnaissance du fait que le catholicisme est la religion nationale : motion écartée. Reste à discuter encore à qui passera l'administration des biens de l'Église « mis à la disposition de la nation » : débat tendu, houleux par moments — notamment quand l'Assemblée refuse à nouveau de déclarer le catholicisme religion nationale —, et qui conclut à la remise des biens aux nouvelles administrations de département et de district. C'est le moment de vérité, qui rompt l'unanimité apparente de l'automne.

A cette époque, la masse du clergé et des fidèles avait épousé la cause des « patriotes ». Ni la suppression de la dîme ni le vote du 2 novembre n'avaient profondément affecté l'enthousiasme général, ou mis en cause encore les rapports de l'Église et de l'État. Le clergé restait fidèle au rôle national qu'il avait joué au printemps précédent, lors de la réunion des ordres. D'ailleurs, il gagnait à la Révolution : dans ce même début d'année 1790 qui fut si passionné, l'Assemblée attribua au culte catholique un budget d'entretien qui, pour la plupart des curés, signifiait un mieux-être. Les hauts dignitaires eux-mêmes, l'archevêque d'Aix Boisgelin, l'archevêque de Bordeaux Champion de Cicé, plus administrateurs encore que pasteurs, entraient avec d'autant moins de difficulté dans une logique de négociation avec l'État que tout l'Ancien Régime les y avait préparés ; sans enthousiasme pour les nouveaux principes, ils y retrouvaient au moins, transférée au peuple, la souveraineté temporelle qu'ils avaient l'habitude de reconnaître au roi.

Il est vrai que du côté des légistes du Tiers État, cet esprit gallican se trouvait accentué par le souvenir des combats des parlements contre la bulle *Unigenitus* et par la tradition janséniste. L'hostilité à Rome et à toute intervention pontificale y était très répandue, en même temps que la volonté de n'accepter aucune autorité d'appel des décrets de l'Assemblée : la souveraineté du peuple ne transige pas plus sur sa toute-puissance que celle des rois. Mais si l'Église catholique était habituée à cette subordination au pouvoir temporel, elle dépendait toujours de Rome en matière spirituelle. Si bien que le terrain politique commun à la Révolution et à l'Église de France — la prédominance de la souveraineté nationale sur Rome — pouvait devenir aussi l'occasion d'un conflit de principes en ce qui concernait le domaine de la foi catholique et de l'autorité du pape en la matière. L'inexistence légale des vœux monastiques en avait offert, en février, un avant-goût. Bien que les rois de France eussent souvent légiféré, au XVIIIe siècle, sur les ordres religieux, ils n'en avaient pas détruit le principe : s'agissait-il ou non, avec le vote de l'Assemblée, d'un empiétement inacceptable du temporel sur le spirituel ?

Deux éléments supplémentaires, d'ordre différent, mais l'un et l'autre capitaux, ajoutent leur poids d'incertitude aux risques que prend l'Assemblée en s'engageant dans la voie qui la conduit peu à peu à des innovations législatives sur l'Église catholique. Le premier est qu'une partie de l'opinion publique commence à s'émouvoir des atteintes portées à la tradition religieuse : dans le Midi cévenol, par exemple, où la population catholique est en face de fortes minorités protestantes et où la Révolution réveille les vieux souvenirs des guerres de Religion. Juillet 89 a été fêté dans l'unanimité, mais depuis novembre rôde le fantôme de l'affrontement religieux, qui peut offrir un premier appui populaire à l'aristocratie vaincue. Le rejet de la motion de dom Gerle, le 13 avril — dom Gerle est ce chartreux, « chaud patriote, mais non moins bon catholique » (Michelet), qui avait voulu faire déclarer le catholicisme religion nationale —, met le feu aux poudres à Nîmes et alentour. Une forte bourgeoisie protestante, prudente pourtant, mais ferme aussi, trouve en face d'elle, comme resurgie du XVIe siècle, une plèbe catholique agitée par des démagogues.

L'autre élément, bien sûr, est l'attitude du pape. Né dans l'aristocratie, prêtre à l'esprit étroit, pontife fastueux, Pie VI n'incarne pas mal la tradition romaine : c'est dire à quel point la Révolution est loin de son univers mental. Il n'a pas même à attendre la nuit du 4 août (où il perd les annates, ces droits perçus par Rome à l'occasion de la collation de certains bénéfices) pour être hostile à l'esprit nouveau. Mais, dès l'été 1789, les événements français provoquent des troubles révolutionnaires chez ses sujets d'Avignon et, à un moindre degré, dans le Comtat : le Saint-Siège n'est pas seulement attaqué à travers l'Église de France, mais dans ses États. Le 29 mars 1790, conseillé par l'ambassadeur de France — le vieux cardinal de Bernis, infidèle à son mandat —, le pape condamne les principes de la Déclaration des droits de l'homme en consistoire secret. Le conflit n'est encore que latent.

Il n'est pas perçu comme imminent, ni même comme assuré, à Paris. Ni les hommes du Comité ecclésiastique de l'Assemblée, qui réfléchissent dès la fin de l'année 1789 à une réorganisation de l'Église de France, ni même les prélats de cette Église, qui ne sont pas des assidus de la Curie romaine, n'ont pressenti de conflit irréductible. Les historiens ont restitué à cette histoire ce qu'elle a comporté, pour les contemporains, d'imprévisible et d'inattendu. La Constitution civile du clergé n'a pas été l'œuvre d'anticléricaux acharnés à détruire l'Église catholique. Elle n'a pas non plus dressé brutalement l'épiscopat français dans une sainte indignation. Si elle est bien le point à partir duquel la Révolution et l'Église se séparent et vont devenir des adversaires sans merci, les hommes du printemps 1790 ne le savent pas encore. A travers son décret l'Assemblée constituante a été peu à peu portée à ce conflit, sans en avoir jamais voulu les conséquences.

De là vient, peut-être, le fait que le débat parlementaire d'où sortira la Constitution civile — de la fin mai à la mi-juillet 1790 — apparaisse le plus souvent aux historiens comme décevant : il n'est pas à la hauteur des enjeux qu'il comporte, et que l'avenir révèlera. « La discussion ne fut ni forte, ni profonde » écrit Michelet, qui n'y relève qu'une pensée importante, celle du janséniste Camus, un des leaders du débat : « Nous sommes une Convention nationale ; nous avons assurément le pouvoir de changer la religion ; mais nous ne le ferons pas. » Dans l'espace d'un instant entrouvert par le député de Paris, Michelet rêve à cette religion de la Révolution dont c'était, selon lui, l'heure, et qui ne vint pas. Car dans cette prétention retirée aussitôt qu'avancée, il lit aussi la timidité spirituelle de l'Assemblée, obsédée, comme les rois, de sa seule souveraineté. De fait, la discussion, pourtant longue et méticuleuse, du projet de loi qui deviendra la Constitution civile du clergé, manifeste un tarissement d'idées en face de l'immense question des rapports entre les nouveaux principes et l'ancienne religion. Discussion de politiques, de juristes, de procéduriers, entre un catholicisme épuisé, asservi, presque laïcisé, et une Révolution recroquevillée sur son pouvoir tout neuf, conçu pourtant sur le modèle absolutiste.

Le projet de loi comporte quatre titres. Le premier substitue aux anciennes circonscriptions de l'Église de nouvelles circonscriptions, calquées sur la récente division de la France en quatre-vingt-trois départements. Il n'y aurait donc plus que quatre-vingt-trois évêchés au lieu de cent trente, plus dix arrondissements métropolitains. L'ensemble des affectations du clergé est simplifié et rationalisé par la suppression de tous les titres et offices traditionnels, prébendes, canonicats, abbayes, chapitres, etc. Le pouvoir épiscopal est désormais collectif, chaque évêque devant être assisté d'un conseil permanent de vicaires obligatoirement associé à l'exercice de sa juridiction. L'article 5 du titre I dégage l'Église de toute soumission à des évêques ou des métropolitains étrangers, c'est-à-dire, éventuellement, de Rome. Le titre II, encore plus novateur, substitue l'élection aux formes canoniques usitées dans la nomination des titulaires ecclésiastiques. Tous les électeurs peuvent participer au vote, nécessaire aussi bien pour les évêques que pour les curés. Salariés de l'État, évêques et curés sont soumis à l'obligation du serment de fidélité à la Constitution. Le titre III fixe le traitement des membres du clergé, en le réduisant sensiblement. Le titre IV leur impose la résidence, sous le contrôle des municipalités.

L'ordre religieux est ainsi aligné sur l'ordre civil, l'édifice de l'Église calqué sur celui de l'État, fondé sur une souveraineté constitutionnelle dont la légitimité réside dans l'élection populaire ; ses liens avec la papauté sont tranchés ; il dépend désormais entièrement du pouvoir temporel.

En face d'une réforme de cette envergure, l'opposition, menée par Boisgelin, plaida l'incompétence de l'État en matière spirituelle. Un texte touchant à des traditions chrétiennes aussi fondamentales que le pouvoir des évêques ou le choix des prêtres devait être approuvé aussi par un concile national de l'Église de France ou par le chef de l'Église universelle. La riposte vint de Treilhard, le député de Paris, le lendemain. Elle étendit à l'organisation de l'Église la malédiction portée par la Révolution sur l'Ancien Régime, en la condamnant comme tissée de désordres et d'abus justiciables du seul pouvoir civil : il donna immédiatement à comprendre que ce que l'Église allait payer si cher, dans ce débat, n'était pas la religion en elle-même, mais son imbrication si étroite dans l'ordre ancien, sa collusion avec le pouvoir d'hier. Cette religion, d'ailleurs, qui en défendait mieux l'esprit que les hommes du Comité ecclésiastique, en voulant la restituer, par l'élection des prêtres, à des règles plus proches de ses origines ? Il n'y avait donc aucune raison de mettre en cause les droits absolus du souverain sur la discipline ecclésiastique : la tradition constante de la monarchie l'attestait.

La discussion des articles, commencée le 1er juin 1790, fut interminable, morne, entrecoupée par d'autres textes et d'autres débats prévus aussi à l'ordre du jour. Mais le Comité ecclésiastique avait finalement fait voter l'essentiel de son projet à la mi-juin. L'ensemble fut adopté le 12 juillet.

Bien qu'il bouleversât toute son organisation, le texte n'était pas inacceptable par une Église que les rois de France avaient habituée à la rude prépondérance du pouvoir politique. Du reste, son homologue autrichienne avait été soumise par Joseph II, il n'y avait pas si longtemps, à des réformes d'une brutalité comparable. La majorité des évêques avait montré des réserves sur la Constitution civile, mais le clergé, dans sa masse, semblait prêt à l'accepter. Presque tous les prélats, d'ailleurs, restaient dans l'expectative, peu désireux d'alimenter les soupçons d'aristocratie que suscitaient leurs noms, et incertains sur l'incompatibilité finale de la réforme avec les règles canoniques. C'est sur les conseils des évêques, Champion de Cicé en tête, que Louis XVI, plus hésitant que jamais, signa le décret.

Mais il restait à obtenir l'aval de Rome ; et surtout, l'adhésion profonde de l'opinion catholique, une fois passé l'effet de surprise. Or, la Constitution civile du clergé n'allait pas résister à l'épreuve du temps.

La noblesse hostile aux temps nouveaux a émigré, émigre ou se fait très discrète : c'est un phénomène assez étonnant, et relativement mal connu, que la démission ou la dislocation des différents groupes sociaux qui la composent. Sans doute prend-il racine assez loin dans l'histoire nationale : dans l'humiliation consentie sous Louis XIV, l'abaissement politique, la courtisanerie acceptée, puis, à l'époque des Lumières, dans l'isolement provincial ou l'irresponsabilité de la vie de salon et de Cour. Grand siècle nobiliaire par l'éclat d'un art de vivre, le XVIIIe siècle a en même temps multiplié les preuves de l'incapacité politique de la noblesse : l'émigration en est la sanction finale.

Témoignage supplémentaire de cette dislocation : à l'Assemblée constituante, une noblesse ralliée construit la France nouvelle avec les roturiers de l'ancien Tiers État. Dans le parti patriote, deux La Rochefoucauld, un Montmorency, un Talleyrand-Périgord... et La Fayette, au faîte de la popularité, à la tête de la Garde nationale, c'est-à-dire de Paris. Chez ses rivaux du « triumvirat », qui lui disputent l'autorité, un noble d'épée, Alexandre de Lameth, et l'ancien parlementaire Du Port, à côté de Barnave, l'avocat roturier de Grenoble. Mirabeau, enfin, supérieur à tous par le génie, mais suspect à tous pour cela même, et par ce qu'on sait de son passé. Il circule pendant l'année 1790 comme l'air fugitif d'une fusion « à l'anglaise » entre une grande noblesse ralliée, qui conserve son prestige social, et la révolution bourgeoise. La fête de la Fédération, qui célèbre l'esprit « national » contre la « féodalité » disparue, en est le témoignage le plus éclatant. C'est l'année du règne très provisoire — mais elle ne le sait pas — d'une société des Lumières formée par toute l'évolution culturelle du siècle, et où communient noblesse libérale et bourgeoisie arrivée. Salons, clubs et journaux sont autant d'instruments merveilleusement neufs de diffusion et de discussion des grands sujets débattus par le siècle, et devenus enfin actuels. Même la Société des Amis de la Constitution, qui s'installe en décembre 1789 dans l'ancien couvent des Jacobins, prend bien soin d'écarter les pauvres par la règle d'une forte cotisation : c'est une France des notables et des propriétaires qui remplace celle des seigneurs. Est-ce cette France qu'avaient inlassablement dessinée les multiples réformateurs des « abus », philosophes et physiocrates ? Est-ce cette France dont avaient discuté inlassablement — et plus timidement d'ailleurs — académies provinciales, sociétés savantes, loges franc-maçonnes ? Oui, bien sûr, dans une certaine mesure : l'idée d'une monarchie des propriétaires est plus ancienne que la Révolution. Mais la manière dont elle s'est enfin réalisée, dans l'abstraction des principes et la tempête sociale, enveloppe sa naissance dans l'éphémère. Et du côté monarchique, et du côté propriétaire.

Ce que l'événement a eu de plus spectaculaire et de plus profond tient à l'universalité de son message, qui l'apparente à une religion nouvelle. La Révolution de 1789 a voulu refaire la société et le corps politique sur l'idée que l'essence de l'homme, commune par conséquent à tous les hommes, est la liberté. Elle a émancipé l'individu des contraintes séculaires de la dépendance, détruit à la fois le pouvoir de droit divin et la domination aristocratique, repensé la société sur la base des droits de chaque contractant, et le corps politique sur le consentement libre des commettants, à travers la représentation. Elle a en fait mêlé deux sources d'inspiration : l'individualisme libéral d'une part, selon lequel l'élément constituant du pacte social est l'activité libre des hommes à la poursuite de leurs intérêts et de leur bonheur. Et de l'autre, une conception très unitaire de la souveraineté du peuple, à travers l'idée de nation ou de « volonté générale ». Ces deux sources ont été violemment séparées par la tradition philosophique française, puisque le *Contrat social* de Rousseau peut être lu comme une critique de la première par la seconde. Mais les hommes de 1789 en font la synthèse — fragile — par l'idée de raison, qui permet d'isoler chez chaque individu la part qu'il apporte à la souveraineté collective, et qui, d'ailleurs, est éducable ; si l'universalité des hommes n'est pas encore propre à l'exercice de tous les droits politiques, au moins y est-elle appelée dans l'avenir.

Ainsi peut-on suivre sans cesse, dans les débats de l'Assemblée constituante et dans les textes qu'elle vote, cette tension entre les principes universels dont elle se réclame et leur ajustement à la situation où se trouve le vieux royaume, produit de son passé « gothique ». L'idée de « l'Ancien Régime » explique ce qu'elle ne peut pas faire encore, celle de « révolution » signifie au contraire l'arrachement à ce passé maudit par l'avènement d'une législation rationnelle. Les droits nouveaux des Français ont été dits négativement le 4 août, par la destruction du droit « féodal », et positivement le 26, par la Déclaration : reste à les définir dans la loi positive. L'universalité des droits civils englobe tous les Français sans exception. Les Constituants ont un peu hésité devant la question des juifs alsaciens, moins « assimilés » que les sephardim de Bordeaux, et victimes d'un fort antisémitisme local, qui a ses interprètes à l'Assemblée. Elle intègre d'abord les seconds dans l'égalité civile, avant les premiers, qu'elle émancipe in extremis, en septembre 1791, dans les derniers jours où elle siège. Même « la religion mosaïque », ciment des ghettos alsaciens, et qui paraît si étrange à ce vieux pays catholique, n'est plus au regard de la loi qu'une affaire privée des individus, absorbée dans l'égalité juridique des citoyens, constitutive de l'unité nationale.

Le terrain classique de cette tension entre l'abstraction philosophique et les réalités politiques, c'est le redécoupage du territoire national. Les Constituants veulent donner une base rationnelle à la fois à la représentation et à l'administration du vieux royaume. Le 4 août a jeté bas l'enchevêtrement des circonscriptions « féodales ». A la fin de septembre 1789, Thouret a proposé au nom du Comité de Constitution son plan géométrique de quatre-vingt-un départements constitués de carrés tirés au cordeau. Comme chaque représentant du peuple tient son mandat non de ses électeurs particuliers mais de la nation tout entière, le meilleur équivalent de cette intégralité de la nation est une partie de cette nation exactement égale à toutes les autres. A cette logique s'oppose celle de l'histoire, de la géographie, de l'économie : la réalité de l'espace national, faite de populations, de traditions et d'activités diverses. Mirabeau oppose à l'idée du Comité celle de l'égalité démographique, Barnave invoque les poids des mœurs et des « usages ». Dans ces jours commence un débat où vont intervenir par courrier et par délégations les communautés de la France profonde au nom de leurs préférences, de leurs habitudes ou de leurs ambitions. Le découpage final sort d'un compromis entre le rationalisme et l'empirisme, l'esprit d'unité et celui de gouvernement local. La nouvelle France est divisée en départements d'une étendue comparable, tracés par les députés en fonction de la raison et de l'histoire, et baptisés par leurs éléments naturels, cours d'eau, montagnes ; chacun d'entre eux est subdivisé en districts, cantons, communes. Tous sont pourvus d'administrations élues.

Élues par qui ? La citoyenneté politique est une affaire complexe. Sa réglementation par l'Assemblée permet de comprendre comment 1789 appartient aussi à l'ordre bourgeois, même si les idées qui ont animé la Révolution débordent de part en part cette réalité à laquelle tant d'historiens ont voulu les réduire. Les hommes de la Constituante ont décrété l'égalité mais ils ont appris aussi dans les livres du siècle que l'aptitude au gouvernement et à la vie publique naît de l'indépendance et de l'instruction, donc de la propriété et de l'aisance : d'où un étagement complexe des droits politiques d'après des seuils fiscaux, qui refont sa part à l'inégalité sociale. Les précautions prises contre les plus pauvres jouent d'ailleurs dans les deux sens, aussi bien contre l'aristocratie que contre la démagogie, qui pourraient l'une comme l'autre tenter d'abuser de leur ignorance. Autre indication d'époque : les domestiques, particulièrement nombreux au service des familles nobles, sont exclus du droit de vote comme des citoyens non indépendants. Il reste pourtant, en bas de la pyramide, plus de quatre millions de « citoyens actifs » — chiffre énorme, audacieux, si on le rapporte aux deux cent mille électeurs de la France de Louis-Philippe, cinquante ans plus tard. Au-dessus, des électeurs du second degré, puis des éligibles, qui forment l'encadrement nouveau du pays. A eux, la nouvelle administration élue — municipalité, district, département — délivrée de l'intendant centralisateur et détesté, à eux la nouvelle justice indépendante du pouvoir, à eux la nouvelle armée : la Garde nationale, jaillie des événements de 1789, gardienne de l'ordre nouveau. La société des Lumières est une révolution des emplois.

Autre aspect de la prépondérance bourgeoise : la libération des intérêts. La Constituante abolit monopoles, règlements, privilèges industriels et commerciaux. Elle instaure la liberté de circulation intérieure et liquide aussi, en 1791, la démocratie des intérêts corporatifs par la loi Le Chapelier — laquelle étend l'égalité des individus devant la loi au contrat de travail. Personne n'a l'idée de défendre le droit des salariés à la coalition : ce serait recréer les corporations, les compagnonnages. A la campagne, la nouvelle orthodoxie libérale apprise dans Gournay, Quesnay et Adam Smith se heurte au vieux système communautaire dont Georges Lefebvre a montré l'importance psychologique et économique pour le petit paysan. Le gros fermier cher aux physiocrates réclame depuis longtemps l'ouverture des marchés et des prix, la fin des contraintes villageoises, la liberté des assolements, le droit de clore champs et prés, la fin de la pâture collective : le capitalisme rural est la condition d'une meilleure productivité. Finalement l'Assemblée transige. Elle instaure la liberté des prix et autorise celle des cultures, au bénéfice des indigents. De la même façon, la France des Lumières cède à la France populaire sur le libre-échange international : malgré la bonne récolte de 1790, elle interdit l'exportation des blés ; la vieille crainte de la famine domine encore les esprits. Reste que la grande mesure qui soude la France paysanne à la philosophie des Lumières est la vente des biens d'Église : l'opération de mise en vente par les municipalités, aux enchères, par petits lots qui peuvent descendre jusqu'à cinq cents livres, avec de larges facilités de paiement, scelle ce que Michelet a appelé « le mariage du paysan et de la Révolution ». Elle marque aussi, exception faite de régions comme une bonne partie de l'Ouest (la Vendée en tête, bien sûr), l'alliance du monde rural avec la bourgeoisie, qui tire de son côté le plus grand profit de la vente des biens nationaux. Tous les bénéficiaires, grands et petits, sont désormais solidaires, également irréconciliables avec l'Ancien Régime. La cassure de 1789, si puissante dans l'imaginaire national, trouve une autre assise, tout aussi profonde, dans les intérêts de familles innombrables. La question des biens nationaux va constituer, jusqu'au milieu du XIXe siècle au moins, un des centres de gravité de la politique française. Elle joue aussi un rôle essentiel — bien que moins spectaculaire — dans l'histoire économique du pays : par la multiplication de la propriété paysanne, qui couronne et accélère un mouvement étalé sur plusieurs siècles, la Révolution consolide une France rurale précapitaliste, pied de nez de l'histoire à la création, au même moment, d'institutions économiques « bourgeoises ».

Pourtant, cette France profonde, paysanne et bourgeoise, qui a célébré dans l'unanimité apparente le premier anniversaire du 14 juillet, se divise dès 1790 sur la question religieuse.

La Constitution civile n'avait été acceptée par l'Église et par le roi que sous réserve de l'approbation d'une autorité spirituelle. La Constituante avait refusé le concile national. Restait le pape, aux prises avec l'affaire d'Avignon, enclave pontificale qui réclame son rattachement à la France de 1789, et peu enclin, à la fois par principe et eu égard aux circonstances, à modérer une condamnation de la Révolution selon un distinguo entre le spirituel et le temporel. Par prudence, à la fois à cause d'Avignon et pour ne pas exposer trop vite les évêques français, il ne condamnera la Constitution civile que le 10 mars 1791 ; mais son opposition est connue dès mai 1790 et largement utilisée, notamment par le canal intéressé de l'infatigable Bernis.

D'ailleurs, la France catholique s'agite avant ses prêtres, mobilisée par l'intolérance et l'intrigue, alarmée par toutes ces nouveautés sur les protestants et les juifs, indignée que l'Assemblée ait refusé de reconnaître à la vieille religion un statut « national » qui lui conserverait une sorte de privilège. La tradition d'intolérance a repris là où elle est la plus forte, dans les villes du Midi où s'affrontent catholiques et protestants : Nîmes, Uzès, Montauban. A Nîmes, au milieu de juin, pendant la discussion de la Constitution civile du clergé à l'Assemblée, la guerre civile a fait rage quelques jours, au grand dam des troupes catholiques, vaincues et massacrées.

A la fin de l'été, la situation s'est durcie partout. La Constitution civile a été publiée dans les départements et bénéficie du soutien, parfois agressif, des nouvelles administrations élues au printemps. Les clubs et les sociétés populaires s'agitent et réclament l'application immédiate de la loi. En face, l'opinion catholique est de plus en plus hostile. Les évêques, membres de l'Assemblée, sortent du silence et publient le 30 octobre, sous le titre d'*Exposition des principes sur la Constitution civile du clergé*, une réfutation en règle du texte voté en juillet. Devant cette situation, où la violence est encore l'exception mais où le calme est précaire, la Constituante choisit d'avancer : un décret du 27 novembre donne deux mois aux prêtres en exercice pour prêter serment à la Constitution, et par conséquent à la Constitution civile du clergé qui y était incluse.

C'est à la fois le signal et le commencement du schisme.

Un tiers des membres ecclésiastiques de l'Assemblée accepta de prêter le serment en janvier 1791. Sept évêques seulement dont trois *in partibus* « jurèrent », selon le terme de l'époque. Mais la grande affaire n'était plus l'Assemblée : c'était le pays. Un peu partout, la publication du décret du 27 novembre, puis la cérémonie du serment au début de l'année 1791, provoquèrent des troubles dans les deux sens, pour et contre la Constitution civile. Agitations d'autant plus graves lorsque les populations soutiennent ou même devancent le refus de prêter serment. A Paris, c'est naturellement l'inverse : la pression populaire organisée s'exerce sur les prêtres qui hésitent ou qui rechignent, pour les contraindre à sauter le pas. Le dimanche prévu pour la prestation de serment, une foule immense envahit Saint-Sulpice et menace le curé récalcitrant, qui réussit à s'échapper aux cris de « le serment ou la lanterne ». Mais en Alsace, dans le Massif central — notamment dans les hautes terres catholiques du Velay

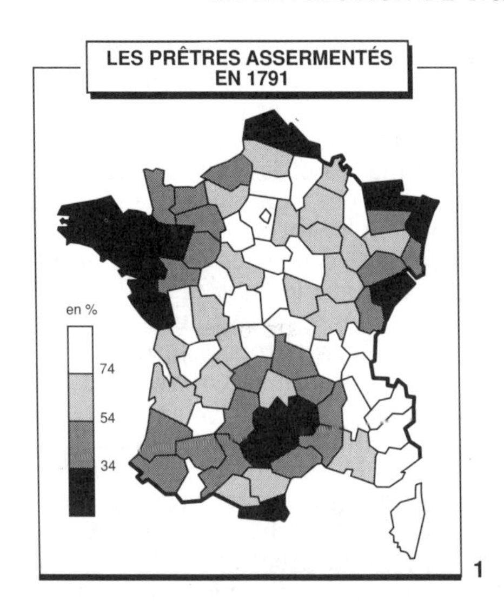
LES PRÊTRES ASSERMENTÉS
EN 1791
en %
74
54
34
1

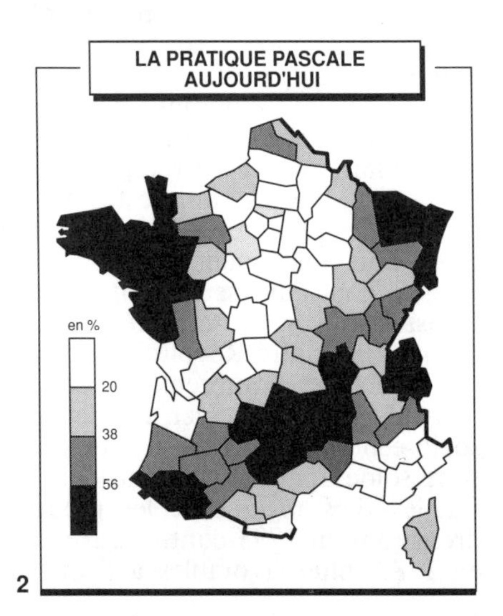
LA PRATIQUE PASCALE
AUJOURD'HUI
en %
20
38
56
2

et du Rouergue —, à l'ouest — singulièrement dans ce qui allait devenir en 1793 « la Vendée militaire », le quadrilatère de l'insurrection armée —, la foule s'oppose en force à la cérémonie du serment : ce sont les autorités locales, les maires et les officiers municipaux, qui doivent bien souvent capituler.

Résistances qui s'avèrent si fortes et si répandues que l'Assemblée constituante doit jeter du lest : après avoir opté pour l'intransigeance le 4 janvier 1791, elle met de l'eau dans son vin dès le 21, en autorisant les réfractaires à rester dans leur paroisse jusqu'à leur remplacement (et en leur garantissant dans tous les cas une petite pension). Le 7 mai, elle vote le décret dit « de tolérance », en donnant force de loi à une mesure prise en avril par le Directoire du département de Paris, selon laquelle les prêtres réfractaires pouvaient célébrer la messe dans les églises « constitutionnelles ». Mesure qui « gèle » la situation en l'état plus qu'elle ne cherche à y porter remède. Elle prend simplement acte de l'impasse politique et religieuse où la Constitution civile a conduit la Révolution. Au début de l'été, en effet, l'hostilité du pape au texte est devenue claire pour tous, et les positions des « fonctionnaires publics ecclésiastiques » sans ambiguïté : les « réfractaires » ont été remplacés ou sont sur le point de l'être. Mais ils sont restés au village, ou dans le quartier, et l'Assemblée, tout à son désir de stabilisation, doit finalement accepter l'existence de deux Églises, dont l'une seulement est conforme à la loi. La Constituante veut terminer la Révolution : elle a donné à la Contre-Révolution ses cadres et ses troupes.

En effet, les nombreux travaux destinés depuis un quart de siècle à trouver une détermination sociale ou socio-économique à la Contre-Révolution rurale se sont soldés par des conclusions soit négatives, soit fragiles. Les régions et les groupes sociaux qui se dresseront en 1793 contre la Révolution ne sont pas, en 1789, plus favorables à l'Ancien Régime que les autres : les cahiers de doléances des futurs pays chouans ou des paroisses de « la Vendée militaire » sont hostiles aux droits féodaux comme le reste des textes rédigés au nom des communautés rurales françaises. Il n'est guère possible non plus d'attribuer la Contre-Révolution paysanne — là où on peut l'observer *a posteriori* à partir des événements de 1793 — à un antagonisme particulier entre villes et campagnes, bourgeois et ruraux. Car cet antagonisme, pour spectaculaire qu'il apparaisse pendant la guerre de Vendée, est assez général et prend des formes très diverses : les paysans du Quercy, par exemple, continuent à lutter, bien après le 4 août 1789, autour de leurs revendications propres pour l'abolition sans indemnité des redevances seigneuriales, bravant l'autorité des nouvelles administrations urbaines ; mais le Quercy ne se lève pas contre la dictature de Paris et des villes en 1793. C'est plus au nord, en Lozère, qu'un début d'insurrection aura lieu à cette époque. D'ailleurs, cet antagonisme ville-campagne peut être plus politique encore que social, pour peu que l'arrogance culturelle des nouveaux messieurs des chefs-lieux à l'égard des campagnes se révèle à l'usage plus insupportable que les extorsions paternelles du seigneur.

Il n'apparaît pas qu'on puisse réduire l'élément religieux à un autre niveau de réalité dans l'interprétation des facteurs de la Contre-Révolution. Ce qui est clair, en revanche, c'est que cet élément religieux s'est immédiatement transformé en problème politique dans la mesure où la monarchie absolue d'abord, la Révolution ensuite, avaient fait de l'Église catholique un corps subordonné à l'État. La crise du serment renouvelle sous une forme encore plus aiguë et infiniment plus massive des épisodes de l'histoire des relations entre l'ancienne monarchie et le clergé janséniste, comme l'affaire des billets de confession. En 1791, c'est l'Église catholique tout entière qui paie le prix de son pacte avec l'État absolutiste : la revanche janséniste, au nom du gallicanisme, n'a fait qu'accentuer sa subordination politique. Désormais, c'est l'ensemble de ses prêtres qui est mis en demeure de choisir entre Rome et Paris, universalité de l'Église et citoyenneté, conviction intérieure et autorité de l'État. Et derrière les prêtres, ou avec eux, les millions de fidèles de ce pays catholique comprennent et épousent ce dilemme, inséparablement religieux et politique.

Si l'on veut d'ailleurs comprendre combien le conflit qui s'est noué à ce double niveau, en 1790-1791, est profond, il suffit de considérer à quel point il est destiné à durer : la carte de la pratique religieuse, dans la France du milieu du XXe siècle — qui est, par ailleurs, la moins mauvaise approximation de celle de la droite politique —, est aussi très proche de celle des insermentés de 1791. Témoignage de ce fait que la crise nationale ouverte par la Constitution civile continue à dominer le XIXe et une grande partie du XXe siècle français. La Révolution a lutté contre l'Église catholique sans rompre avec le catholicisme. Trop proche du legs janséniste et gallican pour concevoir l'État démocratique sécularisé, elle en est trop éloignée aussi pour imaginer à partir de là un nouveau protestantisme : de cette impasse dont Quinet sera le plus profond commentateur va naître, sans qu'elle l'ait vraiment voulue, une culture révolutionnaire antireligieuse encore pleine de l'esprit d'un catholicisme épuisé.

Jusqu'au schisme clérical, l'émigration contre-révolutionnaire n'a guère trouvé d'écho en France. La petite cour turinoise du comte d'Artois, où Calonne a repris du service et du galon, a commencé sa longue carrière de complots et d'arrière-complots, mais c'est en vain qu'elle cherche à ressusciter la guerre des catholiques languedociens contre les fils des camisards. Avant la mi-1790, les hommes de l'Ancien Régime n'ont pas de drapeau populaire. L'affaire religieuse leur en donne un.

A Paris, elle réactive les débats sur le roi, le 14 Juillet, les journées d'octobre. L'Assemblée, depuis, a organisé sa propre royauté. C'est elle qui est souveraine, Louis XVI lui étant subordonné. Il n'est plus que le premier serviteur de la nation, contraint au serment de fidélité à la Constitution. Titulaire d'un veto provisoire, plus théorique que réel, il demeure sans autorité sur la plupart des fonctionnaires, qui sont élus. Il conserve le contrôle sur ses ministres, mais ceux-ci sont suspects à l'Assemblée, où se situe le vrai pouvoir. Le voici donc soumis à la surveillance de la Garde nationale, elle-même surveillée par des activistes parisiens, à l'appel de Marat. Les journées de juillet et d'octobre 1789 constituent désormais des modèles de comportement politique révolutionnaire : le roi figure le cœur du complot, et le peuple le bras qui brise le complot. Image puissante qui superpose à la souveraineté juridique de l'Assemblée au nom du peuple la force brute ou organisée de la souveraineté du peuple tout court. L'Assemblée elle-même, on l'oublie trop souvent, ne siège que soumise aux vitupérations des tribunes où sont tous les jours massés les lecteurs de *L'Ami du peuple* et les spécialistes de la surenchère. Par une manière de compensation à l'accaparement de la volonté générale par les députés, le peuple est ainsi censé veiller lui-même sur les délibérations de ses mandataires : double pathologie de la « représentation » moderne, dont les inconvénients s'additionnent au lieu de se neutraliser. Dans les faits, l'autorité de la « nation » tend à être exercée par deux oligarchies : celle des représentants et celle des activistes parisiens.

Dans cette France sans exécutif, cette monarchie constitutionnelle sans roi constitutionnel, une dialectique révolutionnaire répond tout naturellement à la résistance royale ; c'est le rôle de Paris, où règnent trois pouvoirs, la municipalité, la Garde nationale, les sections. Les deux premiers, élus ou recrutés sur une base censitaire, sont entre les mains des « patriotes » de l'Assemblée, La Fayette et Bailly. Mais les quarante-huit sections, qui succèdent en 1790 aux soixante districts, jouent un rôle plus populaire et plus autonome : par leurs assemblées primaires, par leurs comités qui jouissent des attributions de police, par leurs pétitions, leurs adresses, leurs arrêtés, elles sont la souveraineté populaire elle-même. L'agitation frumentaire a cessé avec les bonnes récoltes de 1789 et des années suivantes ; la vigilance révolutionnaire dresse les sections contre l'« Autrichienne » qui trame ses complots dans le secret des Tuileries. Dans l'hiver 1789-1790, un violent conflit a opposé le district des Cordeliers, présidé par Danton, au Châtelet de Paris qui veut arrêter Marat pour ses articles incendiaires. L'Assemblée légifère sous la pression constante de cette démagogie, qui se dit dépositaire de la nouvelle légitimité : ce qui est déjà la tradition révolutionnaire. En 1791, en même temps que s'alourdit le climat politique, l'anticléricalisme urbain fait son apparition : phénomène plus ancien que la Révolution, et dont il faudrait rechercher notamment les racines dans les crises du jansénisme parisien des années 1720 et 1730. Le mouvement démocratique s'organise par la création de clubs populaires et de sociétés fraternelles où l'on communie, à la lueur d'une bougie, dans la lecture publique des feuilles vraiment « patriotes ». Marat et Danton animent les Cordeliers, sur la rive gauche, et beaucoup de sociétés de quartier se fédèrent en 1791 autour d'un comité central. Les équipes de la relève révolutionnaire, qui critiquent le modérantisme de l'Assemblée, se préparent ainsi à leur rôle prochain par l'encadrement des sections et de la rue. Mais déjà, pour avoir raison, pour gagner, elles ont besoin de la trahison royale. De même que l'Assemblée aurait besoin, pour contenir l'extrémisme parisien et la passion révolutionnaire, de la parole royale. Mais si Paris et le roi sont d'accord — même en sens inverse — contre l'Assemblée ?

Pendant que ses commissions, peuplées d'hommes sérieux et compétents, accomplissent un travail législatif immense, l'Assemblée, déjà doublement fragilisée, n'a en outre pas cessé d'être divisée par les jalousies de ses leaders — dont aucun n'a réussi à s'imposer. Mirabeau, l'orateur torrentiel de l'été 1789, l'aristocrate déclassé de cette Assemblée bourgeoise, est vite suspect aux démocrates parisiens ; bientôt payé par le roi, auquel il conseille en vain d'accepter la nouvelle règle du jeu, il use son génie dans une politique double, et meurt au printemps 1791. Même histoire pour La Fayette — vénalité et génie en moins : le commandant de la Garde nationale n'a pas l'oreille du ménage royal, qui ne lui pardonne pas les journées d'octobre, et Marat ne cesse, à l'autre bord, de le dénoncer aux patriotes.

Suspect, le « triumvirat » lui-même. Le débat « colonial » de mai 1791 le montre bien. Aux « îles », ce trésor de la France du XVIIIe siècle, les nouvelles de la Révolution ont fait éclater le fragile équilibre social entre les colons, les mulâtres libres et les esclaves noirs. Les premiers veulent profiter de l'occasion pour se libérer de la tutelle de l'« Exclusif » métropolitain et commercer librement avec tous les pays. Mais ils n'entendent rien céder de leur prépondérance locale et raciale, au moment où les mulâtres excipent des principes de 1789 pour réclamer les droits politiques. Jaurès a admirablement raconté et interprété ces longs débats où les Lameth et Barnave soutiennent les colons, Robespierre les mulâtres.

Appuyée par les sociétés parisiennes — l'une d'elles s'intitule les Amis des Noirs —, la cause des mulâtres finit par triompher. Personne n'a vraiment posé, à l'Assemblée, le problème de l'esclavage ; mais la ligne de partage politique qui s'est établie dépasse celui des mulâtres, puisqu'il s'agit de l'application de l'universalisme démocratique défini par la Révolution. Elle indique qu'après Mounier, après Mirabeau, c'est au tour de Barnave, Du Port et Lameth de livrer bataille aux surenchères des sociétés parisiennes et au petit groupe qui s'en fait l'interprète à l'Assemblée. Au vrai, d'ailleurs, est-ce Paris qui surenchérit ou le « triumvirat » qui recule ? La nature même du déséquilibre révolutionnaire explique que l'un et l'autre soient vrais : dans ce débat triangulaire, la crainte de l'extrémisme parisien rapproche du roi, par vagues successives, bien des députés « patriotes ». A la tribune de l'Assemblée, Du Port l'explique assez clairement : « La Révolution est finie. Il faut la fixer et la préserver en combattant les excès. Il faut restreindre l'égalité, réduire la liberté et fixer l'opinion. Le gouvernement doit être fort, solide, stable » (17 mai 1791).

C'est la deuxième version, après celle des Monarchiens, de la nécessité de « terminer la Révolution ». Mais comme leurs prédécesseurs de 1789, les triumvirs de 1791 ont besoin pour ce faire d'une autorité royale à la fois forte et franchement engagée à côté d'eux : cette autorité qu'ils ont détruite deux ans auparavant. Elle leur résistait alors ; elle ne leur est pas plus favorable d'avoir été brisée. Sur ce que pense le couple royal, à cette époque, il y a peu de documents mais il y a pourtant peu de doute. Il existe une lettre secrète de Louis XVI à son cousin le roi d'Espagne, en octobre 1789, par laquelle le monarque fantôme des Tuileries proteste contre tous les actes qui lui ont été arrachés depuis juillet. Et il y a, entre 1790 et 1791, cette admirable correspondance secrète de Mirabeau avec la Cour, extraordinaire monologue du grand homme avec un roi qui paie ces conseils du génie sans pouvoir même les entendre. Le député d'Aix plaide que la Révolution a emporté sans retour l'Ancien Régime, mais qu'elle n'est pas le moins du monde incompatible avec une monarchie renouvelée : l'existence d'une société faite d'individus égaux, par opposition à l'ancienne société des corps (Richelieu aurait aimé cette idée, écrit Mirabeau, à la recherche d'illustres garants), est au contraire favorable à un pouvoir royal fort. Mirabeau n'a jamais été à l'aise avec l'idée d'une souveraineté quasiment absolue attribuée dans les faits à la représentation ; il y a toujours dénoncé le risque d'une aliénation de la volonté de la nation à une oligarchie parlementaire. Contre ce dérapage, la présence d'un roi fort est une garantie : n'est-il pas d'ailleurs l'incarnation de l'histoire nationale, venue du fond des âges, unissant le passé au présent, et donnant à la démocratie moderne l'ancrage de la tradition ? Mirabeau, c'est Chateaubriand avec trente ans d'avance : il n'est que de « nationaliser » la monarchie.

La monarchie choisit au contraire d'offrir le spectacle de sa séparation d'avec la nation. La réponse de Louis XVI à la politique proposée par Mirabeau, mort en avril, c'est Varennes, en juin. De ce dialogue manqué, de cette politique jamais tentée, il ne serait pas équitable d'attribuer la seule responsabilité au roi : on a vu que l'esprit de la Révolution n'a guère laissé d'espace, de son côté, à une rétrocession partielle de l'autorité publique. Et les circonstances du printemps 1791 s'y prêtent moins que jamais : en avril, Louis XVI a été empêché par la foule de quitter les Tuileries pour aller faire ses pâques à Saint-Cloud et recevoir la communion des mains d'un prêtre de son choix. Dans l'âme du roi, qui est profondément chrétien, le schisme religieux ajoute l'impiété à toutes les raisons qu'il a de détester la Révolution. Captif dans Paris, étranger au milieu d'un peuple qu'il ne reconnaît plus, le roi a voulu fuir, ne laissant aux Tuileries qu'une déclaration solennelle de son hostilité à la Révolution. Il escompte, une fois hors des frontières, un revirement des Français ; en réalité, il apporte sa propre contribution à l'acte de décès de la monarchie dans l'opinion. Rien peut-être n'en dit aussi long sur la France révolutionnaire que le tocsin de Varennes, cette mobilisation d'un petit village perdu à l'arrivée de l'étrange berline — et cette foule silencieuse du retour, veillant tête nue sur le convoi : Louis XVI est mort une première fois le 21 juin 1791. Il n'est pas encore un otage, mais il n'est déjà plus qu'un enjeu.

Car sa fuite déchire le voile de cette fausse monarchie constitutionnelle et pose à nouveau au parti patriote tout le problème de l'avenir de la Révolution. Le mot d'ordre de « République » est lancé par de petits cercles éclairés, autour de Condorcet et de Brissot. Mais Robespierre se méfie d'une République qui peut mener à l'oligarchie. Avec la gauche de l'Assemblée, les clubs et les sociétés populaires, il se contente de réclamer le jugement et le châtiment du roi : il se fait l'interprète de la réaction punitive du peuple devant cette preuve du « complot aristocratique ». Le roi n'est plus sacré, mais c'est qu'il est coupable ; le père de la nation est devenu son bourreau.

Dès lors, comment « fixer » la Révolution ? Les patriotes modérés de l'Assemblée s'y acharnent quand même, au prix d'une fiction qui pèsera lourd sur leur avenir : La Fayette, Bailly et les triumvirs font voter par les députés la version selon laquelle le roi a été « enlevé » ; dominés par la crainte d'une nouvelle accélération révolutionnaire, ils plaident le texte constitutionnel, l'inviolabilité du roi, le respect de ce qui a été voté. C'est Barnave qui le fait avec le plus d'intelligence, en expliquant que ce choix doit rester par définition indépendant des qualités du monarque : « Ou vous avez fait une Constitution vicieuse, ou celui que le hasard de la naissance vous donne pour roi, et que la loi ne peut atteindre, ne doit pas être, par ses actions individuelles, par ses facultés personnelles, important à la stabilité et à la bonté du gouvernement... Je dirai à ceux qui s'exhalent avec fureur contre celui qui a péché : Vous seriez donc à ses pieds si vous étiez bien contents de lui ? » (15 juillet 1791). L'argument a pourtant son côté vulnérable, par la reconnaissance des fautes de Louis XVI transformées en contreforts du droit. Paris est plus sensible à la fuite qu'à la Constitution. Une vaste campagne de pétitions pour le châtiment du roi aboutit à une manifestation centrale au Champ-de-Mars, le 17 juillet. Un an après la grande fête trompeuse de l'unanimité nationale, et sur les lieux mêmes où il avait été acclamé, La Fayette donne l'ordre à la Garde nationale de tirer sur la foule. Date importante. Pour la première fois, les pouvoirs publics issus de la Révolution font ce qu'ils n'ont pas osé faire contre les paysans en août 1789, contre Paris en octobre : ils se retournent contre le « peuple », du côté du roi. Ils ont fixé leur place, demain, sur l'échafaud.

Ils sont provisoirement vainqueurs, mais au prix d'une nouvelle et grave scission des patriotes. Désertant le club des Jacobins, les modérés s'installent au couvent des Feuillants, où les suivent presque tous les députés, pendant que Robespierre s'ingénie à maintenir dans la fidélité jacobine les sociétés provinciales affiliées — redoutable instrument pour l'avenir. Dans l'immédiat, les Feuillants semblent triompher : ils font arrêter quelques agitateurs parisiens, maintiennent l'ordre dans la rue et votent quelques retouches prudentes à la Constitution. Le cens électoral est relevé, le cens d'éligibilité diminué. La Constitution civile du clergé perd son caractère de loi constitutionnelle, de façon à n'être pas intouchable. Mais le vote essentiel pour l'avenir a été obtenu par Robespierre un mois avant Varennes : le député d'Arras, qui s'est emparé déjà du tribunal de la moralité publique, a fait décréter la non-rééligibilité des membres de la Constituante à l'Assemblée qui suit. Décision difficile à combattre sous peine de passer pour un patriote intéressé, et flattant d'ailleurs bon nombre de députés fatigués, désireux de rentrer chez eux ; et pourtant décret démagogique, puisqu'il institue une deuxième « table rase » révolutionnaire, plus limitée il est vrai que celle de 1789, mais touchant pourtant tout le personnel parlementaire vieilli aux affaires depuis deux ans et demi. La Constitution est privée d'avance de l'appui de ceux qui l'ont faite. Robespierre commence sa double carrière de moraliste et de tacticien. La non-rééligibilité des Constituants lui permet de marginaliser des adversaires expérimentés, comme les chefs feuillants, et de donner du coup un poids supplémentaire aux militants de la révolution parisienne, qui détiendront seuls l'avantage de l'ancienneté : par là, son influence à lui, qui courtise assidûment les clubs, sera renforcée, y compris sur les parlementaires tout neufs.

Le 14 septembre 1791, Louis XVI — comme en février 1790 — vient solennellement prêter serment de fidélité à une Constitution révisée qu'il n'accepte pas plus qu'hier, et la Constituante proclame fièrement avant de se séparer : « Le terme de la Révolution est arrivé. » Mais elle le dit plus qu'elle ne le croit. En réalité, elle lègue aux hommes neufs de l'Assemblée qui suit, avec ce qu'elle a fait de durable, ce qu'elle a reconstruit d'éphémère.

L'historien qui cherche à comprendre pourquoi peut partir de l'extraordinaire facilité avec laquelle a été scellée, le 4 août, la fin de l'ancienne société, et instaurée l'égalité civile, pour y opposer les incertitudes et les violences de la reconstruction politique. De fait, ce qui s'accomplit en 1789 dans l'ordre civil est irrévocable, en même temps d'ailleurs que, dans l'ordre politique, la fin de l'absolutisme de droit divin, emporté avec tout l'Ancien Régime. En revanche, la Révolution butte sur la reconstruction de l'autorité publique : personne ne peut croire, dans l'été qui suit l'expédition de Varennes, que cette République de fait, assortie d'un ancien souverain absolu, instaurée par la Constitution, soit promise à un avenir facile.

Edgar Quinet a proposé une interprétation de ce contraste : les « difficultés » — selon son terme — de la Révolution n'étaient pas dans l'ordre civil, où 1789 accomplit simplement, et couronne si l'on veut, le travail des siècles. « Pas une voix ne s'éleva, écrit-il à propos du 4 août, pour retenir l'inégalité civile. Il y eut l'unanimité que la nécessité impose. Les hommes constatèrent la ruine plutôt qu'ils ne la firent*. » Il y aurait ainsi une Révolution française produit quasiment naturel de l'Ancien Régime, simple mise à jour de l'histoire, consentie comme une nécessité même par les privilégiés : une invention du temps ; et une autre Révolution, invention des hommes cette fois, infiniment plus difficile justement parce qu'elle a pour objet la participation libre des citoyens au nouveau souverain.

Dans ce qu'elle a de fort, l'idée de Quinet permet de penser les deux faces du même événement : l'une qui regarde vers le passé, l'autre qui ouvre sur l'avenir ; l'une où se montre sa détermination, l'autre où apparaît son caractère aléatoire, au sens précis et au sens vulgaire du mot. Au fond, quand les thermidoriens, quelques années après, opposeront les *bons* résultats de la Révolution à son *mauvais* déroulement, ils diront un peu la même chose en d'autres termes : ce que 1789 a eu de nécessaire ne s'étend pas à ce qui l'a suivi.

Pourtant, ni les deux types de réalités — le civil et le politique — ni les deux âges successifs de la Révolution ne se laissent séparer l'un de l'autre avec cette netteté d'épure. L'histoire ne présente pas dans l'ordre d'abord une société civile immédiatement révélée à elle-même en juillet-août 1789, dans sa vérité moderne d'individus libres et égaux, puis un État

* Edgar Quinet, *La Révolution*, 1865.

recomposé à grand-peine, au prix d'une cascade d'événements qui commence seulement cette année-là et va s'avérer incontrôlable. On a vu, au contraire, que dès 1789 tout est mis en place ensemble au nom des mêmes principes universels, et que c'est cette ambition de construction radicale du tout à partir de rien qui est le trait dominant des six mois extraordinaires du printemps et de l'été, dans l'ordre civil comme dans l'ordre politique. La société et le gouvernement de cette société ensemble. En plaçant les droits de l'homme au fondement du contrat social, les hommes de 1789 n'ont pas de mal à instaurer l'égalité civile, puisqu'ils remboursent en capital la plupart des possessions attenantes à l'état social aristocratique antérieur. Le mouvement des idées et des passions a fait le reste. Mais l'individualisme philosophique radical, inséparable de ce déracinement des ordres et des corps, rend infiniment plus difficile la construction du corps politique nouveau.

Comment, en effet, penser la souveraineté à partir d'une société d'individus, et comment forger sa représentation ? La penser, passe encore : une volonté générale unique, toute-puissante, inaliénable. Mais pour ce qui est de l'organiser, dans cet État-nation ancien, vaste, peuplé... Il faut passer par l'idée d'une délégation de cette souveraineté à travers la représentation des individus, quitte à laisser en théorie le droit à la nation de reprendre à tout moment ses droits, qui ne peuvent être aliénés une fois pour toutes. 1789 a fait apparaître d'un côté l'*homo democraticus* dans sa pureté moderne, libre en tout ce que ne défend pas la loi, égal à n'importe quel autre de ses semblables ; et de l'autre, un nouveau pouvoir souverain constitué à partir de là, formant une volonté générale aussi absolue et aussi autonome que toutes les volontés individuelles dont il procède. De l'atomisation parcellaire des individus dans la société, la Révolution a conjuré le risque en réinventant une souveraineté aussi indivisible et inaliénable que celle de l'ancien roi, mais plus puissante encore, puisqu'elle n'a plus rien — même Dieu — au-dessus d'elle : c'est qu'elle est issue désormais du peuple, ou de la nation, où elle repose à l'état latent jusqu'à l'heure du contrat constituant.

Mais une fois « constituée », dans et par l'Assemblée nationale en mai-juin 1789, elle a instauré la représentation : institution capitale, par laquelle la loi n'est pas consentie immédiatement par chaque citoyen, comme chez Rousseau, mais médiatement, par des représentants. Ceux-ci ne sont pas élus par l'universalité des citoyens, mais choisis par les plus éclairés, en fonction d'une double sélection fiscale. Certes, l'électorat prévu par la Constitution de 1791 est incroyablement vaste pour l'époque ; mais il n'en repose pas moins sur une distinction entre droits civils, universels, et droits politiques, qui ne le sont pas : à cet homme démocratique qui est la représentation centrale de la Révolution, il mêle au point sensible un élément contradictoire. Ce n'est pas un hasard si Robespierre construit sa réputation de défenseur du peuple sur la critique du système électoral censitaire.

Dans les nouvelles institutions léguées par l'Assemblée constituante, il y a ainsi un esprit dominant, celui de la « démocratie pure » : Burke ne s'y est pas trompé, qui l'a écrit dans ces termes en 1790. Il désignait ainsi la *tabula rasa* révolutionnaire, l'abstraction universaliste des Droits de l'homme, l'égalité, la liquidation des corps aristocratiques, le retournement de la souveraineté royale au profit du peuple. Mais l'Assemblée a conservé le roi dans une constitution républicaine, et elle a juxtaposé à l'universalité des droits un gouvernement représentatif par les citoyens-propriétaires. La question royale va lui survivre, bien qu'elle ait été décidée d'avance, par le rôle subalterne laissé à l'ancien souverain en 1789. Elle va servir, pour un temps, d'abcès de fixation au mouvement révolutionnaire. Mais en profondeur, c'est la tension entre l'idée démocratique et ce que la Constituante a préservé d'inégalitaire dans le nouveau corps politique qui constitue le grand ressort de la Révolution. La passion anti-aristocratique peut se réinvestir aussi bien dans la passion antibourgeoise : elle peut passer d'autant plus facilement de la naissance aux intérêts, et même à la propriété, qu'elle a épousé avec plus de force l'abstraction de l'égalité. Par le même mouvement, elle peut d'autant mieux ignorer le gouvernement représentatif que l'idée d'une volonté générale et d'un peuple souverain évoque inévitablement la démocratie directe. D'ailleurs, la lutte se prépare : à l'autre bord, la querelle religieuse a donné un soutien populaire éventuel aux nostalgies de l'Ancien Régime, et toute une bourgeoisie « feuillante » commence à s'inquiéter des conséquences de 1789.

L'Assemblée constituante a détruit la société des corps, instauré l'égalité civile dans le vieux royaume. Elle n'en a pas réglé le gouvernement. La question va durer cent ans.

1791-1794

1791

1er octobre

Première séance de l'Assemblée législative.

29 novembre

Les ecclésiastiques réfractaires au serment sont déclarés suspects.

1792

9 février

Décret confisquant les biens des émigrés.

3 mars

Émeute d'Étampes au cours de laquelle le maire Simoneau, qui s'opposait à la taxation des grains, est tué.

20 avril

La guerre est déclarée au roi de Bohême et de Hongrie.

27 mai

Décret sur la déportation des prêtres réfractaires.

8 juin

Décret sur la formation d'un camp de fédérés à Paris.

11 juin
Louis XVI oppose son veto aux décrets des 27 mai et 8 juin.

12 juin
Renvoi des ministres Roland, Clavière et Servan par Louis XVI ; l'Assemblée leur renouvelle sa confiance.

20 juin
La foule envahit les Tuileries pour contraindre le roi à lever son veto ; Louis XVI refuse de céder mais doit coiffer le bonnet rouge.

11 juillet
L'Assemblée proclame « la Patrie en danger ».

3 août
Publication du Manifeste de Brunswick.

10 août
Le château des Tuileries est pris d'assaut ; Louis XVI, réfugié au sein de l'Assemblée, est suspendu.

11 août
Constitution d'un Conseil exécutif où Danton est ministre de la Justice, Roland ministre de l'Intérieur, Clavière ministre des Finances, et Servan ministre de la Guerre.

13 août
La famille royale est incarcérée au Temple sous la surveillance de la Commune de Paris.

19 août
La Fayette, n'ayant pu entraîner son armée à marcher sur Paris, rejoint les Autrichiens qui l'interneront.

23 août
Chute de Longwy.

30 août
Prise de Verdun.

2-5 septembre
Massacre de prisonniers dans les prisons parisiennes.

20 septembre
Victoire de Valmy ; dernière séance de l'Assemblée législative : elle décrète le divorce et la laïcisation de l'état civil.
21 septembre
La Convention se réunit et abolit la royauté.
27 septembre
La Convention renouvelle l'incompatibilité des fonctions de ministre et de député ; Roland opte pour le ministère et Danton pour la députation.
9 octobre
Les émigrés rentrés sont passibles de la peine de mort dans les vingt-quatre heures.
6 novembre
Dumouriez bat les Autrichiens à Jemmapes.
7 novembre
Rapport de Mailhe concluant au jugement de Louis XVI par la Convention.
13 novembre
Saint-Just déclare qu'on doit moins juger le roi que le combattre.
14 novembre
Entrée des troupes françaises à Bruxelles.
20 novembre
Découverte de « l'armoire de fer » contenant les papiers de la famille royale au château des Tuileries.
27 novembre
La Savoie est réunie à la France.
3 décembre
Robespierre demande la mort du roi.
11 décembre
Première comparution de Louis XVI devant la Convention.
26 décembre
Seconde comparution de Louis XVI.

27 décembre
Motion de Salle demandant l'appel au peuple dans le jugement du roi.

1793

4 janvier
Barère récuse la thèse de l'appel au peuple soutenue par Buzot et Vergniaud dans le procès de Louis XVI.
16-18 janvier
La Convention vote la mort du roi.
21 janvier
Exécution de Louis XVI.
22 janvier
Roland démissionne du ministère de l'Intérieur.
1er février
Déclaration de guerre à l'Angleterre et à la Hollande.
24 février
La Convention décrète la levée de 300 000 hommes.
Début mars
Contre-offensive autrichienne en Belgique tandis que Dumouriez poursuit ses desseins en Hollande.
7 mars
Déclaration de guerre à l'Espagne.
9 mars
La Convention décrète l'envoi de représentants en mission dans les départements.
10 mars
Création du Tribunal criminel extraordinaire (le Tribunal révolutionnaire).
10-11 mars
Massacres de Machecoul (début de l'insurrection vendéenne).
18 mars
Défaite de Dumouriez à Neerwinden.

19 mars
Une armée républicaine est défaite par les Vendéens à Pont-Charrault.

21 mars
Institution des comités révolutionnaires de surveillance locaux.

4 avril
Dumouriez passe aux Autrichiens, emmenant avec lui le duc de Chartres (futur Louis-Philippe).

6 avril
Premier Comité de Salut public dont les membres les plus importants sont Danton et Barère.

24 avril
Marat, décrété d'accusation par la Convention, le 13, est acquitté par le Tribunal révolutionnaire et porté en triomphe à la Convention.

4 mai
La Convention décrète le Maximum du prix des grains.

10 mai
La Convention abandonne la salle du Manège pour siéger aux Tuileries.

18 mai
Création de la Commission des douze, dont les membres sont Girondins, chargée d'enquêter sur la Commune de Paris.

24 mai
La Commission des douze fait arrêter Hébert, substitut du procureur de la Commune de Paris, et Varlet, un des leaders des Enragés.

25 mai
Isnard menace les représentants de la Commune venus demander la libération d'Hébert.

29 mai
A Lyon, la municipalité est aux mains des Girondins et des royalistes.

31 mai
Les sections de Paris envahissent la Convention.

2 juin
Coup de force des sections parisiennes contre la Convention : chute des Girondins.
Juin
Moins d'une soixantaine d'administrations départementales protestent contre le coup de force parisien.
9 juin
Prise de Saumur par les Vendéens.
18 juin
Prise d'Angers par les Vendéens.
24 juin
La Convention vote la Constitution qui ne sera pas appliquée.
25 juin
Jacques Roux présente à la Convention une pétition au nom des Cordeliers (le « Manifeste des Enragés »).
29 juin
Nantes repousse les Vendéens.
Juillet
Publication des *Contributions destinées à rectifier le jugement du public sur la Révolution française* par Fichte.
10 juillet
Renouvellement du Comité de Salut public ; il se compose à cette date de Barère, Couthon, Gasparin, Hérault de Séchelles, R. Lindet, Prieur de la Marne, Jean Bon Saint-André, Saint-Just et Thuriot.
13 juillet
Assassinat de Marat.
17 juillet
Exécution de Chalier à Lyon.
23 juillet
Capitulation de Mayence ; la garnison française sera affectée dans l'Ouest.

27 juillet
Robespierre entre au Comité de Salut public (il remplace Gasparin).
28 juillet
Capitulation de Valenciennes.
1er août
La Convention décide la destruction de la Vendée.
14 août
Entrée de Carnot et de Prieur de la Côte-d'Or au Comité de Salut public.
23 août
La Convention décrète la levée en masse.
24 août
Création du Grand Livre de la dette publique.
27 août
Toulon se livre aux Anglais.
5 septembre
La Terreur est mise à l'ordre du jour par la Convention envahie par les sans-culottes ; arrestation de J. Roux.
6 septembre
Entrée de Collot d'Herbois et de Billaud-Varenne au Comité de Salut public.
8 septembre
Victoire de Houchard à Hondschoote.
9 septembre
Organisation de l'armée révolutionnaire.
11 septembre
Le Maximum des grains et fourrages est décrété.
17 septembre
Vote de la loi des suspects.
19 septembre
Kléber et l'armée de Mayence sont battus par les Vendéens à Torfou.
29 septembre
Vote du Maximum général.
9 octobre
Prise de Lyon par l'armée de la Convention.

10 octobre
La Convention proclame le gouvernement révolutionnaire jusqu'à la paix.
16 octobre
Jourdan bat les Autrichiens à Wattignies ; Marie-Antoinette est exécutée.
17 octobre
Les Vendéens sont battus à Cholet par Kléber et Marceau ; c'est à la suite de cette défaite qu'ils vont franchir la Loire.
31 octobre
Exécution des Girondins.
7 novembre
Séance de déchristianisation à la Convention.
8 novembre
Exécution de Mme Roland.
10 novembre
Fête de la Raison à Notre-Dame de Paris.
11 novembre
Exécution de Bailly.
14 novembre
Les Vendéens échouent à prendre Granville.
17 novembre
Arrestation de Basire, Chabot et Delaunay compromis dans le scandale de la liquidation de la Compagnie des Indes.
21-22 novembre
Robespierre et Danton s'attaquent aux mascarades antireligieuses.
24 novembre
Application du calendrier républicain.
29 novembre (9 frimaire an II)
Exécution de Barnave.
4 décembre (14 frimaire)
Organisation du gouvernement révolutionnaire.
5 décembre (15 frimaire)
Parution du premier numéro du *Vieux Cordelier* de Camille Desmoulins.

12 décembre (22 frimaire)
L'armée républicaine écrase les Vendéens au Mans.
19 décembre (29 frimaire)
Reprise de Toulon.
23 décembre (3 nivôse)
Victoire républicaine de Savenay sur les Vendéens ; la guerre de l'Ouest va s'effilocher en guérilla.

1794

12 janvier (23 nivôse)
Dans la nuit du 12 au 13, arrestation de Fabre d'Églantine compromis dans l'affaire de la Compagnie des Indes.
26 février-3 mars (8-13 ventôse)
Vote de la mise sous séquestre des biens des suspects et de leur distribution aux indigents.
4 mars (14 ventôse)
Les Cordeliers appellent à l'insurrection.
13 mars (23 ventôse)
Dans la nuit du 13 au 14, arrestation des hébertistes.
24 mars (4 germinal)
Exécution des hébertistes.
28 mars (8 germinal)
Suicide de Condorcet.
30 mars (10 germinal)
Dans la nuit du 30 au 31, arrestation de Danton et Camille Desmoulins.
6 avril (16 germinal)
Exécution des dantonistes.
7 mai (18 floréal)
La Convention reconnaît l'existence de l'Être suprême.

8 juin (20 prairial)
Fête de l'Être suprême à Paris.
10 juin (22 prairial)
Loi sur le Tribunal révolutionnaire qui inaugure la Grande Terreur.
26 juin (8 messidor)
Victoire de Jourdan à Fleurus.
27 juillet (9 thermidor)
Chute de Robespierre.

III

La République Jacobine

1791-1794

Entre 1787 et l'automne 1791, les rythmes sans précédent du bouleversement français s'expliquent entièrement par des données internes : les héritages de la société aristocratique et de l'absolutisme, la vacance du pouvoir, les résistances du roi, l'audace intellectuelle et politique des députés du Tiers, la tempête parisienne et nationale. L'accueil fait par l'Europe à 1789, enthousiaste chez les intellectuels et le public des Lumières, mitigé dans les Cours, n'a pas tourné la Révolution vers l'Europe. D'ailleurs, l'Internationale des rois et des grands a finalement supporté sans trop de peine la fin de l'aristocratie française et les malheurs de Louis XVI : elle n'a pas bougé, malgré les appels des émigrés. Car de ce qui leur apparaît comme le désordre français, les souverains de l'Europe continentale escomptent des avantages territoriaux : l'Autriche et la Prusse en Pologne, la Russie dans l'Empire turc. Quant à l'Angleterre, elle se félicite de l'affaiblissement de la nation rivale.

Plusieurs événements — conséquences de l'actualité intérieure — sont venus troubler cette coexistence hostile, mais pacifique et précautionneuse. Le mot « patriotisme » désigne par priorité, entre 1789 et 1791, l'attachement à la nouvelle France, même s'il porte déjà ceux qui s'en réclament à fêter les progrès des grands principes de 1789 à l'extérieur. C'est comme en hésitant, et avec le souci d'éviter les conflits, que la Constituante a été amenée à proclamer peu à peu un nouveau droit international étendant aux nations la liberté des citoyens. Aux princes allemands « possessionnés » en Alsace, qui réclamaient leurs droits féodaux, comme non assujettis aux lois françaises, elle a répondu, tout en leur proposant une indemnité, comme aux seigneurs « régnicoles » : que l'Alsace est française non par droit de conquête, en fonction du traité de Westphalie, mais par son adhésion volontaire à la grande « Fédération » des provinces de 1789-1790. En Avignon, vieille terre pontificale, elle a attendu jusqu'à septembre 1791, tout à la fin de son mandat, pour prononcer une annexion ratifiée d'avance par la population, qui la réclame depuis deux ans : c'est le conflit avec le pape à propos de la Constitution civile du clergé qui a conduit les députés à entériner le droit des peuples à disposer d'eux-mêmes.

Menace formidable pour l'ordre international et pour l'Europe dynastique, mais menace implicite encore. Le chemin qui va conduire à la guerre entre la Révolution et l'Europe, les émigrés ne suffiraient pas à l'ouvrir, bien qu'ils s'y emploient. C'est finalement le roi qui en trace la voie sans le savoir, et en devient vite le symbole et l'enjeu principal. Il n'a cessé d'écrire à son cousin le roi d'Espagne, à son « frère » de Vienne, qu'il a mis au courant de ses projets de fuite. Et si la presse parisienne, Marat en tête, dénonce si souvent ces projets qu'elle ne connaît pas, si les sections montent la garde autour des Tuileries —

comme on devine le mouvement de l'ennemi dans une guerre — c'est à travers le sentiment précoce qu'elle a en Louis XVI un otage des monarchies européennes. De fait, l'épisode de Varennes est ressenti immédiatement par le peuple comme un prélude à l'invasion ; l'arrestation du roi et son retour sous bonne garde comme une victoire sur l'étranger. Les « patriotes » sont déjà en guerre avant que les rois ne songent sérieusement à venir aider leur cousin de France : après Varennes, l'empereur Léopold et le roi de Prusse se bornent à signer la déclaration de Pillnitz, qui subordonne toute intervention à un accord général des souverains européens. Mais si les clubs de Paris se trompent sur la réalité diplomatique, ils touchent au plus profond des souhaits du couple royal. Ils savent d'instinct ce que les chancelleries européennes n'ont encore pu comprendre : la guerre, quand elle aura lieu, sera une guerre entre deux idées. Louis XVI le sait aussi : ce secret partagé fonde presque une complicité, un vœu ardent mis en commun, mais de sens opposé.

Dans la marche à la guerre, du côté français, il n'y a donc pas de calcul technique ni d'ambition territoriale : rien de cette rationalité machiavélienne et princière, aucun de ces calculs diplomatiques ou militaires qui caractérisent la guerre d'Ancien Régime. Pas d'évaluation des chances et des enjeux. La France de cette époque est forte de la croissance démographique du siècle, de l'élan donné à la société par la Révolution, et de bonnes réformes techniques entreprises dans le domaine militaire par les derniers ministres de l'Ancien Régime. Mais, en même temps, l'armée est désorganisée par l'émigration de maints officiers et la subversion de la discipline par les idées démocratiques ; les volontaires levés après Varennes sont encore peu nombreux. Ce bilan contrasté n'est pas la question : l'important, c'est que la guerre avec l'Europe va constituer la forme nouvelle, le relais de l'explosion révolutionnaire et de ses contradictions.

Sieyès et les hommes de la Révolution ont pensé la nation à partir de l'expulsion de l'aristocratie, étrangère à la communauté. En traçant à l'intérieur du corps social une ligne de séparation qui avant eux ne distinguait le Français que de l'étranger, éventuellement l'ennemi, ils ont substitué à l'appartenance traditionnelle de tous à l'État-nation construit par les rois une définition de la nouvelle nation à la fois plus vaste et plus restreinte : plus vaste parce qu'elle s'enracine dans l'universel démocratique ; plus restreinte parce qu'elle coupe dans la communauté historique, dont elle exclut les privilégiés. Or cette idée, qui fonde la haine révolutionnaire contre l'aristocratie et qui est le secret de sa violence, va trouver une sorte de confirmation naturelle avec la guerre. Déjà, les émigrés ont pris hors des frontières la place que leur avait marquée d'avance *Qu'est-ce que le Tiers État ?*: ils forment une excellente incarnation de la noblesse selon les révolutionnaires, avant de combattre demain aux côté des ennemis de la nation. Ainsi le conflit armé va-t-il superposer ennemi intérieur et ennemi extérieur, guerre civile et guerre étrangère, aristocratie et trahison, démocratie et patriotisme, autour d'une identité d'images, de sentiments et de valeurs. Dans ce redoublement, l'historien tient une grande part du secret qui rend la guerre si populaire du côté de la Révolution, et qui en fait un instrument si puissant d'accélération politique.

Depuis des siècles, sous ses rois, la nation s'est formée dans un rapport antagoniste avec les dynasties et les territoires voisins, au prix de longues guerres et de périls partagés. Les Français ne forment pas une communauté récente, comme la jeune République américaine, que rien ne menace à l'extérieur et dont les citoyens se sont unis autour du désir d'être paisiblement heureux. Comme les peuples européens, et

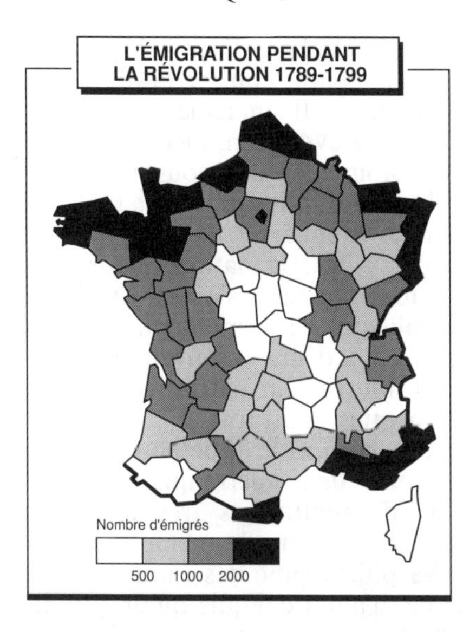

peut-être par excellence, les Français ont l'habitude de se définir par rapport à l'ennemi, de serrer les rangs à l'heure de l'invasion, de répondre aux appels du souverain quand vient l'heure du « salut public ». Le temps n'est pas si lointain où le vieux Louis XIV a demandé son aide à toute la nation. Or, voici que ce lot de souvenirs, d'habitudes et d'émotions risque d'être mobilisé contre la royauté, qui en a été, pendant tant de siècles, le catalyseur et la bénéficiaire. Il a suffi que le Tiers en brandisse les titres contre l'aristocratie pour abaisser aussi le roi. En plaçant Louis XVI dans le camp des émigrés, la guerre achèverait ce que 1789 a commencé : elle dépouillerait la royauté de son histoire avec la France. La République, implicite déjà dans les institutions, serait inscrite dans les esprits.

Comment Louis XVI pourrait-il le comprendre, pour éviter d'en être le complice involontaire ? Il se contente, comme le plus souvent, de jouer sa partition dans l'air de la surenchère. Depuis Varennes, le couple royal souhaite le conflit comme la dernière chance de son rétablissement. Il imagine la France affaiblie, désagrégée par la Révolution, incapable de résister aux armées professionnelles des cousins et beaux-frères. En réalité, il va multiplier les forces de la Révolution, et leur offrir en exclusivité l'héritage de ses ancêtres transformé par 1789 : la nation. Dans ce mot énigmatique et tout-puissant s'opère la dévolution du patrimoine collectif, de la monarchie à la démocratie révolutionnaire. Il a défini la souveraineté des citoyens ; voici qu'il va nourrir leur patriotisme contre la trahison des aristocrates et du roi.

Les idées de démocratie et de nation, unies en 1789, constituent autour de la guerre qui commence en 1792 un ensemble de sentiments très forts, soudant les classes et la Révolution elle-même dans une passion commune. La philosophie des Lumières, cosmopolite et européenne, n'avait conquis qu'un public restreint, aristocratique et bourgeois, presque uniquement urbain. Voici que, sous sa forme la plus démocratique, elle pénètre les masses populaires des villes et des campagnes par un canal imprévu : le sentiment national. Elle s'en trouve simplifiée, radicalisée au point que bientôt l'Europe éclairée n'y reconnaît plus « sa » philosophie. Mais qu'importe aux révolutionnaires français ? Ils donnent au paysan et au sans-culotte qui part aux frontières l'occasion de démocratiser la gloire — cette caresse de la vie si longtemps réservée aux nobles — et de conquérir à leur tour un bâton de maréchal. Par la synthèse précoce — et promise à tant d'avenir — qu'elle opère entre un messianisme d'idées et la passion nationale, la Révolution a intégré les masses à l'État, et formé à son profit le sentiment moderne de l'appartenance collective. En ce sens, l'expérience française inverse celle du despotisme éclairé : c'est contre tous les rois d'Europe qu'un nationalisme démocratique a pris en charge le message universel de la philosophie.

Dès lors, les objectifs de la Révolution reçoivent une dimension nouvelle, et son rythme une accélération supplémentaire, souhaitée d'ailleurs, et escomptée par ses partisans : la guerre avec l'Europe n'a pas de fin prévisible. Les frontières naturelles ? Le livre brillant et systématique d'Albert Sorel* a voulu en faire la finalité française du conflit : les Girondins l'ont dit, et Danton, et encore Reubell, sous le Directoire. Mais Brissot parle aussi, dans une lettre à Servan, de « mettre à feu » toute l'Europe. Et le Montagnard Chaumette exprime plus vivement encore les excès presque affectifs de la croisade révolutionnaire : « Le terrain qui sépare Paris de Pétersbourg sera bientôt francisé, municipalisé, jacobinisé. » De fait, la guerre révolutionnaire n'a pas de but défini parce qu'elle plonge ses racines dans la Révolution elle-même, et ne peut finir qu'avec elle. C'est pourquoi même les victoires françaises ne débouchent, au mieux, que sur des trêves ; la recherche de la paix est aussi suspecte que la défaite : toutes deux sont des trahisons du patriotisme révolutionnaire. On mesure par là l'extraordinaire pouvoir d'instabilité intérieure que va avoir la guerre dans toutes ses phases — défaites et victoires. Elle portera successivement trois groupes à ce pouvoir éphémère qu'est un rôle dominant dans la Révolution : les Girondins, les Montagnards et les thermidoriens. Elle sera la toile de fond de deux types de régimes républicains successifs, de part et d'autre du 9 thermidor 1794 : la dictature par la Terreur, qu'on appelle aussi le « gouvernement révolutionnaire », et la République thermidorienne, qui ne survivra que de coups d'État répétés, du début à la fin.

* Albert Sorel, *L'Europe et la Révolution française*, Paris, 6 vol., 1885-1903.

Depuis Varennes et depuis Pillnitz, la question de la Révolution française est clairement une question européenne. Louis XVI a donné l'exemple en fuyant vers la frontière, vers l'Allemagne des princes et de son beau-frère l'empereur, où sont déjà rassemblés, sur les bords du Rhin, la plupart des émigrés français. La nouvelle Assemblée, qui succède à Paris à la Constituante, a tout de suite les yeux tournés vers ces groupes de « ci-devant » qui ont quitté la nation tout en menaçant d'y revenir demain en vengeurs du roi.

Cette Assemblée est donc peuplée d'hommes neufs dans la fonction parlementaire, ce qui ne veut pas dire neufs à la politique révolutionnaire, puisque presque tous viennent des diverses administrations élues en 1790 et 1791, surtout des districts et des départements. Les assemblées primaires ont voté pour la plupart en juin, avant Varennes, et les grands électeurs ont élu les députés, au chef-lieu de département, dans l'été, pendant la crise ouverte entre Feuillants et Jacobins par la fuite du roi. Les deux clubs rivaux depuis la scission de juillet 1791 peuvent revendiquer chacun leurs élus, deux cent cinquante à trois cents Feuillants, cent quarante Jacobins. Ces chiffres n'ont qu'une signification relative : les événements révolutionnaires, par définition, n'obéissent pas aux lois d'une arithmétique parlementaire. Plus encore que la Constituante, la Législative va siéger sous la pression du peuple des tribunes, dans un brouhaha constant, et au milieu de la surenchère des journaux et des sociétés populaires. Le club des Jacobins, maintenu par Robespierre dans l'été 1791, rassemble les leaders patriotes les plus avancés et constitue l'élément fédérateur du mouvement. La Révolution va glisser rapidement vers le pouvoir des minorités.

Le personnage le plus illustre de cette « Assemblée législative » est Condorcet, élu de justesse à Paris où les Feuillants ont contrôlé la plupart des choix électoraux : un des rares républicains de juillet 1791, au moment où Barnave et ses amis ont sauvé Louis XVI, il est en avance sur la Révolution, avant d'être en retard. En dehors de lui, les nouveaux élus sont sans notoriété nationale : notables et petits notables provinciaux, jeunes pour la plupart, groupe moins homogène pourtant que le Tiers État de 1789. On y trouve par exemple un Brissot, futur leader girondin, déjà une espèce d'autorité dans les clubs parisiens, où il a été un des pourfendeurs des Feuillants, de Barnave notamment. Fils d'un traiteur de Chartres, il n'a pas réussi, sous l'Ancien Régime, dans ses entreprises multiples. Il a fait faillite dans la « librairie » (d'où un bref embastillement), avant de devenir un nouvelliste à gages, intervenant sur les sujets du jour. La bohème de Mirabeau sans le génie de Mirabeau, il incarne bien le type de personnel politique à travers lequel la Révolution va tracer son chemin en 1792 et 1793. Les hommes de 1789 n'avaient pas, et pour cause, d'expérience des affaires. Lui a celle qu'il a apprise dans l'activisme révolutionnaire depuis 89 : une rhétorique ultra-patriote, superposée à une culture politico-littéraire, le tout enveloppé dans un culot oratoire, un élan de certitude, une sorte de fièvre froide, qui en fait un des leaders de l'Assemblée dès octobre, quand il parle contre l'émigration. En effet, l'esprit de surenchère révolutionnaire domine les premiers débats ; il porte les députés à relever le défi royal sur son propre terrain : la guerre avec l'Europe. Dès novembre, décrets contre les émigrés, sommés de rentrer, et ultimatum aux petits souverains allemands — les électeurs de Trèves et de Mayence — leur intiment l'ordre de dissoudre les rassemblements constitués sur leurs territoires. L'engrenage du conflit est là.

La famille royale est entrée dans la politique du pire. Elle a tout essayé pour faire battre La Fayette aux élections municipales et mettre ainsi le jacobin Pétion à la tête de Paris. Elle souhaite la guerre, qu'elle ne peut imaginer victorieuse. Calcul secret, parce qu'il est inavouable, et pourtant public, parce qu'il est évident. Dans cette rencontre entre le génie soupçonneux de la Révolution et les cachotteries de la politique royale, il y a une connivence tragique qui porte à la guerre comme à l'épreuve de vérité. Pourtant, l'espèce d'unanimité du camp révolutionnaire est moins claire que les désirs du couple royal. Nouveaux prétendants au rôle de conseillers du prince, poussant leurs hommes aux ministères, les Feuillants, à quelques exceptions intelligentes près (dont Barnave), encouragent le bellicisme : La Fayette en escompte le commandement d'une armée, et tout le groupe espère d'une guerre courte et limitée, par l'autorité qu'elle donnera aux généraux, la stabilisation intérieure. Mais ces calculs inexacts sont secondaires. Le caractère principal de la situation reste que la guerre est populaire, préconisée par la gauche de l'Assemblée, brandie comme un drapeau aux Jacobins. L'argumentation des grands discours de Brissot est bien connue : d'une part, détruire Coblence, le foyer des émigrés, c'est mettre fin au double jeu de Louis XVI en l'obligeant à choisir ; d'autre part, la guerre contre les rois est gagnée d'avance, puisque l'armée française sera fêtée en libératrice des peuples. Bien connue aussi, la résistance de plus en plus solitaire de Robespierre minoritaire aux Jacobins.

Pour une fois l'Incorruptible non seulement s'isole du camp de la Révolution, mais se dresse contre la surenchère et la fuite en avant. Porté par son génie de la méfiance, il a percé à jour la complicité objective que noue la situation politique entre Louis XVI et les Brissotins. Le roi souhaite la guerre puisqu'elle lui apportera des alliés enfin plus puissants que la Révolution ; Brissot la veut comme un chemin vers le pouvoir ; il a eu ce mot extraordinaire qui dit tout : « Nous avons besoin de grandes trahisons. » Robespierre a compris ce langage : c'est aussi le sien ; mais il le retourne contre ses rivaux. La trahison, en effet, est déjà leur crime, si leurs vœux vont dans le même sens que ceux du roi. Dans ces grands débats de décembre 1791-janvier 1792, les deux principaux acteurs jouent à fronts renversés. Robespierre dénonce avec lucidité les périls du messianisme militaire (« personne n'aime les missionnaires armés ») et le risque d'un général vainqueur confisquant la liberté. Mais Brissot, quant à lui, a senti l'accélération que la guerre avec l'Europe va apporter au radicalisme révolutionnaire ; il ignore qu'il sera le grand perdant de l'aventure.

Mais l'apprenti-sorcier est au diapason de l'opinion révolutionnaire. Ce qui a été peu étudié, et mériterait de l'être, c'est la résonance sociale que rencontre le discours du messianisme national dans la France révolutionnaire, et le passage du « patriotisme » de 89, nourri d'une séparation violente d'avec l'aristocratie, à celui de 92, enrichi par l'idée d'une mission universelle de la nation. On voit bien ce qui rapproche les deux assignations, et pourtant la seconde est si vaste, si indéfinie, qu'on a peine à concevoir aujourd'hui comment elle a pu servir non seulement de drapeau, mais de programme politique et militaire aux Français de la fin du XVIIIe siècle. C'est la plus grande originalité de l'Assemblée législative, entraînée par Brissot et ses amis, que d'avoir offert le spectacle de cette mutation, et d'avoir donné au mélange instable du national avec l'universel une évidence qui paraît née hier, puisque chaque Français y reconnaît encore, deux cents ans après, un visage de famille.

Louis XVI cède d'autant plus volontiers au courant qu'il lui a donné d'avance son consentement pour des raisons inverses. Il constitue au printemps un ministère « brissotin », perdant ce qui lui reste d'autonomie par rapport à l'Assemblée dans l'espoir de tout regagner. L'avènement de François II d'Autriche, lui aussi décidé au conflit, va dans le même sens. Le 20 avril 1792, sur proposition du roi, l'Assemblée quasi unanime (il manque sept voix) vote la déclaration de guerre au « roi de Bohême et de Hongrie », qui est aussi l'empereur d'Autriche. Décision capitale, qui aura des conséquences opposées aux intentions de ceux qui l'ont prise : la guerre va perdre Louis XVI. Elle va briser Brissot et ses amis. Elle portera Robespierre au pouvoir, avant de le mener à l'échafaud comme les deux autres.

A partir de cette date, l'émeute populaire parisienne et plus généralement urbaine va trouver un catalyseur nouveau : la défaite. Non que les précédents aient disparu : au contraire, la dépréciation inévitable de l'assignat (tombé déjà à 60 % de son montant nominal) et la hausse des prix redonnent force aux cris contre la « cherté » des denrées. Le « complot aristocratique » est plus vivement accusé que jamais. Mais quelle meilleure preuve de la trahison que la défaite ? Si l'armée révolutionnaire recule devant l'ennemi, c'est que le roi, les nobles, les généraux, les riches trahissent la nation : il faut donc punir pour vaincre, comme il faut punir pour manger. En radicalisant le manichéisme latent des militants populaires, en l'auréolant du salut de la patrie, la guerre donne un formidable coup d'accélérateur à l'idée terroriste, forme extrême de l'investissement politique révolutionnaire. La conduite ambiguë de La Fayette, qui n'exclut pas l'idée d'utiliser son armée au secours des Feuillants, avive les pires craintes des Parisiens : c'est la preuve du « complot aristocratique », et de son infiltration jusqu'au cœur de la Révolution elle-même. Une des grandes figures de 1789, l'ancien chef idolâtré de la Garde nationale, n'était donc qu'un contre-révolutionnaire ! Ainsi avance la Révolution, écrasant sur son passage les époques et les hommes.

Les mauvaises nouvelles des premiers engagements, près de Lille, déclenchent à nouveau le mécanisme déjà classique : mobilisation des sections, des clubs et des sociétés populaires qui dénoncent le « Comité autrichien » des Tuileries. Inquiétude de l'Assemblée, qui vote l'appel à vingt mille fédérés pour défendre Paris, en même temps qu'un décret contre les prêtres réfractaires. Refus de Louis XVI, qui renvoie en outre ses ministres girondins pour rappeler les Feuillants. A la différence de 91, mais comme en 89, l'arbitrage va être rendu par la rue : c'est un signe des temps. La « répression » de juillet 1791 n'a été qu'un épisode sans suite.

Une première fois, le 20 juin, l'insurrection maîtresse des Tuileries ne parvient pas à briser la résistance du roi. L'initiative n'est venue ni du groupe brissotin, ni des Jacobins, ni de Robespierre, attentiste et fidèle encore à sa position de l'après-Varennes : toute la Constitution, mais rien que la Constitution. La journée est organisée par des agitateurs de quartier, dans les faubourgs populaires de l'est et du sud-est de Paris, Saint-Antoine et Saint-Marceau. La foule des sans-culottes (la culotte à bas de soie est devenue le signe vestimentaire des aristocrates) fait recevoir de force ses pétitionnaires par l'Assemblée, puis elle envahit le château voisin, où Louis XVI, coincé dans une embrasure, doit boire à la santé du peuple. Mais il ne cède ni sur le ministère ni sur les décrets.

Ce qui a échoué le 20 juin réussit sept semaines plus tard, le 10 août 1792, avec l'aide de la province révolutionnaire. Le caractère distinctif de cet épisode décisif tient en effet à ce que, pour la première fois, les fédérés de province, notamment ceux de Marseille, apportent leur contribution à une « journée » parisienne. Le 10 août marque ainsi le couronnement de toute une agitation patriotique contre la trahison : la France est menacée par l'invasion (les Prussiens sont entrés en guerre en juillet au côté de l'Autriche) et l'Assemblée a déclaré « la Patrie en danger ». C'est sur cette toile de fond que revient et se développe la revendication républicaine, mise en avant par les sections parisiennes et soutenue par les Jacobins. Le grand club parisien, centre d'un réseau, a abandonné depuis l'été précédent, dans sa lutte contre les Feuillants, la référence à la loi constitutionnelle. En juillet, il préconise l'élection d'une nouvelle Assemblée constituante, c'est-à-dire d'une Convention : donc une seconde Révolution. Robespierre soutient le mouvement en coulisse, avant de lui donner tout son sens le 29 juillet, dans un grand discours, abandonnant sa position de « défenseur de la Constitution » (titre d'un journal qu'il avait publié au début de l'Assemblée législative). Ces semaines brûlantes de l'été 1792 scellent l'alliance du mouvement populaire parisien et du grand club bourgeois où Robespierre ne domine pas encore absolument, mais tend à devenir l'autorité principale : il jette un pont entre la surenchère démocratique sur les principes de 1789 et l'extrémisme sans-culotte, en même temps qu'entre hier et demain. Il n'y a pas de traces écrites de la participation des Jacobins à l'insurrection du 10 août, bien que cette participation soit vraisemblable, par l'intermédiaire d'un directoire clandestin : la journée est trop marquée par les militants du club pour qu'il n'y ait pas eu concertation. Et les Jacobins se retrouvent aux postes de commande après la chute des Tuileries.

Comme toujours, la « journée » a bénéficié d'une contribution involontaire de l'adversaire : c'est le manifeste du duc de Brunswick, commandant des troupes ennemies, sommant les Français de ne pas toucher à leur roi. Le texte est connu à Paris les premiers jours d'août, et l'insurrection se prépare dès lors au grand jour, dans l'impuissance des autorités. Les fédérés y jouent leur rôle, mais les sections parisiennes, envahies — signe des temps — par les citoyens « passifs », donnent l'impulsion principale. Au petit matin du 10 août, une commune insurrectionnelle est formée par les députés des sections, et la municipalité légale éliminée. Deux colonnes de manifestants très nombreux marchent sur le château royal :

l'une sur la rive droite, venant du faubourg Saint-Antoine ; l'autre de la rive gauche et de Saint-Marceau, grossie des Marseillais et des Brestois. Louis XVI se réfugie avec sa famille à l'Assemblée, juste avant que les Tuileries soient prises d'assaut par les insurgés, au prix d'une fusillade avec les troupes suisses chargées de les défendre. Mais la royauté, enjeu de la bataille, ne peut survivre à la victoire du peuple : l'Assemblée entourée, investie par les vainqueurs du jour, n'a d'autre choix que suspendre Louis XVI et de substituer un Conseil exécutif provisoire à ce qui n'était plus que l'autorité fantôme des siècles. Conformément à ce qu'avaient demandé dès la fin de juillet les sections parisiennes, les Jacobins et Robespierre, elle convoque une nouvelle Constituante, la Convention, qui sera élue au suffrage universel.

Ainsi la journée n'arrache-t-elle la fin de la monarchie que par l'abaissement de la représentation nationale. Les brissotins ont tergiversé, pris entre la logique de leur propre politique et la crainte d'une insurrection qui se fait sans eux — donc contre eux ; et portés à défendre le trône in extremis sans le vouloir vraiment, puisque dans la dénonciation de la trahison royale que la foule parisienne porte comme un drapeau, Brissot, Vergniaud, Gensonné, ceux qu'on appellera demain les « Girondins », ont donné l'exemple avec plusieurs mois d'avance. A la veille de l'insurrection décisive, ils n'ont pas osé inculper La Fayette. Celui-ci pourtant avait paru à l'Assemblée le 28 juin, indigné contre la journée du 20, presque menaçant. Le 7 août, la Commission dite des « vingt et un », élue par l'Assemblée pour servir d'exécutif suppléant et présidée par Condorcet, avait voté sa mise en accusation. Mais le lendemain, l'Assemblée avait refusé de la suivre, les amis de Brissot et de Vergniaud votant avec les Feuillants. La Fayette passe au Luxembourg et tombera aux mains des Autrichiens le 19 août ; l'ombre de sa « trahison » s'étend non seulement aux Feuillants, mais aussi aux Girondins.

Les députés n'ont finalement suspendu Louis XVI que sous la pression des piques. La rue, qui avait sauvé la Constituante, a condamné la Législative. En juillet et même en octobre 1789, le petit peuple parisien était venu au secours de l'Assemblée nationale : non que ce motif, ou ce prétexte, suffise à définir les deux « journées », et moins encore la seconde que la première ; mais enfin le 14 Juillet avait probablement rendu irrévocable et mis hors de portée d'une contre-offensive royale le titre d'« Assemblée nationale » pris par les députés du Tiers. Après le 6 octobre, ramené de force à Paris, Louis XVI avait dû accepter la Déclaration des droits, tout comme le 4 août et l'abaissement de son rôle devant la souveraineté incarnée par les représentants du peuple. Dans les deux cas, l'intervention de la démocratie directe — l'insurrection au nom du peuple souverain — s'était produite dans le sens d'un soutien à la représentation nationale : différentes, et même hétérogènes, les deux « volontés » étaient restées parallèles. Au contraire, le 10 août, précède l'Assemblée et la contraint. Il ne s'agit pas d'aider les représentants à résister au roi, ou même à briser la trahison royale ; il s'agit de prononcer dans la rue la fin de la royauté, donc celle de la Constitution, donc la dissolution de l'Assemblée législative. La démocratie directe intervient contre la représentation. A cet égard, la journée du 10 août montre la fragilité, dans l'opinion révolutionnaire, pour ne rien dire de l'autre, de la conception politique imaginée par les Constituants : le pouvoir des représentants est souverain bien qu'il n'existe qu'en second (« constitué ») par rapport à la volonté constituante, prérogative de la nation. Dès lors, la représentation nationale est à la fois toute-puissante et fragile : fragile parce que toute-puissante. Comme elle tient tout entière en un corps de députés, unique, indivisible, sans ancrage extérieur, elle dépend aussi tout entière de son seul propriétaire : le peuple. Constamment, indéfiniment resaisissable par lui. Le 10 août 1792 illustre cette scène primitive de la démocratie. Les Feuillants voulaient terminer la Révolution. Il faut au contraire la recommencer. La reprendre à l'origine, selon son génie.

Ce qui change ce jour-là, plus encore que la forme politique du régime — on a vu que la monarchie constitutionnelle des Constituants était largement républicaine — c'est sa nature profonde : après le 10 août, la Révolution tend à disparaître comme moyen d'instaurer un ordre neuf par la loi ; elle existe de plus en plus comme sa propre fin. La République désigne ce par quoi les militants révolutionnaires traduisent leur recherche d'un pouvoir politique qui soit identique à son élément constituant, le peuple. La Révolution devient le théâtre du dilemme de la représentation démocratique exploré par Rousseau. Sieyès croyait l'avoir résolu, mais l'histoire l'a redécouvert : dans un grand pays, la démocratie directe à l'antique est impossible ; et comment éviter, sans elle, l'usurpation de la souveraineté du peuple par les députés ?

Cette mutation politique ne recouvre pas pour autant, comme l'a écrit Albert Mathiez, une révolution sociale : à cet égard, l'été 1789 reste l'épisode fondamental de l'histoire contemporaine de la France. Mais il est vrai que les équipes dirigeantes de la Révolution ont changé. Les ex-nobles y sont devenus rares, les notables qui ont fait une carrière d'Ancien Régime moins nombreux, le ton dominant est donné par des gens de lettres sans notoriété comme Brissot, Marat, Desmoulins. On aurait tort pourtant de faire de tous les principaux acteurs de la période qui s'ouvre autant de marginaux et d'aigris. C'est une explication commode, mais à utiliser à petites doses. Ni Vergniaud ni Robespierre n'ont raté leurs vies avant 1789, pour ne rien dire de Condorcet, membre de l'Académie des

Sciences à vingt-cinq ans. La vérité est que le personnel de la « seconde » Révolution comporte non seulement moins de nobles, mais moins d'illustrations bourgeoises que celui de 1789, auquel il ressemble pourtant par le grand nombre d'hommes venus du barreau et de la basoche ; et qu'il est dominé par un formidable investissement dans l'extrémisme politique, qui constitue l'air du temps, où excellent les démagogues : Marat, par exemple. Enfin, ces hommes ont en commun de n'avoir pas joué, pour la plupart, de rôle de premier plan en 1789. Ils sont moins les fils de l'Ancien Régime que ceux des années révolutionnaires, ayant fait leurs classes dans les administrations et les clubs. Ils attendent leur heure depuis lors, formés à la discipline particulière du langage révolutionnaire et moins éloignés du peuple que leurs prédécesseurs. Ils ont appris le respect de la propriété dans les livres du siècle, mais ont besoin de l'alliance des « petits » pour vaincre et exercer le pouvoir ou ce qu'il en reste. C'est aussi ce qui va les diviser.

La période qui suit le 10 août et qui précède la réunion de la Convention (21 septembre) est marquée par une dualité de pouvoir : Paris et l'Assemblée. Le pouvoir légal de la Législative, qui n'a plus qu'un mois à vivre, est balancé par la dictature urbaine d'une Commune insurrectionnelle née du 10 août. Le mouvement sectionnaire parisien a trouvé son interprète, et sa pression constante force l'Assemblée à avaliser une politique qui préfigure la Terreur. Les Comités de surveillance des sections multiplient perquisitions, réquisitions de blé, arrestations de suspects ; les députés nomment un Conseil exécutif de six membres, pour remplacer le roi emprisonné, instituent un tribunal d'exception, aggravent les peines contre le clergé réfractaire. Au Conseil exécutif, que les Girondins pensaient contrôler par l'intermédiaire de leurs trois anciens ministres, Clavière, Servan et

Roland, le personnage principal est Danton, parce qu'il fait la jonction avec le vrai pouvoir de l'été, la Commune. Arraché au barreau, comme Robespierre, par 1789, c'est un des hommes en vue de l'activisme parisien, dont la base est au club des Cordeliers, plus populaire que les Jacobins. Il joue un rôle dès 1790 comme leader des sections de Paris pétitionnaires à la Constituante contre les ministres du roi. L'année suivante, après Varennes, il est un des chefs de l'agitation pour la suspension du souverain. Son rôle le 10 août a fait l'objet de polémiques célèbres. Pour Aulard, il a presque tout fait ; pour Mathiez, presque rien. Pourtant, il est un des grands bénéficiaires de la journée, et la figure emblématique de l'été 1792. Tout l'oppose, trait pour trait, à Robespierre, alors qu'il n'en est pas encore politiquement séparé : le style, le tempérament, le type de talent. Danton est ce qu'on appelle une « nature », un orateur d'instinct, le contraire d'un homme de cabinet comme l'Incorruptible. Mais il lui manque la continuité dans le dessein, et cette formidable économie de moyens au service d'un projet qui caractérise la stratégie robespierriste. C'est un intermittent, un homme de plaisir, qui sait le poids des soucis d'argent et le prix du bonheur privé ; bref, on l'a beaucoup dit, une version populaire de Mirabeau, auquel il reste pourtant très inférieur par l'intelligence. Mais son talent démagogique trouve un grand emploi dans les circonstances de l'été 1792. Danton incarne à la fois la « Patrie en danger » et la première version de la Terreur.

Tout, pourtant, n'est pas circonstanciel dans cette poussée révolutionnaire d'août-septembre. L'œuvre législative à plus long terme se trouve également accélérée par la situation : laïcisation de l'état civil, institution du divorce et nouvelles concessions au monde paysan. Les propriétés des émigrés sont mises en vente par petits lots, et l'obligation du rachat des redevances seigneuriales disparaît, sauf production du titre originel. Le 10 août 1792 complète ainsi les grandes mesures de 1789 et accélère l'expropriation seigneuriale : c'est un des atouts de la révolution parisienne à l'égard du monde rural. L'Assemblée moribonde a laissé s'installer la Terreur à Paris, sous la férule de la Commune insurrectionnelle. Mais dans ces circonstances terribles, elle tient encore la main à son œuvre législative, par laquelle elle instaure une société civile nouvelle, dans l'esprit de 1789 : contraste appelé à se perpétuer avec la Convention.

Mais ni l'Assemblée ni le Conseil exécutif ni même Danton, qui est la grande voix de l'été, ne parviennent à canaliser et moins encore à contrôler la pression insurrectionnelle, qu'amplifient au contraire les mauvaises nouvelles des frontières (chute de Longwy et de Verdun). Les massacres organisés qui sont perpétrés dans les prisons parisiennes entre le 2 et le 5 septembre témoignent tragiquement de la chaîne de représentations qui domine l'idéologie terroriste : défaite-trahison-punition. Mais ils montrent aussi par leur sauvagerie — mille à quinze cents victimes, la plupart prisonniers de droit commun — à quel point les enchères du sang ont monté depuis le printemps. Ministre de la justice, Danton s'est tu ; les Girondins sont paralysés par la crainte ; Robespierre déjà a accusé Brissot de trahison. Il s'est développé à la Commune toute une rhétorique justificatrice de l'événement. Les luttes des hommes et des groupes pour le pouvoir empruntent désormais aux sections le langage de la terreur. Le jour même où se constitue la Convention (20 septembre), Valmy sauve la France de l'invasion : triomphe psychologique et politique, puisque l'armée des volontaires a tenu devant les meilleurs soldats de l'époque, mais demi-victoire militaire, suivie de négociations par lesquelles Dumouriez laisse repartir tranquillement les Prussiens vers leurs quartiers d'hiver. Le célèbre duel d'artillerie n'a donc rien réglé à long terme, et le 10 août a été suivi d'une cascade de ruptures diplomatiques avec l'Europe.

La Convention, qui se réunit le 21 septembre, a donc été élue dans des conditions qui n'ont rien à voir avec celles d'un scrutin libre dans des circonstances paisibles, tel que les démocraties modernes en donnent le spectacle. C'est l'avènement du suffrage universel dans notre histoire, mais seuls les militants révolutionnaires osent paraître aux assemblées. Tout le monde réclame la déchéance de Louis XVI. Le scrutin décisif a lieu à l'échelon départemental, à l'assemblée des électeurs du chef-lieu, entre partisans de ce qui s'est passé le 10 août. A Paris et dans plusieurs départements, l'élection a lieu au club des Jacobins, en public et à haute voix. La Convention a donc été élue par une petite minorité de la population, mais la plus décidée. Ce trait permet de comprendre l'ambiguïté de l'adjectif « populaire » quand il est utilisé pour définir cette période : « populaire », la Révolution française ne l'est certainement pas au sens d'une participation du peuple aux affaires publiques. Michelet l'a fortement dit, pour opposer la période à 1789 : la fin de 1792 marque le début du retrait de l'opinion, où le peuple « est rentré chez lui* » ; c'est la peur qui a commencé à régner. Mais si le mot de « populaire » veut dire que la politique révolutionnaire se fait sous la pression du mouvement sans-culotte et des minorités organisées, et en reçoit une impulsion égalitaire, alors oui, la Révolution est bien entrée dans son âge « populaire ».

Pourtant la Convention, forte de sept cent quarante-neuf membres, est une Assemblée bourgeoise. On y retrouve près de la moitié de députés qui ont siégé à la Constituante ou à la Législative, le même poids de légistes et d'avocats, l'inimitable ton d'époque, dont

* Jules Michelet, *Histoire de la Révolution française*, IX, 1.

les années ont accusé les traits. Tous ces hommes ont derrière eux trois ou quatre ans de batailles politiques, mais l'expérience, à cette époque, est justement le contraire de la pratique des affaires. Elle se marque par la disjonction croissante de l'idée politique et du réel. En recommençant la Révolution, les Conventionnels vont surenchérir sur l'esprit de 1789. Dans l'immédiat, ils ont tendance à se départager en fonction des événements les plus récents : cette période du 10 août au 20 septembre où la Commune de Paris, née de l'insurrection, a pris le pas sur une Assemblée législative condamnée au départ. Les Girondins ne forment pas un groupe organisé au sens moderne d'un parti, pas plus que les Montagnards. Mais Brissot et ses amis, Vergniaud, Buzot, Roland, Carra, constituent un pôle d'opinion, plus que réticent devant les conséquences du 10 août, alors que les députés de Paris viennent souvent de l'état-major de la Commune insurrectionnelle : Robespierre, Collot d'Herbois, Billaud-Varenne, Camille Desmoulins, Danton. Ce sont les événements à venir, et d'abord le jugement du roi, qui vont cristalliser deux groupes antagonistes, de part et d'autre du fossé qui sépare déjà Robespierre de Brissot, ou Roland de Danton. A l'heure où elle se réunit, la masse de la Convention est composée d'hommes qui n'ont pas pris parti : on l'a appelée la Plaine, ou le Marais. Mais ce serait un contresens d'induire de ces appellations d'époque l'idée de politiciens centristes, rompus aux subtilités sans danger des compromis parlementaires. Les Conventionnels du Marais sont les hommes de la Révolution du 10 août, des « patriotes » de la guerre révolutionnaire, adversaires acharnés de l'Ancien Régime — monarchie comprise. Certes, ils demeurent des bourgeois partisans de la liberté des contrats et des échanges, et qui comptent la propriété dans les fondements de l'ordre social ; mais ils n'en sont pas moins des députés engagés dans un conflit sans retour avec l'ancienne

France et l'Europe des rois. On y retrouve, fidèle au poste, l'inusable Sieyès, moins visible qu'en 1789, mais constant dans sa haine de l'aristocratie.

Après s'être constituée le 20 septembre, la Convention se réunit le 21. Elle inaugure son avènement par deux votes significatifs : un vers sa gauche, un vers sa droite. Il est décrété à la fois que la future Constitution sera soumise au peuple, et que « toutes les propriétés territoriales, individuelles et industrielles sont éternellement maintenues ». Mais elle déclare surtout à l'unanimité que la royauté est abolie en France, dans une atmosphère retrouvée de nuit du 4 août : l'autre partie de l'Ancien Régime, la monarchie après la « féodalité », est enterrée dans le même enthousiasme. Le mot de République n'a pas été prononcé, comme si l'Assemblée hésitait, au bord de ce dernier précipice à enjamber : la République, assimilée à l'époque (on le voit bien chez le Sieyès de 89) à la démocratie directe, est un régime de l'Antiquité, possible dans les États-Cités mais incompatible avec les vastes populations et les grands territoires rassemblés par les monarchies modernes. Pourtant, la Convention saute le pas le lendemain. Elle assortit sa décision d'une conséquence capitale dans l'ordre symbolique : l'avènement de la République datera aussi le premier jour de l'an I de la liberté. 1789 est rejeté dans l'Ancien Régime ! A un membre (Salle) qui propose en effet l'an IV, au lieu de l'an I, pour fixer l'événement dans sa continuité avec 89, Lasource répond : « Il est ridicule de dater de l'an quatrième de la liberté ; car, sous la constitution, le peuple n'avait point de liberté véritable... Non, messieurs, nous ne sommes libres que depuis que nous n'avons plus de roi (Applaudissements). »

Précisément : que faire du roi ? La Commune l'a mis avec sa famille au donjon du Temple, en plein Paris, mais c'est à la Convention de décider du sort de ce personnage inédit dans l'histoire nationale : un roi déchu. L'Assemblée a arraché à la Commune les papiers saisis aux Tuileries, et nommé une Commission pour les examiner. Elle a commencé à discuter des conditions du jugement du monarque quand, le 20 novembre, la découverte accidentelle d'une armoire secrète ménagée dans un mur des Tuileries livre aux commissaires une partie de la correspondance confidentielle du roi — notamment avec sa belle-famille d'Autriche. Si elle ne suffit pas à prouver stricto sensu la trahison, cette correspondance constitue néanmoins un dossier de Contre-Révolution permettant d'établir sur pièces la duplicité du roi : les lettres de Mirabeau déshonorent pour l'opinion révolutionnaire le plus grand personnage de 1789 en même temps qu'elles témoignent de la corruption d'Ancien Régime à l'œuvre dans la régénération ratée de la fameuse année. Cette contamination recoupe une question essentielle : quel Louis XVI va-t-on juger ? En liquidant l'Ancien Régime, la Révolution avait conservé le roi ; elle l'avait réinventé, rebaptisé pour en faire le premier serviteur de la nation, aux termes de la Constitution de 1791. C'était ce roi-là qui venait d'être suspendu le 10 août, déchu le 21 septembre, et qu'il fallait donc juger ; mais il personnalisait aussi l'Ancien Régime, que ses ancêtres avaient incarné pendant tant de siècles.

De ces deux images superposées dans un même homme, la Convention n'en retient qu'une : celle du roi constitutionnel, établi par le texte finalement voté en septembre 1791. La tâche du tribunal n'en est pas facilitée, puisque la Constitution a garanti au roi, comme aux députés, l'inviolabilité. L'argument a d'ailleurs servi à Barnave et aux Feuillants, en juillet 1791, pour préserver Louis XVI de la déposition après Varennes. Il n'y a que trois cas de remise en cause de cette garantie prévus par la loi : abandonner le royaume, se mettre à la tête d'une armée étrangère ou refuser de prêter le serment constitutionnel. Aucun n'est démontrable en novembre 1792 sur les pièces du dossier, bien que tous les députés aient l'intime conviction que Louis XVI a caressé tous ces projets : à Varennes, il n'avait été rattrapé que de justesse... Ainsi, la lettre de la loi met Louis XVI hors de portée, bien qu'il soit coupable aux yeux de tous. D'où l'embarras qui pèse sur la Convention pendant toute la discussion sur l'inviolabilité, en novembre et décembre.

Cet embarras traduit aussi un scrupule de légalité qui suffit à mettre le procès du roi en dehors de l'institution révolutionnaire de la Terreur, qui lui est postérieure. Les Conventionnels ont dans l'esprit le précédent anglais de 1649, où un tribunal improvisé de députés nommés par Cromwell a fait un procès bâclé à un Charles Ier sûr de son droit. Eux par contre représentent la souveraineté nationale, et ils entendent juger Louis XVI selon le droit qui leur a été commun, à eux et à lui : celui de la Constitution. En fait, ils ne le peuvent pas. D'abord parce que l'obstacle posé par l'inviolabilité est impossible à lever juridiquement en l'état du dossier. Ensuite, surtout, parce que la légitimité — ou le crime — de Louis XVI plongent au-delà de cette date de 1791, et mettent en cause infiniment plus qu'un argument de droit constitutionnel. Mais il reste que la discussion parlementaire de ces deux derniers mois de 1792, comme l'a bien vu Jaurès — un des seuls grands commentateurs du débat —, aborde avec profondeur ces questions fondamentales. On peut penser, avec un philosophe américain[5], que la Convention a voulu revêtir du « maximum de légalité » une décision qui ne pouvait trouver sa source dans la Constitution. Signe qu'elle n'a pas encore atteint l'heure de l'identification de la loi avec le pouvoir.

Chez tous les orateurs, l'image du roi de l'Ancien Régime n'est jamais loin ; même chez ceux qui plaident le texte de 1791 en juristes (pour et contre l'inviolabilité). C'est toute la force du discours de Saint-Just, le 13 novembre, que de la faire réapparaître dans son incompatibilité radicale avec la citoyenneté révolutionnaire. Le jeune député de l'Aisne, auteur en 1791 d'un petit livre plutôt modéré, a choisi de faire son entrée à la Convention dans l'extrémisme : il met face à face la souveraineté de la nation et celle du roi, la légitimité et l'usurpation ; il dénonce la nullité du contrat de 1791, nie l'existence d'un quelconque rapport de droit entre un roi et un peuple — donc la possibilité même d'un jugement : Louis XVI est criminel du seul fait qu'il a été roi, et doit être, comme tel, non pas jugé, mais tué. Robespierre, un peu plus tard (le 3 décembre), construira sur le même ton une argumentation plus politique, plaidant que le respect des formes judiciaires affiché par la Convention implique un doute sur ce qu'a fait le peuple le 10 août : si le roi est jugeable et peut donc être présumé innocent par un tribunal, fait-on l'hypothèse que la Révolution est coupable ? Redoutable question-piège, imaginée par son génie machiavélique, toujours à mi-chemin des principes et des cibles : elle s'adresse aux activistes de Paris, et leur désigne leurs nouveaux ennemis dans l'Assemblée.

Le débat de la Convention est cependant resté centré sur l'interprétation de la Constitution de 1791 et l'inviolabilité. Juger le roi de l'Ancien Régime serait contraire au principe de non-rétroactivité des lois. Le rapporteur du Comité de législation, Mailhe, a dit très tôt ce qui pouvait l'être contre l'inviolabilité : celle-ci s'arrête devant les actes commis hors des fonctions légales ; or, Louis est redevenu citoyen, donc passible d'accusation. D'ailleurs, s'il n'a commis aucun des trois crimes suspensifs de l'inviolabilité, il s'est mis souvent comme roi en infraction avec la loi, tombant sous le coup des textes qui visent les fonctionnaires prévaricateurs. L'historien qui lit aujourd'hui cette longue chicane juridique sur une Constitution morte reste étonné par son étrangeté : les députés discutent de l'inviolabilité du roi, alors que Louis XVI est en prison. Et pourtant, si la situation, plus que la loi, indique l'issue fatale de la discussion, il est capital de comprendre cette interrogation de la Convention sur elle-même, et sur la Révolution, au seuil d'événements qui vont emporter une part de son autorité.

Le roi est déclaré jugeable le 3 décembre, et l'Assemblée s'institue en Cour de justice comme le seul tribunal à la hauteur de cet acte national. Dès lors commence le jugement proprement dit, marqué par deux comparutions du roi : le 11 et le 26 décembre, lendemain de Noël. Tristes débats où l'ancien monarque, privé de la majesté royale, terne, tragique à force d'être ailleurs, s'enferme avec ses avocats dans un système de défense étriqué, incapable de plaider la monarchie française, et même d'incarner son souvenir. La référence de l'accusation à la Constitution de septembre 1791 efface tout ce qui s'est passé avant. Après cette date, Louis XVI, que ses juges appellent « Capet », de son nom de famille, comme n'importe quel citoyen, s'abrite derrière ses ministres, ou bien se cache dans sa mauvaise mémoire, ou encore nie tout, même l'évidence, comme les pièces signées par lui. Le secret de ce triste adieu ne tient pas seulement à sa médiocrité politique, son caractère taciturne, ou sa solitude ; il est dû surtout à ce qu'on l'interroge hors de son univers. Le roi d'Angleterre Charles Ier, en 1649, avait surclassé ses juges ; mais il était sur son terrain ; il brandissait la Constitution anglaise, en fonction de laquelle il était roi, pour demander à la Cour de Cromwell ses titres à le juger. Dans la France de 1792, la situation est inverse. L'ex-roi n'a pas en commun avec ses juges une Constitution monarchique dont il pourrait se prévaloir contre eux. Celle de 1791, c'est la Révolution qui l'a faite ; comment pourrait-il défendre ce qu'il est, sur la base de ce texte où il dépend déjà entièrement d'elle, et par lequel il a avalisé d'avance la malédiction portée sur l'Ancien Régime ? Louis XVI s'est tu parce qu'il n'a rien à dire sur les questions qu'on lui pose ; son histoire avec la France s'est arrêtée avant. Ses avocats, de Sèze, Tronchet, le vieux Malesherbes, plaideront si étroit que Jaurès a réécrit leur copie, improbable défenseur de la vieille monarchie : c'est un des passages les plus touchants de l'admirable *Histoire socialiste de la Révolution française* que cette plaidoirie imaginaire où l'homme d'une tradition si lointaine rend témoignage au roi tombé.

La monarchie est morte, mais les députés girondins voudraient sauver le roi, lui épargner la peine capitale, à tout le moins l'exécution. C'est même autour de ce souhait commun que se dessinent un peu nettement les contours du groupe à la Convention. Après avoir été les grands instigateurs de la guerre avec l'Europe, les ennemis de la Cour, Brissot, Vergniaud et leurs amis sont devenus des modérés : changement de front qui se retrouve tout au long de la Révolution, dans les équipes dirigeantes — mais qui, chez eux, s'est produit très vite, entre juillet et novembre. Non qu'ils soient devenus royalistes, comme vont l'en accuser, inévitablement, leurs adversaires. Mais ils craignent Paris et l'extrémisme révolutionnaire parisien. Les souvenirs de l'été sont une de leurs obsessions : la dictature de la Commune insurrectionnelle, les massacres des prisons, restés impunis donc excusés, et la passion de la foule qui continue d'intervenir dans les débats de l'Assemblée. Tous ces bourgeois provinciaux de la deuxième génération, les Vergniaud, les Buzot, les Gensonné, les Guadet, ont rêvé la France révolutionnaire plus qu'ils ne la connaissent. Un peu comme leur égérie, Madame Roland — femme sensible et sérieuse, mais enfermée dans un rapport littéraire avec ce qu'elle vit —, ils sont sans véritable force politique : détestés à droite, haïs à gauche, pris entre deux feux, reculant dans ce qu'ils ont entrepris. Ceux qui ont été les grands apôtres de la guerre d'émancipation des peuples craignent désormais que la mort du roi n'entraîne la rupture avec l'Angleterre et l'Espagne. Mais c'est un argument second, dérivé de leur conflit parlementaire avec les hommes qui ont soutenu la Commune dans l'été, Robespierre et Marat en tête.

Ils ont manœuvré en vain pour retarder le procès. L'idée qui les regroupe en décembre est celle de soumettre le jugement de la Convention aux assemblées primaires, donc au peuple : idée en apparence imparable, puisqu'elle puise directement au cœur du répertoire révolutionnaire, allant des représentants à la nation qui les a constitués. La première grande bataille parlementaire entre Gironde et Montagne se produit à fronts renversés : Vergniaud fonde l'appel au peuple sur une critique de la représentation, et Barère célèbre contre l'appel au peuple la souveraineté de la Convention. Le conflit des principes marque l'incertitude des idées, mais surtout les enjeux politiques. La faiblesse de l'argumentation girondine réside en ce qu'elle expose ses partisans à l'accusation de royalisme : les « appelants » (le nom va leur rester) sont ces députés qui appellent à l'aide les départements contre Paris pour sauver la tête du roi ; ils veulent moins consulter le peuple que rassembler le modérantisme contre les vainqueurs du 10 août. Contre eux, Barère, fils d'un notaire de Tarbes, qui n'est pas un Montagnard pur sang, trouve dans son discours décisif du début janvier l'oreille de l'Assemblée : il décrit les circonstances, montre l'irréalisme d'une consultation nationale, les risques de guerre civile et l'équivoque des intentions girondines. Il plaide enfin la responsabilité de la Convention : vous ne devez pas, dit-il à ses collègues, « reporter au souverain ce que le souverain vous a chargés de faire ».

Le vote est nominal : une défaite pour le camp de la clémence, puisque chacun doit publiquement marquer sa place pour demain. Trois questions sont posées dans l'ordre : culpabilité, appel au peuple, sentence. Nouvel avantage pour la Montagne, puisque le premier vote, acquis à une quasi-unanimité, va peser sur les deux autres. L'appel au peuple est ensuite repoussé par quatre cent vingt-quatre voix contre deux cent quatre-vingt-sept ; la mort décidée à une courte voix de majorité. Mais comme il s'est trouvé quarante-six députés pour assortir la peine capitale de demandes variées de sursis, la Convention vote une quatrième fois sur le sursis, repoussé par trois cent quatre-vingts voix contre trois cent dix.

Louis XVI est exécuté au matin du 21 janvier 1793, place de la Révolution (aujourd'hui place de la Concorde). Il avait raté son procès : il meurt avec une majesté courageuse et simple : « Son éducation chrétienne et royale, qui ne lui avait pas fourni le livret d'une défense politique, lui avait appris à mourir. Ce qu'il fait en roi très chrétien, transformant ainsi, comme l'a si bien vu Ballanche, le régicide en déicide[6]. » Il y a un grand concours de peuple pour assister à son supplice ; mais à l'inverse de celle de Charles Ier dans l'Angleterre du XVIIe siècle, sa mort ne provoque aucun mouvement d'opinion visible dans les semaines qui suivent. Les paysans vendéens, qui se soulèvent en mars, ne prennent pas les armes au nom du roi guillotiné.

Grande question, encore mystérieuse, que de savoir si, en portant Louis XVI à l'échafaud, la Révolution a tranché le fil d'une royauté vivante, ou mis fin à une institution déjà morte dans l'opinion. Le spectacle de la vie publique française au XIXe siècle inclinerait vers la deuxième hypothèse : à la différence de la Révolution anglaise, la Révolution française a tué non seulement le roi de France mais la royauté. En ce sens, même si les Conventionnels n'ont fait que transformer en tragédie nationale ce que le dernier siècle de l'absolutisme avait déjà inscrit au chapitre de l'inévitable, ils ont au moins accompli ce qui était leur but : arracher la royauté de l'avenir de la nation. En exécutant le roi, ils ont coupé les dernières amarres de la France avec son passé, et donné sa plénitude à la rupture avec l'Ancien Régime : « Il fallait », écrit Michelet, en donnant son sens le plus profond au régicide républicain, « *mettre en lumière* ce ridicule mystère dont l'humanité barbare a fait si longtemps une religion, le *mystère de l'incarnation monarchique*, la bizarre fiction qui suppose la sagesse d'un grand peuple concentrée dans un imbécile... Il fallait que la royauté fût traînée au jour, exposée devant et derrière, ouverte, et qu'on vît en plein le dedans de l'idole vermoulue, la belle tête dorée, pleine d'insectes et de vers* ».

Mais Michelet aurait voulu qu'une fois faite la démonstration par le procès public, Louis XVI ne fût pas exécuté, de crainte que le supplice ne le transmuât en martyr et ne ressuscitât la royauté. En décidant son exécution, au contraire, les Conventionnels ont voulu empêcher à jamais le retour d'un des siens sur le trône, rayer l'institution royale du futur ; et ils ont mis leurs vies dans la balance. Tous ceux qui ont voté la mort du roi l'ont su : il ne peut plus y avoir en France de restauration royale qui ne les transforme en coupables. Ils ont brûlé leurs vaisseaux. Et la Révolution avec eux.

Après Valmy et la retraite des armées austro-prussiennes, les Français se sont avancés hors des frontières : en Savoie, à Nice, sur la rive gauche du Rhin. Le général Dumouriez, qui doit sa nouvelle carrière aux Girondins, occupe la Belgique après la victoire de Jemmapes : autant de territoires qui eussent pu, dans la guerre d'hier, servir de gages dans une négociation avantageuse. Mais la Convention est fidèle à l'esprit des temps nouveaux en annexant la Savoie, en votant « fraternité et secours à tous les peuples qui voudront jouir de la liberté », en introduisant dans les pays conquis les principes et la législation français, en

* Jules Michelet, *op. cit.*, IX, 7.

même temps que l'assignat et l'impôt forcé. La mort du roi radicalise le conflit, comme l'avaient craint les Girondins après l'avoir passionnément souhaité : le printemps 1793 voit l'entrée en guerre de l'Angleterre, du pape, de l'Espagne, des princes allemands et italiens.

Cette immense coalition, si mal organisée qu'elle soit, fait réapparaître bientôt le spectre de la défaite et la menace d'invasion, renouvelant en 1793 la situation de l'année précédente, qui avait été la toile de fond du 10 août. Les Prussiens reconquièrent la rive gauche du Rhin ; battu en Belgique, Dumouriez se perd en intrigues politiques et finit par passer chez les Autrichiens, comme La Fayette un an avant. Celui-ci avait déshonoré ses amis feuillants, celui-là discrédite ses protecteurs girondins. Mais la guerre apporte au flot révolutionnaire qui monte une preuve plus massive encore de la trahison intérieure et de la corruption secrète sans cesse à l'œuvre dans le corps politique de la République : c'est l'insurrection vendéenne.

La révolte commence en mars comme un refus de la conscription. Pour renforcer les effectifs militaires de la République, la Convention a voté en février une levée de trois cent mille hommes, à tirer au sort parmi les célibataires de chaque commune. L'arrivée des recruteurs, qui rappelle les procédés de la monarchie, suscite un peu partout dans les campagnes françaises des résistances et même des débuts de sédition, vite réprimés. Mais les choses prennent une tournure particulièrement grave au sud du cours inférieur de la Loire, dans les Mauges et le bocage vendéen. Dans les premiers jours de mars, à Cholet, grosse bourgade d'industrie textile à la jonction des deux régions, des jeunes gens des communes alentour, paysans et tisserands mêlés, envahissent la ville et y tuent le commandant de la Garde nationale, manufacturier patriote. Une semaine après, la violence s'étend à la frange ouest du bocage, dans le marais breton : le petit bourg de Machecoul est investi par les paysans les 10 et 11 mars, et plusieurs centaines de « patriotes » y sont massacrés. Au nord, près de la Loire, une grosse troupe de paysans s'emparent de Saint-Florent-le-Vieil, sous l'autorité d'un voiturier, Cathelineau, et d'un garde-chasse, Stofflet.

Le 19 mars, une petite armée républicaine de trois mille hommes, partie de La Rochelle pour rejoindre Nantes, se débande en Vendée à Pont-Charrault, sous l'assaut d'une bande rurale. La révolte a tourné à l'insurrection. Celle-ci délimite un quadrilatère impossible à définir en termes administratifs : il est à cheval sur la généralité de Poitiers et celle de Tours — selon la classification d'Ancien Régime ; ou encore les départements de Maine-et-Loire, Loire-Inférieure, Vendée et Deux-Sèvres — dans le redécoupage de 1790. Le cœur du mouvement se situe dans les Mauges et le bocage, vaste carré d'une centaine de kilomètres de côté dont Cholet forme le centre. La périphérie de cette zone, notamment à l'ouest, dans le marais breton, entre Montaigu et la mer, ne sera jamais contrôlée complètement par les insurgés, mais ne cessera d'être partagée entre les deux camps, au hasard des combats.

La « Vendée militaire » qui va, elle, échapper complètement à l'autorité de Paris l'espace de quelques mois, n'avait pas été, en 1789, une région en sécession morale par rapport au reste de la nation : au moins n'en aperçoit-on pas de traces dans les cahiers de doléances des paroisses, « normalement » hostiles aux droits seigneuriaux, raisonnablement réformateurs en matière de justice ou d'impôt. Ce n'est donc pas la chute de l'Ancien Régime qui dresse sa population contre la Révolution, mais l'édification du nouveau : la carte inédite des districts et des départements, la dictature administrative des bourgs et des villes, et surtout l'affaire du serment des prêtres à la Constitution, qui offre à la résistance clandestine le drapeau, la foi et l'appoint des réfractaires. Il y a eu déjà, en août 1792, un début de révolte vite réprimé. Mais en 93, ce n'est pas le régicide de janvier qui déclenche l'insurrection : c'est le retour de la conscription forcée. Signe supplémentaire du fait que si le peuple vendéen inscrit Dieu et le roi sur ses drapeaux, il investit dans ces symboles inévitables de sa tradition autre chose que le simple regret d'un Ancien Régime qu'il a vu mourir sans chagrin.

La Convention, témoin d'une insurrection du peuple contre la Révolution du peuple, ne peut y voir rien d'autre qu'une figure nouvelle — la plus grave — du « complot aristocratique » pour restaurer le monde ancien sur les ruines de la République. Le 19 mars, elle vote un premier décret instituant la peine capitale dans les vingt-quatre heures pour toute personne prise les armes à la main ou portant la cocarde blanche. Elle aussi donne, à sa manière, son drapeau à l'insurrection. Les dés ont été jetés en deux semaines.

Ainsi la guerre de Vendée s'inscrit-elle, par la force des choses, à l'intérieur du conflit sans merci qui oppose Révolution et Contre-Révolution. A Paris, la Convention n'a pas d'autre instrument d'analyse : l'idée d'un vaste complot destiné à détruire la République de l'intérieur et de l'extérieur à la fois unit la Montagne aux militants des sections et cimente leur alliance. A l'autre bord, l'ancienne noblesse trouve dans ce soulèvement une aubaine inespérée ; isolée par l'émigration sans gloire de ses noms les plus connus dès 1789, la voici qui retrouve, avec un peuple providentiellement contre-révolutionnaire, l'occasion de faire la guerre à la Révolution autrement que de l'étranger. Tout conspire à donner à cette jacquerie le formidable écho de la guerre civile entre l'Ancien Régime et la Révolution.

Pourtant, rien ne laisse prévoir cette vocation du paysan vendéen en 1789. Ce qui apparaît plutôt dans son histoire récente, c'est une hostilité politique croissante à l'égard des bouleversements apportés à la vie quotidienne par les réformes de la Constituante : création des départements et des districts, nouveaux impôts, achat massif de biens nationaux par les bourgeois des villes. A ces bouleversements, des administrations également nouvelles prêtent la main, animées et peuplées par des bourgeois lecteurs de Voltaire et de l'*Encyclopédie*, grands acquéreurs de biens d'Église, qui affichent un air de supériorité définitif à l'égard de l'arriération des campagnes. Dans bien des départements de l'Ouest, l'antagonisme séculaire entre les villes et les campagnes trouve un élan inédit, à l'occasion des conflits entre l'interventionnisme de pouvoirs administratifs tout neufs, et des communautés rurales jalouses de leur autonomie et peu portées aux innovations.

La grande affaire, à partir de la Constitution civile, est la question religieuse. L'insurrection de mars 1793 est précédée d'une série d'incidents locaux nés de l'obligation du serment et de la division de l'Église en deux clergés ennemis. Tout montre d'ailleurs que le principal ressort de la révolte vendéenne est religieux, et non pas social, ou simplement politique : de même que les nobles apparaissent comme des acteurs tardifs, le royalisme ne vient qu'en second, induit de l'appel à Dieu et à la tradition catholique. Enfin, l'héroïsme militaire de l'insurrection — quand héroïsme il y a, car l'armée vendéenne est sujette aussi aux paniques — se nourrit du fanatisme religieux et de la promesse du Paradis. Cet attachement collectif à l'ancienne foi et à l'ancienne Église, perçues comme inséparablement menacées par la Révolution, dépasse les limites du conflit entre villes et campagnes. Il explique que l'armée catholique et royale comprenne aussi des artisans des villes, sans parler des notables, petits et grands.

Pour en prendre la mesure, il faut abandonner l'obsession « républicaine », héritée des Lumières et si présente chez Michelet, de la manipulation du paysan à demi-sauvage par le prêtre réfractaire. Il faut rendre au peuple vendéen sa foi et ses cultes traditionnels, auxquels vint se heurter la réorganisation révolutionnaire, si vite perçue comme antireligieuse. C'est une histoire mal connue, mystérieuse encore, largement indéchiffrable, peut-être, faute de sources.

La Contre-Réforme a donné aux populations des Mauges et du bocage vendéen une tradition religieuse à la fois cléricale et populaire, autour de dévotions fréquentes et réglées, encadrées par une Église nombreuse. Cette tradition, sans doute moins ancienne, moins « féodale » qu'ils ne le croient, mais qu'ils sont si peu préparés à comprendre, les bourgeois des administrations révolutionnaires, dans les villes, n'y voient que superstition, obscurantisme, sauvagerie : ils sont les disciples des philosophes, non de la reconquête catholique. La guerre de Vendée naît du choc de ces deux mondes qui s'ignorent, mobilisés par la Révolution et révélés en quelques années l'un à l'autre dans une différence dont la guerre fait un antagonisme radical.

L'unité patriotique des Fédérations de l'été 1789 et la grande fraternité nationale du 14 juillet de l'année suivante n'ont donc pas survécu à la Révolution. 1789 avait pu exclure l'aristocratie de la nation parce que la monarchie avait elle-même, dans les siècles précédents, préparé ce déracinement. 1793 ne peut séparer une partie de la paysannerie française du corps politique national qu'au prix de l'exorcisme du complot, qui conduit à la terreur de masse. En ce sens, la Vendée signe au niveau le plus profond le double caractère de ce qui est tenté depuis 1789 : la Révolution a fondé la nation moderne sur l'universalité des citoyens, mais elle a déchiré du coup l'histoire et la société. C'est pourquoi l'insurrection rurale de mars 1793 la menace plus profondément encore que la situation extérieure, quelque mauvaise qu'elle puisse être ; c'est pourquoi aussi la Convention n'a d'autre moyen de la vaincre et même de la penser qu'en l'assimilant purement et simplement à l'ennemi : nouvelle version meurtrière de *Qu'est-ce que le Tiers État ?*

Or, cette crise nationale du printemps 1793 trouve une fois de plus la Révolution sans véritable gouvernement, tiraillée entre les généraux, le Conseil exécutif et la Convention. La Convention est elle-même divisée entre une Gironde et une Montagne chaque jour plus antagonistes et soumise à la pression des sans-culottes parisiens qui ont des alliés dans la place, comme Marat. La situation fabrique la fuite en avant, indépendamment des hommes, et donne virulence et résonancc aux mots d'ordre des sections : trahison girondine, salut public, terreur, taxation, réquisition. De même que le religieux et le politique sont indissociables en Vendée, à Paris c'est la question sociale qui ne peut être séparée de l'activisme révolutionnaire des sections. La Montagne s'en fait une arme et la Convention suit, votant le cours forcé de l'assignat, le maximum des grains, l'envoi de représentants aux armées munis de pleins pouvoirs, l'institution d'un Tribunal révolutionnaire et d'un nouveau pouvoir exécutif élu par elle, le Comité de Salut public. Elle n'y élit d'abord, en avril, que des députés qui ne sont point trop impliqués dans le conflit entre Gironde et Montagne, et qui souhaitent l'unité, comme Barère ou Danton.

Mais c'est la Gironde qui engage, imprudemment encore, le combat intérieur pour le pouvoir, en cherchant à mobiliser les départements contre les autorités parisiennes. Elle n'a pu obtenir la condamnation de Marat par le Tribunal révolutionnaire. Elle réussit à faire élire une commission d'enquête sur les agissements de la Commune, et à mettre sous mandat d'arrêt deux chefs du parti « populaire », Hébert et Varlet. A Lyon, ses partisans locaux prennent par les armes, le 29 mai, le contrôle de la ville contre la municipalité montagnarde, bientôt rejoints par ce qui reste de royalistes : une autre guerre civile s'ouvre.

Robespierre aurait sans doute voulu rallier une majorité à la Convention pour l'élimination des députés girondins : ainsi la souveraineté nationale serait-elle restée maîtresse de son destin, par une sorte d'auto-épuration du Parlement de la Révolution. Mais les événements prennent un autre tour, plus conforme à ce qui est déjà la tradition révolutionnaire : ce sont deux « journées » parisiennes qui décident du sort des Girondins, organisées, comme les autres, par des meneurs de quartier, à partir des sections et d'un Comité insurrectionnel formé le 30 mai, et réuni à l'évêché. Ni la Convention, où Robespierre reste prudent, ni les Jacobins, qui hésitent, ni la Commune de Paris, où Hébert, libéré, cherche à modérer les esprits, n'encouragent cette initiative. Le 31 mai, d'ailleurs, les sections de Paris hésitent entre le Comité de l'évêché et les autorités constituées après le 10 août. Pourtant, les nouvelles sont mauvaises : Lyon aux mains de la révolte, la Vendée à l'offensive, la France ouverte aux armées étrangères. Le 31 mai, les meneurs sans-culottes entraînent déjà assez de monde pour encercler la Convention, et présenter leurs exigences : l'arrestation des Girondins les plus hostiles à Paris, une taxe sur les riches, la création d'une armée de militants révolutionnaires pour punir les suspects, le droit de suffrage aux seuls sans-culottes. La Convention ne vote que la suppression de la Commission d'enquête girondine sur Paris. Mais tout repart le surlendemain, dimanche 2 juin, cette fois-ci pour de bon. Les sections ont mobilisé beaucoup de monde autour des Tuileries, où siège l'Assemblée depuis le 10 mai. La journée a été méthodiquement préparée, sans que l'on sache par qui. Des leaders de la Montagne y ont-ils prêté la main ? Il n'y en a pas de traces. Les sans-culottes ont amené avec eux la Garde nationale, confiée à un de leurs hommes, Hanriot, ancien

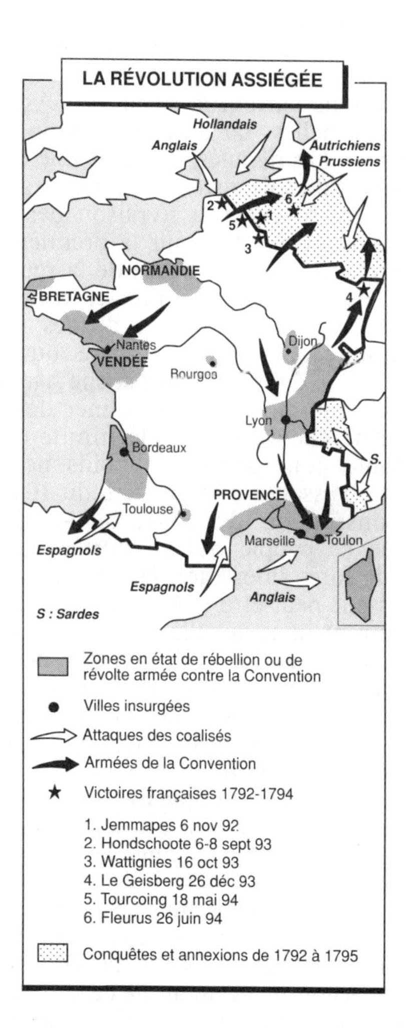
LA RÉVOLUTION ASSIÉGÉE
Hollandais
Anglais
Autrichiens
Prussiens
2
6
5
1
3
NORMANDIE
BRETAGNE
4
Nantes
VENDÉE
Dijon
Lyon
Bordeaux
PROVENCE
S.
Toulouse
Marseille
Toulon
Espagnols
Espagnols
Anglais
S : Sardes
Zones en état de rébellion ou de révolte armée contre la Convention
Villes insurgées
Attaques des coalisés
Armées de la Convention
Victoires françaises 1792-1794
1. Jemmapes 6 nov 92
2. Hondschoote 6-8 sept 93
3. Wattignies 16 oct 93
4. Le Geisberg 26 déc 93
5. Tourcoing 18 mai 94
6. Fleurus 26 juin 94
Conquêtes et annexions de 1792 à 1795

commis d'octroi devenu capitaine, grande gueule du quartier Mouffetard, tout récemment promu général en chef par les nouveaux insurgés de l'évêché. Cent cinquante canons barrent la sortie de l'Assemblée où Hérault de Séchelles, un ami de Danton, préside la funèbre séance. Les députés — à part une trentaine de Montagnards, robespierristes et maratistes — tentent de sortir : Hanriot exige la livraison des coupables. Scène capitale, où se joue pour la première fois avec une netteté d'épure le face à face de la représentation nationale et de la démocratie directe, incarnée dans la force brute du petit peuple et de ses canons. La représentation cède-t-elle à la force ou au peuple constituant ? Aux deux à la fois : si elle n'a pas d'autre choix, dans l'instant, que de s'incliner devant l'artillerie d'Hanriot, elle a aussi une légitimité trop récente et trop fragile pour donner le poids nécessaire au sentiment d'obéissance à la loi. Née du 10 août, qui a brisé la Constitution de 1791, qu'a-t-elle de plus légitime que ce peuple qui l'a portée au pouvoir ? Avec plus de force intérieure, Hérault et les Conventionnels eussent peut-être brisé le blocus des canons ; mais ils rentrent dans la salle des séances pour obéir à l'ultimatum d'Hanriot et livrer, par acclamations, vingt-neuf députés girondins à l'arrestation.

C'est donc la fin politique des Girondins, prélude à leur fin tout court. C'est aussi une date importante de l'histoire de la Révolution : la Montagne a payé sa victoire d'un coup d'État populaire contre la représentation nationale. Ce trait existait déjà dans la journée du 10 août, qui avait donné congé à la fois au roi et à l'Assemblée législative. Mais il était masqué par le renversement de la monarchie, terme véritable de la victoire de la Révolution sur l'Ancien Régime. La prise des Tuileries avait effacé la violence faite à l'Assemblée : recommencement de ce que 1789 n'avait su faire jusqu'au bout, elle pouvait se draper dans la légitimité de la Révolution et dans son redoublement nécessaire. Mais moins d'un an après, le 2 juin 1793, il n'y a plus de roi à vaincre. C'est la Convention elle-même, élue au suffrage universel, qui doit baisser son drapeau devant les sections parisiennes et leurs canons. C'est la représentation nationale qui est vaincue, elle qui est chargée de faire la nouvelle Constitution de la République et qui vient de commencer à en débattre. La Révolution n'a plus de fin dans la loi. Amputée malgré elle d'une partie de ses membres, la Convention n'est plus qu'un Parlement-croupion partageant sa souveraineté avec la rue. Le Salut public, la Terreur, le discours de la vertu civique pourront bien dans l'immédiat jeter un voile sur cette anarchie publique, la journée du 2 juin n'étendra pas moins son ombre néfaste sur l'idée de représentation nationale. Edgar Quinet y a vu la version sans-culotte du 18 Brumaire.

Les hommes de juin 93 ne voient pas si loin. La Révolution française s'est déchirée elle-même, une fois de plus, et de la façon la plus spectaculaire, au moment où elle fait face à la situation la plus grave de son histoire. Il y a un enchaînement entre les deux ordres de circonstances : le territoire national est envahi sur tous les fronts — au Nord, sur le Rhin, dans les vallées alpines et le midi méditerranéen —, et la guerre civile s'est étendue. Après le 2 juin, les départements normands et bretons se sont fédérés contre Paris sous le drapeau girondin. Bordeaux chasse les représentants de la Convention. Lyon passe peu à peu au royalisme ouvert, qui a gagné aussi les villes du Sud-Est, ouvrant en août le port de Toulon aux Anglais. Les prêtres réfractaires sèment plus que jamais le message contre-révolutionnaire et d'autres Vendées rurales couvent dans les terres catholiques de l'ancien royaume, à côté des villes et des bourgades tenues par les patriotes : dans tout l'Ouest profond, ou encore en Lozère, aux confins de la Margeride et du Rouergue.

J'illustrerai le péril encouru par la Révolution d'un

exemple emprunté encore à la région où s'exprime tout particulièrement la profondeur de la crise civile et militaire : la Vendée. Si la révolte girondine est limitée, prise en tenaille à droite et à gauche, la Contre-Révolution, elle, mène une vraie guerre. Les paysans, qui ont mis à leur tête des nobles retirés au pays comme d'Elbée ou Lescure, mais aussi Cathelineau, voiturier au Pin-en-Mauges, ou Stofflet, garde-chasse à Maulévrier, ont fini par organiser une « armée catholique et royale » qui forme le gros des forces. Opérant aux confins du Poitou et de l'Anjou, (alors que Charette guerroie de son côté plus à l'ouest, dans le marais vendéen), cette armée regroupe dans les meilleurs moments quarante mille soldats ; elle contrôle les Mauges et le bocage dès avril 1793 : villages et bourgs, dépourvus de garnisons républicaines, sont tombés sans résistance. À l'ouest, Les Sables d'Olonne résistent, mais à l'est, même les villes sont conquises : Bressuire, Parthenay, Thouars et Saumur le 9 juin, où les royalistes de la ville donnent la main aux paysans. De là, les chefs insurgés décident d'aller prendre Nantes, la riche métropole de l'ouest, pour y ouvrir la République aux Anglais et aux émigrés. La ville, défendue pied à pied, reste aux « patriotes ». Mais l'insurrection rurale demeure maîtresse d'un quadrilatère immense, battant à l'occasion des colonnes républicaines encore plus désorganisées que ses propres troupes. La menace qui pèse sur la Révolution et sur Paris dure tout l'été.

Dans ces circonstances, l'opinion révolutionnaire redonne une force extraordinaire à une vieille idée de l'histoire nationale, recours classique de la monarchie : le salut public. Les rois en avaient souvent tiré la justification de mesures « extraordinaires » — militaires et fiscales ; les hommes de 1793 élargissent ce registre de l'« extraordinaire » royal pour faire du Salut public un régime suspensif des lois constitutionnelles, tout entier tourné vers la reconstruction d'un pouvoir central fort et obéi sans discussion. L'utilité publique est mise au-dessus de la loi, l'arbitraire de l'État accepté au nom de son efficacité. Le contraste n'en est que plus vif avec la mission originelle de la Convention, et même avec les textes discutés et votés par l'Assemblée. Car avant le 2 juin, Condorcet avait présenté un projet de Constitution destiné à éviter des insurrections populaires comme celle du 10 août, en donnant au peuple lui-même, dans ses assemblées primaires, le contrôle des lois et la nomination de l'exécutif. Après le 2 juin, la Montagne n'a pas osé revenir complètement sur cette utopie démocratique. Elle a voté elle aussi, le 24 juin, sa Constitution, avec une nouvelle Déclaration des droits, peu différente de l'ancienne (mais l'égalité des citoyens, la garantie des droits par la société, et l'indivisibilité du pouvoir y reçoivent un accent supplémentaire). Le rôle des assemblées primaires dans l'élaboration de la loi est limité, mais maintenu. Or aussitôt voté, ce texte, un peu bâclé, est suspendu dans son application jusqu'à la paix : pourtant, cette Constitution montagnarde de juin 1793, qui n'a jamais reçu le moindre début d'application, sera une référence essentielle de la tradition républicaine au XIXe siècle, comme si elle avait été l'arche sainte de la Convention. Au début de la IIIe République, Aulard en fait encore le cœur des conceptions montagnardes. Rien ne dit mieux quel caractère durable a pris dans notre histoire cette séparation entre les idées et les réalités politiques instituée par la Révolution.

Donc, en juin 1793, les principes sont saufs, mais suspendus ; le gouvernement de la nation sera organisé selon d'autres moyens : la dictature de Salut public, qui s'installe dans l'été.

Il s'agit donc d'un régime de fait, dont la nature est définie dès l'origine par des forces plus que par des institutions : l'Assemblée, épurée le 2 juin, dominée désormais par les Montagnards, partage provisoirement le pouvoir avec les sans-culottes parisiens. Pendant l'été 93, le mouvement des sections parisiennes atteint son apogée en même temps que la crise nationale, ce qui n'est pas un hasard. Sa victoire du 2 juin lui fait jouer un rôle provisoirement décisif dans la situation : il ne peut se passer de la médiation parlementaire de la Montagne, mais les députés montagnards, qui lui doivent l'expulsion des Girondins, ne peuvent pas non plus ignorer ses revendications. Le gouvernement révolutionnaire n'apparaît donc plus aujourd'hui comme la pointe la plus « avancée » de la révolution, mais plutôt comme l'arbitre d'une alliance qui groupe à la fois les parlementaires de la Plaine et le petit peuple urbain : ceux qu'on appelle les sans-culottes. Si l'historiographie moderne leur a conservé l'appellation d'époque, ce n'est pas faute d'avoir cherché une autre dénomination, plus conforme à une dignité collective de classe ; mais cette désignation vestimentaire négative est encore ce qui définit le mieux le caractère mêlé de cette population. Indigents — au nombre grossi par l'immigration rurale dans le Paris révolutionnaire depuis la crise de 89 —, ouvriers des manufactures, travailleurs à domicile, compagnons, mais aussi artisans, boutiquiers ou « ex-bourgeois de Paris » de l'Ancien Régime, les sans-culottes se définissent mieux par un état d'esprit politique que par un statut économique. Ils invoquent beaucoup Rousseau parce qu'ils aiment la démocratie directe, mais ils n'ont pas vraiment pénétré dans les concepts du *Contrat social.* Sans doute puisent-ils aussi au vieux millénarisme chrétien : les temps exaltants et cruels qu'ils sont en train de vivre figurent un avènement de la fraternité. Une sensibilité religieuse séculaire s'est investie — ou inversée — dans un retour aux sources et l'image du « sans-culotte Jésus » : contre l'Église qui trahit sa mission, elle nourrit une eschatologie nouvelle, laïcisée par le culte des saints et des martyrs de la Révolution. On y devine aussi les traces psychologiques d'un plus proche passé : bonnet rouge, pique en main, tutoiement, vertu, le sans-culotte incarne l'envers de la société aristocratique. Il est l'égalité en personne. Ses ennemis ? ceux de l'égalité et de cette communauté vertueuse et pauvre dont il rêve : non seulement les nobles, les riches, mais les puissants, qu'il faut tenir constamment sous la menace de la guillotine, cette « faux de l'égalité ». La passion punitive et terroriste, qui s'alimente à un profond désir de revanche et d'inversion sociale, complète ainsi la démocratie directe pratiquée dans les sections, que les sans-culottes voudraient étendre à la Convention, par le contrôle permanent des députés : non pas à travers la vieille idée du mandat impératif, mais par la révocabilité des élus.

Dans le domaine économique et social, même croyance en l'interventionnisme et la surveillance, héritée celle-là de l'Ancien Régime, et directement contraire aux principes du libéralisme bourgeois, que partage toute la Convention : le gouvernement doit tenir les prix (dans la tempête inflationniste de l'assignat), veiller aux approvisionnements, donner aux indigents ce qu'il prend aux riches. L'émeute urbaine reste définie par la répartition égalitaire de la pénurie, non par une solidarité de producteurs. Il ne lui manque même pas, en 92-93, le personnage traditionnel du curé révolutionnaire, du prêtre ami des pauvres et fidèle à Jésus contre l'Église, qui traverse l'histoire des révoltes populaires européennes : c'est Jacques Roux, prêtre défroqué, leader des Enragés, apôtre de la section des Gravilliers. Le mouvement sans-culotte est inséparablement antilibéral et extrémiste ; les bourgeois de la Convention, Montagne en tête, sont tous des hommes du « laisser-faire - laisser-passer » en matière économique. La Révolution parisienne a dressé à côté d'eux les premiers grands acteurs collectifs de ce qu'on appellera un peu plus tard « la question sociale ».

Pendant l'année 93 — et surtout jusqu'au demi-échec de la manifestation du 5 septembre et à la fin de la permanence des assemblées de section —, la Montagne va tenir compte de ces revendications populaires, et le gouvernement révolutionnaire lui devra nombre de ses traits. Des liens existent, d'ailleurs, entre le mouvement sectionnaire et les institutions centrales : Marat d'abord, dont le journal touche et mobilise le public depuis 1789, appelant sans cesse à la vigilance, au soupçon, à la violence. Il est assassiné en juillet, mais il laisse bien des émules et même des rivaux autour de son héritage. Collot d'Herbois et Billaud-Varenne sont les membres du Comité de Salut public les plus proches du maximalisme parisien. A la Commune de Paris et au ministère de la Guerre, les sans-culottes sont en force, protégés par des personnalités comme Hébert ou le maire de Paris Pache, qui veulent disputer aux leaders Enragés, Jacques Roux et Varlet, la clientèle extrémiste. Mais s'il est sensible aux pressions de la rue et de sa propre « gauche », s'il instaure la Terreur et l'économie dirigée, le groupe montagnard doit conserver aussi l'appui de la Convention, qui lui reproche déjà, sans trop oser le dire, sa capitulation du 2 juin. Maître des Jacobins, et bientôt du Comité de Salut public, il n'entend pas tout céder aux exigences de la rue ; il tire sa force de sa position d'arbitre provisoire.

La Constituante avait légiféré à travers ses commissions. La Convention gouverne par ses Comités. Deux d'entre eux sont essentiels : Salut public et Sûreté générale. Le second, qui a les redoutables attributions de police, est moins bien connu que le premier, qui est en réalité le vrai pouvoir exécutif, muni de très vastes prérogatives. Il date d'avril, mais sa composition est profondément remaniée pendant l'été : Danton en a démissionné le 10 juillet, et Robespierre y est entré le 27. Ce chassé-croisé évoque la longue querelle qui a opposé, dans l'historiographie française, partisans de Danton et partisans de Robespierre, notamment au début du siècle Aulard et Mathiez. Dans la mesure où les deux hommes ont réellement valeur de symboles, il s'agit sans doute moins, en juillet 93, d'une opposition morale entre corruption et intégrité que d'un conflit entre deux politiques : Georges Lefebvre a fait sur ce sujet une mise au point très convaincante[7]. Les éléments qui rendent la vénalité de Danton plus que probable ont été apportés sans qu'on voie d'ailleurs les services qu'il a rendus en échange à la Contre-Révolution. Plus importante est sa politique pendant le printemps 93, quand il domine le tout nouveau Comité : le plus modéré des Montagnards explore en sous-main les possibilités d'une paix de compromis, prêt sans doute à échanger la reine contre la reconnaissance par l'Europe du fait révolutionnaire français. Mais il se heurte à la situation militaire, défavorable aux armées françaises, et ne peut pas davantage briser l'engrenage intérieur de la guerre révolutionnaire. Sa démission du Comité signe l'échec de sa politique. Paradoxalement, c'est Robespierre qui est devenu, par ce qu'il possède à la fois de magistrature d'opinion et d'adaptation aux circonstances, l'homme d'une guerre messianique qu'il avait à l'origine combattue.

Dans cette mesure, il est bien, dès le début, le personnage clef du Grand Comité de Salut public, bien qu'il ne le domine pas encore, comme il le fera quelques mois plus tard : il y apporte sa conviction que seule l'alliance de la bourgeoisie et du peuple peut sauver la Révolution, et cette image de statue vivante des grands principes qu'il s'est construite avec tant d'esprit de suite depuis la Constituante. Entouré de ses partisans, Couthon et Saint-Just, il est le « pont » nécessaire entre Paris et la Convention. Il le fait sentir à l'Assemblée en tacticien parlementaire consommé : le comité est renouvelable tous les mois. Mais le groupe robespierriste ne suffit pas à définir le Grand

Comité, dont la direction ne cesse d'être collégiale, malgré la spécificité des tâches de chacun : la division de ses membres en « politiques » et en « techniciens » est une invention thermidorienne, destinée à charger les seuls robespierristes des cadavres de la Terreur. Bien des choses opposent pourtant les douze commissaires ; plus que du Comité, Barère est l'homme de la Convention, qui fait le joint avec la Plaine. Lindet répugne à la Terreur, qui sera au contraire le thème par excellence de Collot d'Herbois et Billaud-Varenne, les tard-venus au Grand Comité, imposés par les sans-culottes en septembre ; contrairement à Robespierre et à ses amis, Carnot n'est rallié que provisoirement et par raison d'État, à une politique de concessions au peuple. Mais la conjoncture qui les unit dans l'été 93 est plus forte que ces dissentiments : l'éclatement du groupe montagnard, qui conduira à la dictature du seul groupe robespierriste (avril-juillet 1794), se produit seulement après le rétablissement relatif de la situation intérieure et extérieure, dans l'automne et l'hiver 1793-1794.

Cette dictature de la Convention et des Comités, à la fois appuyés et contrôlés par les sections parisiennes, figures du peuple souverain en séance permanente, dure de juin à septembre. Elle gouverne à travers un réseau d'institutions mises en place à la diable depuis le printemps : dès mars, le Tribunal révolutionnaire et les représentants en mission dans les départements, suivis le mois suivant par les représentants de la Convention aux armées, munis de pouvoirs illimités aussi, le cours forcé des assignats, et en mai le Maximum des grains et l'emprunt d'un milliard sur les riches. L'été voit culminer l'agitation sans-culotte, sous son double drapeau : taxation et terreur. Les chefs des Enragés, Jacques Roux en tête, réclament, au nom de la misère du peuple, l'économie dirigée à une Convention qui n'en aime pas l'idée. Mais la logique révolutionnaire de la mobilisation des ressources par une dictature nationale est infiniment plus puissante que la doctrine économique : si Robespierre et le Comité parviennent à faire reculer Jacques Roux, c'est en reprenant une partie de son programme. Une série de décrets, en août, donnent aux autorités un pouvoir presque discrétionnaire sur la production et la circulation des grains, assorti de peines terribles contre les fraudeurs, avec l'inévitable prime promise aux dénonciateurs. Des « greniers d'abondance » sont prévus pour stocker les blés réquisitionnés par les autorités de district. Le 23 août, le décret sur la « levée en masse » multiplie les bouches à nourrir par l'État, mixte de lyrismc national et d'utopie sociale.

Mais l'agitation parisienne ne cesse pas ; elle puise son inspiration à la fois dans les menaces qui pèsent sur la nation et dans ses succès antérieurs. Le 5 septembre, elle veut refaire le 2 juin. Les sections armées encerclent à nouveau la Convention pour exiger la création d'une armée révolutionnaire de l'intérieur, l'arrestation des suspects, l'épuration des Comités. La Révolution est un théâtre où se rejoue sans cesse dans la rue l'air du peuple souverain.

C'est probablement la journée clef dans la formation du gouvernement révolutionnaire : la Convention cède, mais garde le contrôle des événements. Elle met la Terreur à l'ordre du jour le 5, élit le 6 Collot d'Herbois et Billaud-Varenne au Comité de Salut public, crée le 9 l'armée révolutionnaire, décrète le 11 le Maximum des grains et des fourrages (et le Maximum général des prix et des salaires le 29), réorganise le 14 le Tribunal révolutionnaire, vote le 17 la loi des suspects et donne le 20 aux comités révolutionnaires locaux la charge d'en dresser la liste. Mais en même temps, elle fait arrêter les chefs des Enragés, Jacques Roux et Varlet : puisqu'elle a endossé leur programme, elle leur a ôté ce qui faisait leur force. Le « gouvernement révolutionnaire » naît ainsi d'une institutionnalisation progressive mais rapide, par la Convention, des principales exigences du mouvement sectionnaire. Il est inscrit dans la logique de la politique montagnarde, qui a eu besoin des sans-culottes pour briser la Gironde au printemps, et veut les conserver comme alliés sans leur céder pour autant l'essentiel du pouvoir. C'est ce qui lui permet de conserver, à travers les délibérations de la Convention, même tronquée, une attache avec la légitimité originaire de la Révolution, après qu'elle a fait leur part, au nom de la démocratie directe, aux multiples pouvoirs de fait qui dominent la rue parisienne. C'est ce rapport de forces que Saint-Just fait décréter le 10 octobre sans que sa rhétorique en atténue l'inconsistance juridique, même si l'article 1 du décret lui assigne une date terminale : « Le gouvernement provisoire de la France est révolutionnaire jusqu'à la paix. »

L'ensemble des institutions, des mesures et des procédures qui le constituent est codifié dans un décret un peu postérieur, le 14 frimaire (4 décembre), qui scelle par un texte global ce qui a été le développement graduel d'une dictature centralisée fondée sur la Terreur. Le débat, introduit par Billaud-Varenne, dure onze jours et a pour objet de simplifier et de resserrer « les rouages intermédiaires » du système. Au centre, la Convention, dont le bras séculier est le Comité de Salut public, investi d'immenses pouvoirs : il interprète les décrets de l'Assemblée et en fixe les modalités d'application ; il a sous son autorité immédiate tous les corps de l'État et tous les fonctionnaires (les ministres disparaîtront même en avril 1794) ; il dirige l'activité diplomatique et militaire, nomme les généraux et les membres des autres Comités, sous réserve de ratification par la Convention. Il a sous sa responsabilité la conduite de la guerre, l'ordre public, l'approvisionnement de la population. La Commune de Paris, le fameux bastion sans-culotte, est neutralisée en passant sous son contrôle.

En province, le Comité s'appuie, pour gouverner,

sur les districts (les autorités de département, suspectées de fédéralisme, sont court-circuitées), les municipalités et les comités révolutionnaires, chargés d'appliquer les mesures de salut public. Ses interprètes directs auprès de ces instances sont, outre les représentants en mission, un corps d'« agents nationaux » choisis localement par « scrutin épuratoire » (c'est-à-dire par les activistes locaux) et investis par la Convention. Techniquement, l'autorité est moins centralisée qu'elle ne l'est sur le papier : tout comme l'ancien absolutisme, le pouvoir de la Révolution se heurte à la lenteur des communications et à l'inertie des habitudes et des mentalités. Mais il s'appuie, pour les vaincre, d'une part sur la peur de la guillotine, de l'autre sur un immense effort de propagande qui va de l'introduction du calendrier révolutionnaire (5 octobre) à un quadrillage systématique du territoire par la presse montagnarde, où le club des Jacobins joue un grand rôle à travers ses centaines de filiales. Le gouvernement révolutionnaire est inséparable d'une orthodoxie idéologique, qui interdit la pluralité des opinions.

C'est dire qu'il règne aussi par la crainte, en faisant planer la peine de mort sur tous les serviteurs de l'État et sur tous les citoyens. Au sommet de l'appareil de la Terreur se trouve le Comité de Sûreté générale, deuxième organe de l'État, composé de douze membres élus chaque mois par la Convention, et investi des fonctions de sécurité, de surveillance et de police, y compris sur les autorités civiles et militaires. Il emploie un personnel nombreux, coiffe le réseau peu à peu constitué de comités révolutionnaires locaux, met en application la loi des suspects en triant entre les milliers de dénonciations et d'arrestations locales dont il est fait juge. Les dossiers à instruire et les personnes à juger sont traduits au Tribunal révolutionnaire : réorganisé en septembre, celui-ci déploie à partir d'octobre, une activité considérable et expéditive. Dans les départements, la situation est plus diverse.

Lorsqu'il y a eu des affrontements civils, les représentants en mission ont surimposé aux tribunaux criminels ordinaires des commissions judiciaires ad hoc, pour diriger la répression contre les adversaires de la Révolution : ainsi à Lyon, Marseille, Nîmes, Toulouse, et dans tout l'Ouest. Le gouvernement révolutionnaire a donc suspendu un peu partout les droits de l'homme au nom de la raison d'État.

Il exerce enfin tous les pouvoirs sur l'économie. Cette prérogative reste d'ordre théorique en matière financière, dans la mesure où l'administration mise en place par la Constituante, et d'ailleurs largement peuplée par des spécialistes de l'Ancien Régime, ne subit pas de grands changements : elle est pendant toute la période sous le contrôle de Cambon, président du comité des finances de la Convention. Mais dans le domaine proprement économique, où il est habité par la vieille obsession régalienne de nourrir la population — et d'abord celle de Paris, pour éviter l'émeute —, le Comité de Salut public a installé toute une administration nouvelle, coiffée par la commission des subsistances (22 octobre). Dirigé par trois « patriotes », cet organisme, armé de la loi du Maximum général, est chargé de réglementer la production, le transport et la consommation. Il a sous sa juridiction des secteurs aussi divers que les achats à l'étranger, les réquisitions à l'intérieur, le contrôle des prix, l'approvisionnement de Paris et des armées, sans parler des progrès de la production agricole, les forêts, les mines, etc. Divisée en trois grands services et employant environ cinq cents personnes, la commission des subsistances fait revivre l'esprit statistique et régulateur de l'ancien Contrôle général. Mais malgré la Terreur, malgré la chasse aux « accapareurs », l'entreprise de direction de l'économie nationale par l'État, à travers réquisitions et contrôles, se heurte à peu près partout à une généralisation de la fraude dans toutes les classes de la population.

Le gouvernement révolutionnaire, en renouant avec la tradition centralisatrice et régulatrice de l'État, un moment interrompue par la Constituante, est à l'origine d'une multiplication des emplois administratifs dont bénéficie le personnel révolutionnaire. Alors qu'on ne recense que six cent soixante-dix emplois de ministères en 1791 (soit un ordre de grandeur comparable à celui des dernières années de l'Ancien Régime), il y en a trois mille au début de 1794 et presque cinq mille à la fin de l'année (car le 9 Thermidor ne renverse pas la tendance) : quand ils ne sont pas aux armées, les sans-culottes peuplent les bureaux de la police, de la guerre, des subsistances. Au moment même où Robespierre et Saint-Just dénoncent dans ces mêmes « bureaux » (le terme, dans son acception actuelle, se répand à cette époque) autant d'écrans entre les Comités et le peuple, les mandataires et les mandats, ils en accroissent, par leur action, à la fois l'influence, le rôle et le nombre. Ainsi la rhétorique politique du gouvernement révolutionnaire se heurte-t-elle à sa vérité sociologique.

Cette rhétorique, pourtant, reste essentielle à qui veut comprendre les ressorts et les passions qui lient cette période à l'histoire de la Révolution en général. Le régime de l'an II constitue en effet l'application paradoxale, mais pleine et entière, de ce qui est peut-être le principe par excellence de la Révolution française : la souveraineté absolue et indivisible d'une Assemblée unique, censée représenter la volonté générale issue du suffrage universel. Application paradoxale, puisque la Convention d'après le 2 juin n'est pas la Convention du suffrage universel, et que le « gouvernement révolutionnaire » est une conception politique bricolée sous la pression des partisans de la démocratie directe. Et pourtant, application pleine et entière, dans la mesure où la Convention est le centre unique du gouvernement et où le Comité de Salut public, organe véritable de la dictature, n'est pas un pouvoir exécutif distinct d'elle, mais simplement un de ses Comités, une part d'elle-même, donc identique à elle : ce n'est pas un hasard si Billaud-Varenne, dans son rapport introductif du 28 brumaire (16 novembre), a critiqué comme criminelle l'organisation par l'Assemblée constituante d'un pouvoir exécutif distinct d'elle-même. Ainsi, c'est au moment où la Révolution semble le plus éloignée de son but primitif de fonder la société sur l'universalité de la loi qu'elle est aussi le plus fidèle à son idée de la souveraineté : signe que 1789 et 1793 peuvent être, selon les cas, opposés ou unis. En l'an II, le pouvoir du peuple est enfin assis sur une pyramide d'identités : le peuple est dans la Convention, qui est dans le Comité de Salut public, qui sera bientôt dans Robespierre. C'est cette cascade d'abstractions que la Terreur et la vertu, chacune dans son secteur, ont pour charge de faire tenir ensemble.

La « théorie » la plus élaborée du « gouvernement révolutionnaire » est probablement le rapport présenté à la Convention par Robespierre le 5 nivôse an II (25 décembre 1793) au nom du Comité de Salut public. Forme inédite de pouvoir, que les « écrivains politiques » n'ont par conséquent ni prévue ni étudiée, ce gouvernement s'oppose au gouvernement constitutionnel dans la mesure où il obéit à « des règles moins uniformes et moins rigoureuses » : manière de dire qu'il échappe à la loi. Mais il en constitue pourtant le prélude, ayant pour fin d'« instituer » la nation contre ses ennemis, auxquels il livre la guerre de la liberté : « Le but du gouvernement constitutionnel est de conserver la République : celui du gouvernement révolutionnaire est de la fonder. »

Que veut dire « fonder » ? D'abord en préserver l'existence, non seulement contre l'ennemi extérieur, mais aussi contre les « factions » internes : on retrouve chez Robespierre la vieille idée que le plus grand risque encouru par la souveraineté du peuple est celui de sa confiscation par des groupes poursuivant des intérêts particuliers. Elle légitime, dans l'hiver 93-94, le début de la lutte contre les Indulgents d'une part, les hébertistes de l'autre. Qui trace la ligne entre le peuple et les factions, le bien et le mal ? « L'amour de la patrie et de la vérité. » En dernier ressort, c'est donc un critère moral qui domine la vie politique, et si le peuple français se reconnaît dans la Convention, c'est moins en fonction de la loi que du « caractère » de l'action menée par l'Assemblée.

Ce qui autorise la suspension provisoire du droit, et par exemple des droits de l'homme, est ainsi, au-delà même du salut public, l'exigence supérieure de fonder la société sur la vertu des citoyens. La Révolution a hérité de l'Ancien Régime des hommes corrompus, qui ont dénaturé jusqu'à son action même ; avant de régner par la loi, elle doit régénérer chaque acteur du nouveau contrat social. Ce qui, chez Rousseau, constitue le passage — difficile, comme on sait, presque impossible même — de l'homme au citoyen, est devenu le sens de la Révolution, à travers l'action radicale du gouvernement révolutionnaire.

Derrière la façade philosophico-politique du gouvernement révolutionnaire, les histoires locales de la période soulignent toute la diversité des situations, en fonction des circonstances et aussi des relais disponibles de la dictature. La guerre civile n'est latente, ou ouverte, que dans l'Ouest et dans le Sud-Est : ailleurs, il y a des villages qui n'ont vu de la Révolution que l'abolition des droits féodaux, la fin de la taille et la conscription. L'autorité révolutionnaire prend des formes variées, et les directives de la Convention sont infléchies par le caractère des sociétés populaires locales et des administrations de district : le règne des minorités agissantes est loin d'être uniforme. Enfin, les députés envoyés comme « représentants en mission » par le Comité de Salut public, et munis des pleins pouvoirs, réagissent à la fois selon les situations locales et leurs propres tempéraments : Lindet a pacifié l'Ouest girondin en juillet sans une condamnation à mort ; à Lyon, quelques mois plus tard, Collot d'Herbois et Fouché multiplient des fusillades sommaires, parce que la guillotine ne va pas assez vite. Même chose dans l'ordre économique, où l'utopie bureaucratique instituée par les décrets de la Convention crée un gigantesque incivisme, qui alimente du coup la guillotine, là où elle passe, accompagnée de « l'armée révolutionnaire ».

Pourtant, la trace légendaire laissée dans la tradition républicaine par le système politique et administratif improvisé de l'été 93 tient à ce que la France révolutionnaire du début de l'automne a desserré l'étau mortel : du coup, ce que l'époque inaugure de lugubre peut être recouvert par la poésie de l'énergie nationale, elle-même enveloppée d'universel. De fait, c'est aux frontières que la Révolution a transporté désormais, par la force des choses, sa gloire. Elle n'a pas encore bouleversé les règles de la vieille stratégie et conserve comme ses ennemis la superstition du siège et des troupes en ligne ; mais elle a une armée nouvelle, amalgamée à l'ancienne, sous l'autorité incontestée du pouvoir civil, et la Convention veille au grain par l'intermédiaire de ses représentants aux armées. La victoire ou la mort : la règle terrible n'est pas seulement celle de la Terreur, mais aussi du patriotisme. Elle a permis de renouveler le commandement et de promouvoir des chefs jeunes comme Hoche et Jourdan : la guerre de la nation appartient aux enfants du peuple, comme celle des rois aux aristocrates. Dès le début septembre, l'armée anglo-hanovrienne a été battue à Hondschoote, ce qui libère Dunkerque de la pression adverse. En octobre, la bataille de Wattignies délivre Maubeuge de l'armée autrichienne. L'armée sarde est expulsée de la Savoie, et les Espagnols repassent les Pyrénées. A l'automne, veille des quartiers d'hiver, la situation est donc redressée aux frontières.

Simultanément, les foyers de guerre civile sont réduits, mais à un prix très élevé, nullement inscrit dans la nécessité du salut public. La Révolution ne frappe plus l'étranger, mais les Français qui se sont dressés contre elle, ou simplement ceux qui en sont soupçonnés : catégorie sans limites qui ne définit que le gouvernement de la peur. C'est la Terreur qui s'installe, non plus réaction instinctive des masses, comme dans les massacres de septembre 1792, mais institution administrative et judiciaire mise en place par la Convention et les Comités. L'appareil répressif central est en place depuis mars, puisque le Tribunal révolutionnaire a été créé à cette époque. Mais l'activité dudit Tribunal est réduite jusqu'en septembre, même si elle est déjà caractérisée par le seul choix donné aux juges entre l'acquittement ou la guillotine. C'est à partir d'octobre que le nombre des victimes de la Terreur révolutionnaire s'accroît brusquement : exactement au moment où la situation de la Révolution a été redressée. Le phénomène est très net à Paris : près de deux cents guillotinés dans la fin de l'année 1793. On y trouve non seulement Marie-Antoinette ou l'ex-duc d'Orléans, devenu en vain Philippe-Égalité, mais également les partis battus de la Révolution : les Girondins arrêtés ou suspects depuis le printemps, Brissot et Vergniaud en tête, plus ce qui reste du groupe feuillant, Bailly, Barnave. La guillotine liquide en même temps l'Ancien Régime et les premières années de la Révolution.

La Terreur s'exerce par préférence dans les villes et dans les zones insurgées contre la République : après la victoire, comme une punition-liquidation de l'insurrection. Les Girondins avaient pris le contrôle de Lyon le 29 mai, au moment même où ils allaient être éliminés à Paris : Lyon, ville des marchands et des canuts, où le jacobinisme avait pris l'allure d'une guerre de classes entre les pauvres ouvriers de la soie et les marchands. Des Girondins, la ville était passée aux royalistes, qui y ont régné tout l'été ; mais elle est reprise par les troupes de la Convention le 9 octobre. Elle est débaptisée, comme tant d'autres, devient Ville Affranchie, symboliquement arrachée à son passé maudit, promise par un décret de la Convention à une destruction partielle, limitée aux « maisons des riches ». En novembre, Collot d'Herbois et Fouché inaugurent une répression massive. On commence à détruire les grandes demeures des quais de la Saône. Plusieurs milliers de suspects sont guillotinés, fusillés, ou collectivement mitraillés, pour aller plus vite. La Terreur dure jusqu'en mars 1794.

L'histoire de la Terreur révolutionnaire en Vendée obéit à la même logique et à la même chronologie. Il s'agit aussi de la répression d'une insurrection, la plus grave qu'ait eu à affronter la Révolution. Comme à Lyon, la répression est non seulement postérieure à la victoire, mais elle bat son plein plusieurs mois après la victoire. En effet, la révolte de la Vendée commence en mars 93 et le bruit de ses triomphes emplit tout le printemps et le début de l'automne. Mais elle reflue à partir de la mi-octobre, quand l'armée paysanne est écrasée à Cholet, et passe au nord de la Loire dans l'espoir de joindre une flotte anglaise à Granville, avant que ce qu'il en reste soit liquidé en décembre dans les batailles du Mans et de Savenay. Or, la Terreur révolutionnaire — qu'il faut distinguer des cruautés et des massacres commis dans le feu des batailles — fait rage entre février et avril 1794.

Si la guerre a été impitoyable de part et d'autre, ce qui commence après est d'une nature différente : c'est une répression de masse organisée d'en haut, sur ordre de la Convention, dans l'intention de détruire non seulement les rebelles, mais la population, les fermes, les cultures, les villages, tout ce qui a constitué le berceau des « brigands ». La guillotine ne suffit plus à

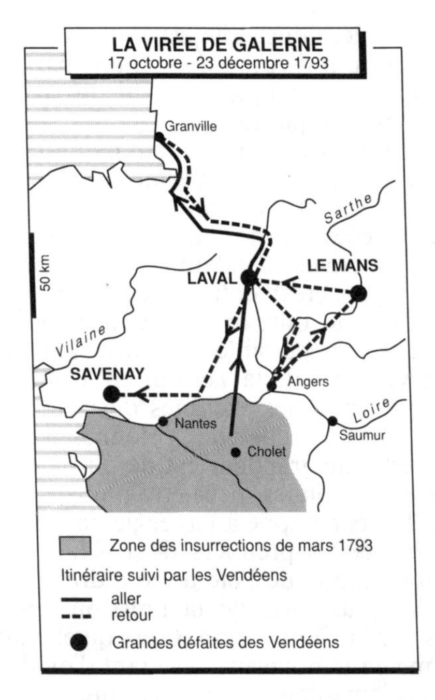

une telle tâche : en décembre, Carrier recourt aux noyades collectives dans la Loire. C'est à partir de janvier qu'entre en action le décret rapporté par Barère le 1er août à la Convention qui ordonne de « détruire la Vendée » : les troupes républicaines se divisent en plusieurs colonnes, chacune dotée d'un itinéraire particulier, avec mission explicite de brûler toute habitation et d'exterminer les populations, femmes et enfants compris. L'affreuse opération dure jusqu'au mois de mai 1794, et son sinistre bilan doit être ajouté aux pertes de la guerre proprement dite : le territoire de la « Vendée militaire » a perdu 20 % de son habitat et un pourcentage important de sa population.

L'estimation numérique des pertes humaines reste

un objet de polémique. Elle est impossible à calculer avec un minimum de précision : d'une part, il n'existe pas de sources spécifiques, et l'historien doit avoir recours à des comparaisons entre les recensements antérieurs et postérieurs qui restent hypothétiques. Ces documents, d'autre part, ne permettent pas de faire le décompte entre trois types de mortalités : les tués à la guerre (d'un côté et de l'autre), les morts de la répression terroriste (condamnés par une cour ou simplement massacrés), enfin les déficits de natalité et la surmortalité qui ont suivi les années de guerre. Si bien qu'il n'est pas possible d'avancer une évaluation précise des victimes de la Terreur en Vendée ; mais à considérer ensemble les victimes de la répression de Carrier à Nantes et celles des colonnes infernales de Turreau, l'ordre de grandeur est de plusieurs dizaines de milliers de personnes, peut-être plus de cent mille.

Ainsi, la Terreur frappe à l'aveugle dans les derniers mois de 1793 et les premiers de 1794, après que la situation dramatique de l'été a été redressée, et après les temps les plus forts de la pression des sections parisiennes sur la Convention. C'est qu'elle fait partie aussi, comme en témoignent avec tant d'évidence tous les débats parlementaires, de la culture politique des députés. Car il serait faux de l'imaginer comme le simple produit de la pression des sans-culottes, ou des excès sanglants de certains représentants en mission. En réalité, elle est inséparable de l'univers révolutionnaire, dont elle constitue depuis l'origine une des virtualités. Dès 1789, la Révolution française ne pense les résistances, réelles ou imaginaires, qui lui sont offertes, que sous l'angle d'un gigantesque et permanent complot, qu'elle doit briser sans cesse par un peuple constitué comme un seul corps, au nom de sa souveraineté indivisible. Son répertoire politique n'a jamais ouvert la moindre place à l'expression légale du désaccord, moins encore du conflit : le peuple s'est approprié l'héritage absolutiste et s'est mis à la place du roi. Mais il n'y a du coup qu'une manière de le penser dans sa légitimité retrouvée, c'est de l'imaginer un, et comme indépendant des intérêts particuliers qui caractérisent chacun des individus dont il est fait. Le complot est l'autre face de cette représentation, Contre-Révolution cachée et maléfique, quand le peuple est public et bon, et presque aussi puissante que lui, puisqu'il faut la vaincre sans cesse. Chez Sieyès, l'aristocratie, cet envers de la nation, avait encore une définition juridique, par les privilèges héréditaires. Depuis, la catégorie s'est étendue progressivement à tous les vaincus de la Révolution, stigmatisés par leurs vainqueurs : les Feuillants sont des aristocrates et les Girondins après eux. La Terreur est ce régime où les hommes au pouvoir désignent les exclus pour épurer le corps de la nation. Les paysans vendéens ont eu leur tour, Danton attend le sien. Cette analyse ne veut pas dire qu'il n'y a pas de différence entre 1789 et 1793. Les circonstances sont incomparables, et elles jouent naturellement leur rôle. Mais la culture politique qui peut conduire à la Terreur est présente dans la Révolution française dès l'été 1789.

Pourtant, celle-ci n'a été qu'inégalement voulue par les Montagnards, puisqu'elle a été au départ une exigence des sans-culottes, relayée par le club des Jacobins et par la gauche de la Montagne et des comités : ce qui permettra plus tard à Michelet, par exemple, d'aimer le Salut public mais non la Terreur, la Montagne mais non les Jacobins, Carnot mais non Robespierre. Distinction trop intéressée pour être, comme on l'a vu, vraiment conforme aux faits : aucune voix ne s'élève contre la Terreur à la Convention quand celle-ci est mise à l'ordre du jour, le 5 septembre 1793, ou à propos de tous les grands décrets terroristes de l'automne. Mais avec le redressement de la situation se nouent à la fin de l'année de nouveaux conflits intérieurs à la Révolution, et dont elle est l'enjeu. Les sections parisiennes n'y jouent plus un rôle central ; c'est la Commune de Paris et le club des Cordeliers qui sont en ligne ; le théâtre principal se tient aux Jacobins et à la Convention.

L'extrémisme parisien a trouvé un relais, après septembre, en la personne d'Hébert, qui s'est fait une spécialité de regrouper autour de son journal *Le Père Duchesne*, la clientèle laissée en déshérence par *L'Ami du peuple*. C'est un interprète du peuple militant moins spontané, moins authentique que les chefs Enragés de l'été, mais plus influent et mieux placé ; la surenchère qu'il développe en novembre sur la politique des comités ne concerne pas directement la Terreur, mais la déchristianisation. Des représentants en mission, comme Fouché à Nevers, mènent tambour battant la guillotine sur la grand-place, une campagne d'extirpation du culte catholique, englobé non plus seulement comme Église, mais comme croyance, dans la malédiction portée sur l'Ancien Régime. La Commune de Paris s'y est engagée aussi, par des mascarades antireligieuses, puis par la fermeture des églises. Tout un anticléricalisme populaire et urbain dont les origines sont moins bien connues que l'avenir, trouve provisoirement dans la Révolution un culte de substitution. La majorité de la Convention, qui a voté le calendrier républicain, est antireligieuse. Mais, plus réaliste que les déchristianisateurs, elle voit dans la surenchère hébertiste un motif supplémentaire et gratuit de discorde civile. Robespierre, en plus, déteste l'athéisme — ce legs de l'aristocratie et des riches. C'est pourquoi il se rapproche, à cette époque, d'un courant plus modéré de la Montagne, qui voudrait arrêter l'engrenage de la Terreur, et auquel le redressement de la situation peut redonner du crédit : c'est l'heure d'une alliance très provisoire avec l'homme qui cherche à incarner ce tournant, Danton. Le Comité de Salut public laisse donc se développer une offensive antihébertiste, brillamment orchestrée par *Le Vieux Cordelier* de Camille Desmoulins, qui paraît en décembre ;

celle-ci vise, au-delà de la déchristianisation, la Terreur elle-même. Peut-être aussi Danton reste-t-il fidèle à son rêve d'un compromis avec l'Europe ; le Grand Comité est d'ailleurs, dans ce domaine, plus prudent que les Girondins. Robespierre lui-même, dans ses discours de novembre et décembre, introduit des distinctions dans les nations coalisées contre la Révolution.

Mais cette politique, qui est au moins celle de Danton, est inavouable. Dans la France de 93, la recherche de la paix ne se heurte pas seulement aux sections parisiennes, mais à tout le personnel révolutionnaire récemment promu, lié à la Terreur et à la guerre. Danton est en outre compromis à travers certains de ses amis, suspects de prévarications dans la liquidation de l'ancienne Compagnie des Indes. En janvier 1794, Robespierre fait marche arrière, abandonne Danton et développe le thème « centriste » des « deux factions » qui menacent la Révolution. Pour briser l'offensive hébertiste qui se développe à la fin de l'hiver à partir des Cordeliers, il pousse le Comité à frapper d'abord les « exagérés », Hébert et ses amis ; en échange, il abandonne Danton et Desmoulins au Comité de Sûreté générale. Habilement amalgamés aux députés prévaricateurs, ceux-ci sont guillotinés moins de deux semaines après leurs adversaires, au début d'avril. Hésitante, la Convention a fini par suivre.

Voici l'heure de la dictature absolue du Comité de Salut public, que les activistes parisiens ne lui disputent plus. Car la charrette qui a porté les hébertistes à la guillotine a réduit au silence le Paris révolutionnaire. Désormais la Commune obéit, les sociétés et les clubs se taisent ou disparaissent et Saint-Just dira bientôt, avec son sens de la formule : « La Révolution est glacée. » La Convention est prisonnière de la Terreur qui vient de frapper la représentation nationale ; elle obéit au Comité de Salut public dont elle a élu et réélu les membres. Au sein du Comité, les événements intérieurs de l'hiver et les deux épurations des hébertistes et des dantonistes ont définitivement tourné la page d'un exécutif collégial : c'est Robespierre, en fait, le chef du gouvernement de la République. Ce qui veut dire, en ces temps-là, infiniment plus que cette formule empruntée à un vocabulaire constitutionnel. Dans cette dictature personnelle, le vieux dilemme révolutionnaire de la « représentation » du peuple souverain trouve une solution inédite : la magistrature robespierriste trouve sa source à la fois dans la Convention et dans la souveraineté du peuple. On peut le dire mieux en vocabulaire monarchique, à condition de substituer « révolution » à « royaume » : l'Incorruptible a fini par incarner la Révolution.

Immense victoire, même si elle est éphémère. Elle suffit à l'isoler du personnel politique de l'époque et à lui donner une figure à part, qu'il a gardée jusqu'à nous. Comme Michelet l'a si bien compris, la Révolution française n'a pas eu de vrais grands hommes, un Cromwell ou un Washington : depuis 1789, elle passe à travers beaucoup d'acteurs, mais elle les roule dans sa vague, et aucun d'eux n'est capable même d'en apprivoiser le formidable mouvement. C'est l'événement qui est « grand », sans précédent et sans équivalent : il a jeté au néant tous ceux qui se sont successivement avancés pour y mettre un terme, les Monarchiens comme les Feuillants, les Girondins comme les dantonistes. Si l'historien veut cependant distinguer quelques hommes, dans cette cohorte suspendue à la crinière de la cavale, il peut citer Sieyès et Mirabeau, ajouter Robespierre, mais pas Danton. Sieyès parce qu'il a le pressentiment de la Révolution, qu'il en fait la philosophie, et qu'il en imagine par avance les traits et les passions ; mais il n'y joue jamais le premier rôle, même en 1789. Mirabeau a été le plus génial des Constituants, avant de devenir en secret le commentateur le plus lucide de son temps ; mais il a dû passer dans les coulisses faute de pouvoir dominer même l'Assemblée, pour ne rien dire de Paris. Quant à Danton, qui a prêté sa grande voix à « la Patrie en danger », mais qui a aussi couvert au ministère de la Justice les massacres de septembre 1792, c'est un politicien trop intermittent pour avoir donné une vraie consistance à une version plus modérée de la politique montagnarde. S'il est si souvent populaire chez les auteurs républicains du XIXe siècle, c'est justement parce qu'il paraît offrir une image moins sanglante que Robespierre, à cause des derniers mois de sa vie. Mais à aucun moment, il n'a joué de rôle comparable à celui de son fameux rival. La grandeur de Robespierre dans la Révolution française, grandeur tragique, mais grandeur unique, c'est d'avoir peu à peu investi le pouvoir, et de l'avoir, quelques mois, exercé.

L'homme n'est pas facile à peindre, car il n'a pas eu de vie privée. Son existence avant la Révolution reste un peu mystérieuse à force d'être conforme à l'ordre des jours : Maximilien Robespierre figure à Arras un avocat qui a plutôt bien réussi, vivant entre sa sœur et ses tantes, et gâté, dira la sœur dans ses Mémoires, « par une foule de petites attentions dont les femmes seules sont capables ». Sans passion, n'ayant que les idées de son temps, protégé par les femmes de la famille, une clientèle sûre, l'académie locale, il est l'exact inverse de Mirabeau, et le pendant de Sieyès : dans sa vie d'Ancien Régime rien n'est apparent de ce qui va faire de lui le grand interprète de la Révolution. Son cas est bien plus mystérieux encore puisque l'abbé, s'il n'a rien publié, a beaucoup écrit pour lui-même : toutes ces notes sur tant de sujets et d'auteurs, qui témoignent d'une personnalité dédoublée, et de son tour d'esprit révolutionnaire avant les années révolutionnaires. Chez le Robespierre d'avant 1788, rien de semblable : une existence lisse, presque vide, une vie professionnelle au déroulement classique, les idées des Lumières, nuancées de moralisme fin de siècle, comme un peu tout le monde dans son métier, sa génération, son milieu.

Avec les élections du Tiers État à Arras naît un nouveau personnage. En un sens, il demeure tout à fait fidèle à lui-même : il va rester un député, un homme politique austère, contrôlé, un peu guindé dans le vêtement et le ton, et chaste toujours. Il y aura beaucoup de jalousies de femmes autour de lui, mais seulement pour lui tenir sa maison : le côté domestique de son existence, quand il lui faut choisir entre sa sœur et le menuisier Duplay, son logeur, qui a des filles. Comme l'avocat d'Arras, le Robespierre de la Révolution n'investit aucune énergie dans le commerce privé avec ses semblables. Mais les temps nouveaux révèlent chez lui une formidable puissance d'identification au bien public. Maximilien Robespierre, sans autre existence particulière que celle qu'il avait reçue sans la choisir, a trouvé son chez-lui dans les principes de la Révolution française. Du vide de son for privé il fait la force de son action politique.

C'est le premier de ses secrets, que Mirabeau a résumé d'un mot : « Il ira loin, parce qu'il croit tout ce qu'il dit. » Mirabeau est bien placé pour le saisir, lui qui vit plusieurs existences, parle au moins deux langages, l'un au roi, l'autre à l'Assemblée, ne dit pas tout ce qu'il croit et ne croit pas tout ce qu'il dit. Chez Robespierre, les idées politiques, les principes qu'il ne cesse d'invoquer, sont enracinés dans la morale universelle, elle-même fondée sur l'existence d'un « Être suprême ». Il a une conception circulaire de la politique par où l'action se légitime elle-même comme bonne, du seul fait qu'elle peut être déduite des principes qu'elle doit faire passer dans la réalité. Son discours ne sort jamais d'un monde où doit exister une sorte de transparence entre l'histoire et la morale : supposition bien évidemment absurde, mais extrêmement puissante dans la France révolutionnaire, qui l'a inscrite sur son drapeau. C'est cela le « rousseauisme » de Robespierre, bien plus que son admiration pour le *Contrat social*, auquel sa politique ne se réfère que par opportunisme. Le député d'Arras ne cesse de célébrer la vertu : qualité qui n'est plus seulement le désintéressement civique de l'Antiquité, et qui mêle constamment à cet héritage le sentiment subjectif de la moralité moderne. Robespierre possède avec la France qui a été folle de *La Nouvelle Héloïse* une connivence de sensibilité. La magistrature d'opinion qu'il acquiert progressivement aux Jacobins et dans les sociétés parisiennes, entre 1789 et 1792, il la tire de cette inévitable tension entre les droits proclamés comme appartenant également à chacun et l'état réel de la société. C'est dans cette faille, constitutive de la démocratie elle-même, que sa parole se porte inlassablement, avec une force et un esprit de suite que n'assaille aucun doute, puisque les principes de 1789 n'ont été enfin décrétés que pour être appliqués. A l'Assemblée constituante, par exemple, un de ses sujets favoris a été la critique du système électoral censitaire : non seulement les Français sont distingués en trois catégories (ceux qui votent, ceux qui peuvent être électeurs au second degré, et ceux qui sont éligibles) ; mais il faut finalement être riche pour être élu du peuple. Jean-Jacques, son cher Jean-Jacques, n'aurait pu le devenir !

Ce député, porté à l'abstraction, qui s'identifie si complètement avec l'idée d'universalité des hommes, possède aussi un immense talent manœuvrier. C'est le deuxième secret de Robespierre, sans doute le principal, en tout cas le moins connu. Car le premier saute aux yeux de n'importe quel lecteur de ses discours, et il n'est d'ailleurs pas lié à une grande originalité intellectuelle : le député d'Arras n'est pas un vrai penseur. Par contre, si on le considère sous l'aspect de la conquête du pouvoir, c'est un grand stratège et un profond politique. Dans la vie publique de ces années, son tour d'esprit moralisant lui a instillé une véritable obsession du soupçon, par où il rencontre le génie propre de la démocratie révolutionnaire ; de là un terrain illimité de manœuvres, balisé d'insinuations ou d'accusations selon les circonstances, mais utilisé toujours avec le plus grand art pour affaiblir l'adversaire avant de le détruire. Robespierre trace sans cesse dans la dénonciation du pouvoir sa route vers le pouvoir. Pendant l'Assemblée constituante, peuplée d'hommes moins neufs que lui, il n'est candidat à rien, mais il joue peu à peu un rôle de plus en plus central — incarnation des principes à l'Assemblée et au club des Jacobins, et tissant sa toile aussi au cœur du dispositif politique. C'est lui qui fait voter en mai 1791 la non-rééligibilité des députés au prochain Parlement, par où il déblaie d'un seul coup l'avenir à son profit, au nom de la vertu civique. Survient Varennes, et la crise qui suit le retour forcé du roi, pendant laquelle il joue en grand maître. Il se tient à l'écart de la campagne républicaine, attentif à ne pas se mettre en dehors de la loi constitutionnelle ; mais il soutient contre les Feuillants les clubs et les sociétés populaires qui demandent le châtiment de Louis XVI. Il ne participe pas à la journée du 17 juillet, au Champ-de-Mars, au cours de laquelle la Garde nationale tire sur le peuple. Mais il capitalise largement sur son nom l'hostilité à la répression feuillante, et il en fait dans l'été 1791 le drapeau des Jacobins fidèles au vieux club, alors que Barnave et ses amis l'ont quitté.

Cette séquence a valeur d'exemple. Robespierre n'est pas un leader de « journées » : il ne participe ni au 20 juin ni au 10 août 1792 ni au 2 juin 1793. Il a un tempérament d'homme de cabinet et des dons de stratège. Populaire par la pureté doctrinale de son discours, il tire sur ce capital en mêlant à doses subtiles audace et prudence : il accompagne le mouvement révolutionnaire parisien en l'unifiant et en lui donnant son sens. Cette pureté doctrinale, du coup, est forcément fictive, même s'il a l'art d'en donner l'illusion, jusque dans son for intérieur sans doute, par l'obsession de moralité : par exemple, ce « rousseauiste » a des positions successives et incohérentes sur la question de la représentation. Il reste longtemps, en 1792, fidèle à sa position de défenseur inflexible de la Constitution, donc de l'inviolabilité de l'Assemblée ; puis le 29 juillet, suivant les sections et élargissant leur audience, il plaide dans un grand discours aux Jacobins la déchéance du roi et l'élection d'une Convention au suffrage universel. Même chose le 2 juin 1793 : il n'a pas participé au mouvement des sans-culottes, et il n'y a pas trace qu'il l'ait encouragé en sous-main ; mais il reste à l'intérieur de l'Assemblée quand la plupart de ses collègues sortent pour tenter de briser l'encerclement des canonniers d'Hanriot, et il est un des grands bénéficiaires du coup d'État antiparlementaire qui élimine ses adversaires girondins. Il redevient immédiatement après le héraut de la représentation nationale, l'homme de la Convention, élu, renouvelé par elle au Comité de Salut public. Il tient son pouvoir des représentants du peuple, mais il le tient aussi du peuple. Telle est l'étrange chimie qui permet de mêler les deux traits de son talent et de comprendre les secrets de sa domination. Sa magistrature idéologique offre de quoi réconcilier les deux légitimités démocratiques.

L'idée du « gouvernement révolutionnaire » est son domaine par excellence, puisqu'elle le débarrasse de toute référence aux formalités de la loi, pour ne laisser en tête-à-tête que les principes et les hommes. La Révolution va être enfin au pouvoir à travers lui, mais elle n'a plus d'autre fin qu'elle-même : c'est ce vide qu'il essaie pathétiquement de combler par le discours sur l'indispensable régénération des individus par la vertu, condition d'une République de vrais citoyens.

Mais cette pédagogie nationale, en 1794, est exercée par la Terreur, régime sans lois fixes, défini par une mission morale : séparer les « bons » des « méchants ». C'est pourquoi les ennemis de l'Incorruptible se sont si souvent trompés en lui attribuant un tempérament particulièrement répressif. Beaucoup de ses proconsuls, et de ses vainqueurs de demain, lui sont dans ce domaine tragiquement supérieurs : Collot, Fouché, Carrier par exemple. Ce qui est sanglant, chez lui, est abstrait, comme le système politique : la guillotine s'alimente à sa prédication morale.

Quand il arrive enfin seul au pouvoir, entouré de ses fidèles, Saint-Just et Couthon au premier rang, c'est après deux fournées d'échafaud : les hébertistes et les dantonistes. Mais la première emporte avec Hébert ce qui restait du mouvement sectionnaire, et le met ainsi à la merci de la Convention, qui tremble encore d'avoir abandonné Danton. Si bien que le gouvernement révolutionnaire atteint sa plénitude dictatoriale d'autorité au moment où disparaissent ses assises parisiennes : le Comité a en même temps brisé les ultras de la guillotine et menacé du sort de Danton tout candidat à une politique de clémence. Il n'anime plus qu'une vaste bureaucratie terroriste qui gouverne par les arrestations et par la peur.

Ce printemps 1794, un an après la création du Tribunal révolutionnaire, est l'époque où la Terreur s'institutionnalise comme une administration. Un décret du 27 germinal (16 avril), rapporté par Saint-Just, a centralisé la justice révolutionnaire à Paris. Puis vient la terrible loi du 22 prairial (10 juin). Sa nouveauté tient à la redéfinition de la mission et de la toute-puissance expéditive de cette redoutable cour. L'article 4 de la loi indique que « le Tribunal est institué pour punir les ennemis du peuple », définition qui annonce des procédures plus que sommaires. Le texte supprime l'instruction, tout en permettant de fonder l'acte d'accusation sur une simple dénonciation ; il enlève à

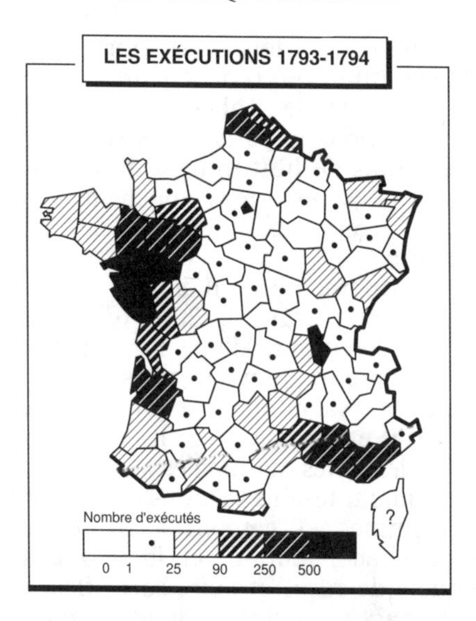

l'accusé les secours d'un avocat, et vide l'audience de son sens en autorisant aussi les juges à ne pas entendre de témoins. La minute du texte est de la main de Couthon ; Robespierre, qui préside la Convention ce 22 prairial, vient dans le débat appuyer son lieutenant contre quelques députés qui s'inquiètent du caractère de la loi : « Nous braverons les insinuations perfides par lesquelles on voudrait taxer de sévérité outrée les mesures que prescrit l'intérêt public. Cette sévérité n'est redoutable que pour les conspirateurs, que pour les ennemis de la liberté. »

De fait, les deux textes de germinal et de prairial emballent le mécanisme de cette Terreur bureaucratisée. L'inflation des exécutions à Paris, qu'on peut lire sur les courbes mensuelles des guillotinés au printemps 1794, vient en partie de ce que la répression est désormais centralisée dans la capitale. Mais elle tient aussi à ce que le Tribunal révolutionnaire ne prononce plus guère que des sentences de mort : près de mille cinq cents exécutions en sept semaines, entre la loi de prairial et la chute de Robespierre, le 9 Thermidor (27 juillet). Les prisons parisiennes sont surpeuplées : elles abritent plus de huit mille « suspects » au début de thermidor. Les historiens appellent généralement « la Grande Terreur » cette période de la répression révolutionnaire.

Presque au moment où il a fait voter la loi de prairial, deux jours avant, le 20 (8 juin), Robespierre a présidé une cérémonie d'une tout autre nature, la fête de l'Être suprême, prévue dans son grand texte de floréal, au titre magnifique : « Sur les rapports des idées religieuses et morales avec les principes républicains et sur les fêtes nationales. » Ce matin-là, les cortèges des quarante-huit sections convergent vers les Tuileries, hommes et garçons à droite avec leurs branches de chêne, femmes et filles à gauche avec leurs bouquets de roses et leurs corbeilles. A midi la Convention paraît, superbe, dans le costume que David, grand ordonnateur, a si minutieusement fixé que, des plumes aux trois couleurs du chapeau, on sait que la rouge « doit être la plus haute ». Face à l'estrade de la Convention, une arrogante statue, l'Athéisme, émerge d'un groupe énigmatique où il faudrait reconnaître l'ambition, l'égoïsme, la discorde et la fausse simplicité. La vedette de ce premier acte est Robespierre, président de la Convention depuis le 16 prairial, qui paraît une torche à la main. Et le clou, la mise à feu du groupe, qui découvre une Sagesse au nez un peu noirci. Le discours de Robespierre livre le sens de la scène : en brûlant l'Athéisme, il s'agit d'arracher l'homme au désolant credo hébertiste (que la mort ne laisse que « des molécules divisées ») et de le rendre à la croyance qu'il est possible « de lier sa vie passagère à Dieu même et à l'immortalité ». « Homme, qui que tu sois, conclut Robespierre, tu peux encore concevoir de grandes idées de toi-même. »

Après quoi, la Convention s'ébranle, encadrée par les sections — vingt-quatre devant, vingt-quatre derrière —, et encadrant elle-même une sorte de char du patrimoine, chargé des « productions du territoire français ». Drapé de rouge, il est traîné par des bœufs aux cornes d'or vers le second lieu de la fête, le Champs-de-Mars, où l'attend une Montagne qu'on a semée des « accidents de la nature », grottes, rochers, ronces, et couronnée de l'arbre de la liberté. Elle va s'y placer tout en haut, la musique à mi-pente, les mères de famille à gauche, les vieillards et les adolescents à droite. Les différents groupes, chacun à son tour, entonnent une strophe de l'hymne que Marie-Joseph Chénier a dédié à l'Être suprême. La dernière, chantée à l'unisson par tout ce qui se tient sur la montagne, annonce le bouquet final : les adolescents brandissent leurs sabres, les vieillards les bénissent, les jeunes filles jettent leurs fleurs à l'Être suprême. Ce n'est pourtant pas à lui que s'adresse le cri ultime des participants, après la dernière décharge d'artillerie : la fête, comme tant d'autres, s'achève sur un « Vive la République ».

Sur cette fameuse journée, qui a lieu dans toute la France, les historiens ont eu des jugements contradictoires, qui s'accordent souvent avec leurs sentiments sur Robespierre. Les uns n'y ont vu qu'un instrument supplémentaire de manipulation des foules par le maître du jour, et les autres, au contraire, une initiative dictée par ses convictions profondes. Comme la personnalité de l'Incorruptible mêle précisément ces deux ordres de réalités, les deux interprétations ne sont pas incompatibles. Il n'y a pas de raison de douter de la sincérité de Robespierre, qui a toujours détesté l'athéisme destructeur de la morale, haï les encyclopédistes et célébré Rousseau ; même dans sa condamnation des « déchristianisateurs » de novembre 1793, il y a plus que le souci politique de ménager la foi traditionnelle du peuple. Mais ce sentiment fondamental n'est pas plus séparable que le reste, chez lui, de la stratégie politique. Par cette fête de l'Être suprême, il cherche aussi à terminer la Révolution à son profit et à sa manière — dans l'utopie d'une harmonie sociale accordée à la nature.

L'événement présente quelque chose de plus énigmatique que les intentions de son initiateur : c'est la foule qui y assiste, endimanchée, participante, nombreuse. Les récits concordent sur ce point, qui n'est pas facile à comprendre, puisque la Terreur bat son plein, et que la terrible machine n'a été arrêtée que l'espace d'un jour. Le public est-il simplement à la fête par un très beau jour de juin, ou pose-t-il, lui aussi, en rêve, la première pierre de demain ? Après tout, le spectacle offert est celui de la religion du siècle, et ceux qui ont un peu lu en connaissent d'avance le répertoire. S'ils peuvent y joindre une pensée conjuratoire du présent, l'idée d'une fin et d'un recommencement, la journée a rencontré son public. Charles Nodier qui a admirablement raconté cette fête, écrit que « pour l'apprécier, il faut prendre la peine de se transporter au temps. Rien n'était plus. C'est donc ici la pierre angulaire d'une société naissante* »...

L'illusion en tout cas n'est pas longue — la loi de sang de prairial suit à deux jours près. La fête n'a pas eu non plus un effet favorable sur les Conventionnels, qui n'y ont vu que l'aspect politique et même personnel. L'Être suprême ne possède pas, sur eux, la puissance du Salut public. La guerre et la peur demeurent les ressorts politiques et psychologiques de la dictature révolutionnaire. Or la guerre, à cette époque, commence à desserrer son étau.

Carnot a fait le plan de campagne au moment où les opérations recommencent : l'idée est de prendre

---

* Charles Nodier, « Recherches sur l'éloquence révolutionnaire », 2e partie : « La Montagne », *Souvenirs de la Révolution et de l'Empire.*

l'offensive sur la frontière du Nord, par l'action coordonnée de trois armées — Flandre, Ardennes, Moselle. Saint-Just impose finalement une stratégie qui fait porter l'effort principal sur la Sambre, au centre du front, où Cobourg exerce sa pression. Il confie le commandement unique des deux armées des Ardennes et de Moselle à Jourdan. L'armée de « Sambre et Meuse » enfonce les Autrichiens à Fleurus, le 26 juin : victoire qui ouvre la Belgique aux Français. Ils pénètrent le 10 juillet à Bruxelles où Pichegru, qui commande en Flandre, fait sa jonction avec Jourdan.

L'expansion révolutionnaire commence, mais la victoire à l'extérieur est une défaite intérieure de Robespierre et des robespierristes. Car si la France est victorieuse, pourquoi la guillotine, et pourquoi la dictature ? Question qui ne se pose qu'à l'intérieur de la logique révolutionnaire, mais qui, pour cela même, touche au bon endroit : si le système de la Terreur est détesté par l'opinion publique, comme le montre le vaste soulagement collectif qui suit la chute de Robespierre, il ne peut être renversé que par la Convention, qui l'a noué, avant d'en être prisonnière. Pour faire face à Robespierre, il ne reste plus aucun autre pouvoir debout : les généraux sont sous étroite tutelle et l'armée n'est pas encore entrée dans la politique. A l'intérieur du pays, la peur interdit toute manifestation publique d'opposition. De ce fait, la journée du 9 Thermidor, qui rencontre dans les jours qui suivent un assentiment si spectaculaire, consacre la victoire d'un complot parlementaire ourdi dans des intrigues dont nous n'avons pas, par définition, conservé les traces.

On peut y discerner deux noyaux actifs, et fort différents à tous égards. D'abord, l'ancienne extrême gauche des comités et de la Convention, qui se tait depuis l'exécution des hébertistes. Collot d'Herbois et Billaud-Varenne pour le Comité de Salut public ; Amar et Vadier, au Comité de Sûreté générale, qui ont été de grands « déchristianisateurs » ; et d'ex-terroristes en mission comme Fouché, Fréron, Tallien ou Barras : flairant le retournement, ils veulent garder l'initiative. Eux n'ont vu dans la fête de l'Être suprême qu'une mascarade dictatoriale ; la Terreur effraie aussi les terroristes, dont beaucoup ont été moins incorruptibles que le tyran qu'ils veulent abattre. A l'autre bout, les modérés du Comité de Salut public : Lindet, qui a refusé de signer l'ordre d'arrestation de Danton, et Carnot, en conflit avec Saint-Just sur la conduite de la guerre. Et puis les anciens dantonistes, Legendre, Thuriot. Qui est le chef d'orchestre ? Probablement personne. L'essentiel est que ces oppositions jointes deviennent majoritaires à la Convention : la fameuse Plaine, qui suit la politique montagnarde depuis le procès du roi et le 2 juin 1793, se retourne contre la dictature robespierriste qui en est l'expression ultime. Tout le monde veut respirer un peu, conjurer cette peur qui rôde, jouir de la vie enfin. Fleurus a sonné l'heure du retour à la liberté. Ainsi va le mois de juillet 1794 à la Convention.

Personne ne sait non plus ce que Robespierre a senti venir, ni ce qu'il a projeté de faire. Il a été, depuis le début de juillet, très absent, très silencieux, au Comité comme à l'Assemblée. Le 8 thermidor (26 juillet), à la tribune de la Convention il dénonce ses adversaires sans les nommer et demande « l'unité du gouvernement ». La menace plane sur tous. La réponse vient le lendemain. Ce sont les hommes de l'extrême gauche qui jouent les premiers rôles : Billaud-Varenne, qui attaque, et Collot d'Herbois, qui préside. Robespierre et ses amis sont privés de parole, et décrétés d'accusation. Dans le même mouvement, les Conventionnels, qui connaissent la chanson, destituent Hanriot de son commandement de la Garde nationale.

Dernière scène à Paris, à l'Hôtel de Ville, dans la nuit du 9 au 10. La Commune de Paris, fidèle à son inspirateur, a fait délivrer le soir les députés arrêtés par ce qu'elle a pu mobiliser de militants : deux à trois mille. La Convention met hors-la-loi le groupe robespierriste et ses libérateurs. Moment clef. Mais l'esprit de décision a déserté les insurgés et la Convention a mobilisé sous le commandement de Barras les gardes nationaux des quartiers riches de Paris, qui refont leur apparition dans l'histoire de la Révolution. Ils reprennent les prisonniers au milieu de la nuit et font une rafle de Jacobins dans Paris. Robespierre se tire un coup de pistolet dans la mâchoire sans parvenir à se tuer. Il est guillotiné le lendemain avec ses principaux compagnons, Saint-Just, Couthon et dix-neuf autres ; deux charrettes suivent le lendemain et le surlendemain.

1794-1799

1794

31 juillet (13 thermidor)
Renouvellement des comités.
1er août (14 thermidor)
Abolition de la loi du 22 prairial.
18 septembre (2e jour complémentaire)
La République ne salarie aucun culte.
11 octobre (20 vendémiaire an III)
Transfert des restes de Rousseau au Panthéon.
23 octobre (2 brumaire)
Prise de Coblence ; jonction de l'armée Sambre et Meuse et de l'armée Rhin et Moselle.
1er novembre (11 brumaire)
Hoche est nommé commandant en chef de l'armée de l'Ouest.
12 novrembre (22 brumaire)
Fermeture du club des Jacobins de Paris.
8 décembre (18 frimaire)
Réintégration des « 73 » Girondins exclus de la Convention.

24 décembre (4 nivôse)
Abolition du Maximum.

1795

21 janvier (2 pluviôse)
Célébration de l'exécution de Louis XVI.
3 février (15 pluviôse)
Formation de la République batave.
8 février (20 pluviôse)
« Dépanthéonisation » de Marat.
15 février (27 pluviôse)
Accords de La Jaunaye : pacification de l'Ouest.
21 février (3 ventôse)
Décret proclamant la liberté des cultes.
2 mars (12 ventôse)
Arrestation de Barère, Collot d'Herbois et Billaud-Varenne.
1er avril (12 germinal)
La Convention est envahie par une manifestation sans-culotte.
5 avril (16 germinal)
Traité de Bâle ; la Prusse reconnaît la République française.
Avril-mai
Développement de la Terreur blanche dans la vallée du Rhône et le Midi.
7 mai (18 floréal)
Exécution de Fouquier-Tinville.
20 mai (1er prairial)
La Convention est envahie par des manifestants qui réclament « du pain et la Constitution de 93 » et massacrent le député Féraud.
24 mai (5 prairial)
Désarmement des sections parisiennes.
30 mai (11 prairial)
Les églises non vendues sont restituées aux fidèles.

8 juin (20 prairial)
Mort de Louis XVII.
17 juin (20 prairial)
Condamnation à mort de six députés montagnards qui se suicident.
23 juin (5 messidor)
Rapport de Boissy d'Anglas sur la Constitution.
24 juin (6 messidor)
Proclamation de Louis XVIII à Vérone.
21 juillet (3 thermidor)
A Quiberon, Hoche écrase les émigrés qui avaient débarqué.
27 juillet (9 thermidor)
Célébration de la chute de Robespierre.
18 août (1er fructidor)
Décret des « deux tiers ».
22 août (5 fructidor)
La Convention adopte la nouvelle Constitution.
1er octobre (9 vendémiaire an IV)
Annexion de la Belgique.
5 octobre (13 vendémiaire)
Barras et Bonaparte écrasent une insurrection des royalistes à Paris.
12-21 octobre (20-29 vendémiaire)
Élections.
25 octobre (3 brumaire)
Remise en vigueur de la législation terroriste contre les prêtres.
26 octobre (4 brumaire)
Séparation de la Convention.
3 novembre (12 brumaire)
Entrée en fonction du Directoire composé de Barras, Reubell, La Révellière-Lépeaux, Letourneur, et Carnot qui remplace Sieyès qui, élu, avait refusé.

1796

19 février (30 pluviôse)
L'émission des assignats est arrêtée.

2 mars (12 ventôse)
Bonaparte est nommé général en chef de l'armée d'Italie.

9 mars (19 ventôse)
Bonaparte épouse Joséphine de Beauharnais.

14 mars (24 ventôse)
Pichegru, suspecté de royalisme, est remplacé par Moreau à la tête de l'armée Rhin et Moselle.

27 mars (7 germinal)
Bonaparte rejoint son quartier général à Nice.

12 avril (23 germinal)
Victoire de Bonaparte sur les Autrichiens à Montenotte.

13 avril (24 germinal)
Victoire sur les Piémontais à Millesimo.

15 avril (26 germinal)
Victoire sur les Autrichiens à Dego.

21 avril (2 floréal)
Victoire de Bonaparte sur les Piémontais à Mondovi.

27 avril (8 floréal)
Benjamin Constant publie *De la force du gouvernement actuel de la France et de la nécessité de s'y rallier.*

28 avril (9 floréal)
Armistice de Cherasco entre Bonaparte et le roi de Piémont-Sardaigne.

10 mai (21 floréal)
Victoire de Bonaparte sur les Autrichiens à Lodi ; le Directoire arrête les chefs de la Conspiration des Égaux.

15 mai (26 floréal)
Bonaparte entre à Milan.

20 mai (1er prairial)
Reprise de la campagne du Rhin.
3 juin (15 prairial)
Repli des Autrichiens sur le Tyrol, mais ils laissent une garnison dans Mantoue.
12 juin (24 prairial)
L'armée française pénètre dans les territoires pontificaux.
23 juin (5 messidor)
Armistice de Bologne entre Bonaparte et Pie VI.
16 juillet (28 messidor)
Prise de Francfort par Jourdan.
5 août (18 thermidor)
Bonaparte bat les Autrichiens à Castiglione.
24 août (7 fructidor)
Jourdan est battu à Amberg ; les armées françaises du Rhin doivent battre en retraite.
4 septembre (18 fructidor)
Bonaparte bat les Autrichiens à Roverdo.
8 septembre (22 fructidor)
Bonaparte bat les Autrichiens à Bassano.
9 septembre (23 fructidor)
Échec de la conspiration du « camp de Grenelle » à Paris.
16 octobre (25 vendémiaire an V)
Proclamation de la République cispadane.
15-17 novembre (25-27 brumaire)
Victoire de Bonaparte à Arcole.
Décembre (nivôse)
Échec de l'expédition de Hoche contre l'Angleterre (expédition d'Irlande).

1797

14 janvier (25 nivôse)
Bonaparte bat les Autrichiens à Rivoli.
2 février (14 pluviôse)
Reddition de la garnison autrichienne de Mantoue.

19 février (1er ventôse)
Traité de paix de Tolentino entre le pape et la France : Pie VI reconnaît l'annexion d'Avignon et du Comtat Venaissin et doit verser une lourde contribution.

Mars-avril (germinal)
Élections législatives ; succès royaliste.

18 avril (29 germinal)
Signature des préliminaires de paix entre Bonaparte et l'Autriche à Leoben.

22 avril (3 floréal)
Hoche et Moreau apprennent les préliminaires de Leoben et suspendent leurs manœuvres offensives en Allemagne.

26 mai (7 floréal)
Condamnation à mort de Babeuf ; Barthélémy est élu Directeur en remplacement de Letourneur.

Juin (prairial)
Barras, Reubell et La Révellière-Lépeaux, ayant appris les pourparlers de Pichegru avec Louis XVIII, décident de faire appel à Hoche et à ses troupes.

9 juillet (21 messidor)
Proclamation à Milan de la République cisalpine.

8 août (21 thermidor)
Augereau, envoyé par Bonaparte pour soutenir les Directeurs républicains, est nommé commandant de la place de Paris.

15 août (28 thermidor)
Ouverture à Paris du premier concile national de l'Église constitutionnelle.

4 septembre (18 fructidor)
Coup d'État.

8 septembre (22 fructidor)
Merlin de Douai et François de Neufchâteau sont élus Directeurs.

19 septembre (3e jour complémentaire)
Mort de Hoche.

17 octobre (26 vendémiaire an VI)
Paix de Campo-Formio entre Bonaparte et l'Autriche, ratifiée le 26 par le Directoire.
28 novembre (8 frimaire)
Ouverture du congrès de Rastatt.
25 décembre (5 nivôse)
Bonaparte est élu membre de l'Institut.

1798

Janvier (pluviôse)
Intervention française en Suisse.
11 février (23 pluviôse)
Entrée des troupes françaises à Rome.
11 mai (22 floréal)
De nombreux jacobins ou royalistes élus en avril sont invalidés.
15 mai (26 floréal)
Treilhard est élu Directeur en remplacement de François de Neufchâteau.
19 mai (30 floréal)
Départ de l'expédition d'Égypte.
11 juin (23 prairial)
Prise de Malte par Bonaparte.
1er juillet (13 messidor)
Bonaparte débarque à Alexandrie.
21 juillet (3 thermidor)
Bonaparte remporte la bataille des Pyramides.
1er août (14 thermidor)
Nelson détruit la flotte française à Aboukir.
5 septembre (19 fructidor)
Vote de la loi Jourdan instituant le service militaire obligatoire.
Novembre (brumaire an VII)
Mme de Staël travaille à son ouvrage : *Des circonstances actuelles qui peuvent terminer la Révolution...*

Décembre (frimaire)
Championnet bat l'armée napolitaine qui l'avait chassé de Rome.
29 décembre (9 nivôse)
Traité d'alliance entre la Russie, l'Angleterre et Naples.

1799

26 janvier (7 pluviôse)
Proclamation de la République parthénopéenne (napolitaine).
Février (pluviôse)
Soulèvement des paysans calabrais contre les Français et leurs partisans ; Bonaparte marche vers la Syrie.
2 mars (12 ventôse)
Jourdan et Bernadotte reprennent l'offensive sur le Rhin.
12 mars (22 ventôse)
La France déclare la guerre à l'Autriche.
25 mars (5 germinal)
Jourdan, battu, se replie sur le Rhin.
Mars (germinal)
Défaites de l'armée d'Italie commandée par Scherer.
28 mars (8 germinal)
Pie VI est arrêté par les troupes françaises.
Avril (germinal)
Élections législatives favorables aux Jacobins.
27 avril (8 floréal)
Défaite de Moreau à Cassano ; les Français évacuent Milan.
28 avril (9 floréal)
Attentat contre les plénipotentiaires français du congrès de Rastatt.

16 mai (27 floréal)
Sieyès est élu Directeur en remplacement de Reubell.

17 mai (28 floréal)
Bonaparte lève le siège de Saint-Jean d'Acre et se replie vers l'Égypte.

4 juin (16 prairial)
Masséna résiste à l'offensive autrichienne en Suisse.

17 juin (29 prairial)
Treilhard, invalidé, est remplacé par Gohier au Directoire.

18 juin (30 prairial)
Merlin de Douai et La Révellière-Lépeaux sont contraints de démissionner par les Conseils ; Moulin remplace ce dernier le 20.

12 juillet (24 messidor)
Loi des otages.

14 juillet (26 messidor)
Pie VI est interné à Valence.

13 août (26 thermidor)
Sieyès fait fermer le club des Jacobins qui avait ouvert ses portes début juillet.

15 août (28 thermidor)
Joubert, commandant de l'armée d'Italie, est tué à la bataille de Novi.

23 août (6 fructidor)
Bonaparte s'embarque pour la France.

29 août (12 fructidor)
Mort de Pie VI.

19 septembre (3e jour complémentaire)
Victoire de Brune à Bergen.

25-26 septembre (3-4 vendémiaire an VIII)
Victoire de Masséna à Zurich contre les Autrichiens et les Russes qui évacuent la Suisse.

6 octobre (14 vendémiaire)
Victoire de Brune à Castricum contre les Anglais et les Russes.

9 octobre (17 vendémiaire)
Bonaparte débarque en France.
17 octobre (25 vendémiaire)
Bonaparte est reçu par le Directoire.
1er novembre (10 brumaire)
Entrevue entre Sieyès et Bonaparte.
9-10 novembre (18-19 brumaire)
Coup d'État.

IV

La République Thermidorienne

1794-1799

Dans la proclamation de la Convention au peuple français lue par l'inévitable Barère le 10 thermidor, et qui célèbre la chute des nouveaux « conspirateurs », il y a une phrase qui n'a pas de sens et qui pourtant dit tout : « Le 31 mai, le peuple fit sa révolution ; le 9 thermidor, la Convention nationale a fait la sienne ; la liberté a applaudi également à toutes les deux. »

Que s'était-il donc passé au 31 mai-2 juin ? Un coup de force des sections parisiennes armées contre la Convention, obligeant la représentation nationale à s'amputer de vingt-neuf députés girondins. Au contraire, et pour la première fois depuis juillet 1791, le 9 Thermidor est une victoire de l'Assemblée sur la rue parisienne. Double victoire même, puisque les députés ont renversé Robespierre, et qu'ils ont ensuite fait respecter leur décision contre la Commune et ce qui reste de sans-culottes. La journée du printemps 1793 et celle du 9 Thermidor 1794 ont en commun le recours à la violence : dans les deux cas, un groupe de parlementaires est arrêté, puis guillotiné. Pourtant, ils traduisent une rupture dans l'histoire de la Révolution, puisqu'au 31 mai-2 juin, la Convention avait capitulé, et qu'au 9 Thermidor elle a imposé sa loi. C'est cette rupture que la proclamation de Barère cherche à cacher, en étendant comme un voile la bénédiction commune de la liberté sur deux événements de sens contraire.

Mais en cela même, il dit la vérité psychologique de l'heure à la Convention. Car ceux qui ont décrété Robespierre d'arrestation le 9 Thermidor l'avaient élu et renouvelé chaque mois au Comité de Salut public depuis juillet 1793. Ce sont les mêmes qui, un peu avant, ont laissé faire les journées du 31 mai-2 juin, abandonné leurs collègues girondins, élus du peuple comme eux, à une Terreur imposée par les sections parisiennes. Certains l'ont fait par fanatisme révolutionnaire, la plupart par une sorte de consentement à l'inévitable : on a vu que la coalition parlementaire du 9 Thermidor a rassemblé l'extrême gauche terroriste et une masse de députés qui souhaitent la fin de la Terreur, et peuvent par exemple se reconnaître en Carnot. D'ailleurs, le cas du premier groupe est complexe, puisque même d'ex-terroristes prononcés comme Tallien, proconsul de l'échafaud bordelais, veulent mettre fin à la Terreur. De toute façon, quels qu'aient été leurs itinéraires, fanatisme ou lâcheté, les Conventionnels de Thermidor ont eu la même histoire et partagent les mêmes souvenirs. Ils ont fondé la République ; ils ont voté la mort du roi ; ils ont exclu les Girondins et instauré le gouvernement révolutionnaire ; ils ont abandonné Danton à la guillotine, ils y ont enfin porté Robespierre. Dramatique parcours en moins de deux ans : la patrie sauvée est au bout et la victoire à l'horizon, qui leur fournit une excuse absolutoire en général, mais n'explique rien des luttes mortelles où ils se sont affrontés. Si Robespierre, qui avait dénoncé tant et tant de complots, est lui-même un « conspirateur », et le plus dangereux de tous ; s'il n'est que le dernier d'une liste interminable où il avait déjà porté tant de noms un moment illustres, comment donner un sens à la Révolution ? La phrase de Barère n'offre aucune explication : elle est purement incantatoire. Son intérêt tient à ce qu'elle indique la question posée dans les esprits des vainqueurs de Robespierre : ils ne peuvent, une fois de plus, recommencer la Révolution à partir du 9 Thermidor, réinventer un an I, en déchirant les pages qu'ils viennent d'écrire, comme ils l'avaient fait le 21 septembre 1792. Il leur faut assumer cette histoire, en distribuer sa part de mémoire et sa part d'oubli : signe que l'idée révolutionnaire a commencé enfin à perdre ce qu'elle a eu d'utopique depuis sa formation.

Ils ont une histoire mêlée, chaotique, contradictoire, sanglante, et pourtant ils sont sûrs d'en être les fils. Ils ont mis à mort Robespierre, mais ils n'ont pas renversé la Révolution, au contraire : c'est le type de discours qui revient sans cesse dans les jours et les semaines qui suivent les journées des 9 et 10 Thermidor. Comment en effet pourraient-ils se livrer à ce reniement de leur passé, alors qu'ils ont tous joué un rôle essentiel de législateurs, soit depuis 1789, comme Sieyès ou Boissy d'Anglas, soit depuis le 10 août, comme Fouché ou Barras ? Ce qui les lie à ce passé récent n'est autre que leurs vies. Ils ont détruit successivement l'ancienne société et l'ancienne monarchie. Ils ont jeté bas l'aristocratie, la majorité d'entre eux a voté la mort de Louis XVI, d'autres enfin ont été des agents impitoyables de la Terreur : parmi les vainqueurs de Robespierre, il y a Carrier et Collot d'Herbois par exemple, et Barère qui a fait voter le terrible décret d'extermination de la Vendée en août 1793. Ils partagent des solidarités différentes avec les différents âges de la Révolution ; mais ils y sont attachés par les intérêts comme à un événement unique et libérateur. Beaucoup ont acheté des biens nationaux ; tous sont intransigeants sur la destruction des privilèges et une société d'égalité civile. La Révolution a vu se succéder des gouvernements divers, mais ses Assemblées n'ont cessé de légiférer dans l'esprit du 4 août 1789 : liberté des individus et des contrats, égalité successorale, instauration du divorce, suppression de l'obligation de rachat des droits seigneuriaux, etc. De ce bouleversement-là, les Conventionnels sont à la fois les derniers auteurs et les héritiers. Ils y tiennent. Ce sont des propriétaires à la nouvelle mode, débarrassés de toute servitude seigneuriale, « gothique », sur ce qu'ils possédaient ou sur ce qu'ils ont acquis. Le retour de la société aristocratique est à leurs yeux inacceptable. Les thermidoriens font réapparaître et vont faire durer cette nouvelle race d'hommes politiques que les Feuillants n'avaient réussi à incarner qu'un seul été : des révolutionnaires conservateurs. La Révolution quitte les rivages de l'utopie pour découvrir le poids des intérêts.

La vie réelle reprend ses droits. Tous ces hommes, qui ne sont pas si vieux, ont le sentiment d'être des survivants. Ils viennent de vivre des années terribles dans la tension, le surmenage, l'exacerbation des passions et la menace de la guillotine. Ils sont si enfermés dans ce monde de la politique terroriste qu'ils mettent quelques jours, après le 9 Thermidor, à comprendre ce qu'ils ont fait. Mais l'opinion le leur indique, qui renaît comme par enchantement, leur envoie des délégations et recommence à s'exprimer publiquement un peu partout dans les villes : la chute de Robespierre signe vite l'ouverture des prisons, la fin des arrestations arbitraires et de la tyrannie des comités de surveillance, l'arrêt de la guillotine. Le 9 Thermidor, en quelques semaines, restitue à elle-même une société française aliénée dans l'unité politique fictive et sanglante du gouvernement révolutionnaire. Mais du coup, il mobilise ou réveille aussi contre la Terreur des sentiments et des passions qui départagent mal

1793 de 1789, et viennent de ce fait mettre en cause la Révolution en tant que telle. Celle-ci s'appuie sur de multiples intérêts nouveaux, politiques et sociaux, qui continuent à nourrir la haine de l'aristocratie et de l'Ancien Régime ; mais la République a substitué la Terreur à la liberté. Les thermidoriens sont pris dans cet héritage contradictoire. Ils doivent, eux aussi, eux encore, « terminer » la Révolution, l'enraciner définitivement, non plus dans une citoyenneté régénérée, mais dans la société et la loi, comme en 1789-1791 ; tout en exorcisant, non moins définitivement, les souvenirs tragiques qu'elle a laissés dans l'opinion nationale.

La chute du dictateur, si elle marque la fin de la Terreur, ne signe donc pas la fin de la Révolution : elle en ouvre simplement la possibilité, si la Convention parvient enfin à donner une Constitution à la République. Pourtant, le retour à la liberté offre le spectacle d'un pays plus divisé qu'il l'a jamais été depuis 1790, puisque la Terreur et la fin de la Terreur ont porté à un point extrême les luttes civiles nées de l'affaire religieuse : Thermidor inaugure une époque de règlements de comptes au village et à la ville, dans l'impuissance de l'État. Au-dehors, l'émigration incarne toujours la menace de la Contre-Révolution, avec les deux frères du roi martyr, Provence et Artois ; elle n'a nullement ressenti la fin de Robespierre comme la fin de la Révolution. Enfin, il y a la guerre qui continue. Elle commence à être victorieuse en cet été 1794, mais n'a pas changé de caractère : mélange de domination militaire, de pillage économique et d'émancipation sociale. En pays conquis, les armées françaises abolissent les droits seigneuriaux et la dîme, mais elles vivent sur l'habitant. Malheureuse, cette guerre avait été le prétexte de la dictature. Heureuse, elle reste inséparable de la Révolution dans la mesure où s'investit en elle le même sentiment de la nation, auréolant d'universel la figure de la France nouvelle.

Le patriotisme révolutionnaire, s'il a cessé de mobiliser la rue parisienne, ne perd rien de sa force immense à dériver vers la gloire militaire. Mais il rend la guerre difficile à arrêter, comme elle l'est aussi, pour des raisons inverses, du côté contre-révolutionnaire. Ni Danton ni Robespierre n'ont osé en chercher ouvertement le terme. C'est un héritage venu des Girondins, qu'ils ont transmis aux thermidoriens. La Plaine, cette majorité de la Convention dominée, depuis sa naissance et successivement, par la Gironde et la Montagne, a trouvé enfin avec Thermidor son assiette et son autonomie politiques. C'est son heure. La guerre de la Révolution est la sienne.

L'histoire révolutionnaire souligne trop rarement cette continuité, des deux côtés du 9 Thermidor. C'est très largement la même majorité parlementaire qui a successivement soutenu — ou plutôt laissé faire — Girondins, Montagnards puis thermidoriens sous la Convention, et qui s'est perpétuée ensuite, comme nous le verrons, dans le personnel dirigeant du Directoire. Ces Conventionnels de la Plaine, ni Girondins ni Montagnards et dont, une fois encore, Sieyès fournit une excellente illustration, incarnent à travers tant d'aléas une fidélité fondamentale : ils veulent construire contre l'Europe monarchique une grande République sans nobles et sans roi. Ils en ont payé le prix fort avec la Terreur. Ils y ont mis fin, mais ne sont pas prêts à acheter la paix au prix d'un compromis avec leurs idées ou d'un reniement de leur passé. Si la paix est le signe du retour des Bourbons et de l'ordre ancien, ils préfèrent même à la loi la guerre révolutionnaire qui les maintient au pouvoir au nom des principes de 1789.

Il suffit pour le comprendre d'observer le soin pris par les hommes qui gouvernent la France entre la chute de Robespierre et l'avènement de Bonaparte (1794-1799) à conserver le pouvoir entre les mains des régicides : les votes de janvier 1793 constituent la ligne de démarcation entre les sûrs et les incertains, entre ceux qui ne peuvent trahir la Révolution parce qu'ils exposeraient leurs vies, et les autres, qui le peuvent parce qu'ils ne risquent pas tout. Après la Convention, à partir de l'automne 1795, le syndicat des Conventionnels qui ont voté la mort du roi continue à gouverner le Directoire, au mépris souvent de la Constitution. Il est en ce sens fidèle aux promesses girondines dans leur ambivalence originelle : la guerre libératrice est aussi une guerre de conquête. Sur les Girondins et les Montagnards, les vainqueurs de Robespierre ont deux atouts supplémentaires : ils arrivent après la Terreur, et ils sont victorieux. Ils peuvent ainsi substituer le messianisme extérieur à l'activisme intérieur et libérer leur domination oligarchique des surenchères de la rue. Mais en continuant, en étendant hors des frontières une guerre qu'ils ne peuvent arrêter, ils vont créer, comme Brissot, Danton ou Robespierre, les conditions de leur propre chute. Preuve supplémentaire que cette guerre est devenue consubstantielle à la Révolution, et comme sa deuxième nature. En l'arrêtant, la Révolution se renierait. Mais en la poursuivant, elle ouvre aussi la voie à son vainqueur.

Ainsi peut-on décrire la situation politique qui domine ces thermidoriens, qu'on appellera aussi les « Perpétuels » sous le Directoire, et dont Barras est le personnage symbolique. Coincés entre l'an II et Bonaparte, ils n'ont pas bonne presse dans notre histoire : c'est qu'ils n'alimentent pas la chronique des gloires nationales. Succédant aux héros du Salut public, précédant un génie légendaire, ils font figure d'intermédiaires corrompus, agrippés au pouvoir, sans scrupules sur les moyens. La gauche n'aime pas ce monde où dominent les intérêts et les plaisirs, et le camp conservateur en est resté au mot d'ordre du 18 Brumaire : Bonaparte a mis fin à la corruption et au désordre. Pourtant, ces parlementaires régicides, ces anciens serviteurs du gouvernement révolutionnaire, ces généraux sortis du rang, ces personnages enrichis dans les affaires de la guerre et de l'État, offrent à l'analyse un spectacle qui n'est pas moins intéressant que celui du régime précédent : non pas le règne du civisme mais, dans un tout autre registre, le gouvernement d'une classe politique défendant encore une Révolution menacée, et fille déjà d'une Révolution arrivée. Ainsi l'historien peut-il comparer la République des intérêts à celle de la vertu, et tenter de comprendre pourquoi l'une ne réussit pas mieux à s'installer que l'autre.

Les Conventionnels qui ont renversé Robespierre mettent plusieurs semaines et même plusieurs mois à tirer les conséquences de l'événement du 9 Thermidor. Le « gouvernement révolutionnaire » est en vitesse de croisière, la guerre continue, la République n'a pas d'autre organisation du pouvoir. En outre, toute remise en cause brutale du passé soulève trop clairement la question de la responsabilité de la Convention, sur laquelle les députés sont profondément divisés. Il y a trop d'ex-terroristes « exagérés » parmi eux — Collot d'Herbois, Vadier, Billaud-Varenne, Fouché, Tallien, etc. — pour que le problème soit facile à poser, même si certains comme Tallien, dont le 9 Thermidor a sauvé de l'échafaud la maîtresse, font dans la surenchère inverse. D'ailleurs, la masse de la Convention reste prudente, à l'instar du plus modéré de l'ancien Comité de Salut public, Lindet, qui conseille : « Ne nous reprochons ni nos malheurs ni nos fautes ! » C'est une lecture passionnante pourtant que celle des débats parlementaires de cette époque, où l'on peut suivre la naissance des premières interprétations de la dictature terroriste : le « complot » robespierriste contre la Révolution, les ambitions monarchiques de Robespierre, l'excuse des circonstances (appelée à un long avenir), l'oppression de l'Assemblée par le « tyran » et ses complices. On trouve même en janvier 1795, sous la plume de Courtois, qui commente l'inventaire des papiers trouvés au domicile du conspirateur, chez le menuisier Duplay, le début d'une idée philosophique : la confusion du bonheur public et des jouissances privées chez l'ancien dictateur, et sa tentative de contraindre les individus à l'austérité égalitaire.

Mais si ce débat rôde à l'intérieur de la Convention presque malgré elle, ce n'est pas seulement comme obsession de la mémoire. C'est parce que l'opinion l'impose. Totalement comprimée, par force, depuis le 2 juin et l'instauration de la dictature, elle a explosé après la chute de Robespierre dans une sorte de vaste soulagement collectif où reparaissent la force et la vitalité de la société urbaine française, si spectaculaires dans les dernières années de l'Ancien Régime et les premières de la Révolution. Paris donne l'exemple, comme toujours, mêlant à la politique la libération des mœurs. C'est comme si l'argumentation antirobespierriste que présentera Courtois en janvier 1795 était vécue par l'opinion avant d'être formulée : la dictature avait prêché l'austérité, l'été du 9 Thermidor marie la liberté retrouvée au plaisir. Les salons commencent à rouvrir, la mode et la conversation à régner, et il y a comme autant d'allégories politiques dans les bals qui se multiplient en août et septembre : c'est l'été de l'ouverture des prisons et du démembrement de la dictature révolutionnaire. Une presse nouvelle accompagne le mouvement, et même la rue surenchérit dans l'antirobespierrisme. La « réaction » thermidorienne a trouvé ses sans-culottes dans de petites troupes de jeunes gens des beaux quartiers, les « muscadins », spécialisés dans l'antijacobinisme et opérant pour le compte de Tallien et ses amis. Le mouvement d'opinion, si spectaculaire qu'il a suscité d'innombrables témoignages, n'est pas encore royaliste, mais il témoigne à sa manière de l'isolement relatif de la Convention, vieux pouvoir usé par un passé trop lourd, sans appui désormais sur sa gauche, discrédité sur sa droite, et pourtant seul pouvoir, ayant ramené en son sein les prérogatives des comités par l'intermédiaire de ses commissions.

Pourtant, l'Assemblée manœuvre avec sagesse. Elle cède au courant, mais avec lenteur. Elle doit lâcher ses membres les plus compromis dans la Terreur, mais elle coupe au plus juste : Carrier, l'homme des noyades de Nantes, est condamné et exécuté à l'automne ; puis, dans l'hiver, elle inculpe Barère, Collot d'Herbois, Billaud-Varenne et Vadier. Mais la droite de la Convention, animée par d'anciens Montagnards repentis comme Tallien et Fréron, dresse un autre fantôme du passé : quid des Girondins exclus de l'Assemblée par la violence ? Question qui va loin puisque, comme le dit un orateur, elle met en cause tout simplement la validité des lois votées depuis le 2 juin 1793. Mais là encore, la Convention tranche avec réalisme. Il y a trois catégories de Girondins : les principaux leaders, arrêtés en juin, guillotinés en octobre 1793 ; vingt et un députés qui avaient pris la fuite le 31 mai et avaient été mis hors la loi, et soixante et onze autres ex-Conventionnels, incarcérés pour avoir signé une protestation contre le coup d'État du 2 juin. La réintégration des deux derniers groupes — le troisième d'abord (parce qu'il n'avait été mis « hors la loi ») et finalement le deuxième aussi, en mars 1795 — a été admirablement commentée par Mona Ozouf[8]. Ce pénible reclassement met face à face, une fois de plus, la Convention et son passé, la Révolution et sa loi : la capitulation collective devant les canons d'Hanriot, le 2 juin 1793, constitue l'interminable ressassement-remords de l'Assemblée, mis à jour par un amer débat entre la droite et la gauche. A tel point que le 18 ventôse (8 mars 1795), pour conclure, Sieyès croit nécessaire d'ajouter un post-scriptum à destination des députés qui vont être réintégrés : « Il me semble que, dans une sorte de considérant au décret, ou, si l'on aime mieux, dans une lettre du président, on pourrait jeter quelques mots propres à faire sentir que si, depuis le 9 thermidor, nous avons paru balancer à rappeler nos collègues, c'est par des considérations auxquelles nous savons qu'ils veulent eux-mêmes rendre hommage. Nous n'avons pas pu vouloir nier leurs pouvoirs ; c'eût été vouloir anéantir les nôtres ; nous ne les avons pas repoussés : nous n'en avions pas le droit ; mais dans une réciprocité de confiance, vous dans leurs vertus républicaines, eux dans notre sagesse législative, nous avons présumé qu'ils ont consenti volontairement à cette prolongation de leur honorable exil jusqu'à ce que l'opinion commune, plus éclairée, plus juste, eût elle-même déterminé l'époque où il a été permis d'annoncer et d'effectuer leur rentrée avec tous les avantages que cette mesure doit avoir pour la chose publique. » Excuse, conseil, avertissement bien enregistrés par les revenants : « Tirons un rideau impénétrable sur le passé, dit bientôt en leur nom Louvet. Qu'il dérobe à l'histoire, s'il est possible, les erreurs dont la Convention et le peuple français tout entier ont été complices. »

Plus facile à dire qu'à faire : les Conventionnels sont loin d'être quittes. La révolution des faubourgs vient frapper une dernière fois à leur porte au printemps 1795, mobilisée, comme hier, par la dénonciation des illusions de l'égalité. Elle avait été frappée de stupeur par le renversement de Robespierre, et ce qui restait de ses leaders avait même été pris un moment dans la vague d'opinion thermidorienne : des sans-culottes bon teint comme Varlet ou Babeuf participent pendant l'été 1794 au concert de malédictions contre le « tyran ». Mais en disloquant peu à peu le « gouvernement révolutionnaire », la Convention est revenue aussi à ses convictions de toujours en matière économique : entre octobre et décembre 1794, elle a rendu la liberté aux échanges et aux prix. Au vrai, le desserrement du contrôle du pouvoir sur l'économie avait commencé dès le printemps, avec la chute des hébertistes et la dissolution de l'armée révolutionnaire (fin mars) : la disette régnait à Paris et Robespierre avait profité de la liquidation d'Hébert pour tricher un peu avec le Maximum général. En fait, l'économie est profondément désorganisée par les conséquences de la Révolution : l'argent qui se cache, l'impôt qui ne rentre pas, la nécessité de nourrir de vastes armées, le pays qui fait de la fraude une nouvelle industrie, etc. La fin de la Terreur entraîne le retour au laisser-faire, mais l'effet le plus immédiat de l'abolition du Maximum général en décembre est une formidable flambée d'inflation : les denrées réapparaissent bien un peu sur les marchés, mais à des prix astronomiques, hors de portée de la masse des acheteurs. Le bouc émissaire est tout trouvé ; il existe depuis des siècles : c'est l'État. A partir de décembre, la foule n'incrimine plus la réglementation ou la réquisition, mais l'égoïsme bourgeois, profiteur de la liberté des prix et des salaires.

Le début du printemps 1795 voit ainsi renaître une situation classique, mais dans un contexte très différent de celui de 1792 et 1793. La Convention a exécuté Robespierre, qui avait exécuté Hébert. Les pouvoirs parisiens sont morts deux fois ; l'Assemblée a ramené vers elle, en mettant fin à la Terreur, l'autorité publique de la Révolution. Ce qui reste en son sein de « Montagnards » prêts à pactiser avec une insurrection pour relancer la mécanique de 1793 est insignifiant : les bourgeois thermidoriens ont peur de leur passé ; ils veulent terminer la Révolution, non la recommencer. De ce fait, les deux grandes « journées » parisiennes du printemps, dont l'échec est inscrit d'avance dans le nouveau rapport des forces, prennent un caractère inédit, alors que les combattants sont ceux d'hier : moins une bataille pour partager le pouvoir qu'une guerre sociale. Les pauvres contre les riches. « On vit, écrira plus tard dans ses Mémoires le Conventionnel Levasseur, député de la Sarthe, Paris divisé en deux nations : d'un côté le peuple, de l'autre la bourgeoisie. » Les deux grands antagonistes sont baptisés pour le siècle qui suit. Avant même d'avoir définitivement vaincu l'Ancien Régime et l'aristocratie, la bourgeoisie est déjà du côté des accusés au tribunal de l'égalité révolutionnaire.

La première de ces deux journées, le 12 germinal (1er avril 1795), est une copie, en mineur, du 31 mai 1793. Les lieux de mobilisation sont classiques : faubourg Saint-Antoine, sections du centre et de l'est de Paris. La Constitution de 1793 (la deuxième, celle des Montagnards), référence un peu magique — puisque c'est la première, celle de Condorcet, qui comporte le plus de démocratie directe —, commence sa longue carrière dans l'extrême gauche républicaine. La foule armée réclame aussi du pain. Elle envahit les Tuileries et la Convention, où elle fait lire des pétitions pendant plusieurs heures, alors que la plupart des députés s'éclipsent. En fin de journée, les bataillons de la Garde nationale de l'ouest de Paris font évacuer l'ancien château royal sans incidents. C'est une victoire de la Convention, qui en profite pour voter la déportation en Guyane de Collot d'Herbois, Billaud-Varenne, Barère, Vadier. Barère s'évadera de prison, Vadier se cache ; les deux premiers inaugurent l'histoire du bagne de Cayenne.

Quelques semaines après, le 1er prairial (20 mai), les événements tournent au tragique. C'est la même foule, dressée contre la Convention par la même misère, les mêmes souvenirs, les mêmes mots d'ordre, mieux armée qu'en avril, hommes et femmes mêlés. Même scénario aussi, conforme à la tradition : au milieu de la journée, les insurgés des faubourgs et des sections de l'est marchent sur l'Assemblée ; ils investissent les lieux en tuant le représentant Féraud qui tentait de s'interposer. Sa tête sera présentée au bout d'une pique au président de séance, Boissy d'Anglas. Mais l'insurrection n'a pour elle qu'une poignée de députés. Elle reste sans objectifs et sans chefs, tout occupée de

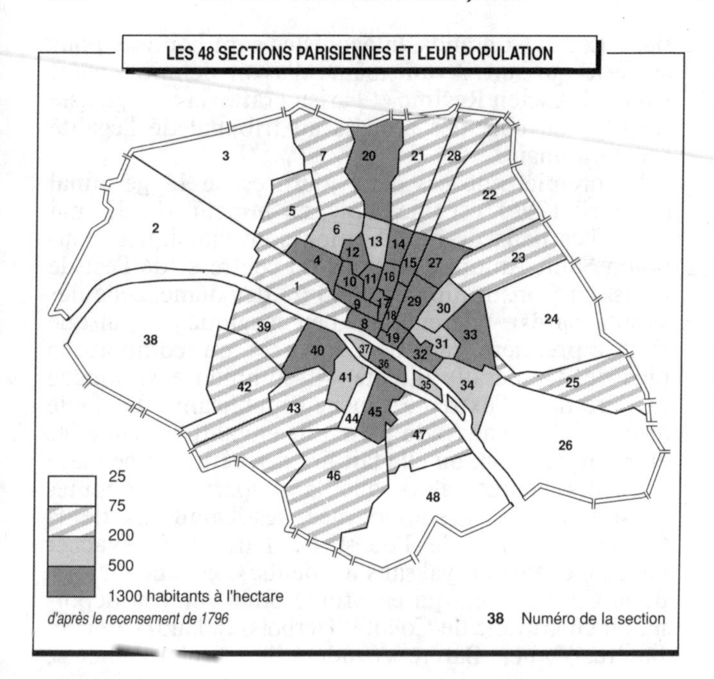

Liste des 48 sections : 1. Tuileries — 2. Champs-Élysées — 3. République (Roule) — 4. Buttes des Moulins (Palais-Royal) — 5. Piques (place Vendôme) — 6. Le Peletier (Bourse) — 7. Mont-Blanc (Chaussée d'Antin) — 8. Muséum (louvre) — 9. Gardes-Françaises (Saint-Honoré) — 10. Halle au blé (Saint-Honoré) — 11. Contrat social (Saint-Eustache) — 12. Guillaume-Tell (Mail) — 13. Brutus (Montmartre) — 14. Bonne Nouvelle — 15. Amis de la Patrie (Trinité) — 16. Bon-Conseil (Saint-Jacques de l'Hôpital) — 17. Marchés (marché des Innocents) — 18. Lombards — 19. Arcis — 20. Faubourg Montmartre — 21. Poissonnière — 22. Bondy (porte Saint-Martin) — 23. Temple — 24. Popincourt (Cha-

LES SECTIONS PARISIENNES PENDANT LES JOURNÉES DE GERMINAL (1795)

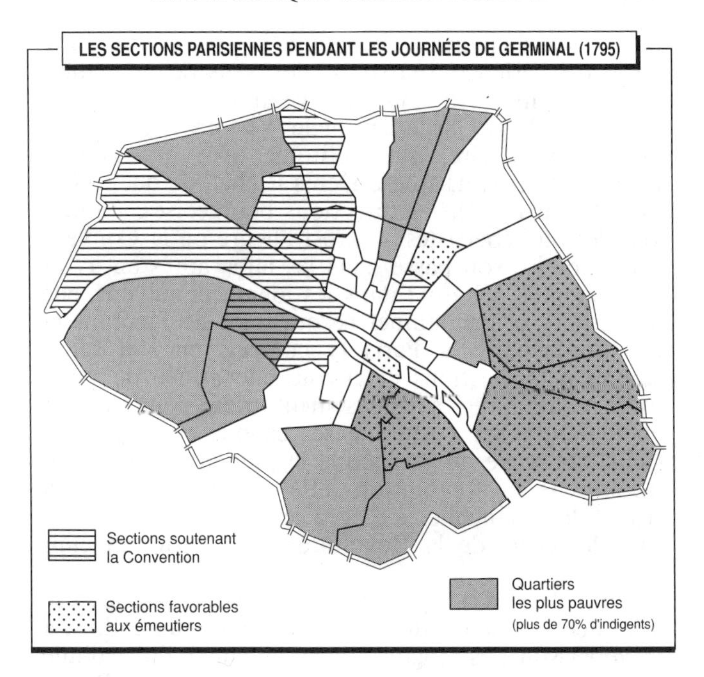

ronne) — 25. Montreuil (faubourg Saint-Antoine) — 26. Quinze-Vingts — 27. Gravilliers — 28. Faubourg du Nord (faubourg Saint-Denis) — 29. Réunion (Sainte-Avoye) — 30. Homme-Armé (Marais) — 31. Droits de l'homme (Roi de Sicile) — 32. Fidélité (Hôtel de Ville) — 33. Indivisibilité (place Royale) — 34. Arsenal — 35. Fraternité (Ile Saint-Louis) — 36. Cité — 37. Pont-Neuf — 38. Invalides — 39. Fontaine de Grenelle (faubourg Saint-Germain) — 40. Unité (Monnaie) — 41. Théâtre-Français — 42. Bonnet de la Liberté (Croix-Rouge) — 43. Luxembourg — 44. Thermes (Sorbonne) — 45. Panthéon-Français — 46. Observatoire — 47. Jardin des Plantes — 48. Finistère (Saint-Marcel).

palabres et de pétitions, alors que la Convention, forte de son expérience, réussit — non sans peine, et tard dans la nuit — à faire intervenir à son profit des bataillons de la Garde nationale. Victoire moins militaire, à vrai dire, que politique, « ce qui montre rétrospectivement, a noté Denis Richet, de quel poids ont été, en l'an II, les directions bourgeoises, montagnardes ou hébertistes[9] ». C'est l'heure où la Convention exorcise son passé dans les faits, après en avoir si longtemps débattu : dans les jours qui suivent, elle fait arrêter et condamner ce qui reste de Jacobins et de Montagnards à Paris (y compris en son sein), « épure » les sections et envoie une armée de vingt mille volontaires, soigneusement triés, pour enlever au faubourg Saint-Antoine ses canons et ses armes. Celui qui a été au XXe siècle le plus grand historien jacobin de la Révolution jette sur ce moment un regard de mélancolie : « C'est à cette date qu'on devrait fixer le terme de la Révolution : le ressort en était brisé[10]. »

Faute de ce « ressort », la Convention s'est-elle mise à la merci de sa droite et des bandes de muscadins, à travers lesquelles progresse inévitablement l'idée d'une restauration royale ? Les députés de l'ancienne Plaine peuvent le craindre à cette époque, puisqu'ils sont déjà pris entre deux feux : trop bourgeois pour le faubourg Saint-Antoine, mais trop révolutionnaires pour les partisans des Bourbons. En février, ils ont accepté de couvrir de leur autorité un armistice en Vendée, par lequel la guérilla résiduelle de Stofflet et de Charette « reconnaît » la République. Mais ladite République s'est engagée à accepter le culte réfractaire et à ne pas lever de soldats ni d'impôts chez les insurgés pendant dix ans. Dès cette époque, en même temps que renaissait la surenchère égalitaire à Paris, c'est au contraire une violence de revanche antijacobine qui s'est emparée du pays — baptisée par les historiens la « Terreur blanche ». Elle se caractérise aussi par des violences presque sauvages et une traînée de massacres au village et à la ville, surtout dans le Sud-Est, là où l'affrontement des partisans et des adversaires de la Révolution est si fort depuis 1790 : par exemple à Nîmes, Tarascon, Aix, Marseille. C'est la chasse aux Jacobins qui est ouverte : retournement de la situation de 1793, revanche prise contre les comités de surveillance de l'époque et leurs militants. En ce sens, les deux Terreurs sont bien inverses et comparables, et le sang versé donne une idée de l'extraordinaire violence sociale qui traverse les années de la Révolution.

Pourtant, il y a dans la comparaison quelque chose de trompeur. La Terreur blanche n'est jamais institutionnelle ; elle n'a pas de tribunaux ni d'administration ; elle n'est jamais sanctionnée par les instruments de la justice ou de la loi. A cet égard, elle s'apparente plus aux massacres de septembre 1792 (elle envahit les prisons, elle aussi) qu'à la Terreur instituée par le gouvernement révolutionnaire. D'ailleurs, la Convention réagit un peu comme les autorités publiques (ou ce qui en tenait lieu) de 1792 : elle laisse faire. Car elle est davantage obsédée par les violences du passé que par celles du présent. Au printemps 1795, comme on l'a vu, c'est encore le faubourg Saint-Antoine qui est au centre de ses craintes.

Peut-elle, va-t-elle prendre le risque de favoriser le retour de l'idée royaliste dans la France d'après Thermidor ? La question se pose surtout après la répression antijacobine de prairial. Mais qu'est devenue l'idée royaliste, en 1795 ? L'histoire récente en présente au moins deux versions : celle d'avant 1789 et celle de 1791. La première renoue avec l'absolutisme et l'Ancien Régime ; la seconde pourrait correspondre à un aménagement de ce qui a été manqué par Mirabeau, La Fayette et les Feuillants entre 1789 et 1791. La première rejette comme un bloc toute la Révolution, y compris 1789 et l'égalité civile. C'est en gros celle de l'émigration, qui s'est installée dans le rôle taillé pour la noblesse par Sieyès. Elle fait la guerre à la France révolutionnaire dans l'armée des princes. Les deux frères de Louis XVI, Provence et Artois, en sont les grandes figures, chacun avec sa petite cour — le premier à Vérone, le second en Angleterre. Quant à l'autre royalisme, il n'est encore qu'un projet vague mais puissant dans l'opinion bourgeoise : les précédents, déjà, ne manquent pas, des Monarchiens aux Feuillants. Ils ont échoué, mais à une époque où la marée révolutionnaire était montante. A l'heure du flux descendant, ils peuvent bénéficier du discrédit où est tombée la République jacobine, avoir le soutien de Girondins déçus ou de Montagnards repentis. Si le régime républicain est vraiment impossible dans un grand pays, comme l'avait prédit la sagesse du siècle avant que la Terreur ne le confirme, que reste-t-il d'autre qu'un roi marié à l'égalité civile ? Mais l'idée ne trouve pas de soutiens influents dans l'émigration, où s'est créé un échelonnement hiérarchique dans l'ancienneté contre-révolutionnaire : ceux qui sont partis en 1789 n'aiment pas ceux qui les ont rejoints plus tard. Le royalisme modéré n'a pas de roi : le jeune fils de Louis XVI est mort à la prison du Temple le 8 juin 1795, et Provence ne perd pas un instant pour se proclamer Louis XVIII. Ainsi reprend forme dans ces mois du printemps 1795 le problème que 1789 n'avait su résoudre : une monarchie restaurée pourrait peut-être, cette fois, prendre appui sur la lassitude du pays, mais à condition de faire une partie du chemin vers lui. Le frère de Louis XVI et son entourage n'y sont pas prêts. Une proclamation royale signée à Vérone met au contraire à l'ordre du jour du retour le châtiment des régicides et le rétablissement des ordres.

D'ailleurs, en juin, les Anglais — Pitt a hésité — financent et transportent des troupes d'émigrés sur les côtes bretonnes ; l'idée est de réunir les deux extrémités de la Contre-Révolution, l'émigration et les chouans, les nobles et les paysans, pour en refaire une armée de guerre civile contre la Convention. Mais l'expédition ne parvient finalement qu'à isoler quatre mille chouans et quelques centaines d'émigrés en uniforme anglais sur la presqu'île de Quiberon. Hoche les cerne comme dans une souricière le 21 juillet. Les commissaires militaires — dans les rangs desquels Tallien reprend du service — font fusiller les sept cent quarante-huit émigrés comme traîtres. Les thermidoriens régicides continuent donc à ne pas faire de sentiment avec la Contre-Révolution. Ils se battent sur deux fronts, contre les restes du jacobinisme et contre l'aristocratie associée à l'Europe des rois. C'est de la première bataille qu'ils ont parlé le plus, parce qu'elle passe aussi à l'intérieur de leurs vies et de leurs souvenirs. Mais c'est la seconde qui continue à être le front principal, comme va le montrer toute leur histoire.

Ils se sont lancés dans une politique extérieure audacieuse qui renoue avec le rêve girondin de 1792, mais en modifie le caractère. La France est victorieuse. Elle était en train de conquérir la Belgique au moment où la Convention renversait Robespierre ; à l'automne, les Sambre et Meuse avançaient en territoire prussien vers le Rhin, et en janvier 1795, utilisant la glace pour passer les fleuves, Pichegru était maître de la Hollande. La France de la Révolution affronte donc une situation nouvelle : étendue jusqu'à Amsterdam, occupant la rive gauche du Rhin, alors que la Hollande a capitulé et que la Prusse, tout occupée à sa rivalité avec l'Autriche et la Russie sur le nouveau partage de la Pologne, est prête à une paix séparée à l'Ouest. Que veulent la Convention et ses comités ? L'opinion souhaite la paix, même partielle, mais quelles en sont les conditions politiques et territoriales ? On peut concevoir une politique prudente de gains limités à dessein pour être tenus plus facilement. Un homme comme Carnot, à l'époque, incarne ce vieux réalisme des rois de France : la Meuse pourrait fournir une bonne frontière. Mais la Révolution a eu des rêves trop grands pour ces calculs de prince héréditaire. Au moment où elle perd sa flamme intérieure, elle a d'autant plus besoin d'investir ailleurs sa fidélité à elle-même. Sieyès, comme toujours, affiche les couleurs, lui qui est en guerre avec les nobles depuis 1789 : les « frontières naturelles ». Il s'en fait, avec bien d'autres thermidoriens comme l'Alsacien Reubell, un des grands avocats. Mais parce qu'elle englobe dans la nouvelle France libérée de l'aristocratie et des rois toute la rive gauche du Rhin, de Strasbourg à l'embouchure, la formule habille en termes géographiques une prépondérance européenne de la Révolution française. C'est le messianisme girondin réécrit en langage thermidorien : héritage révolutionnaire fait à la fois d'idées et d'intérêts, unifiant la nation autour de ses conquêtes et de sa gloire, à défaut de pouvoir la rassembler autour d'un consensus civil sur les années qu'elle vient de vivre.

Ainsi, les deux traités avantageux que la Convention obtient en 1795 — l'un avec la Prusse, qui cède sa part de rive gauche du Rhin, l'autre avec l'Espagne, qui évacue la Catalogne française — ne traduisent que la division de ses ennemis extérieurs, ou l'abandon provisoire des moins acharnés. L'événement le plus significatif de l'année en matière de politique étrangère est la transformation de la Hollande en République batave, bientôt liée à sa grande « sœur » française par la dure réalité d'un protectorat économique et politique : contrainte à une amputation de territoire, obligée d'entretenir une armée, de payer une grosse indemnité et d'accepter le pillage de ses œuvres d'art. La Belgique, elle, est purement et simplement « réunie » à la République française un peu plus tard. Ainsi les thermidoriens inaugurent-ils une politique extérieure appelée à des prolongements dont ils n'ont, pas plus que les Girondins, mesuré la portée, mais dont ils maîtrisent un peu plus longtemps les développements.

Mais il leur faut affronter enfin la grande échéance intérieure. La Convention a été élue en septembre 1792 pour faire une Constitution, après que le peuple a pris les Tuileries et renversé le roi. Elle en a voté une, immédiatement invalidée par les sans-culottes ; une autre, déclarée aussitôt suspendue. Voici l'heure de la troisième, la bonne, ou si l'on trouve l'adjectif excessif eu égard à la durée du texte, celle au moins qui va fixer les traits du gouvernement de la République jusqu'au coup d'État de Brumaire (novembre 1799).

Elle est votée le 22 août, après avoir fait l'objet d'une longue et passionnante discussion. On y retrouve tous les problèmes fondamentaux débattus dans les mois décisifs de 1789, entre juin et octobre. De sorte que l'historien a la chance inespérée de voir passer une deuxième fois le film, dans sa version corrigée, et de pouvoir mesurer le poids des événements dans les consciences. Certains acteurs, parmi les principaux, n'ont pas changé. Boissy d'Anglas, rapporteur de la Constitution de l'an III, a été en 1789 député de la sénéchaussée d'Annonay aux États Généraux, et s'est illustré dès juin en soutenant la dénomination d'« Assemblée nationale » pour la réunion du Tiers État. Dans le procès de Louis XVI, il a voté l'appel au peuple, la détention et le sursis. Sieyès, lui, est un régicide ; il prononce le 2 et le 18 thermidor (20 juillet et 5 août) deux de ses plus grands discours constitutionnels. Impuissant à faire voter toutes ses prescriptions, il boudera le texte final, comme la première Constitution après l'été 1789. Mais ses interventions de l'été 1795, trop philosophiques peut-être pour l'occasion, restent essentielles à qui veut comprendre les questions posées. Le troisième grand nom de ce débat est Daunou, ex-oratorien, favorable à la Constitution civile du clergé, député du Pas-de-Calais. Il a proposé le jugement du roi par une Haute-Cour spéciale, avant de voter la réclusion et le bannissement à la paix. Il fait partie des soixante-treize députés qui ont été arrêtés pour avoir protesté contre le 2 juin 1793, et qui ont été réintégrés les premiers en décembre 1794. Il représente bien la tonalité politique dominante : très hostile à la Terreur, très attachée à la Révolution, qu'il s'agit désormais de fonder dans la loi et dans les esprits. C'est à la législation et à la philosophie de baliser le chemin ouvert en 1789 et perdu en 1793.

La Révolution revient dans ses pas. Elle rediscute Déclaration des droits, souveraineté du peuple, représentation. Elle cherche à faire un texte qui rende impossible tout retour au gouvernement révolutionnaire, qu'elle appelle l'« anarchie », le régime sans lois, et à terminer enfin 1789 par une République gouvernée par la raison et la propriété. La nouvelle Déclaration, comme les deux précédentes, est incluse dans la Constitution. On y retrouve la suprématie de la loi, expression de la volonté générale, comme garantie des droits. Mais le droit de « résistance à l'oppression » (1789) ou à l'« insurrection » (1793) a disparu, pour fermer la voie à la mise en cause de ce qui a été instauré selon la loi. L'égalité est toujours dans les droits de l'homme, avec la liberté, la sûreté, la propriété, mais elle retrouve son statut de 1789, définie par les mêmes droits pour chaque citoyen devant la loi : plus de référence, comme en 1793, au droit au travail, à l'assistance ou à l'instruction. Enfin, la Déclaration de 1795 comporte un deuxième volet, intitulé « Devoirs » : celui-là même que l'Assemblée constituante avait refusé aux Monarchiens en juillet-août 1789. Il définit, avec les obligations des législateurs, celles des citoyens, qui sont l'obéissance aux lois, le travail productif, le service de la patrie. Tout vise à conjurer la tension entre le caractère illimité des droits et la nécessité d'un ordre social fondé sur la loi : depuis 1789, la dynamique révolutionnaire intérieure a trouvé sa source dans cet écart, que les Conventionnels ne peuvent combler mais qu'ils cherchent à réduire.

Autre grande question, la souveraineté du peuple. Les députés savent désormais qu'un pouvoir plus oppressif que l'ancienne monarchie absolue peut régner en son nom. Ils ont découvert entre 1792 et 1794 la formidable puissance, proprement illimitée, que recèle l'idée démocratique de souveraineté : celle-ci n'a-t-elle pas tenté, sous Robespierre, de recouvrir toute la vie privée des citoyens, jusqu'à leurs pensées ? La comparaison entre l'ancien pouvoir absolu des rois et la dictature robespierriste revient constamment dans la discussion politique depuis le 9 Thermidor. Elle donne l'occasion à Sieyès, dans son discours du 2 thermidor, d'une explication qui n'a rien perdu de sa valeur historique : « Ce mot (la souveraineté du peuple) ne s'est présenté si colossal devant l'imagination que parce que l'esprit des Français, encore plein des superstitions royales, s'est fait un devoir de la doter de tout l'héritage de pompeux attributs et de pouvoirs absolus, qui ont fait briller les souverainetés usurpées ; nous avons même vu l'esprit public, dans ses largesses immenses, s'irriter encore de ne pas lui donner davantage ; on semblait se dire, avec une sorte de fierté patriotique, que si la souveraineté des grands rois est si puissante, si terrible, la souveraineté d'un grand peuple devait être bien autre chose encore. Et moi, je dis qu'à mesure qu'on s'éclairera, qu'on s'éloignera des temps où l'on a cru savoir, quand on ne faisait que vouloir, la notion de souveraineté rentrera dans ses justes limites, car, encore une fois, la souveraineté du peuple n'est point illimitée et bien des systèmes prônés, honorés, y compris celui auquel on se persuade encore d'avoir les plus grandes obligations, ne paraîtront plus que des conceptions monacales, de mauvais plans de *ré-totale*, plutôt que de république, également funestes à la liberté, et ruineux de la chose publique comme de la chose privée. »

Ainsi, selon l'ancien grand vicaire de Chartres, l'erreur de la Révolution est d'avoir transmis au peuple le pouvoir du roi. L'indispensable correction consiste à ne lui confier que ce quantum de pouvoir nécessaire à l'existence d'une chose publique entre des individus libres et égaux, définis avant tout par ce qui n'appartient qu'à chacun d'entre eux. Ici commence une longue tradition libérale de réflexion sur le concept de souveraineté, qu'on retrouvera chez Constant, Staël, Royer-Collard, Guizot. Dans l'immédiat, une des idées de Sieyès, pour limiter la souveraineté, est celle d'une « jurie constitutionnaire », corps spécial qui serait chargé de juger des réclamations contre toute atteinte portée à la Constitution : première apparition dans notre histoire de l'idée d'une juridiction supérieure au pouvoir législatif, puisqu'elle exercerait un contrôle de constitutionnalité des lois et des règlements administratifs. Elle ne naît pas, chez Sieyès, d'une réflexion sur Montesquieu ou sur l'équilibre nécessaire des pouvoirs. Au contraire, la « jurie constitutionnaire » est seulement l'une des instances « représentatives » de la société, munie de la « procuration » spéciale de veiller à la Constitution, à côté de plusieurs autres « juries », dotées d'autres « procurations » : Sieyès ne pense jamais l'organisation des pouvoirs publics en termes de poids et contrepoids, à l'américaine, mais comme un système d'horlogerie, en bon rationaliste français.

Comme en 1789, l'Assemblée adopte l'esprit plus que la lettre de ses conseils. Limiter la souveraineté en la divisant, tout en fondant la République sur la « représentation » éclairée du peuple, chargée d'en déléguer le pouvoir exécutif à un collège : tels sont les objectifs de la majorité des députés. La nouvelle Constitution comporte deux Assemblées investies du pouvoir législatif : innovation dans l'histoire révolutionnaire, puisque le bicaméralisme était depuis 1789 entaché d'« aristocratie ». Mais il ne s'agit plus que de division des tâches : les Cinq-Cents, âgés d'au moins trente ans, discutent et votent des « résolutions » que les « Anciens » (deux cent cinquante députés de quarante ans au moins) transforment ou non en lois. La juridiction constitutionnelle de Sieyès a disparu, incomprise par ses contemporains : la souveraineté du peuple est représentée par deux assemblées, mais elle reste sans magistrature de contrôle. Plus qu'à la limiter, les députés cherchent finalement à la modérer, en spécifiant, comme en 1791, les droits électoraux. Le scrutin continue à être à deux degrés. Tous les Français inscrits aux rôles de l'impôt votent, mais ils ne peuvent élire que des électeurs aisés (les conditions de cens varient selon l'importance des agglomérations) : là est le verrou tiré par les « propriétaires » sur la représentation nationale. Le pouvoir exécutif, enfin, est conforme à celui qu'on peut attendre dans une République : élu et collégial, donc relativement faible — cinq Directeurs, patrons de l'Exécutif, et des ministres, choisis par les Anciens sur une liste de cinquante noms proposés par les Cinq-Cents. Les Assemblées sont renouvelables par tiers et le Directoire par cinquième chaque année. Le pouvoir exécutif aux mains du Directoire est étendu, comme il l'est presque par nature dans la France de 1795 : guerre, diplomatie, police, administration. Ce qui le limite est l'existence d'un collège de cinq Directeurs, et la renaissance du principe électif pour les administrations départementales et municipales, placées toutefois sous le contrôle d'agents du pouvoir central. Mais le problème constitutionnel le plus aigu de la Constitution de l'an III concerne les rapports du législatif et de l'exécutif. Les Assemblées ont l'initiative et le vote des lois, élisent les Directeurs, mais n'ont pas de contrôle sur leur action, sauf à les mettre en accusation. Les pouvoirs sont séparés et la manière dont leur coopération va s'organiser n'est pas précisée.

Aussitôt qu'elle a achevé la Constitution, la Convention enchaîne sur un autre débat, intitulé au *Moniteur*, le Journal officiel de l'époque : « Discussion sur les moyens de terminer la révolution. » La question implicite dans cet énoncé déjà classique a été posée clairement le 1er fructidor (18 août) par Baudin, député des Ardennes, membre du Comité de Constitution : c'est moins la fin de la Révolution que sa continuité qui est en cause. Écoutons-le : « La retraite de l'Assemblée constituante vous apprend assez qu'une législature entièrement nouvelle, pour mettre en mouvement une constitution qui n'a pas été essayée, est un moyen infaillible de la renverser... L'Assemblée législative, liée au maintien de la monarchie qu'elle avait jurée avec tant d'appareil, contribua peut-être elle-même à la miner rapidement, et ne crut pas se rendre parjure en sauvant la patrie. Craignez que l'établissement de la République ne coure les mêmes hasards, si vous risquez la même épreuve, et qu'après tant de secousses, de déchirements et de convulsions, la liberté ne succombe dans une révolution nouvelle que vous auriez préparée par un acte de faiblesse. » Que veut-il dire, à travers cet appel aux souvenirs ? Ceci : la Convention doit faire le contraire de la Constituante, et garder le contrôle de ce qui la suit. A laisser le peuple élire librement les deux assemblées dont elle vient de décider la formation, elle court le risque d'une majorité royaliste qui mettra en péril les idées et les intérêts révolutionnaires. Discours entendu puisqu'il est suivi, le 5 fructidor (22 août), du vote d'un décret sur la « formation du nouveau corps législatif ». L'article II, titre I, stipule : « Tous les membres actuellement en activité dans la Convention sont rééligibles. Les Assemblées électorales ne pourront en prendre moins des deux tiers pour former le corps législatif. »

C'est le fameux décret des deux tiers, suivi peu

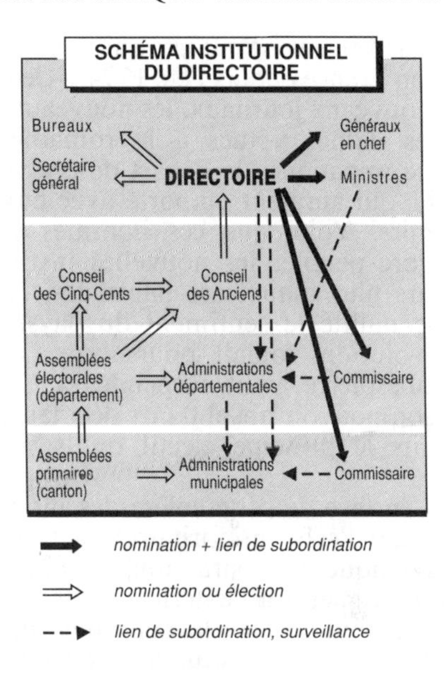

après par un verrou supplémentaire : si le quota n'était pas respecté, les Conventionnels réélus coopteraient leurs anciens collègues. En mai 1791, Robespierre avait fait voter la non-rééligibilité des Constituants pour jeter la Révolution en avant. En août 1795, la Convention se perpétue pour la conserver. Elle en paie le prix fort : elle frappe ainsi d'une infirmité congénitale les institutions qu'elle vient d'élaborer et détruit ce qui a été au cœur de son projet, la République fondée sur la loi. Toute l'histoire du Directoire est déjà là : il n'y manque que le général victorieux, qui va, comme par hasard, apparaître aussi dans la crise politique nouée par la décision cynique des « Perpétuels ».

Le décret passe mal dans une opinion urbaine qui s'est royalisée et pour laquelle la Convention reste associée à la Terreur. Tout ce qui renaît de la vie bourgeoise en France depuis l'été 1794 — les nouveaux salons, les nouveaux journaux, les nouveaux messieurs et les belles dames vêtues à la romaine — avait attendu avec impatience le départ de ces vétérans du Salut public, qui auraient emporté avec eux les mauvais souvenirs. Voici que ces hommes sans crédit allaient encore peupler les nouvelles institutions, au nom de leurs plus mauvaises habitudes, en frappant d'avance de nullité le sentiment du pays. A travers eux, la Révolution voulait poursuivre sa dictature. Comme Robespierre avait suspendu sa Constitution pour faire son pouvoir absolu, eux décidaient d'abolir dans les faits le principe électif qu'ils venaient de consacrer.

Pourtant, en face de cette colère des modérés (dont la droite se fait l'écho minoritaire), la Convention a pour elle la logique de la situation. La France révolutionnaire est en guerre à l'extérieur, détestée plus que jamais par les émigrés et les hommes de l'Ancien Régime ; elle est dans une situation de banqueroute et d'impopularité, qui risque toujours de rallumer les étincelles des grandes « journées » d'hier. Les « Perpétuels » sont les produits de ces circonstances, ne faisant à la souveraineté du peuple que la part permise par la situation : stratégie tout empirique, qui forme un contraste si vif avec les abstractions du gouvernement révolutionnaire, et qui va gagner pour cela même. La Convention et ses comités ont le pouvoir et s'en servent. Ils parviennent à faire accepter par tous les départements la nouvelle Constitution et les décrets des « deux tiers ». Ils écrasent à Paris, le 13 vendémiaire (5 octobre), une insurrection des sections modérées de l'Ouest, menée par la jeunesse dorée. Celle-ci a joué un peu à l'apprenti-sorcier, en voulant refaire au profit de la droite les grandes scènes de mobilisation des foules contre l'Assemblée. C'est un répertoire que les députés de l'ancienne Plaine connaissent mieux. Ils le savent même par cœur. Et les muscadins sont plus faciles à réduire que les sans-culottes. La Convention a confié l'affaire à Barras, qui a recruté pour briser le Paris modéré un jeune général sans emploi, ancien robespierriste, qui traîne dans son entourage : Napoléon Bonaparte. Il y a eu quand même vingt mille insurgés dans la rue, mais les canons sont dans le camp de la Convention et décident de l'affaire sans ménagement, du côté de l'église Saint-Roch.

Au moment où elle se sépare à la fin du mois d'octobre, la Convention est donc plus que jamais l'incarnation de la Révolution et son pouvoir ; pour que nul n'en ignore, elle vote le 3 brumaire (25 octobre), dans son avant-dernière séance, une loi qui réaffirme et étend la malédiction jetée depuis 1789 sur l'aristocratie, puisqu'elle interdit les fonctions publiques aux parents d'émigrés. Non que les émigrés, à cette époque, soient tous nobles — loin s'en faut. Mais l'idée d'émigration est inséparable de celle d'aristocratie, et la Révolution continue sa mission, étendue à l'Europe. C'est sous son drapeau que les bourgeois thermidoriens couronnent leur œuvre par une dernière loi d'exception, avant de s'installer dans le Directoire aux places qu'ils se sont réservées d'avance.

Les élections devaient donc ramener cinq cents Conventionnels sur sept cent cinquante députés répartis en deux Chambres. Comme beaucoup de ces vétérans furent choisis plusieurs fois, il en manquait et leurs anciens et nouveaux collègues durent en coopter une centaine. Il y eut donc trois catégories de députés : les Conventionnels élus, les Conventionnels cooptés, et un dernier tiers, le plus modéré, choisi librement par les Assemblées électorales. On tira au sort parmi les plus de quarante ans les deux cent cinquante qui allaient former les Anciens. Dans ce personnel domine donc encore par force la majorité de l'ancienne Convention thermidorienne, dont on retrouve les grands noms : Sieyès, Carnot, Treilhard, Cambacérès, Barras. Ils ne sont pas tous d'anciens membres de la Plaine qui ont soutenu un temps de leurs votes la dictature montagnarde ; on y trouve aussi d'ex-Girondins réintégrés, comme Louvet ou Daunou, plus attachés à la République qu'à leurs mauvais souvenirs d'après le 2 juin 1793. La droite est surtout faite des nouveaux élus, mais comporte aussi des anciens. Elle est plus diverse encore dans ses fidélités puisqu'elle comprend des hommes de l'ancien groupe feuillant, Barbé-Marbois, Tronson-Ducoudray, Du Pont de Nemours, autant de royalistes sans roi ; et des partisans de la cause royale, comme Henry-Larivière, ex-Girondin mis hors la loi, réintégré avec le dernier groupe en mars 1795, mais peu désireux, lui, de « tirer un voile sur le passé », et devenu un adversaire acharné de la République.

La grande affaire est l'élection du Directoire. Elle est préparée par une série de conciliabules aux Cinq-Cents, destinés à transmettre aux Anciens une liste large constituée de telle sorte que les cinq noms souhaités s'imposent d'eux-mêmes par leur illustration. Ce sont — dans l'ordre des suffrages recueillis — cinq Conventionnels, La Révellière-Lépeaux, Reubell, Sieyès, Letourneur, Barras. Tous régicides, sauf Reubell, qui était en mission à l'armée de Mayence au moment du procès du roi. Sieyès se récuse, arguant de son peu de goût pour la fonction, vexé aussi que son projet de Constitution n'ait pas été retenu. Les Anciens lui substituent Carnot, autre grand nom de la Révolution, autre régicide, parvenu à incarner la gloire du Comité de Salut public sans ses crimes. Dans cette équipe sortie de 1793, seul La Révellière-Lépeaux est un ancien Girondin proscrit par la Terreur, mais resté Girondin, c'est-à-dire anticlérical et annexionniste. Barras et Reubell sont d'ex-terroristes peu regardants sur les moyens, mais intransigeants sur l'héritage. Le premier, ex-vicomte, a sauvé la Convention le

13 vendémiaire. C'est un jouisseur corrompu mais énergique, l'homme fort de l'équipe, protecteur de tout le personnel jacobin qui a survécu dans l'administration, et gardant l'œil sur les intrigues royalistes. Letourneur, capitaine du génie, est une doublure de Carnot, qui est le modéré de ce premier Directoire ; l'homme qui a siégé avec Robespierre et Saint-Just au Grand Comité ne peut aimer l'idée du retour des rois mais il craint par-dessus tout le désordre social.

Les Directeurs se partagent les responsabilités : l'Intérieur à Barras, la Guerre à Carnot, la diplomatie et les Finances à Reubell, l'Instruction publique à La Révellière-Lépeaux, la Marine à Letourneur. Ils nomment les ministres, qui ne sont plus que des grands commis, chefs de leurs administrations. La République est en place. Elle se donne bientôt un nouveau ministère, supervisé lui aussi par Barras, celui de la Police. Elle en a bien besoin : à peine installée, et elle est déjà un régime discrédité. Le contraste qui va la perdre, entre la gloire de la France au-dehors et le mépris dont le gouvernement est entouré au-dedans, existe dès qu'elle fait ses premiers pas.

On peut, pour en comprendre les raisons, écouter un jeune Suisse qui vient d'arriver à Paris, au milieu de 1795, dans les bagages de Madame de Staël, dont il est amoureux : Benjamin Constant. C'est un enfant-prodige de l'Europe des Lumières, qui a appris l'Antiquité classique, l'histoire et la philosophie dans les meilleures universités de l'époque, en Allemagne et à Edimbourg. Il a vingt-huit ans. Le voici enfin à Paris, centre de l'histoire universelle depuis 1789. Il n'y a pas d'observateur plus aigu de la situation politique.

Il a commencé par écrire un article contre le décret des deux tiers, avant de s'y rallier peu après : retournement dont sa vie offrira d'autres exemples, mais qui, comme les suivants, peut être expliqué par des raisons qui ne sont pas toutes de circonstance. Car le jeune Suisse est à la fois partisan de la République de l'an III et conscient des menaces qui pèsent sur elle. Rien ne l'attache au monde aristocratique, pour lequel il a moins encore de regrets, si c'est possible, que sa célèbre amie, la fille de Necker. Toutes ses idées, avant même ses ambitions et ses intérêts, le portent du côté du monde nouveau né en 1789. Mais il a retenu aussi de ses lectures immenses la classique impossibilité d'établir un gouvernement républicain dans un grand pays : les États-nations modernes sont trop vastes pour faire voter les lois par le peuple, comme à Athènes. Dans la France thermidorienne, ce dilemme philosophico-politique paraît avoir reçu la sanction des faits, puisque la République de 1792 n'a pu appliquer sa propre Constitution, et qu'elle a dégénéré en dictature terroriste. De ce fait, elle a ajouté un élément de répulsion émotive à ce qui n'était jusqu'à elle que le constat philosophique d'une contradiction. Benjamin Constant n'appartient pas vraiment au personnel thermidorien, puisqu'il n'en partage pas le passé, ayant vécu hors de France jusqu'en 1795 ; c'est pourtant ce jeune homme qui va en être le penseur le plus profond.

Il publie en avril 1796 une brochure intitulée *De la force du gouvernement actuel de la France et de la nécessité de s'y rallier*. Titre significatif, qui veut dire l'inverse de ce qu'il annonce, du moins dans sa première partie : le gouvernement est faible, il a donc besoin de soutien. Constant, en effet, cherche à répondre à la vague de réaction qui s'est manifestée au 13 vendémiaire et continue à accompagner les premiers pas du nouveau régime. Il s'est attelé à cette tâche redoutable, quasi impossible : fonder la République dans l'opinion, pour l'enraciner dans la loi, deux ans après la Terreur, quelques mois après les décrets des deux tiers.

Le centre de l'argumentation est l'inscription de la Révolution française dans la nécessité historique. Constant réfute Burke, devenu la source où s'alimente toute la pensée contre-révolutionnaire, et il transforme en même temps la question des causes de 1789. La rupture avec l'Ancien Régime ne constitue pas l'irruption soudaine des « droits naturels » des individus, ou leur redécouverte, dans une société corrompue par des institutions « gothiques ». Elle manifeste le travail d'une raison historique à l'œuvre depuis l'origine : l'idée d'égalité. « L'origine de l'état social est une grande énigme, mais sa marche est simple et uniforme... Au sortir du nuage impénétrable qui couvre sa naissance, nous voyons le genre humain s'avancer vers l'égalité sur les débris d'institutions de tout genre. Chaque pas qu'il a fait dans ce sens a été sans retour*. » Ainsi, la fin de l'Ancien Régime, annoncé par la philosophie des Lumières, liquide ce qu'il appelle le système de « l'hérédité », où le sort des individus est inscrit dans leur naissance : elle inaugure l'égalité moderne par où chacun reçoit son dû selon ses mérites, en vertu d'une loi commune à tous et conforme à la raison.

Il n'y a donc aucun sens à s'opposer à une histoire inévitable, comme le font les contre-révolutionnaires, d'autant plus nocifs qu'ils sont anachroniques. La Révolution, c'est la France moderne, née du basculement général de l'esprit public, enracinée dans de nouvelles mœurs, de nouveaux intérêts : cet acte de consentement n'est pas seulement sage, il est inséparable de la paix publique, que les Français souhaitent si fort. Lui seul peut refaire l'unité de l'opinion autour des principes de 1789. Pourtant il suppose réglée une question qui ne l'est pas : celle de la Terreur. Comment séparer la République qui renaît en l'an III de ses deux premières années, alors que tout l'effort des réactionnaires et des néo-Jacobins s'exerce en sens inverse ? Les premiers font de la Révolution un bloc tout entier maudit ; la Terreur démontre providentiellement le

* *De la force du gouvernement actuel de la France et de la nécessité de s'y rallier*, p. 96.

véritable caractère de l'événement en même temps qu'elle en constitue le centre : thèse que Joseph de Maistre plaide la même année (1797) dans ses *Considérations sur la France*. De l'autre côté, on l'a vu, la « Constitution de 1793 » commence à être l'objet d'une élection particulière : la formule recouvre en réalité chez les nostalgiques de l'an II tout le gouvernement révolutionnaire, l'égalité des pauvres et des riches, le Maximum, la guillotine, la dictature. Or, pour vaincre la droite royaliste et émigrée, Constant doit non seulement prendre appui sur la nécessité historique de la Révolution, mais couper en même temps la République de ses origines révolutionnaires. C'est la condition de l'instauration de la loi, et du ralliement de l'opinion. Il traite, le premier, un problème que tous les libéraux du XIXe siècle vont rencontrer, monarchistes ou républicains. Il n'y a pas d'autre héritage politique moderne dans l'histoire de France que celui de la Révolution ; or cet héritage comporte une part incompatible avec la liberté, qu'il n'est pas possible d'« oublier », puisque 1793 a aussi ses héritiers.

Dans le langage de Constant, qui est aussi celui des contemporains, la Révolution est bonne, mais son déroulement a été incertain, chaotique, parfois détestable, car la Terreur révolutionnaire reproduit l'arbitraire du pouvoir absolu et fait réapparaître un caractère de l'Ancien Régime. De cette contradiction entre un événement nécessaire et son cours mystérieux, Constant ne cesse d'explorer les raisons, à défaut d'en expliquer la nature. Il y consacrera deux autres brochures en 1797. Il voit le rôle qu'ont joué l'héritage du passé et la Contre-Révolution, mais il refuse lucidement de n'expliquer les crimes de la Révolution que par ceux de l'Ancien Régime. Il est le premier à montrer que l'échafaud a le plus souvent suivi la victoire des Jacobins, au lieu d'en être la condition préalable. Il avance enfin l'explication par l'anachronisme. Les révolutions sont destinées à ajuster les institutions d'un peuple et ses « idées », quand les premières retardent sur les secondes ; mais la dictature de l'an II est allée au-delà desdites « idées », en menaçant la propriété ; c'est pourquoi elle a provoqué comme un choc en retour ce mouvement de « réaction » politique qui risque de ramener la Révolution en deçà de ses principes, et de servir sans le vouloir vraiment les ennemis de 1789.

Ainsi s'explique la fragilité du régime de l'an III, démontrée par les décrets des deux tiers. La jeune République est hantée chez Constant par le fantôme de l'arbitraire. L'Ancien Régime était au bon plaisir du roi, la dictature révolutionnaire a été sans lois ; et demain, si la « réaction » triomphe, elle couronnera cette tragique séquence : « Ceux qui veulent renverser la République sont étrangement la dupe des mots. Ils ont vu qu'une Révolution était une chose terrible et funeste et ils en concluent que ce qu'ils appellent une contre-Révolution serait un événement heureux. Ils ne sentent pas que cette contre-Révolution ne serait elle-même qu'une nouvelle révolution*. » Il n'y a qu'un remède pour briser l'engrenage fatal : rallier le sentiment général à la République de l'an III, pour enraciner les principes de 1789 dans un régime politique durable, paisible, accepté, c'est-à-dire à la fois dans l'opinion et dans la loi. Benjamin Constant n'a pas encore élaboré complètement sa théorie du « gouvernement représentatif » qu'il salue pourtant déjà comme la grande invention moderne. Mais il a le premier balisé le questionnaire des républicains et des libéraux sur la Révolution. Et il a mis le doigt sur le fond du problème politique français, qui va durer cent ans : la restauration de la monarchie ramène l'Ancien Régime, mais la République est inséparable de la dictature dans l'histoire et dans les souvenirs des Français.

---

* *De la force du gouvernement..., op. cit.*, p. 21.

Les Français forment une nation bourgeoise, paysanne et propriétaire. Mais pas tous. Presque au moment où paraît la première brochure de Constant, en avril 1796, le Directoire liquide à grand spectacle une conspiration communiste qui visait à instaurer en France une dictature égalitaire. Rien ne dit mieux que cette quasi-coïncidence chronologique l'extraordinaire segmentation des traditions politiques qui se réclament de la Révolution, et la précocité de leur élaboration au lendemain même de cette Révolution. 1789, 1793, c'était hier. La mort de Robespierre n'est pas encore à son deuxième anniversaire que l'aventure révolutionnaire trouve des héritiers non seulement divisés, mais ennemis. Constant cherche à fonder la Révolution, Babeuf veut la refaire.

L'idée a comme toile de fond le spectacle de la pauvreté, rendue plus cruelle encore par le luxe affiché du petit nombre. Parvenus de la Révolution, les thermidoriens en sont souvent aussi les enrichis. La noblesse est partie, ou se cache ; la Cour n'est plus qu'un souvenir, déjà lointain. Les bourgeois dominent la société parisienne, où les biens nationaux et la banqueroute publique ont été l'occasion de spéculations gagnantes, ajoutant leurs effets à des profits plus traditionnels, multipliés par les circonstances, comme les fournitures aux armées et les marchés de l'État. Les « financiers » d'Ancien Régime ont trouvé leurs héritiers. Cette bourgeoisie est libérée de l'arrogance aristocratique depuis 1789, mais elle est séparée du peuple depuis 1792. Il faut prendre ces termes, aristocratie, bourgeoisie, peuple, à la fois dans leur acception sociale très générale et comme des catégories politiques définissant des sentiments de classe très forts, hérités de l'Ancien Régime, mis à vif par la Révolution. La société post-révolutionnaire mêle sans le savoir à l'égalité, restée son drapeau contre les nobles, l'héritage aristocratique, retourné contre le peuple. On peut le dire dans un vocabulaire XIXe siècle, vague mais clair : l'Ancien Régime et la Révolution ont coupé la classe moyenne à la fois des classes supérieures et des classes inférieures.

La situation économique et financière constitue une incitation permanente au ressentiment des pauvres, et contribue à magnifier *a contrario* les souvenirs de l'an II. Le Directoire a hérité du gâchis financier et continue à honorer les échéances de la République en assignats de plus en plus dévalués. Pouvoir faible, sans crédit ni dans le pays ni même chez les riches, il rate en mars 1796 une opération d'assainissement financier qui se solde par un gaspillage de deux milliards de biens nationaux bradés aux heureux spéculateurs. En outre, il n'a pas de chance : les moissons de 1794 et de 1795 sont mauvaises, et l'hiver glacial de 1795-1796 est le plus dur de toutes les années révolutionnaires. Les rapports de la police parisienne de cette époque qui notent déjà pour le gouvernement, à la moderne, les mouvements de l'opinion, parlent tous du mauvais état des esprits ; l'un d'eux, le 2 janvier 1796, rapporte que les « sociétés » de « patriotes » qui renaissent « ne sont composées que de terroristes et de Jacobins ressuscités dont on craint l'influence et les maximes pernicieuses ».

C'est dans ce contexte que se forme avec Babeuf la Conspiration des Égaux, qui n'a pas, sur le moment, une grande importance dans la mesure où elle n'a pas réellement menacé le pouvoir. Il n'est pas sûr non plus que son héros principal mérite par la profondeur de ses écrits l'attention qu'il a reçue au XXe siècle. Pourtant, cette attention même, de la part notamment de l'historiographie communiste, indique que le babouvisme est plus qu'un complot manqué : le point d'appui d'une tradition par où la Révolution française entre dans l'extrême gauche du XIXe et du XXe siècle.

Ex-militant sans-culotte passé en 1793 dans l'administration révolutionnaire, participant quelques mois, après le 9 Thermidor, à la réaction antirobespierriste,

Babeuf est vite revenu au maximalisme égalitaire ; il a été emprisonné en février 1795 pour « provocation à la rébellion, au meurtre et à la dissolution de la représentation nationale ». Et c'est en prison — d'abord à Paris, au Plessis, puis dans celle d'Arras, où il est transféré — que se forme le noyau de la future Conspiration des Égaux, avec les ex- et néo-« terroristes » qu'il y rencontre : Germain, Bodson, Debon, Buonarroti. Ce dernier, descendant d'une grande famille pisane, intellectuel nourri de la philosophie des Lumières, fidèle robespierriste naturalisé français en 1793 — et futur historiographe du babouvisme — a pu jouer un rôle important dans la réélaboration doctrinale du groupe. Toujours est-il que lorsqu'il sort une nouvelle fois de prison en octobre — après l'insurrection royaliste de Vendémiaire, l'heure est à l'amnistie de tous les républicains —, Babeuf, devenu *Gracchus* Babeuf, est l'homme dont le nouveau prénom romain évoque le partage des terres et la répartition égalitaire des biens. C'est le nouveau drapeau de son journal et de son action.

Celle-ci croise, dans le terrible hiver 1795-1796, celle des nostalgiques de 1793, ex-hébertistes, ex-maratistes, ex-robespierristes réconciliés par le malheur des temps, et à la recherche d'une plate-forme populaire contre le Directoire naissant. Tous se regroupent autour de l'ancien Conventionnel Amar, fameux pour son rôle au Comité de Sûreté générale, ou dans les clubs, dont le plus actif est le club du Panthéon, progressivement radicalisé sous l'influence de Germain, Buonarroti et Darthé, un des terroristes les plus extrêmes de l'époque héroïque. De la fusion de ces groupes et de ces hommes va sortir dès l'automne l'idée de la nécessité d'une action directe et clandestine, substitut à l'apathie populaire. Après que le Directoire a fait fermer, en février, le club du Panthéon, les conjurés forment à leur tour un « Directoire secret de Salut public » de sept membres. Y figurent des communistes comme Babeuf et le gentil publiciste Sylvain Maréchal, égaré dans cette bergerie tragique, auteur du *Manifeste des Égaux*. Du côté des néo-robespierristes qui sont des anciens de la grande époque, comme Félix Le Peletier, frère du Conventionnel montagnard assassiné en 1793, riche banquier qui fut peut-être le bailleur de fonds de l'équipe ; enfin Buonarroti, qui incarne justement le passage du robespierrisme au babouvisme. Ce « Directoire secret » met en place ses agents pour le jour J : un par arrondissement et, dans l'armée, un par corps de troupe. Il compte en province sur l'appui d'un certain nombre de Conventionnels nostalgiques. Il prend comme drapeau et comme programme la Constitution de 1793, le retour à la souveraineté du peuple. Le reste n'est connu que du petit cercle des conjurés.

Mais l'autre Directoire, le vrai, est au courant. Barras sait un peu ce qui se trame par ses indicateurs, et les relations qu'il a gardées chez ses anciens amis. Il ne fait rien, craignant davantage, depuis Vendémiaire, les royalistes que les sans-culottes, écrasés en germinal et en prairial. Et puis c'est un spécialiste du « voir venir ». Carnot au contraire, est informé en détail du complot par un des conjurés dont il monnaie la trahison. L'ancien du Comité de Salut public met une sorte d'acharnement à exorciser contre les Égaux son propre passé. Appuyé par Letourneur et La Révellière, alors que Reubell laisse faire, il va être la figure de proue du Directoire contre les terroristes et les « Niveleurs ». A travers lui, une certaine bourgeoisie de l'an III veut donner à l'affaire Babeuf le caractère d'un épouvantail.

Les hommes de la conjuration sont cueillis par la police le 21 floréal (10 mai) 1796. L'opinion publique ne connaît de cette nouvelle « charrette » que les noms des anciens Conventionnels, Drouet (l'homme de Varennes), Robert Lindet, Vadier, Amar. Elle voit dans l'épisode la chute d'une nouvelle faction terroriste, le dernier sursaut du jacobinisme. Moins célèbres, les « Égaux » proprement dits sont masqués par les souvenirs de 1793. Pourtant, au procès de Vendôme, l'année suivante, des soixante-cinq inculpés qui ont décidé de nier le complot malgré l'évidence, seuls Babeuf et Darthé seront condamnés à mort et exécutés ; il y a sept condamnés à la déportation (dont Buonarroti) ; tous les autres sont acquittés : on devine dans ce jugement la solidarité du milieu ex-conventionnel.

L'affaire n'a donc pas été bien sérieuse ; elle offre surtout à Carnot l'orchestration du premier « péril rouge » de notre histoire moderne, qui en connaîtra bien d'autres. Mais elle est importante surtout par les idées qu'elle laisse. Buonarroti en fera un livre, publié à la fin de la Restauration : à travers cette « Constitution des Égaux », la version la plus égalitariste de la Révolution française transformera en visions d'avenir les grands souvenirs de 1793.

Le fond de la Conspiration, c'est l'idée d'égalité, exaltée comme le sens de la Révolution, puisque c'est la loi de la nature et le premier besoin de l'homme : donc — tout est dans ce « donc » — le but de la société.

La Révolution française a vu l'objectif, mais elle n'a pu l'atteindre. C'est dans le livre de Buonarroti qu'on trouve l'élaboration historique des raisons de cet échec, mais l'idée est implicite partout dans les textes de 1795, et elle sert d'ailleurs de lien entre les babouvistes et les néo-robespierristes. En effet, la Révolution a été confisquée à ses débuts par les aristocrates, que Buonarroti assimile aux partisans de l'économie politique anglaise et de l'individualisme égoïste. Mais la Constitution de 1793 (la seconde, après la défaite des Girondins) et le gouvernement révolutionnaire de Robespierre ont rendu le pouvoir au peuple et à l'égalité. Pas pour longtemps, hélas, puisque le 9 Thermidor ramène leurs adversaires. Le babouvisme a constitué ainsi le terrain précoce d'une historiographie robespierriste de la Révolution promise à un grand avenir, critique à la fois de 1789 et de Thermidor. Mais en l'an IV, il s'agit plutôt d'un calendrier d'action, si l'on écoute encore le *Manifeste des Égaux* : « La Révolution française n'est que l'avant-courrière d'une autre révolution bien plus grande, bien plus solennelle, et qui sera la dernière. »

Laquelle ? Qu'est-ce qui peut rendre l'égalité « réelle » ? La suppression de la propriété privée. A cet égard, la contribution de Babeuf semble avoir été décisive, dans la mesure où sa correspondance d'avant 1789 témoigne déjà de son intérêt pour un plan général de réorganisation sociale fondé sur l'égalisation des biens. Le chef des « Égaux » n'est pas un grand esprit, et il restera toute sa vie un idéologue plus qu'un philosophe. C'est un autodidacte sentimental et naïf, admirateur de Rousseau et de Mably, avançant l'idée de la division des grandes fermes au profit des plus pauvres, commentant avec passion, dans des lettres de 1787, un ouvrage sur les moyens d'éteindre le paupérisme. Son *Cadastre perpétuel*, paru en 1789, tourne autour de la même question. Pendant les années révolutionnaires, Babeuf finit par mettre en avant non plus l'idée de « loi agraire », qui évoque un partage des terres égalitaire entre les individus, mais une communauté de la terre, exclusive de toute propriété privée, et une répartition égale de ses produits entre tous les citoyens également appelés à en extraire les fruits. Ce communisme agraire de la répartition n'est pas inconnu au magasin des utopies littéraires du XVIIIe siècle. Mais dans le babouvisme, il présente ce caractère nouveau de constituer un programme révolutionnaire. Il marque incontestablement l'entrée du communisme dans la vie publique.

Le dernier caractère distinctif de la Conspiration a trait à sa conception de la politique ; il doit plus au jacobinisme qu'à la philosophie des Lumières. Babeuf et ses amis ont adopté en 1794-1795, comme un slogan unitaire, le mot d'ordre du retour à la Constitution montagnarde de 1793. Ils célèbrent en elle ce qu'elle comporte de pratique de la démocratie directe (par le retour des lois devant les assemblées primaires), bien qu'ils lui reprochent secrètement d'avoir garanti le droit de propriété. Mais derrière l'exaltation de la volonté du peuple une et indivisible, on retrouve, comme chez les Jacobins, et plus encore si c'est possible, la justification de la dictature : celle des seuls vrais interprètes de cette volonté souveraine, les révolutionnaires les plus purs, les Égaux. C'est que, comme chez les Jacobins, le domaine politique est investi par Babeuf du pouvoir exorbitant de changer la société et d'en maintenir ensuite la nature strictement égalitaire. Dans le récit de Buonarroti, la répartition des biens devait s'effectuer sous le contrôle de magistrats nommés, pendant une longue période, par les membres du « Directoire secret ». La tradition révolutionnaire du volontarisme politique s'épanouit ainsi avec la Conspiration des Égaux ; il est significatif à cet égard que la plupart des documents babouvistes évacuent le terme de liberté au profit de celui d'égalité.

Ce qui devait suivre le succès du complot peut d'ailleurs se retrouver dans sa préparation concrète. Babeuf emprunte sa conception de l'action politique à Marat et aux hébertistes : le peuple asservi et trompé (précisément par un autre complot, mauvais celui-là, celui des riches) ne peut être libéré de ses fers que par une minorité insurrectionnelle clandestine, militairement organisée, et décidée à instaurer contre vents et marées, au moins pour une période provisoire, une dictature au nom et au profit du peuple. Cette vision traduit sûrement l'incapacité des conjurés, dans les circonstances de l'an IV, à secouer la résignation des masses populaires pour retrouver l'atmosphère des grandes journées révolutionnaires. Mais elle est infiniment plus que ce triste reflet de leur isolement ; elle est la pointe extrême de la croyance révolutionnaire que la volonté politique peut tout faire. La dernière vague de l'extrémisme jacobin — et sans doute la seule synthèse politique de la passion égalitaire de ces temps — élabore ici la théorie du putsch révolutionnaire, sans prise réelle dans la société thermidorienne, mais accordée au moins à la nature d'un État centralisé : celui qui conquiert les ministères à Paris peut être maître du pays.

Mais pour l'heure, dans cette année 1796 qui voit la liquidation sans phrases de la conspiration babouviste, le danger pour les « Perpétuels » n'est pas sur leur gauche. Il est très exactement là où Constant l'a vu, sur leur droite, dans la désaffection et même le mépris où l'opinion « éclairée » tient le régime de l'an III et ses hommes. Or, à l'automne, celui-ci voit arriver sa première échéance électorale : un tiers des Conseils doit être renouvelé, qui élira un nouveau Directeur, sur les cinq. Comment éviter un succès royaliste, qui ouvrirait une brèche dangereuse dans la forteresse républicaine ?

Barras et Reubell ont modéré la répression du babouvisme parce qu'ils sont les protecteurs de l'héritage révolutionnaire. Ils ont peuplé la nouvelle administration d'anciens Jacobins, avec lesquels ils ont en commun la volonté de s'opposer par tous les moyens à une restauration royaliste, même rampante. Contre eux, Carnot hume l'air du temps, comme en 1793, mais en sens inverse, sensible à la pente conservatrice de l'opinion bourgeoise, comme la majorité des deux Conseils. Mais la droite parlementaire, faite surtout des députés qui n'ont pas siégé à la Convention, demande plus qu'ils ne sont disposés à donner. Elle veut l'abolition de la loi du 3 brumaire (25 octobre 1795), qui a interdit les fonctions publiques aux parents d'émigrés. Elle n'obtient qu'une extension de l'interdiction aux soixante-huit Conventionnels poursuivis après le 9 Thermidor, amnistiés après le 13 vendémiaire, et renégociés à nouveau comme des otages dans l'équilibre mouvant des forces : décision étrange, qui dit tout sur l'esprit de l'époque, le poids des symboles et la contrainte des souvenirs. L'ancienne Plaine gagne du temps en étendant aux terroristes des lois d'exception visant les familles des émigrés, pour ne pas avoir à y renoncer.

Ni Contre-Révolution ni Terreur. Ce combat sur deux fronts ne se définit toujours que par rapport à la guerre civile, et ne trouve encore à s'exprimer qu'à travers des lois d'exception. S'il permet pourtant au gouvernement de durer, sans verser dans la tyrannie, c'est d'abord qu'il trouve un appui dans les intérêts : il est le pouvoir de la bourgeoisie post-révolutionnaire, mariant la politique et l'argent, garantissant les acquis, rassurant les propriétaires de biens nationaux, ouvrant les carrières de l'administration et de l'armée. Il se maintient presque du seul fait qu'il incarne cette continuité sociale avec 1789, et que le pays profond, paysannerie comprise, n'est pas prêt à rééchanger la Révolution contre l'Ancien Régime. Mais il présente aussi de 1789 une version gouvernementale fragile, aux mains d'une oligarchie sans crédit, même aux yeux des citoyens qu'elle protège. En matière de garantie politique, les intérêts sont exigeants dans la France d'après 1793 ! La chance du Directoire est de ne pas avoir sur sa droite une opposition royaliste qui fasse à cette France une offre plus sûre.

Non qu'il existe pas de royalistes modérés, cherchant à réconcilier la famille royale avec l'égalité civile. Le pays, au contraire, en est plein, puisqu'il s'agit de renouer non pas avec l'Ancien Régime mais avec 1789, et de retrouver une version « monarchienne » de la royauté qui inclurait la vente des biens nationaux, décidée deux mois après la défaite des Monarchiens. C'est grosso modo le programme des notables modérés qui se réunissent à Clichy, dans l'hôtel de l'ex-ministre de Louis XVI Bertin, sous la houlette du général Mathieu Dumas, vétéran de la guerre d'Amérique, ancien bras droit de La Fayette à Paris et ex-député feuillant à la Législative. Ces hommes, qui forment la droite des Conseils, sentent qu'ils ont le vent en poupe dans l'opinion, dans cette classe très nombreuse qui a peuplé en 1790 et 1791 les administrations des nouveaux départements avant d'être éliminée par la République de 1792 et le « gouvernement révolutionnaire ». Ils n'aiment pas les « Perpétuels », détestent Barras, et n'ont guère plus confiance en Carnot, qui a siégé si longtemps avec Robespierre au Comité de Salut public. Ils ne croient pas comme Constant que la République des thermidoriens soit capable de ramener la concorde dans un pays qui glisse peu à peu vers une sorte d'anarchie molle. La France est une nation trop vaste, où la royauté a des racines trop anciennes, pour qu'un pouvoir autre que la monarchie puisse y ramener l'ordre et y raviver le respect de la propriété.

Mais quelle monarchie ? Le drame de ces « royalistes constitutionnels » de l'an IV ou de l'an V, qu'on appelle aussi les Clichyens, est qu'à la différence des Monarchiens de 1789, ou même des Feuillants de 1791, le régime qu'ils appellent de leurs vœux passe à nouveau par une subversion des institutions ; et que cette subversion, dans l'hypothèse où elle aurait lieu, ramènerait au pouvoir non pas un roi constitutionnel, mais la famille du roi martyr et son cortège d'émigrés.

Bien sûr, depuis 1792, l'émigration a cessé d'être essentiellement aristocratique ; la peur et les événements ont chassé hors du pays, surtout dans les départements proches des frontières, des dizaines de milliers de Français de toutes classes. Mais de même que pour Madame de Staël la seule bonne émigration est celle d'après le 10 août, de même l'aristocratie mesure sa fidélité monarchique à la précocité de son exil, et continue à monter bonne garde autour des frères du roi. Elle entoure Provence et Artois de petites Cours plus sourcilleuses que jamais sur l'étiquette, et tous les grands rôles sont pourvus en mineur, y compris celui des favorites : Madame de Balbi pour le premier, Madame de Polastron pour le second. Le jugement le plus terrible qui ait été porté sur elle est écrit par un des plus ardents avocats de la Contre-Révolution, Joseph de Maistre, qui prend la plume juste à cette époque pour répondre à la brochure de Constant du printemps 1796. Le voici : « Une des lois de la Révolution française, c'est que les émigrés ne peuvent l'attaquer que pour leur malheur, et sont totalement exclus de l'œuvre quelconque qui s'opère. Depuis les premières chimères de la contre-Révolution, jusqu'à l'entreprise à jamais lamentable de Quiberon, ils n'ont rien entrepris qui ait réussi, et même qui n'ait tourné contre eux. Non seulement ils ne réussissent pas, mais tout ce qu'ils entreprennent est marqué d'un tel caractère d'impuissance et de nullité, que l'opinion s'est enfin accoutumée à les regarder comme des hommes qui s'obstinent à défendre un parti proscrit ; ce qui jette sur eux une défaveur dont leurs amis même s'aperçoivent. Et cette défaveur surprendra peu les hommes qui pensent que la Révolution française a pour cause principale la dégradation morale de la Noblesse*. »

Maistre a beau expliquer dans son livre que le rétablissement de la monarchie ne sera pas une Contre-Révolution, une « révolution contraire », mais le « contraire de la révolution », les émigrés qui entourent les frères du roi donnent raison, de fait, à Benjamin Constant. Ce qu'ils préparent est bien une Contre-Révolution. L'entourage d'Artois est plus réactionnaire encore que celui de Provence, et les anciens Monarchiens commencent bien à provoquer dans les cercles qui entourent le futur Louis XVIII un débat

* Joseph de Maistre, *Considérations sur la France*, 1797, X, 3.

autour de la nature de la tradition monarchique, où s'illustrent par exemple Mallet du Pan, Malouet, Lally Tollendal, Montlosier. Reste que le projet de restauration est marqué partout par une hostilité radicale à la Révolution depuis l'origine : les *Réflexions* de Burke ont été à cet égard la référence séminale. Comme on peut le voir chez Bonald (qui publie en 1796 sa *Théorie du pouvoir politique et religieux*), la pensée contre-révolutionnaire emprunte au libéral anglais sa critique de l'« abstraction » révolutionnaire ; mais elle ajoute à l'héritage politique de l'ancienne monarchie gallicane une vision théocratique inédite du pouvoir royal, et une critique au moins implicite de la sécularisation dont les rois de France se sont faits les instruments. Chez Bonald, comme d'ailleurs chez Maistre, la vérité du politique est tout entière dans la sphère religieuse : on mesure à ce trait la dérive de la pensée contre-révolutionnaire, ou plutôt sa nouveauté, par rapport à l'absolutisme. D'ailleurs l'aristocratie française est revenue à la religion, à laquelle le malheur commun la réunit de toute façon, et qui lui offre en plus le moyen d'expier son XVIIIe siècle.

Ainsi, le malheur du royalisme constitutionnel, qui pousse de profondes racines dans l'opinion modérée, à cette époque, est de n'avoir pas de roi constitutionnel. Le comte de Provence a pris à l'étranger le nom de Louis XVIII, mais son rétablissement réel sur le trône ne signifierait pas un retour à 1789 ; il inaugurerait une revanche dont la Terreur blanche a donné l'idée : une reprise des violences, au lieu de la pacification des esprits. Les Clichyens rêvent en vain à un nouvel Henri IV capable de réconcilier la France des nobles avec celle des biens nationaux. Faute d'un prince libéral, ils sont inévitablement conduits à se mettre à la merci des princes disponibles, qui sont les deux frères de Louis XVI, ce qui fausse du même coup leur projet, et le rend aussi plus menaçant pour les thermidoriens.

En effet, Provence et Artois cherchent et réussissent à faire coiffer par leurs hommes la vaste campagne d'opinion organisée par les royalistes des Conseils en vue de gagner les prochaines élections, dans l'été et l'automne 1796. Ils prennent appui sur ce qui subsiste d'insoumission contre-révolutionnaire dans l'Ouest : cette chouannerie bretonne, normande, mancelle, ces guérillas intermittentes qui restent comme autant de buttes-témoins de la grande insurrection vendéenne. Mais leur principal soutien reste l'Église catholique, coupée en deux par le serment de 1791, et dont la persécution, pendant le gouvernement révolutionnaire, a aggravé la pente hostile à la Révolution. Portée par la vague de réaction thermidorienne, elle est plus que jamais, selon les lieux, au cœur de l'opinion modérée ou des espoirs contre-révolutionnaires. Son contentieux avec la Révolution, que Carnot — fort des conquêtes italiennes de Bonaparte — a espéré un moment régler avec Rome, s'avère insoluble, puisqu'il faudrait obtenir du pape, après-coup, l'acceptation de la Constitution civile du clergé.

Au reste, la majorité du personnel thermidorien, Directeurs en tête, est à la fois anticléricale et anticatholique ; ils sont déistes, à la façon du XVIIIe siècle, détestant les prêtres et la « superstition », désireux de donner à la Révolution des racines non seulement dans l'éducation, mais dans la religion civile des cérémonies « décadaires », où la fête du « décadi », tous les dix jours, est substituée à la messe du dimanche. L'un des Directeurs, l'ancien Girondin La Révellière-Lépeaux, veut même implanter un culte de son cru, la théophilanthropie, pas tellement différent d'ailleurs de la séance décadaire, si ce n'est que l'autorité n'y prête pas la main. C'est la religion de Voltaire plus que celle de Rousseau, déisme rationaliste et froid, dont on a banni soigneusement toutes les images (on les voile dans les églises) ; on célèbre le Grand Architecte de l'univers.

Quand les premières élections du Directoire ont lieu, en germinal (mars-avril) 1797, elles révèlent l'inégalité des forces dans l'opinion, entre les modérés, grossis des royalistes extrêmes et appuyés sur l'Église catholique, et la bourgeoisie républicaine et anticléricale qui soutient les Perpétuels. Elles montrent aussi la fragilité des droits électoraux, car dans certains chefs-lieux les républicains n'ont même pas accès à l'assemblée de second degré. Presque tous les départements sont passés à droite et la majorité conventionnelle artificiellement maintenue par les deux tiers disparaît. Le 7 floréal (26 mai), c'est l'ami de Carnot, Letourneur, que le sort désigne pour quitter le Directoire, où il est remplacé par un diplomate clichyen sans énergie, Barthélémy. Les royalistes prennent le contrôle des assemblées, le général Pichegru préside les Cinq-Cents, Barbé-Marbois les Anciens. Ils votent l'abolition de la loi du 3 brumaire an IV et quelques mesures adoucissant le sort des prêtres réfractaires ; les émigrés d'ailleurs ont commencé à rentrer par petits paquets, profitant d'une procédure de « radiation » de la liste fatale qui les rendait passibles de la peine de mort prévue par une loi de la Convention. Va-t-on vers une restauration ? Une bonne partie du pays le craint : les acquéreurs de biens nationaux en tête, puis l'armée, qui porte si haut et si loin le drapeau de la Révolution. Les hommes de la nouvelle majorité sont divisés sur la nature de cette restauration, puisque ceux qu'on appelle les « Jacobins blancs », Pichegru, Imbert-Colomès, Willot sont décidés au coup d'État pour ramener Louis XVIII et l'émigration, alors que les royalistes modérés, comme Portalis, Mathieu Dumas, Royer-Collard tiennent à l'essentiel des principes de 1789 et au respect des procédures légales. « Rien n'est si dangereux, écrit à cette époque Mallet du Pan, que ce qu'on est convenu d'appeler aujourd'hui, en France, les honnêtes gens : ils peuvent remplir le Corps législatif pendant des millénaires, jamais ils ne se décide-

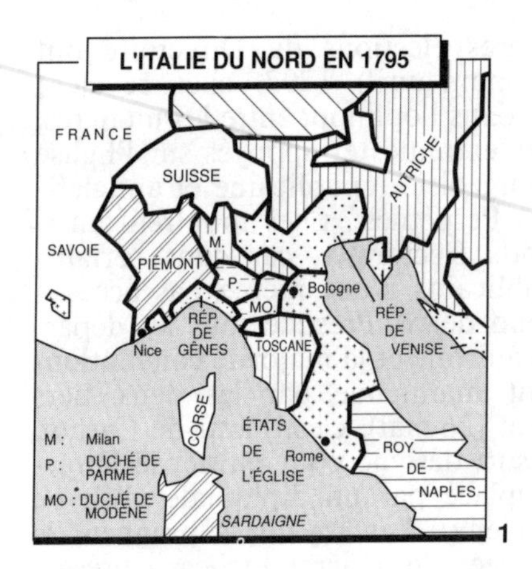
L'ITALIE DU NORD EN 1795
FRANCE
SUISSE
AUTRICHE
SAVOIE
M.
PIÉMONT
P.
Bologne
MO.
RÉP. DE GÊNES
Nice
TOSCANE
RÉP. DE VENISE
CORSE
ÉTATS DE L'ÉGLISE
Rome
ROY. DE NAPLES
SARDAIGNE
M : Milan
P : DUCHÉ DE PARME
MO : DUCHÉ DE MODÈNE
1

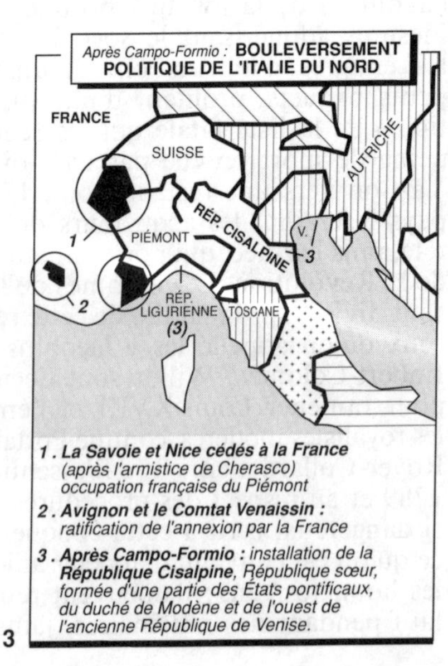
Après Campo-Formio : BOULEVERSEMENT POLITIQUE DE L'ITALIE DU NORD
FRANCE
SUISSE
AUTRICHE
RÉP. CISALPINE
PIÉMONT
V.
3
1
2
RÉP. LIGURIENNE (3)
TOSCANE
1 . La Savoie et Nice cédés à la France (après l'armistice de Cherasco) occupation française du Piémont
2 . Avignon et le Comtat Venaissin : ratification de l'annexion par la France
3 . Après Campo-Formio : installation de la République Cisalpine, République sœur, formée d'une partie des États pontificaux, du duché de Modène et de l'ouest de l'ancienne République de Venise.
3

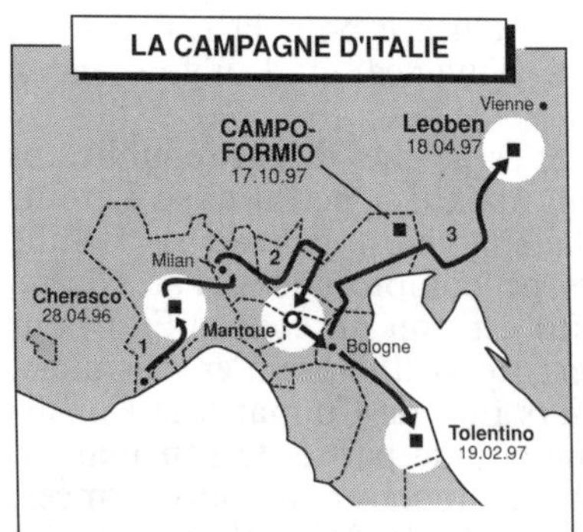

1 . ***Offensive piémontaise***
Victoires de Montenotte, Millesimo, Dego, Mondovi - Armistice de Cherasco

2 . ***Opérations de Lombardie contre les Autrichiens*** *- Victoires de Lodi, Castiglione, Arcole, Rivoli - siège de Mantoue (3.06.96 - 2.02.97)*
Armistice de Tolentino avec le pape

3 . ***Marche sur Vienne***
Préliminaires de paix de Leoben avec l'Autriche,
Traité de Campo-Formio

2

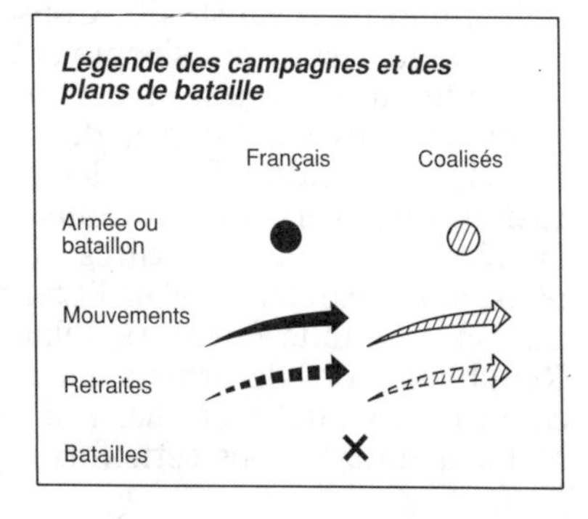

ront à voter une mesure efficace pour la restauration s'ils ne sont pas sûrs d'avance qu'il n'y a aucun risque. »

Au Directoire, Carnot est le chef de ces républicains devenus conservateurs, mais il a perdu avec Letourneur son allié : Barthélémy n'est pas de sa famille politique, et d'ailleurs ne compte guère. Par contre, l'autre côté de l'exécutif est prêt au coup d'État pour défendre la Révolution : Reubell le premier, dès mars. L'ancien député du Tiers État de Colmar à la Constituante, qui a passé une grande partie de son mandat de Conventionnel comme représentant aux armées, investit dans la défense de la République et des frontières naturelles un caractère brutal et des convictions opiniâtres. Il est rejoint par Barras qui a un peu attendu, négocié secrètement avec l'autre camp pour voir dans son jeu, mais qui a tout à craindre d'un retour des Bourbons ; l'ancien protecteur de Bonaparte a pris langue avec l'armée d'Italie et son choix est fait au printemps 1797, quand un de ses amis ramène de Milan, transmise par le général en chef, la nouvelle que Pichegru est au service de Louis XVIII. Quant à La Révellière-Lépeaux, le théophilanthrope, il est indigné par les mesures prises par les Conseils qui annoncent la rentrée en grâce des prêtres réfractaires. Il existe donc une majorité au Directoire pour briser la nouvelle majorité royaliste des Conseils.

Avec qui ? sur quoi s'appuyer ? Les sans-culottes ne sont plus disponibles, et ce sont de toute façon des alliés devenus inavouables dans la France bourgeoise d'après Thermidor. Barras les protège encore, à l'occasion, quand ils sont devenus des fonctionnaires de la République, commissaires de police, agents nationaux, administrateurs. Mais l'État républicain est faible. La seule grande force populaire au service de la République est désormais l'armée, qui vient de se couvrir de gloire en Italie. Elle offre en plus l'inestimable avantage, sous cette forme enrégimentée, de ne pas présenter de risque d'embardée égalitaire, comme au 10 août ou au 2 juin. Elle peut venir sans désordre au secours de l'ordre républicain. Des trois grands chefs militaires, Moreau, à l'armée du Rhin, n'est pas tout à fait sûr ; il ne se livre pas aux royalistes, mais il accepte de les écouter. En Italie, Bonaparte est favorable au « triumvirat » du Directoire, sans vouloir s'avancer trop ; mettre ses victoires au service des « avocats » de Paris ne lui plaît qu'à moitié ; il enverra un de ses lieutenants, Augereau. C'est Hoche, à la tête de l'armée de Sambre et Meuse, qui fournit le coup de main décisif, en faisant marcher neuf mille hommes vers Paris en juillet, sous le prétexte d'un transfert de troupes vers Brest, destiné à une expédition en Irlande. Les triumvirs procèdent alors, sous cette protection nouvelle, à un remaniement ministériel à gauche, avec Hoche à la Guerre, et Talleyrand, rentré d'un exil américain, aux Affaires étrangères. C'est la crise ouverte avec les Conseils, arbitrée par les soldats de Hoche. Dans la nuit du 17 au 18 fructidor (4 au 5 septembre 1797), Paris est occupé militairement. Augereau arrête Pichegru et ses amis des Conseils. Carnot, qui n'est dans aucun des deux camps, se cache avant de gagner l'étranger. Personne n'a bougé. Au matin du 18, une grande affiche-proclamation du Directoire-croupion annonce aux Parisiens et au pays qu'un complot royaliste a été brisé, et que tout individu coupable de vouloir rétablir la royauté ou la Constitution de 1793 sera fusillé sans jugement.

Ce qu'on peut réunir des Conseils siège dans la journée et celles qui suivent pour voter des mesures de « salut public » : l'annulation des « mauvaises » élections, qui exclut un tiers du Corps législatif, la déportation en Guyane de cinquante-trois députés et de deux Directeurs, Carnot et Barthélémy, plus quelques royalistes notoires. Le Directoire — ce qu'il en reste — casse en même temps les élections des pouvoirs administratifs et judiciaires locaux, désormais à sa discrétion. La presse est muselée. Enfin, une série de textes frappent à nouveau les émigrés et les prêtres réfractaires, passibles de la peine de mort ou de la déportation. La loi du 3 brumaire an IV, à peine abolie, est à nouveau rétablie, comme pour montrer que la guerre contre l'aristocratie reste la cause finale de la Révolution.

Comme le 2 juin 1793, le 18 fructidor an V (1797) est un coup d'État antiparlementaire, une épuration de la représentation du peuple au nom du salut public. Comme le 2 juin, l'opération s'accompagne — sur le mode mineur — de la Terreur révolutionnaire. La différence principale tient à ce que, dans le rôle de bras séculier de la Révolution, les sans-culottes ont été remplacés par l'armée. Barras et Reubell triomphent, mais en débiteurs des généraux. Hoche meurt inopinément en septembre, mais un petit général corse, devenu déjà une gloire de la nation en conquérant l'Italie, peut à son tour faire figure de sauveur.

Si on pense au destin qui l'attend, Bonaparte est né à la bonne époque[11] : vingt ans avant la Révolution. Mais pas au bon endroit : dans une petite île excentrique, tout récemment française, et point si heureuse de l'être. Famille toute corse, nombreuse, tribale, vivotant de pieds de vigne et d'oliviers autour d'Ajaccio, et dont le patriarche a la bonne idée de se rallier à la France, en abandonnant le drapeau de l'indépendance brandi par son ami Paoli. Car les Bonaparte sont pauvres, mais gentilshommes, et peuvent de ce fait prétendre au bénéfice des édits royaux de 1776, qui ont prévu l'éducation gratuite de la noblesse pauvre dans les nouvelles écoles militaires. Les deux aînés, Joseph et Napoléon, obtiennent ces bourses qui constituent des passeports pour une carrière en France, et à travers lesquelles Louis XVI offre l'aide de l'ancienne monarchie à celle qui la suivra. Napoléon étudie à Brienne (1779-1784), où il reçoit une éducation sérieuse, dont Stendhal a déploré plus tard le caractère trop absolutiste : « Élevé dans un établissement étranger au gouvernement, il eût peut-être étudié Hume et Montesquieu ; il eût peut-être compris la force que l'opinion donne au gouvernement*. » Peut-être ; mais à Brienne, Napoléon apprend le français, qu'il parlera toute sa vie avec l'accent italien, l'histoire, qui meuble son imagination d'enfant de la Méditerranée, et les mathématiques, où il est bon élève. En 1784, il est admis à l'École militaire ; en 1785, il est classé quarante-deuxième sur cinquante-huit, et affecté comme sous-lieutenant d'artillerie à La Fère. Les *Mémoires* de Ségur attribuent à son professeur d'histoire cette appréciation : « Corse de caractère et de nation, ce jeune homme ira loin, s'il est favorisé par les circonstances. »

L'étrange de son histoire de jeune homme, c'est qu'il reste longtemps un transplanté, sans intérêt pour ce qui se passe en France : quelqu'un dont la vie est ailleurs, un boursier pauvre, puis un soldat inoccupé qui pense à ce qu'il a laissé, sa famille et son île. « Corse de caractère » : traditionaliste, ombrageux, un peu farouche, sans rien de l'apprentissage mondain qui fait à cette époque les Français des hautes classes. Aucun officier n'aura jamais été plus éloigné de la civilisation de Cour. « Corse de nation » aussi : il est revenu sur le choix de son père, et rejoint le clan Paoli. Dans sa vie de garnison, tous les congés sont consacrés à la Corse ; il semble vouloir se confiner à ce théâtre minuscule. La rencontre avec la France n'est pas faite en 1789, et même cette année-là ne l'opère pas. On sait peu de chose de lui entre dix-neuf et vingt-quatre ans. Michelet l'imagine royaliste, parce qu'au témoignage de Bourrienne, son camarade de l'école de Brienne, il s'exclame que Louis XVI aurait dû faire tirer sur l'émeute, le 20 juin 1792. En réalité,

* Stendhal, *Vie de Napoléon*, 1818.

rien ne le rattache aux vaincus de la Révolution, mais rien n'indique d'enthousiasme pour les vainqueurs. Il passe beaucoup de temps en Corse, comme avant 1789. Quand le canon tonne à Valmy, en septembre 1792, il attend encore le bateau qui le ramènera dans son île. Mais à Ajaccio, son jeune frère Lucien est un leader des Jacobins locaux (alors que l'aîné, Joseph, échoue aux élections à la Convention). La famille repasse du côté français alors que Paoli songe à ouvrir son île aux Anglais : l'insurrection victorieuse d'avril 1793 brise les liens des Bonaparte avec la terre ancestrale, et ceux de Napoléon avec son enfance. La tribu Bonaparte, proscrite comme pro-française, doit quitter Ajaccio. Elle débarque à Toulon avec armes et bagages : Madame Laetitia, veuve économe et pittoresque, devenue l'autorité patriarcale, des filles jolies, des garçons ambitieux et actifs — dont les aînés, Joseph et Napoléon, familiers du « continent », adoucissent le dépaysement familial.

C'est en juin 1793, après l'épuration de la Convention sous la menace des canons d'Hanriot, quand commence l'été terrible de la Révolution. La famille entre dans l'histoire de France à l'heure qui désigne pour toujours les vrais partisans de la Révolution, ceux qui ont tout misé sur elle, par opposition à ses amis tièdes. Venue d'un autre monde, élevée dans une autre langue, elle n'a rien de commun avec l'ancienne France, alors que la République offre à cette tribu d'insulaires une chance de la fortune, avec une patrie en danger, ouverte à tous les talents, et où on peut, à peine arrivé, tutoyer les ministres. Un compatriote, député Montagnard à la Convention, Salicetti, ouvre comme il se doit quelques portes aux trois aînés, Joseph, Napoléon et Lucien. A travers cette protection, Napoléon devient non seulement montagnard, mais robespierriste. Capitaine d'artillerie à l'armée d'Italie, chargé d'une mission en Avignon en août, il rédige une brochure d'actualité contre les fédéralistes qui ont porté la guerre civile dans le Midi : texte sans originalité, fait d'un dialogue entre un militaire, un Nîmois, un négociant marseillais et un fabricant de Montpellier sur la révolte fédéraliste à Marseille, et où le militaire a le beau rôle, plaidant le salut public. Mais document essentiel, puisqu'il signe l'entrée du capitaine d'artillerie corse dans la politique révolutionnaire, avec un passeport jacobin.

Qu'est-ce qui lui plaît tant, à ce jeune officier, dans ces mois terribles ? Ce qui s'accorde à son tempérament, à ses goûts, à sa carrière. La rudesse des mœurs, accordée à la sauvagerie de l'île natale. L'énergie à l'antique du gouvernement, l'autorité sans limites du pouvoir national. Et puis les grades ouverts aux mérites, le talent militaire honoré s'il est victorieux, les promesses de l'égalité dans une profession où il n'a connu jeune homme que des particules et des préjugés. En servant la dictature montagnarde, sous la houlette de Salicetti, représentant en mission de la Convention dans le Sud-Est, Napoléon Bonaparte suit à la fois ses penchants et ses intérêts. En décembre, c'est lui qui imagine le plan de la reprise de Toulon sur les Anglais. Le voilà aussitôt après général de brigade, faisant vivre sa mère et ses sœurs sur ses appointements. La famille est casée dans la République. Joseph est dans l'administration de la guerre, Lucien devenu une des personnalités jacobines de Saint-Maximin ; Napoléon prend avec lui son jeune frère Louis à l'armée d'Italie, où il est nommé au début de 1794, et guerroie contre les Autrichiens. Le dernier frère, Jérôme, est encore au collège.

Survient le 9 Thermidor. En mettant provisoirement à l'écart le jeune général de brigade, qui passe même quelques semaines en prison, les vainqueurs de Robespierre confirment sa réputation robespierriste. Mais la Convention continue la Révolution à sa manière, et va lui donner l'année suivante l'occasion d'une spectaculaire rentrée, dans la journée du 13 vendémiaire

(5 octobre 1795). Deuxième scène centrale, après Toulon, de son mariage avec la France de la Révolution : ce jour-là Barras est à la tête d'une « commission extraordinaire » avec pleins pouvoirs pour liquider une insurrection royaliste des beaux quartiers. Il réunit une petite armée républicaine, dont Bonaparte commande une partie, qui balaie à coups de canon, autour de l'église Saint-Roch, les rangs des muscadins. Cette facile victoire comporte un autre versant : le général est devenu un des proches de Barras, le grand patron politique du régime qui naît. Le Directoire commence pour lui sous les meilleurs auspices ; le voici devenu un des personnages de la nouvelle société parisienne.

Cette société est un mélange de nomenklatura révolutionnaire et d'argent-roi, un monde à la fois très fermé, parce qu'il est dominé par les souvenirs communs, et très ouvert, parce que rien n'y est assez vieux pour être vraiment défini. Le pacte moderne du pouvoir et de la finance a remplacé la République vertueuse de Robespierre. C'est l'heure des intérêts et des plaisirs que Barras n'incarne pas mal, ci-devant vicomte, ancien terroriste, cynique et corrompu, entouré d'une Cour de Bas-Empire, mais doué d'un vrai talent politique, et veillant sur les acquis. Dans ce milieu, le général corse figure un personnage singulier, osseux, émacié, taciturne. Un insulaire récemment arrivé de son maquis natal avec son visage jaune, mangé par les yeux, encadré de cheveux longs tombant sur les épaules en « oreilles de chien ». Les salons de révolutionnaires parvenus où règne l'éclatante Madame Tallien sourient un peu de ce militaire qui n'a rien hérité des usages du monde et qui n'a pas l'air même d'avoir envie de les imiter.

L'histoire de son mariage avec Joséphine de Beauharnais, quelques mois après Vendémiaire, dit tout sur ce qui l'amarre à cette société qui lui est étrangère.

Elle peut être racontée comme un vaudeville. Il épouse une demi-mondaine ruinée, que Barras a mise dans son lit, alors qu'il croit unir son destin à une riche héritière de l'ancienne aristocratie. Il se cache pour une fois des siens parce qu'il soulève une tempête familiale qui ne s'apaisera qu'avec le divorce : car il surajoute au clan corse, en plus d'une enjôleuse parisienne un peu fanée, trop âgée pour lui, une autre famille, puisque cette veuve a deux enfants. Mais ce mariage peut être peint sous des couleurs plus touchantes, et tout aussi vraies. Il réunit deux êtres dont les vies n'avaient à l'origine que très peu de chances de se croiser ; dans le grand désordre des mœurs thermidoriennes, Napoléon se marie par amour. La passion brûlante qu'il éprouve pour Joséphine trouve sa source dans tout ce que le nom de sa femme donne à croire de son passé ; elle s'alimente moins à l'arrivisme vulgaire du temps qu'à tout ce qu'elle efface, à travers son objet, des humiliations du boursier de Brienne. Ce petit gentilhomme corse est étranger au monde de la bourgeoisie, mais il en partage le sentiment collectif le plus profond — l'amour-haine de l'aristocratie : cette passion de l'égalité à la française, héritière de l'ancienne Cour à sa manière post-révolutionnaire, et qui n'a d'apaisement que dans la reconnaissance acquise, reconnue, garantie, quasiment possédée, d'une supériorité sur l'« égal », le voisin, le frère. Stendhal la nommera, comme lui, la « vanité ». Le petit Bonaparte qui épouse la veuve Beauharnais est bien, à travers elle, naturalisé français.

Chez lui, pourtant, cette passion nationale est transfigurée par l'imagination. Tel est son amour de l'époque pour Joséphine, pathétique à force d'être unilatéral, qu'il se nourrit tout seul de ses rêves. Il en va de même de son idée de la « réussite », qui n'est pas l'argent ou le pouvoir des bourgeois thermidoriens. Il la puise dans l'histoire politique et militaire (Alexandre, César, Charlemagne) et il l'a mêlée à l'ambition toute récente, mais compatible avec ces grands précédents, de gouverner le plus grand événement de l'histoire moderne. Gouverner la Révolution : il a eu de nombreux devanciers en la matière, Mirabeau, La Fayette, Barnave, Brissot, Robespierre, Barras ; mais ce Méditerranéen raisonnable et rêveur a sur eux cette supériorité d'arriver jeune et tard dans un répertoire politique épuisé, et de lui imposer son propre livret. Il est un homme de l'égalité, comme les autres, mais venant d'ailleurs ; il a sur eux l'avantage de vouloir faire de la passion révolutionnaire un instrument d'autorité. Idée qui n'aurait pas suffi à le porter où il allait si, à la gloire de la nation, il n'avait apporté un formidable éclat tiré de son génie propre.

L'armée d'Italie a fait partie de la dot de Joséphine : au moins Barras le suggère-t-il dans ses Mémoires, mais La Révellière-Lépeaux, dans les siens, se souvient que c'est un choix du Directoire unanime. Nous sommes à la fin de l'hiver 1795-1796. Trois armées doivent avancer contre les Autrichiens : en Allemagne, les Sambre et Meuse sous Jourdan, les Rhin et Moselle sous Moreau ; enfin, à partir de Nice, les troupes d'Italie, placées le 2 mars sous Bonaparte. Faire la guerre en Italie est son rêve, depuis la courte campagne de 1794 : c'est un peu son pays, sa langue, le théâtre idéal où réunir ses deux patries dans ses victoires. Il a soumis son plan depuis longtemps : séparer, par une offensive rapide, les Piémontais des Autrichiens ; forcer ensuite la monarchie de Turin à la paix, et si possible à une alliance avec les Français ; chasser enfin les Autrichiens de Lombardie.

Il n'a pas la meilleure armée, et on a beaucoup décrit les cohortes de va-nu-pieds (quarante-cinq mille hommes, quand même) peu disciplinés qu'il prend sous son commandement. Mais la victoire aidant, il manifeste tout de suite cette qualité plébiscitaire d'autorité qui constitue sa marque : en un mois, en avril, le petit général de guerre civile, client de Barras, est devenu une gloire militaire. Il faut dire aussi qu'il ne laisse à personne le soin de faire sa publicité : ses ordres du jour, ses proclamations, sa correspondance avec le Directoire montrent un extraordinaire talent de faire-valoir. Il y a chez cet homme de vingt-huit ans, mêlés au génie militaire, le goût et l'intuition de l'opinion : celle des soldats, dont il a bien compris qu'ils forment son premier public, et celle des Français, grand ressort du pouvoir politique moderne. C'est un spectacle tout à fait neuf, et dont il est l'inventeur, que ce général parlant un langage mi-citoyen mi-prétorien ; gardant le fond d'une rhétorique de l'émancipation des peuples, en l'enveloppant de promesses de gloire et de richesses.

La première partie du programme militaire est donc réalisée en avril : c'est la plus facile. Bonaparte inaugure sa stratégie fondée sur la rapidité du déplacement, la concentration des attaques et la supériorité locale en effectifs. Il parvient à séparer les Piémontais de Colli des Autrichiens de Beaulieu, et fait céder Colli par l'offensive convergente de ses généraux, Masséna, Augereau et Sérurier. Le 28 avril, le roi Victor-Amédée signe l'armistice de Cherasco, battu et inquiet des premiers mouvements de jacobins italiens pour une « Italie libre ». L'armée autrichienne de Beaulieu se replie sur la rive gauche du Pô, laissant à Lodi, sur le fleuve, une arrière-garde que les armées françaises battent le 10 mai, mais sans atteindre le gros des forces ennemies. Le 14, Masséna occupe Milan et le 15 Bonaparte y fait une entrée triomphale. Mai 1796 : on peut choisir ce mois, et l'installation provisoire du général en chef dans la capitale lombarde, comme le point de bascule de sa vie.

Le Directoire n'est pas encore aussi faible qu'il le sera l'année suivante, après les élections royalistes aux Conseils ; mais il n'a déjà plus la maîtrise de l'armée d'Italie. De Paris, Carnot a écrit à son chef pour lui enjoindre d'abandonner provisoirement la poursuite des Autrichiens, afin de prendre des gages en Italie centrale : mouvement sur lequel Bonaparte est d'accord, mais dont il interprète autrement le sens. Il veut, lui, une politique d'émancipation des États italiens ; il laisse agir les éléments jacobins et patriotes, contre les instructions de Paris. Carnot, en plus, prétend confier la Lombardie à Kellermann pendant que Bonaparte ira rançonner l'Italie centrale : refus catégorique du général en chef, devant lequel le Directoire s'incline. Est-ce parce que le gouvernement de Paris ne peut survivre financièrement sans les trésors d'Italie ? En fait, il a encore plus besoin des victoires et de la gloire. Entre Carnot et Bonaparte, la balance n'est pas égale. Le second écrit au premier par exemple, le 9 mai, peu avant l'entrée à Milan : « Ce que nous avons pris à l'ennemi est incalculable. Plus vous m'enverrez d'hommes, plus je les nourrirai facilement. Je vous fais passer vingt tableaux des premiers maîtres, du Corrège et de Michel-Ange. Je vous dois des remerciements particuliers pour les attentions que vous voulez bien avoir pour ma femme. Je vous la recommande : elle est patriote sincère, et je l'aime à la folie. J'espère que les choses vont bien, pouvant vous envoyer une douzaine de millions à Paris ; cela ne vous fera pas de mal pour l'armée du Rhin... » Comment ne pas comprendre que derrière cet assaut de dons, c'est le pouvoir qui est en train de changer de mains ?

Bonaparte n'est pas encore roi de France, mais il est, dès ce mois de mai, roi de cette pauvre Italie soumise, pillée, réinventée même comme si la terre de la Rome antique et des villes de la Renaissance était dans son patrimoine. Il habite le palais de Montebello, à Milan, plus comme un souverain que comme un général de la République, entouré d'une petite cour, protégé par une étiquette sévère, commençant à vivre dans le monde de la toute-puissance. Joséphine l'a rejoint, menteuse comme toujours, accompagnée d'un de ses amants. Les frères et sœurs sont accourus avant elle, trafiquant de ses victoires, assoiffés d'honneurs et de profits, faisant argent de toutes mains : ce côté balzacien de son existence de parvenu n'aura jamais de fin. Lui laisse faire et même favorise ces jeux sordides pourvu qu'il en soit l'origine : ce sont les à-côtés de sa gloire, les prix offerts à ceux qui la servent. Mais il est déjà dans un autre monde, séparé de ses généraux les plus célèbres par leur consentement à sa supériorité, discutant d'égal à égal avec le Directoire, lui imposant ses vues grâce à son pouvoir sur l'opinion publique, recevant ce que la France républicaine compte d'hommes de pensée et de science : Monge et Berthollet sont ses hôtes d'honneur. L'idée de sa vie est en lui, avec la certitude qu'il va la réaliser ; que son « sort », selon une de ses formules postérieures, ne « résistera pas à sa volonté », ce qui peut être une définition du bonheur moderne.

Dans ce qu'il dit à Montebello, rapporté déjà par beaucoup de témoins attentifs, le plus intéressant tient dans cette confidence : « Ce que j'ai fait jusqu'ici n'est rien encore. Je ne suis qu'au début de la carrière que je dois parcourir. Croyez-vous que ce soit pour faire la grandeur des avocats du Directoire, des Carnot, des Barras, que je triomphe en Italie ? Quelle idée ! une république de trente millions d'hommes ! Avec nos mœurs, nos vices ! Où en est la possibilité ? C'est une chimère dont les Français sont engoués, mais qui passera comme tant d'autres. Il leur faut de la gloire, les satisfactions de la vanité. Mais la liberté, ils n'y entendent rien... » Il y a en effet dans ces phrases beaucoup plus que l'aveu d'une ambition, au demeurant évidente à cette époque ; il y a ce qu'il a appris dans les livres du siècle sur l'impossibilité de la République dans un grand pays, aggravé par un jugement pessimiste sur la société thermidorienne, dont les citoyens offrent l'image inversée de la vertu républicaine. Enfermés dans l'égoïsme des intérêts et

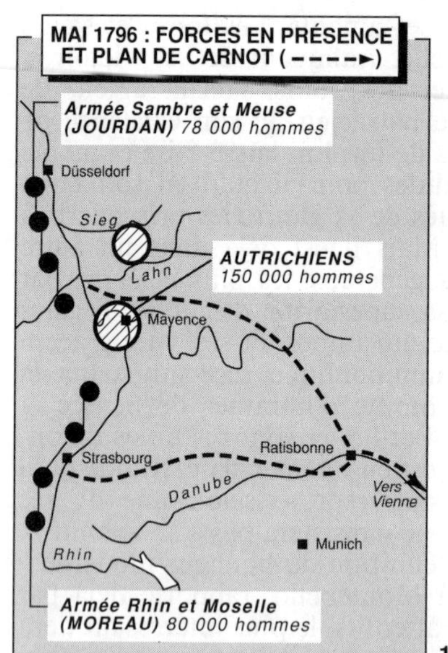

MAI 1796 : FORCES EN PRÉSENCE
ET PLAN DE CARNOT (– – – –►)
Armée Sambre et Meuse
(JOURDAN) 78 000 hommes
Düsseldorf
Sieg
Lahn
AUTRICHIENS
150 000 hommes
Mayence
Strasbourg
Ratisbonne
Danube
Vers
Vienne
Munich
Rhin
Armée Rhin et Moselle
(MOREAU) 80 000 hommes
1

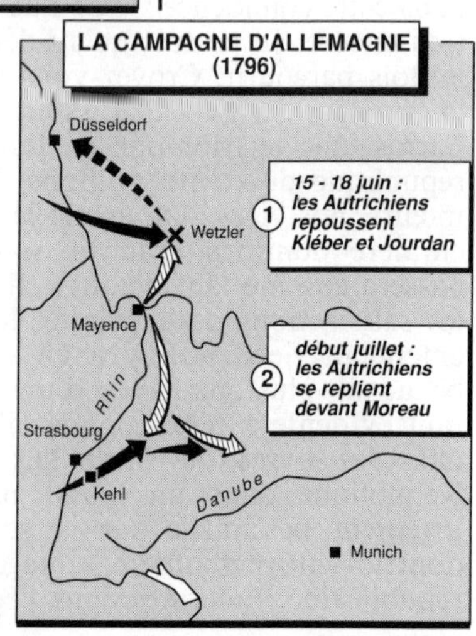

LA CAMPAGNE D'ALLEMAGNE
(1796)
Düsseldorf
Wetzler
1
15 - 18 juin :
les Autrichiens
repoussent
Kléber et Jourdan
Mayence
2
début juillet :
les Autrichiens
se replient
devant Moreau
Rhin
Strasbourg
Kehl
Danube
Munich
2

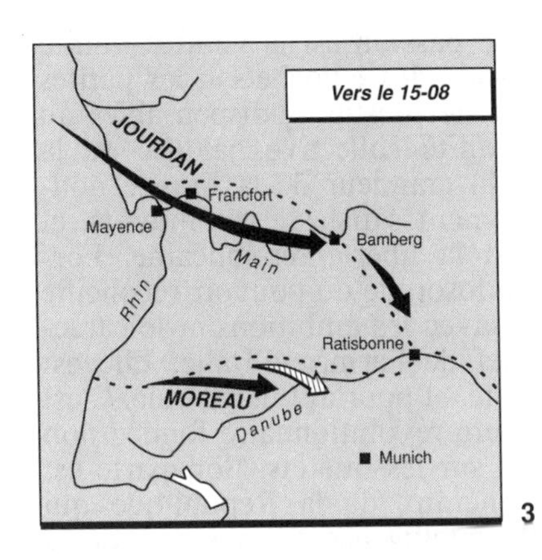
Vers le 15-08
JOURDAN
Francfort
Mayence
Bamberg
Main
Rhin
Ratisbonne
MOREAU
Danube
Munich

3

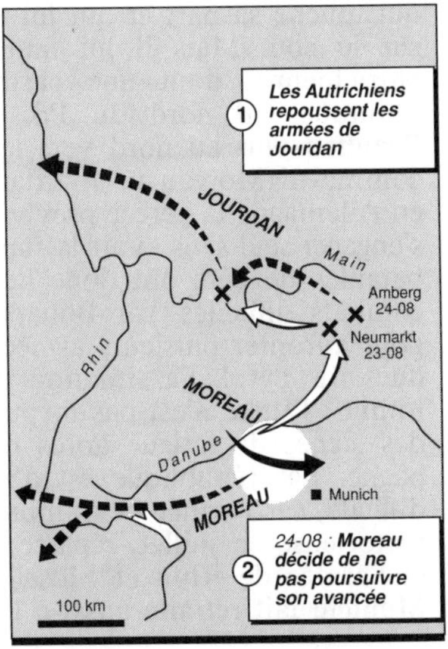

Les Autrichiens repoussent les armées de Jourdan
JOURDAN
Main
Amberg 24-08
Neumarkt 23-08
Rhin
MOREAU
Danube
Munich
MOREAU
24-08 : Moreau décide de ne pas poursuivre son avancée
100 km

4

des plaisirs, leur grande passion est la vanité : vanité individuelle, qui demande des « hochets », les petites différences de statut et de prestige indispensables au monde de l'égalité ; vanité collective, jalouse de la gloire nationale et de la grandeur de la France nouvelle. Que le gouvernement satisfasse ces intérêts, et les Français oublieront la liberté républicaine. Formulée très tôt, cette philosophie du pouvoir réconcilie les passions nationales avec les ambitions et le caractère du général en chef de l'armée d'Italie. Elle est simple, presque simpliste, et pourtant magistrale. C'est la formule de la dictature révolutionnaire fondée non plus sur la vertu, mais sur les intérêts. Bonaparte est le seul des grands généraux de la République qui manifeste une pareille intelligence des ressorts de la politique nationale.

Après avoir rançonné toute l'Italie centrale jusqu'aux États pontificaux, en juin et juillet, il a des soldats payés en numéraire, des généraux riches, Paris qui touche sa part et qui lui laisse par force la bride sur le cou. Mais il lui faut encore battre l'armée autrichienne, dont une partie est retranchée dans Mantoue, au nord du Pô. Il pourrait poursuivre Beaulieu plus au nord vers les versants alpins, mais comme ni Moreau ni Jourdan n'ont réussi assez tôt en Allemagne la percée prévue par Carnot, il craint de s'engager seul sans avoir la supériorité numérique. Les batailles de l'été ont donc lieu autour de Mantoue ; combats difficiles, car Bonaparte doit lever le siège pour affronter plusieurs armées autrichiennes descendues du Tyrol. Sa situation n'est pas bonne à l'automne : l'Italie n'est pas inépuisable et l'armée donne des signes de fatigue après plusieurs mois de campagne. La République est d'ailleurs dans une passe difficile, car l'armée de Sambre et Meuse de Jourdan, victorieuse en juillet, repasse le Rhin en septembre ; et l'armée de Rhin et Moselle, qui est allée jusqu'à Munich, fait retraite aussi à l'automne. Les généraux vaincus n'obéissent d'ailleurs guère plus à Carnot que le vainqueur de l'Italie ; mais leurs échecs servent la gloire du proconsul de Milan, de plus en plus roi d'Italie : il se débarrasse en octobre des commissaires du Directoire et forme de son chef une « République cispadane », avec Modène et les Légations enlevées au pape.

Pourtant, la situation militaire reste incertaine tout l'automne autour et au nord de Mantoue. A Arcole, le 15 novembre, Bonaparte doit donner l'exemple pour enrayer la panique des soldats. Il lui faut reprendre en main les troupes, modifier le commandement, alors que Carnot, de Paris, envoie le général Clarke pour avoir un rapport sur l'armée d'Italie, et explorer les voies d'un compromis avec l'Autriche au prix de l'abandon de la Lombardie et de la République cispadane. C'est la victoire de Rivoli, en janvier 1797, qui est décisive, avec la déroute des colonnes autrichiennes du général Alvinczy, suivie bientôt, le 2 février, de la capitulation de Mantoue. Bonaparte triomphe après plusieurs mois très difficiles, au moment même où le pouvoir a le plus besoin de lui à Paris. C'est l'époque où Barras et Reubell voient approcher avec crainte la première échéance électorale du régime et redoutent Carnot, prêt au compromis avec les royalistes intérieurs et l'Europe des rois. L'hésitant La Révellière aime au contraire, en bon ex-Girondin, la politique des Républiques sœurs, et plus encore, en bon théophilanthrope, le démembrement des États pontificaux. Le triumvirat républicain de Paris n'a d'appui contre les royalistes que par la liberté qu'il laisse au général victorieux. Celui-ci, tout à sa victoire définitive sur l'Autriche, s'offre même le luxe de ne pas suivre ses suggestions de détruire le siège de l'unité catholique ; il se contente, une fois encore, d'une rançon.

Mais après Rivoli, il est désormais clair pour tous qu'il a le principal commandement de la République.

Les troupes de fortune qu'il commande depuis un an sont renforcées par d'autres contingents venus du Rhin : l'époque héroïque est terminée, où son énergie presque surhumaine, son omniprésence, cette capacité d'agir sans cesse et d'intimider ont finalement compensé le caractère improvisé des armées. En mars 1797, il lance l'offensive vers Vienne, à travers les Alpes, avec des troupes reposées et réorganisées. Le dernier jour du mois, fort de sa position, il propose un armistice à son adversaire, l'archiduc Charles, aux conditions suivantes : ou bien l'Autriche cède la Belgique et la Lombardie, en acquérant en échange l'essentiel de la Vénétie (sauf Venise) ; ou bien elle abandonne la Rhénanie en plus de la Belgique, en récupérant la Lombardie, avec des territoires vénitiens. Les termes du choix dictent la réponse, qui fait le fond de l'armistice de Leoben, le 18 avril. L'Autriche laisse à la France la Belgique et le Milanais, mais conserve la rive gauche du Rhin, et s'accroît en Vénétie. C'est l'antique République des Doges qui paie le prix le plus lourd, conquise, occupée, bientôt rayée de la carte, après qu'une insurrection populaire à Vérone contre les troupes françaises en a fourni le prétexte.

L'armistice, qui dessine les conditions d'une paix avec l'Autriche — la première depuis 1792 — a été imaginé, négocié, signé par Bonaparte, qui prend ainsi possession de la politique étrangère de la République. A Paris, le Directoire est dans la pire des situations politiques, juste après les élections qui ont amené une majorité royaliste aux Conseils. Il est donc moins que jamais en mesure de discuter les initiatives et les décisions du général vainqueur. Carnot et son ombre Letourneur ne sont pas les hommes de la rive gauche du Rhin : la droite de l'exécutif parisien n'a pas de raison de détester Leoben. Le triumvirat, par contre, est pour les « frontières naturelles », donc le Rhin, mais il aime aussi, La Révellière surtout, l'idée des Républiques sœurs ; il aurait bien pris tout ensemble,

Rhénanie et Lombardie. Il se console de la première avec la seconde. De toute façon, il n'a pas le choix, puisque l'idée du coup d'État républicain avec l'aide de l'armée est déjà dans l'air.

L'armistice de Leoben est donc un tournant important de la politique révolutionnaire à l'extérieur. D'abord parce que sa négociation a échappé pour la première fois au pouvoir civil. Ensuite parce qu'il dessine des buts de guerre qui vont au-delà même des « frontières naturelles ». La Hollande avait été transformée déjà par les thermidoriens en République sœur, mais elle pouvait être considérée pour l'essentiel comme partie de la rive gauche du Rhin. Avec la plaine du Pô, c'est une autre histoire qui commence : celle de l'expansion et de la domination française en Europe, sous l'impulsion d'un génie qui hérite de l'esprit de la Révolution tout en le transformant. Bonaparte, en effet, refaçonne l'Italie, en proie à des agitations de tous sens, pro-françaises et anti-françaises, jacobines et catholiques. Il est réinstallé près de Milan, au château de Mombello cette fois, et redessine la carte de sa deuxième patrie. Avec la Lombardie, il fait une République cisalpine, à laquelle il donne en juillet une Constitution à la française, avec des institutions comparables à celles de l'an III, mais où il nomme lui-même les membres du Directoire et du Conseil législatif. Dans l'été, il envoie Augereau soutenir le coup d'État des triumvirs contre Carnot et le risque d'une restauration royaliste. Et il règle aussitôt après les conditions de la paix avec l'Autriche, dans l'esprit de Leoben, auquel il ajoute une clause inédite : la suppression de l'antique République de Venise, conquise en mai, et donnée aux Habsbourg, en échange d'un agrandissement de la nouvelle République cisalpine. L'Autriche doit accepter la cession de la rive gauche du Rhin, moins la région de Cologne, où se trouvaient les possessions prussiennes. C'est le traité de Campo-Formio, du 17 octobre 1797, qui mêle aux stipulations de Leoben une donnée nouvelle, reprise de l'arbitraire des rois : la suppression d'un des plus vieux États de l'Europe, la Sérénissime République, traitée comme la Pologne en 1772 et en 1793 par les monarchies d'Europe centrale et orientale.

Campo-Formio succède au 18 fructidor à Paris. Ce mois d'octobre, qui a ramené la République révolutionnaire et ses mesures d'exception à l'intérieur, consacre aussi le triomphe de ses armes à l'extérieur : la Terreur et la victoire ; combinaison paradoxale, avec séparation des rôles, Barras dans le premier et Bonaparte dans le second.

La Terreur : mais ce n'est pas l'an II, les comités de surveillance, le Tribunal révolutionnaire. C'est l'application des lois d'exception du 19 et du 22 fructidor (5 et 8 septembre 1797) contre les émigrés rentrés et les suspects de conspirations royalistes d'une part, les prêtres réfractaires de l'autre : on retrouve, six ans après les débuts de la Législative, les deux grandes catégories de coupables qui avaient servi d'aliment à la dynamique révolutionnaire. Le danger royaliste a réveillé la haine des nobles. Cent soixante condamnations à mort à Paris de l'automne 1797 au printemps 1799. D'après les mémoires de La Révellière, Sieyès aurait proposé au Directoire — où deux ex-ministres, Merlin de Douai et François de Neufchâteau, ont remplacé Carnot et Barthélémy — le bannissement de toute la noblesse hors de la République, qui eût matérialisé l'expulsion suggérée dans un passage du *Qu'est-ce que le Tiers État ?* ; mais l'idée, défendue aux Cinq-Cents par Boulay de la Meurthe en octobre, est finalement ramenée à l'exclusion civique, par la privation des droits politiques. Comme la liste des exceptions reste à établir, la loi ne pourra être appliquée.

Après les aristocrates, les prêtres réfractaires, objets aussi d'une très vaste législation répressive depuis

1792, ranimée en fructidor an V. La peine de mort est remplacée par la déportation en Guyane. On en arrête plus d'un millier, dont deux cent soixante-trois partiront pour le bagne, tandis que les autres resteront parqués dans des conditions épouvantables aux pontons de Ré et d'Oléron. La répression, comme toujours, est très inégale selon les régions, les situations locales et l'état d'esprit des administrations. Mais elle ressuscite un climat : presse muselée, visites domiciliaires, arrestations préventives, où se rejouent des scènes antérieures et où s'exercent des revanches. Comme toujours aussi, l'arbitraire des lois élargit la désobéissance aux lois. La France de la fidélité catholique, et d'abord l'Ouest rural, mais aussi le Sud-Est, glisse hors de l'autorité publique.

Dans cette version bourgeoise de la Terreur révolutionnaire, on retrouve, sous une forme apprivoisée, administrative, deux thèmes de la grande époque : la religion civile et la régénération du citoyen. Il n'y a pas d'époque de l'histoire révolutionnaire où l'administration ait plus tenu la main à l'organisation d'un culte nouveau, tous les « décadis », et aux célébrations anniversaires des grandes dates de la Révolution : le 21 septembre, naissance de la République, le 21 janvier, mort du tyran, le 9 Thermidor, fin de l'autre tyran, le 18 fructidor, dénouement du dernier complot royaliste. Rebaptisées « temples », les églises sont utilisées à trois cultes : l'Église catholique constitutionnelle, prise en tenaille entre les réfractaires et les administrateurs de la religion républicaine, la théophilanthropie, et la cérémonie officielle du décadi où les citoyens célèbrent les lois autour des autorités municipales. Seule cette dernière a le sceau du gouvernement, et il vaut mieux s'y montrer si l'on a quelque chose à lui demander, ou au contraire à faire oublier.

Ainsi, c'est sous le Directoire que le calendrier révolutionnaire a trouvé son plein emploi : l'ère nouvelle, ouverte par la République, a un culte réglé, auquel les administrations sont chargées de veiller, pour libérer les citoyens de la superstition et de la tyrannie des prêtres. L'idée de raison, plus encore que celle de vertu, sert de base au civisme républicain qu'il s'agit d'inculquer : la religion civile est plus proche de Condorcet que de Robespierre. Si les citoyens sont éclairés, donc raisonnables, ils ne peuvent vouloir que le bien public, qui est aussi le leur. De là aussi un fort investissement sur l'éducation, hérité des premières années de la Révolution ; la régénération du citoyen, indispensable à la fondation de la République, trouve désormais dans l'école son instrument essentiel. Le rôle que Robespierre avait assigné à la Terreur est dévolu à la pédagogie de la raison.

Les plus grandes ambitions datent de la Convention, qui a débattu en 1793 des plans d'éducation de Condorcet, puis du Montagnard Le Peletier, et qui a même voté en décembre 1793 l'obligation de l'enseignement primaire aux frais de l'État. Mais les mesures pratiques ont été votées après Thermidor, et mises en place par le Directoire. Sous l'Ancien Régime, l'instruction était dispensée par l'Église, donc obscurantiste ; avec la Révolution, elle est publique et laïque. Les Montagnards avaient légiféré pour tous les enfants de la République, les thermidoriens se préoccupent surtout des enfants des « propriétaires ». La loi fondamentale a été celle du 3 brumaire (25 octobre 1795), la veille de la séparation de la Convention, dans cette même journée où a été voté le texte contre les familles des émigrés. Le primaire est sacrifié ; car l'instituteur redevient salarié par les communautés locales, comme avant 1789, et rien n'est dit sur l'obligation scolaire, soulignée en 1793 : dans les faits, on retourne à l'ancien système, et bien des petites écoles à demi-clandestines sont rouvertes sous la houlette d'un prêtre réfractaire réapparu en pédagogue, faisant concurrence à l'instituteur public soutenu par l'administration.

L'effort républicain des thermidoriens s'est porté sur

le secondaire et sur le supérieur ; encore ces deux termes ne sont-ils pas très adéquats, car les « écoles centrales » prévues par la loi du 24 février 1795 pour remplacer les collèges d'Ancien Régime tenus par des religieux sont des institutions à mi-chemin entre les deux niveaux, organisées au chef-lieu de chaque département. Sortes de lycées supérieurs, un peu utopiques, dont les cours sont facultatifs, et constitués en trois sections successives : d'abord, le dessin, l'histoire naturelle, les langues anciennes et vivantes ; puis les sciences (mathématiques, physique, chimie) de quatorze à seize ans ; au-delà, ce que le texte de loi appelle la « grammaire générale » : les belles-lettres, l'histoire, la législation, enseignées selon la science de la psychologie sensualiste, où l'origine des idées se trouve dans l'analyse des sensations des individus, donc dans l'étude de leur formation par l'environnement. Toutes les disciplines s'y trouvent redécoupées pour former la raison des jeunes citoyens par la science, dans un esprit incroyablement révolutionnaire sur le plan pédagogique, sans précédent et d'ailleurs sans postérité ; on y retrouve bien des propositions du siècle : la laïcité, la promotion des sciences, l'ambition encyclopédique, la suprématie du français sur les langues anciennes, le règne de la raison.

Au-dessus de ces écoles centrales, tout un réseau d'établissements supérieurs, créés aussi par la Convention thermidorienne, et qui auront une vie plus longue : le Conservatoire des Arts et Métiers ; l'École des services publics, pour l'armée, la marine et les ponts-et-chaussées, qui deviendra notre École polytechnique ; trois écoles de médecine — Paris, Lyon, Montpellier ; l'École normale supérieure, chargée de former des professeurs ; l'École des langues orientales, le musée des Monuments français, le Muséum, l'Observatoire. Si les thermidoriens ont abdiqué une partie des ambitions montagnardes sur les petites écoles — encore qu'ils se battent, mais en reculant, sur ce terrain aussi —, ils ont reconstruit, sur les ruines des universités abolies comme des corporations (même l'Académie française n'a pas échappé à la loi commune), des institutions d'enseignement supérieur libérées de la tutelle cléricale et conçues selon l'esprit des Lumières.

Tout en haut, ils ont imaginé l'Institut, pour coiffer l'édifice des connaissances, éclairer la politique, donner l'impulsion centrale à l'esprit public : il y a déjà dans le système l'esprit d'une « République des professeurs », où l'opinion doit être soigneusement formée et informée par les plus savants, pour souder finalement, avec l'aide du temps, un corps politique de citoyens. L'Institut a trois classes qui coiffent l'ensemble des disciplines, sciences physiques et mathématiques, littérature et beaux-arts, et la grande nouveauté : les sciences morales et politiques. C'est le pouvoir spirituel du régime, prévu dans la Constitution comme les Conseils et le Directoire, peuplé des grands notables de la science et de la vie publique : Monge, Berthollet, Lagrange, Chaptal, Lamarck, Cuvier, Geoffroy Saint-Hilaire, Daunou, Marie-Joseph Chénier, La Révellière-Lépeaux... Bonaparte, revenu à Paris après Campo-Formio, s'y fait élire à la fin de 1797 à la place du malheureux Carnot « fructidorisé ». Ce passage du héros de l'Italie chez les hommes de pensée est un bon investissement. La France est toujours ce pays qui aime la littérature et les idées. Dieu sait que les rescapés qui la dirigent ont redécouvert les intérêts, mais ils ont gardé de 1789 le projet fondamental de fonder la société sur la raison, et c'est un trait qui marquera leurs héritiers jusqu'au XXe siècle. Pour l'élite politique et intellectuelle de l'époque, ce projet a pris la forme de ce qu'elle appelle l'« idéologie », qui est la doctrine régnante, dernière-née des Lumières, et qui va fermer l'époque. C'est un rationalisme expérimental, qui écarte toute explication métaphysique de la connaissance, tout relais par Dieu ou par l'innéité, et veut fonder une science de la formation des idées à partir des sens. De là l'ambition de parvenir aussi à une science des mœurs et des comportements, et le contenu des « sciences morales et politiques ». Bonaparte s'honore d'être le collègue de Cabanis, de Destutt de Tracy ou de Volney ; à l'époque, il signe ses écrits « Bonaparte, général en chef et membre de l'Institut national ». Il y a dans ce monde savant de l'après-Révolution tout un XVIIIe siècle revitalisé, dont les Goncourt ont raillé l'ambition encyclopédique retrouvée : « Et l'allemand et le grec, et l'espagnol et le latin, et la logique et la rhétorique, et la géographie et l'histoire, et les changes étrangers, et les poids et mesures, et l'homme et le système décimal, et la philosophie de la grammaire, et la raison de Dieu, et la tenue des livres, le français même. Paris veut tout apprendre entre deux contredanses*. » Les sociétés savantes renaissent, l'instruction publique est à la mode, les grandes institutions nouvelles sont entourées du respect général. La République n'est pas à l'abri de l'arbitraire, mais elle est inséparable de la science.

Voilà donc, une fois de plus, la Révolution française écartelée entre son ambition universaliste et l'arbitraire de ses lois. Elle révère l'Institut comme le phare de sa mission historique, mais elle vient de purger ses Conseils par une intervention illégale de l'armée. Le second caractère a frappé d'infirmité les institutions de la République : l'autorité des Conseils est brisée par cette amputation forcée, et celle de l'exécutif, qui en a été l'instrument, n'y a rien gagné. Il n'y a plus de situation de salut public, et le discrédit jeté sur les politiciens s'étend aux Directeurs. La relation entre Barras et Bonaparte s'est inversée. En face de l'ancien Conventionnel qui éteint son autorité dans les plaisirs et les intrigues, c'est le jeune Corse couvert de gloire

---

* Edmond et Jules de Goncourt, *Histoire de la société française pendant le Directoire*, 1855, pp. 249-250.

qui incarne la République. Mais il s'en va, au printemps 1798, faire la guerre aux Anglais en Égypte, et l'opinion française reste en tête-à-tête avec ses politiciens.

Au moins le Directoire profite-t-il du répit gagné en Fructidor pour faire avancer un certain nombre de réformes qui préparent la remise en ordre du Consulat. La plus importante est financière. Le ministre Ramel fait voter la grande loi financière du 9 vendémiaire (30 septembre 1797), qui cherche à réduire la dette publique, très onéreuse au Trésor, en remettant aux créanciers de l'État du papier négociable contre les biens du clergé et des émigrés, l'inusable capital de la Révolution : deux tiers des dettes sont couverts de la sorte, tandis que le dernier tiers est garanti remboursable en numéraire. Mais la mesure, destinée à regagner la confiance des rentiers si durement entamée par l'inflation vertigineuse des années précédentes, se heurte à la concurrence de tous les autres titres en circulation qui sont payés aussi sur les biens nationaux ; et cette banqueroute des deux tiers de la dette ne permet même pas de conserver au dernier tiers une valeur constante, payable en espèces sonnantes et trébuchantes. La reprise du paiement des rentes en numéraire n'interviendra qu'en 1801. Ramel n'a réussi qu'à diminuer pour un temps la dette. Il a cherché aussi à faire rentrer l'impôt de façon organisée, mais sans parvenir à échapper à la malédiction de la Révolution depuis 1791 : le recours à l'extraordinaire, les tranches nouvelles de biens nationaux, les spoliations en pays étrangers, les facilités offertes aux spéculations des fournisseurs, l'emprunt. Le retour au numéraire comme instrument des échanges se heurte au manque de confiance : l'argent se cache, et les rares banques qui renaissent n'alimentent encore que des circuits très restreints. La situation financière est comme toujours largement conditionnée par le sentiment public, qui ne croit pas à l'avenir du régime.

Comment y croirait-il ? L'habitude, une fois prise, d'invalider les élections annuelles, se perpétue comme une intoxication : c'est le moyen le plus sûr de maintenir le gouvernement des anciens Conventionnels. Mais au printemps 1798, les royalistes intimidés par la répression qui a suivi Fructidor, n'osent plus paraître aux assemblées électorales. C'est vers les Jacobins que les électeurs des départements ont penché. Barère, par exemple, est élu, qui se cache à Bordeaux depuis qu'il s'est enfui de prison en 1795 pour échapper au bagne guyanais. Le Directoire frappe alors à gauche dans la fournée des députés de l'an VI : il fait invalider par les Conseils, avec la loi du 22 floréal (11 mai), un certain nombre d'élections, en confirme d'autres, organisées par des assemblées irrégulières, bref opère lui-même le tri dans la représentation élue, sans même avoir, comme l'année précédente, le prétexte ou la raison du salut public contre une restauration royaliste. Le régime n'a pas pu respecter, depuis son origine, les résultats d'une seule consultation électorale.

La même chose se reproduit l'année suivante, en 1799, mais dans l'autre sens, du côté des Conseils contre le Directoire : les électeurs ont refusé de suivre les recommandations de l'exécutif, qui avait désigné ses candidats officiels, et c'est à nouveau du côté néo-jacobin que penchent les assemblées. Des néo-Jacobins d'un type à vrai dire nouveau, qui regardent vers les généraux de l'armée plus que vers les sans-culottes des faubourgs. Avant même que le nouveau tiers élu siège, le Directoire a renouvelé un de ses membres : Reubell est le sortant désigné par le sort, un des remparts de la République. C'est Sieyès qui le remplace, à peine rentré de l'ambassade de Berlin. Sieyès, encore lui, toujours lui, et qui cette fois accepte le poste refusé à l'automne 1795. C'est que l'occasion s'offre à nouveau de donner — enfin — à la Révolution la bonne Constitution qui lui échappe depuis 1789.

La guerre a repris, mais Bonaparte est en Égypte. Il

faut refaire un détour par la politique extérieure pour comprendre tous les fils du complot révisionniste dont Sieyès devient le centre au printemps 1799, avant que le général corse en devienne le bénéficiaire à l'automne.

Après Campo-Formio, la France avait vaincu tous ses ennemis, sauf l'Angleterre. Les armées de la Révolution lui avaient redonné une prépondérance en Europe dont elle avait perdu le secret depuis le milieu du règne de Louis XIV. Mais il y avait, avec cette époque, une différence capitale dans l'équilibre général des États : au XVIIIe siècle s'était affirmée l'ambition de l'Angleterre, formidable puissance maritime, commerciale et coloniale, nation moderne avant les autres, rassemblée autour d'une ville gigantesque en train de devenir l'entrepôt et la métropole économique du monde. Les Anglais avaient chassé les Français d'Amérique du Nord et d'Inde au traité de Paris (1763), et la France avait pris une petite revanche dans la guerre de l'Indépendance américaine. La guerre avait recommencé au début de 1793, après l'exécution de Louis XVI.

Le conflit conserve ses traits anciens. Les deux pays se heurtent outre-mer, notamment aux Antilles, et l'Angleterre veille jalousement sur un équilibre européen dont elle craint la déstabilisation par la Révolution française. L'anglophobie française est ancienne, et la francophobie anglaise aussi : on n'aurait pas de mal à en dresser le répertoire dans une grande part de la pensée des Lumières à l'intérieur de chacun des deux pays, pour ne rien dire des opinions publiques. Mais la guerre qui s'est ouverte en l'an I a mis au jour des enjeux nouveaux et aggravé les passions hostiles. La France de 1789 avait pu plaire à maints libéraux anglais. En 1793, la condamnation radicale portée par Burke, dès 1790, sur tous les principes de la Révolution a pris une valeur prédictive ; elle est partagée par presque tous. Les deux plus grandes histoires nationales de l'Europe, les deux monarchies presque immémoriales, construites sur les mêmes éléments, sont désormais séparées par deux passés, deux traditions, deux régimes incompatibles. Ce que même le schisme entre la Réforme anglicane et la fidélité catholique avait laissé en partage entre les deux nations, la Révolution le déchire. La liberté moderne a désormais deux sources contradictoires, l'une anglaise, l'autre française. A partir de ce bien commun qui les sépare, les deux pays sont d'ailleurs en train de fabriquer l'avenir du monde, mais chacun à sa façon, et chacun dans son registre. L'Angleterre invente l'industrie, la France l'égalité.

Les deux opinions publiques sentent cette mutuelle étrangeté très fortement. L'Angleterre est devenue, dès la Constituante, le pays où règne l'aristocratie par l'intermédiaire d'une Chambre haute titrée et d'une Chambre basse où les sièges s'acquièrent par l'intrigue et par l'argent. Pour la Convention, elle est incarnée par la City de Londres, patrie de la banque et de l'opulence égoïste, l'exact contraire de la vertu jacobine. Les thermidoriens ont redécouvert les intérêts, mais les intérêts commerciaux de la République, comme ceux de la monarchie hier, sont précisément contradictoires avec ceux de l'oligarchie marchande qui règne à Londres. A une époque où les Français sont à Anvers et à Amsterdam, comment l'Angleterre penserait-elle autrement ? Si bien que les victoires françaises et la paix de Campo-Formio n'ont pas terminé la guerre : elles l'ont rendue, avec l'Angleterre, inexpiable. « Une paix avec l'Angleterre me semble la perte de la République », dit Reubell à cette époque.

Les Anglais ont gagné la guerre coloniale aux Antilles, ce trésor du commerce négrier français au XVIIIe siècle. Ils ont pris possession, dès 1793, avec l'aide des colons hostiles à la Révolution, de la Martinique, Sainte-Lucie, la Guadeloupe et Saint-Domingue. Dans

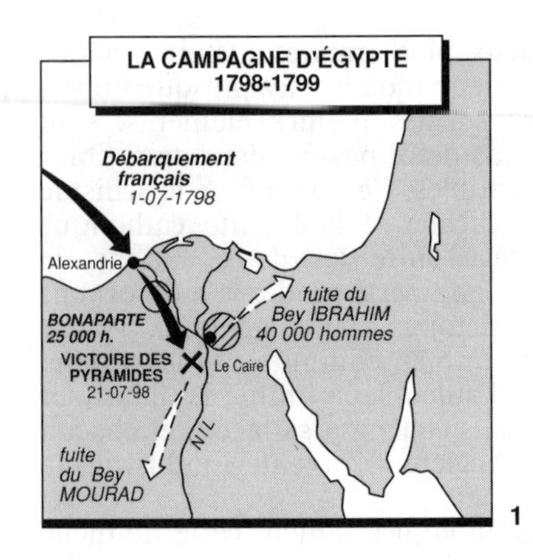
LA CAMPAGNE D'ÉGYPTE
1798-1799
Débarquement français
1-07-1798
Alexandrie
fuite du Bey IBRAHIM
40 000 hommes
BONAPARTE
25 000 h.
VICTOIRE DES PYRAMIDES
21-07-98
Le Caire
NIL
fuite du Bey MOURAD
1

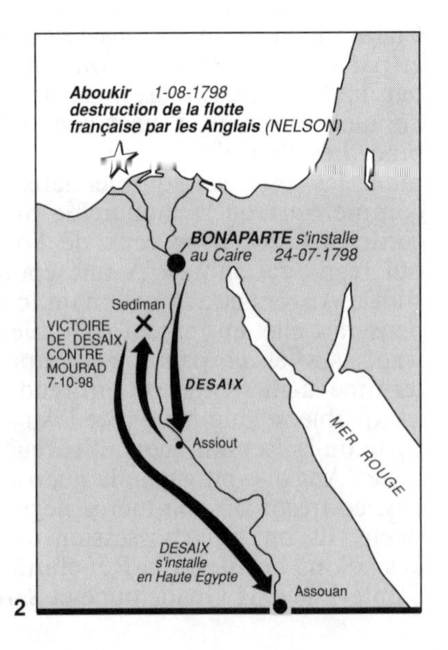
Aboukir 1-08-1798
destruction de la flotte française par les Anglais (NELSON)
BONAPARTE s'installe au Caire 24-07-1798
Sediman
VICTOIRE DE DESAIX CONTRE MOURAD
7-10-98
DESAIX
Assiout
MER ROUGE
DESAIX s'installe en Haute Egypte
Assouan
2

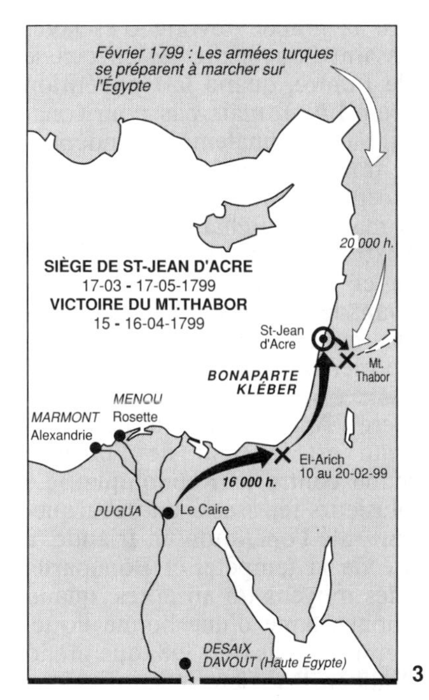
Février 1799 : Les armées turques se préparent à marcher sur l'Égypte
20 000 h.
SIÈGE DE ST-JEAN D'ACRE
17-03 - 17-05-1799
VICTOIRE DU MT.THABOR
15 - 16-04-1799
St-Jean d'Acre
Mt. Thabor
BONAPARTE
KLÉBER
MENOU
MARMONT
Rosette
Alexandrie
El-Arich
10 au 20-02-99
16 000 h.
DUGUA
Le Caire
DESAIX
DAVOUT (Haute Égypte)

3

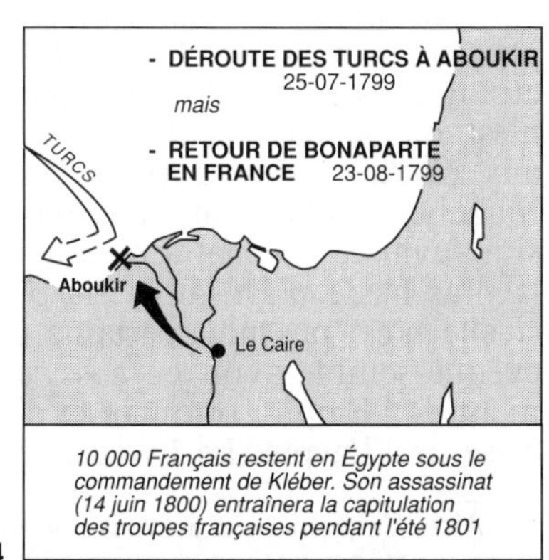
- DÉROUTE DES TURCS À ABOUKIR
25-07-1799
mais
- RETOUR DE BONAPARTE EN FRANCE 23-08-1799
TURCS
Aboukir
Le Caire
10 000 Français restent en Égypte sous le commandement de Kléber. Son assassinat (14 juin 1800) entraînera la capitulation des troupes françaises pendant l'été 1801

4

la dernière de ces îles, la grande révolte d'esclaves noirs dirigée par Toussaint-Louverture les en chasse d'abord au profit de la France, quand la Convention abolit l'esclavage (février 1794), mais pas pour longtemps : le général noir achète finalement l'indépendance d'Haïti par un traité favorable au commerce anglais (1798). Une exception : la Guadeloupe, où un ancien capitaine de la marine marchande, dont Alejo Carpentier a raconté l'extraordinaire aventure*, réussit à chasser les Anglais et à maintenir l'île dans la mouvance française. Dans les mêmes années, l'Angleterre a raflé les colonies hollandaises puisque la Hollande est devenue un protectorat français : la Guyane, Le Cap, Ceylan.

Mais comment vaincre l'Angleterre, cette île protégée par sa marine, qui est le cœur de l'intrigue aristocratique européenne contre la République ? Le Directoire a pensé à plusieurs reprises à un débarquement. Mais Hoche avait raté l'opération en Irlande, à la fin de 1796, à cause de la tempête, et Bonaparte, chargé d'en examiner les moyens un an après, quand il rentre d'Italie, y renonce faute d'une bonne flotte. C'est alors, dans les premiers mois de 1798, que prend forme l'idée d'aller frapper l'Angleterre en Égypte : stratégie proposée par Talleyrand et avalisée par le Directoire le 5 mars. Les buts du ministre des Affaires étrangères ont fait l'objet d'une vaste littérature, dont n'est même pas exclue l'intention de rendre service aux Anglais, en détournant les navires français de la Manche vers l'Orient : la réputation de Talleyrand est si mauvaise, sa vénalité si fameuse que l'interprétation la plus basse n'est jamais la plus improbable, même si elle n'est pas plus certaine qu'une autre. L'ancien évêque semble avoir eu aussi un plan de démembrement de l'Empire ottoman et d'une colonisation française de l'Égypte. Le Directoire s'est méfié, peu dési-

* Alejo Carpentier, *Le Siècle des lumières*, Gallimard, 1982.

reux d'ouvrir, avec la question d'Orient, un conflit non seulement avec le sultan de Constantinople, mais aussi inévitablement avec la Russie. Il ne s'est rallié au projet que dans sa version courte et limitée, anti-anglaise : frapper le commerce de l'ennemi, une des routes par où passe sa richesse, entre l'Inde et Londres. Souhaite-t-il aussi éloigner Bonaparte, personnage gênant sur la scène parisienne, attendant son heure, drapé dans une simplicité à l'antique ? Peut-être. Toujours est-il que lui, Bonaparte, appuie l'idée de l'expédition et veut en être chargé : bon placement de son capital italien, géré de toute façon à Paris par ses frères, Joseph et Lucien. Et puis l'Égypte fait partie de son monde imaginaire, à l'autre bout de sa Méditerranée, cœur de l'Antiquité grecque et romaine, où il mettra ses pas dans ceux d'Alexandre et de César. L'idée réunit la dimension théâtrale de son caractère, son imagination de joueur qui double la mise en Orient, et le réalisme d'un calcul de politique intérieure.

Je laisserai l'expédition d'Égypte en dehors de ce récit, parce qu'elle forme à elle seule une histoire particulière, indépendante des événements français, essentielle au contraire à l'intelligence de la question d'Orient au XIXe siècle. Arrivé à Alexandrie le 1er juillet 1798, avec ses navires, ses soldats et le bataillon d'hommes de science embarqués avec lui, Bonaparte restera plus d'un an dans sa conquête, victorieux des guerriers Mameluks, battant aussi les troupes du sultan rassemblées contre lui, organisant un protectorat « éclairé » et tolérant comme s'il était au Caire dans un Milan islamique. Mais l'affaire est sans issue presque depuis le début, car l'amiral anglais Nelson a fini par trouver la flotte française à l'ancre le 1er août dans la rade d'Aboukir, et l'a coulée. L'armée française d'Égypte est enfermée en Égypte et son chef ne peut la ramener en France. Quand il la quittera, un an après, en août 1799, ce sera avec deux frégates, en grand secret, et en y laissant ses soldats à la garde d'un de ses généraux, Kléber.

Dans le temps où il est absent de France, entre le milieu du printemps 1798 et le début de l'automne 1799, la guerre a recommencé entre la Révolution et l'Europe. Avant même qu'il parte, en mars 1798, le Directoire a transformé les Cantons suisses en République unitaire (sauf Mulhouse et Genève, annexées à la France). A la même époque, l'armée française occupe Rome, d'où elle exile le pape en Toscane. Le Directoire impose aux États vassaux jusqu'aux vicissitudes de la politique intérieure française. Exportant les querelles politiques françaises en Hollande, en Suisse, dans la République cisalpine, il arbitre entre les éléments modérés et les Jacobins locaux, soutient tantôt ses généraux et tantôt ses agents civils, dicte les Constitutions et les régimes. Partout, il rançonne à la fois par le pillage et à travers des accords économiques inégaux : le trésor saisi à Berne a servi à payer l'expédition d'Égypte. Il ne reste du messianisme émancipateur des origines, quand les Français arrivent, que l'abolition de la dîme et des droits féodaux personnels. Mais que pèsent ces mesures, par rapport à l'occupation militaire, aux soldats qui vivent sur le pays, et au pillage systématique des richesses locales ? Ces années 1798-1799 voient naître un phénomène appelé à prendre une grande envergure au temps de l'expansion napoléonienne : la révolte des peuples occupés contre l'oppression française.

L'épisode le plus célèbre, qui est aussi le plus significatif, s'est passé au sud de l'Italie, dans le royaume de Naples. L'occupation de Rome par la France a donné au roi Ferdinand IV l'envie de mettre la main sur Bénévent et Pontecorvo, vieilles enclaves pontificales à l'intérieur de ses possessions. Il passe imprudemment à l'attaque en novembre, et expulse d'abord la garnison française de Rome, où se produit une chasse populaire aux Jacobins et aux Juifs. Mais le Directoire réagit en déclarant la guerre à Ferdinand IV et, pour faire bonne mesure, au roi de Piémont-Sardaigne, réputé complice. Joubert occupe le Piémont, qui sera annexé à la France au début de 1799 ; Championnet reprend Rome, et va jusqu'à Naples, où il proclame avec l'aide de bourgeois et de nobles libéraux une République parthénopéenne, mise en coupe réglée par son armée. Mais l'occupation française de l'immense ville, où pullule l'innombrable clientèle de l'aristocratie latifundiaire a déclenché une insurrection populaire sous le drapeau de la foi et du roi. Le Directoire désavoue et Championnet et la nouvelle République sœur, mais le mal est fait : contre les notables libéraux italiens qui ont couvert le pillage français, l'exemple des « lazzaroni » napolitains est suivi par les paysans calabrais, nouvelle Vendée du midi italien dressée contre la République de l'athéisme français. Après la France de 1793, les paysans voisins aussi sont en train de trouver leur Contre-Révolution populaire.

De toute façon, à la fin de l'hiver 1799, la guerre reprend entre le Directoire et l'Europe, et l'armée française doit évacuer l'extrême Sud italien pour faire face à des tâches plus urgentes. L'Angleterre a réussi à renouer les fils d'une coalition. Elle a trouvé facilement l'oreille du tsar de Russie, Paul Ier, inquiet des entreprises françaises contre l'Empire ottoman ; le roi de Naples est un autre allié tout trouvé. L'idée est de faire rentrer la France dans ses frontières de 1792 : l'Angleterre est le grand financier de l'entreprise, comme elle le restera jusqu'en 1814. Reste à trouver l'accord d'au moins une des puissances de l'Europe centrale, Prusse ou Autriche. En paix avec la Prusse depuis le traité de Bâle en 1795, le Directoire aurait voulu renouer avec une tradition de l'Ancien Régime et faire de la dynastie Hohenzollern une alliée de la France républicaine : envoyé en 1798 à Berlin comme ambassadeur, Sieyès s'y est ingénié sans y parvenir. Les

Prussiens n'ont aucun intérêt à se lier à une politique française d'annexions en territoire allemand ; mais ils restent neutres, marquant de près le rival autrichien. A Campo-Formio, l'empereur a subordonné ses abandons sur la rive gauche du Rhin à l'assentiment de la Diète impériale. Les négociations se sont ouvertes à Rastatt. Mais entre-temps la France a occupé la Suisse, et Rome ; elle a inclus la région de Cologne dans ses acquisitions rhénanes. L'Autriche veut au moins des compensations italiennes, et l'indépendance garantie de la Toscane et du royaume de Naples. La situation glisse vers la guerre dans l'hiver 1798-1799, et Jourdan passe le Rhin en mars. L'opinion publique a retrouvé à Paris les accents martiaux des grands jours ; elle dénonce un nouveau crime de l'Europe des rois dans l'assassinat de deux des plénipotentiaires français qui quittent Rastatt, en avril.

Les combats commencent mal pour la République. L'armée du Danube, sous Jourdan, est battue en Allemagne, à Stokach, par les Autrichiens. En Italie, Scherer puis Moreau reculent aussi, et abandonnent Milan à la fin d'avril. Les troupes russes de Souvorov, le premier grand général de l'Europe contre-révolutionnaire, ont fait leur jonction avec les Autrichiens et chassent les Français d'Italie et de Suisse entre juin et août. C'est à cette époque, où renaît à Paris le fantôme du salut public, que Bonaparte se décide à quitter l'Égypte : exactement dans les premiers jours d'août, à la lecture des nouvelles de France annonçant la frontière du Rhin menacée, l'Italie, son Italie, perdue. Les instructions reçues à son départ, l'année précédente, l'ont autorisé d'avance à laisser son armée à son successeur ; mais les conditions de cet abandon, puisqu'il n'y a plus de flotte française pour ramener ses soldats, donnent à son départ, entouré du plus grand secret, le caractère d'une désertion. Il n'emmène avec lui que Berthier, Murat, Marmont, Lannes et Duroc, plus Monge, Berthollet, et le peintre Denon, qui est déjà l'illustrateur de sa gloire. Pourtant il laisse à Kléber, le nouveau chef de cette armée sans avenir, la belle lettre du 22 août, son testament égyptien, qui mêle le souci du soldat à des considérations d'histoire universelle : « J'avais déjà demandé plusieurs fois une troupe de comédiens ; je prendrai un soin particulier de vous en envoyer. Cet article est très important pour l'armée et pour commencer à changer les mœurs du pays. La place importante que vous allez occuper en chef va vous mettre à même enfin de déployer les talents que la nature vous a donnés. L'intérêt de ce qui se passera ici est vif, et les résultats en seront immenses pour le commerce, la civilisation ; ce sera l'époque d'où dateront les grandes révolutions. »

Il n'arrive en France, sur la côte méditerranéenne, que le 9 octobre 1799. Entre-temps, la situation militaire a été redressée sans lui. Mais son retour bouleverse la situation politique.

A l'automne, en effet, Masséna a repoussé les Autrichiens et les Russes, en Suisse ; Souvorov prend ses quartiers d'hiver en se retirant. Au nord, en Hollande, une offensive anglo-russe échoue en octobre et les Anglais rembarquent leurs troupes. La République a profité plus encore des divisions politiques de la coalition que de ses propres capacités militaires. Elle est victorieuse, mais elle reste plus que jamais menacée par sa faiblesse intérieure.

Depuis mai, Sieyès est entré au Directoire, revenu de son ambassade de Berlin. L'air du temps est jacobin ; depuis Fructidor an V, le royalisme est sous surveillance étroite ; au printemps et dans l'été 1799, la situation militaire fait revivre les souvenirs de la patrie menacée. Mais il s'agit d'un jacobinisme particulier à la classe politique et militaire, dans un Paris plutôt léthargique, si l'on en croit les rapports de police. Les Conseils votent en juin la levée en masse, mobilisant cinq classes de conscrits, en août un emprunt forcé sur les riches ; entre-temps, en juillet, une terrible loi des otages destinée à terroriser une fois encore les ennemis intérieurs. Le pays est dans un état de désobéissance chronique, la République n'a plus guère d'autorité dans l'Ouest où la chouannerie s'étend. Des émeutes royalistes éclatent dans le Midi en août. La loi du 24 messidor (12 juillet 1799) permet aux autorités, dans les départements désignés par les Conseils comme troublés, sur proposition du Directoire, de prendre des otages parmi les parents d'émigrés ou de chouans, et d'en déporter quatre pour un assassinat de fonctionnaire public, d'acquéreur de biens nationaux ou de prêtre constitutionnel. Texte qui n'a pas connu de véritable application car le pays est blasé sur la Terreur ; mais il ranime une rhétorique, des hantises, des passions qui constituent toujours le fond de la politique nationale.

Or, Sieyès n'a pas fini par accepter de mettre la main aux affaires pour faire revivre l'an II ! De ce répertoire de souvenirs, il connaît mieux que personne les dangers. Il en mesure aussi, six ans après, l'inanité. La force républicaine n'est plus dans les faubourgs ou dans les sections de Paris, mais dans l'administration de la République et dans son armée. Il s'agit toujours, comme en 1789, de donner à l'État une forme réglée, une bonne Constitution, respectée par les citoyens comme leur raison publique. Ce qui a été manqué en 1791, en 1793 et en 1795 peut être fait en 1799. Tout s'y prête : le temps qui a passé, l'expérience des hommes, et même ce désinvestissement populaire par rapport à l'activisme égalitaire. La Révolution est revenue dans la main de son inventeur. L'ancien vicaire de Chartres s'est rendu maître de l'Exécutif, avec la complicité de la gauche des Conseils, Lucien Bonaparte en tête, député de la Corse, qui ne le quitte plus. Les députés ont annulé l'élection de Treilhard au Directoire, puis ils ont contraint à la démission La Révellière et Merlin. Les remplaçants choisis sont obscurs et républicains, deux qualités nécessaires aux partisans d'une révision constitutionnelle : Gohier, ancien ministre de la Justice sous la Convention, Roger Ducos, ex-Conventionnel régicide, et un général sans gloire mais jacobin, Moulin.

Au Directoire, Sieyès n'a donc plus qu'un rival, Barras, en place depuis le début, pour cette raison même usé, symbole par excellence du discrédit où est tombé le régime. Le voici donc en position prépondérante. A l'Intérieur, il place Cambacérès, ancien Conventionnel également. Il méprise la rhétorique de salut public des néo-Jacobins des Conseils, mais il trouve dans l'ancienne Plaine de la grande Assemblée révolutionnaire, et même chez d'ex-terroristes comme Fouché, des oreilles attentives. Il est suivi par les républicains centristes d'après Thermidor, par les Idéologues de l'Institut, Daunou, Boulay de la Meurthe, Marie-Joseph Chénier, Roederer, sans compter Talleyrand, qui vient de quitter les Affaires étrangères et qui flaire le vent. La victoire aidant, il brise facilement l'offensive néo-jacobine de juin-juillet. Il se trouve le leader du milieu politique parisien post-révolutionnaire, entouré d'une considération extraordinaire, crédité d'un projet constitutionnel enfin de nature à donner des institutions à la République. Un sauveur civil, puisque l'autre, le militaire, est au Caire.

Qui veut se représenter les idées qui circulent dans ce milieu révisionniste depuis le coup d'État de Fructidor an V (1797) doit à nouveau se tourner vers le couple Benjamin Constant-Madame de Staël, qui est au cœur du Tout-Paris politique, bien qu'aucun des deux n'y ait de fonctions officielles. Constant en meurt d'envie, et multiplie les intrigues pour y parvenir, mais il est jeune, et Suisse. Il a été depuis 1797 un des animateurs du Cercle constitutionnel, créé pour regrouper les républicains partisans des institutions contre les Clichyens. Comme Madame de Staël, il a soutenu le coup d'État des triumvirs contre les royalistes : position inconfortable pour ces défenseurs de la Constitution et des lois, mais rendue inévitable par leur crainte d'une Contre-Révolution qui serait un mal bien pire. Dès lors, leur idée est de modifier les institutions de l'an III de façon à ce qu'elles permettent la conservation des principes et des intérêts nés de la Révolution, en évitant ces embardées annuelles, tantôt à gauche, tantôt à droite, qui naissent des élections aux Conseils. A l'automne 1798, Madame de Staël écrit une grosse étude sur la question, qui ne paraîtra pas : la situation de 1799 est trop incertaine, sans doute, traversée qu'elle est par le renouvellement illégal de trois Directeurs et la poussée néo-jacobine, pour qu'elle n'ait pas eu peur de faire un pas de clerc. D'ailleurs, les notes marginales dont Benjamin Constant a émaillé son manuscrit ne cessent de la mettre en garde contre ce risque d'être mal comprise, ou de se desservir elle-même. Pourtant ce livre non publié, qui paraîtra seulement en 1906, reste encore le meilleur témoignage des questions politiques dont discute passionnément le milieu politique thermidorien dans la dernière année du Directoire. Le titre est tout un programme : *Des circonstances actuelles qui peuvent terminer la Révolution et des principes qui doivent fonder la République en France.*

Il y a deux personnages dans Madame de Staël. Le plus apparent est celui d'une agitée, un peu vaine, très snob, une « incorrigible intriguailleuse » dit Constant dans son Journal : incapable de supporter l'idée de n'être pas dans les derniers secrets du jour ou dans la confidence des puissants ; fidèle amie, au demeurant, s'épuisant en démarches pour faire radier de la liste des émigrés tel ou tel de ses protégés, ou arrachant à Barras la nomination de Talleyrand aux Affaires étrangères : les services qu'elle peut rendre lui donnent aussi la preuve de son pouvoir. Quand elle n'est pas à Coppet, où elle va souvent voir son père, le vieux Necker, qui ne cesse d'écrire lui aussi sur les affaires de la France, elle tient salon à Paris, ou au château de Saint-Ouen, héritage familial. Elle reçoit ce monde de politiciens, de fournisseurs aux armées, d'intellectuels et de généraux qu'est devenue la société de cette époque, à mi-chemin entre le Tout-Paris du XIXe siècle et les salons du XVIIIe. Elle ne vit pas dans un temps où les femmes peuvent aspirer aux premiers rôles politiques ; mais elle veut être au centre de tout, l'égérie de la République et des républicains. Quand Bonaparte est rentré d'Italie, en 1797, elle lui a voué presque un culte, et a tenté aussi de lui faire la cour ; en vain : le général corse n'aime pas les femmes qui se mêlent de politique ; de celle-là il craint l'enthousiasme indiscret, et préfère à ses dîners les austères conversations de l'Institut.

Mais la fille de Necker est aussi un grand écrivain. C'est largement par elle que va passer le renouvellement de la culture des Lumières dans la France de cette époque, la connaissance de la littérature allemande, le cosmopolitisme intellectuel — au bon sens du terme. De son père, elle tient le goût de la philosophie politique, et d'ailleurs ce qu'elle écrit à cette époque doit quelque chose à l'*Histoire de la Révolution française* écrite en 1795 par Necker. Elle vit avec Benjamin Constant, le premier esprit philosophique de Paris : il n'est pas possible de démêler dans ces *Circonstances actuelles* ce qui appartient à lui et ce qui lui revient à elle. Ce qui est sûr, c'est que tout un monde de républicains libéraux a trouvé en elle son meilleur interprète.

Si Germaine est républicaine et se sépare, sur ce point, de son père, ce n'est pas, comme on s'en doute, par fidélité jacobine. Elle retravaille au contraire toute l'interrogation de Constant sur la catastrophe qu'ont représentée les deux premières années de la Terreur, l'ombre de malédiction qu'elles ont laissée sur l'idée républicaine et l'héritage d'instabilité constitutionnelle dont le coup d'État de Fructidor an V, suivi par l'annulation de bien des élus de 1798, ont montré la durée. C'est une « fructidorienne » malheureuse, réagissant à ce sauvetage militaire de la République suivi de lois d'exception comme elle pense à la Révolution elle-même : le bilan en est bon, puisque les principes de 1789 sont ceux de la philosophie des Lumières ; mais les moyens en sont détestables. A l'exploration de ce paradoxe devenu classique, cœur de l'impasse thermidorienne, elle utilise à nouveau certains des arguments de Constant, les passions léguées par l'inégalité d'Ancien Régime, et surtout l'anachronisme : si la République s'est instaurée par la Terreur, c'est qu'elle est venue trop tôt, dans un pays et une opinion publique peu préparés à l'accueillir, moins encore à

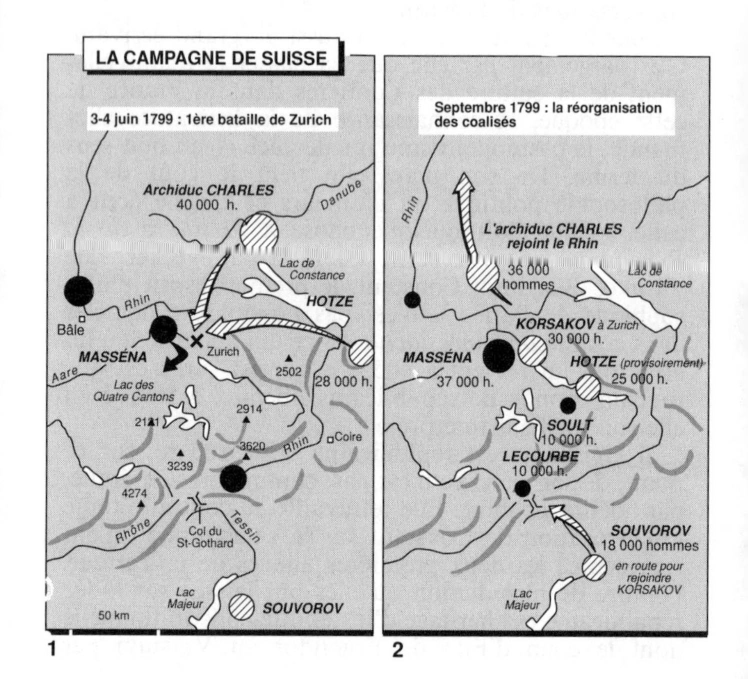

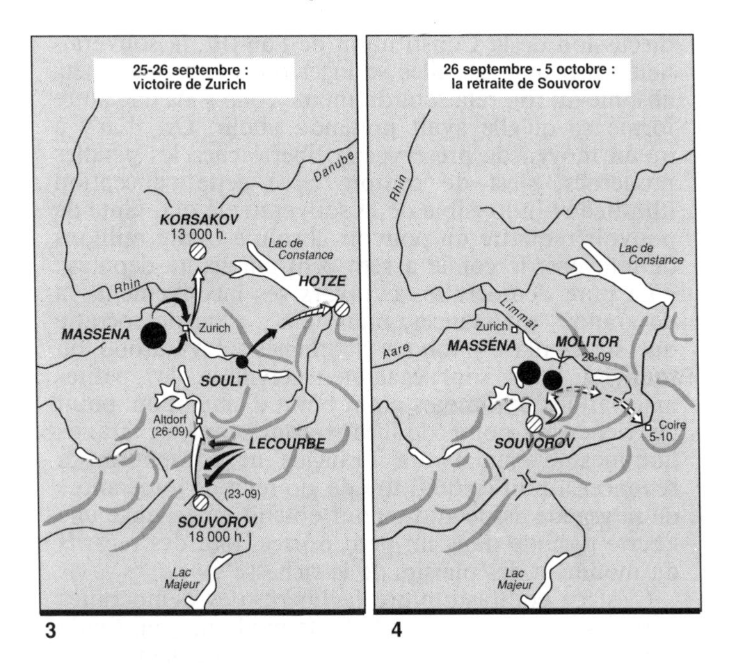

lui donner une forme légale. « La République a devancé les Lumières, il faut hâter, par tous les vrais moyens d'instruction publique, l'ouvrage du temps, et remettre de niveau les institutions et les lumières. » Mais l'ouvrage donne encore une autre raison, appelée à recevoir sa forme la plus systématique dans les ouvrages ultérieurs de Constant ; c'est « la fausse application du principe de la souveraineté du peuple dans le gouvernement représentatif* ».

Staël reprend ici l'idée avancée par Sieyès dans ses deux discours de thermidor an III (1795), lors de la

* *Des circonstances actuelles qui peuvent terminer la Révolution, et des principes qui doivent fonder la République en France*, Droz, 1979, p. 33.

discussion de la Constitution de l'an III : la souveraineté du peuple est allée se loger dans la souveraineté absolue du roi, refaisant du même coup sous une autre forme ce qu'elle avait prétendu abolir. Or, il n'y a qu'un moyen de préserver la liberté chez les peuples modernes, c'est de rompre avec cette conception illimitée et indivisible de la souveraineté qui, faute de pouvoir remettre un pouvoir absolu à trente millions de citoyens, le confie à sept cent cinquante députés : « La pure démocratie, à travers ses inconvénients, a de grandes jouissances, mais il n'y a de démocratie que sur la place publique d'Athènes... En Europe, où tous les États sont également civilisés, les petites associations d'hommes n'ont point d'émulation, point de richesses, point de beaux-arts, point de grands hommes, et jamais un Français ne consentirait à renoncer à tout ce qu'il tire de gloire et de jouissances de sa grande association, pour obtenir en échange une liberté parfaite dans un petit espace, loin des regards du monde et des plaisirs de la richesse*. »

C'est ce contraste entre la liberté des démocraties antiques et celle des grands États modernes qui fonde dans ces derniers la nécessité du gouvernement représentatif, dont le principe n'est ni le caractère proportionnel des représentants par rapport au nombre des représentés, ni la toute-puissance indivisible de la représentation : c'est la combinaison politique par laquelle sont dûment en charge de la nation ceux qui en représentent les intérêts légitimes, donc la volonté, répartie en plusieurs pouvoirs, et limitée par ces intérêts mêmes. Madame de Staël retrouve l'idée de Sieyès d'une « procuration » donnée par la nation à certains de ses citoyens, ceux dont les intérêts coïncident avec ceux de l'association, et dont les capacités leur permettent de remplir ce mandat : les propriétaires, qui sont aussi les plus éclairés. L'éducation,

* *Ibid.*, pp. 159-160.

progressivement, devra ouvrir l'égalité politique à des hommes de plus en plus nombreux.

Mais en 1798, en 1799 ? L'auteur n'est pas inquiète sur l'immédiat, elle connaît son monde : « Pendant la vie des révolutionnaires actuels, la République à tout prix sera maintenue, ne périra pas. Les événements de leur histoire les lient à son existence. Le vote de la mort du roi est, à lui seul, un lien plus fort que toutes les institutions du monde ; mais cette sorte de garantie est toute révolutionnaire*. » Justement, comment en sortir ? Laisser les élections aux Cinq-Cents se dérouler normalement, légalement, au lieu de les annuler, mais organiser autrement d'autres pouvoirs afin d'assurer l'unité de l'ensemble ; la révision de Madame de Staël ne cherche pas à instaurer des contrepoids à la Montesquieu : elle reste fidèle à l'inspiration horlogère de Sieyès, selon laquelle les mécanismes constitutionnels doivent produire de la raison politique. C'est pourquoi elle en imagine plusieurs, selon la diversité des missions : un Directoire avec droit de veto suspensif sur les lois et droit de dissolution des Cinq-Cents ; un Conseil des Anciens élu à vie, richement pensionné, peuplé des notabilités passées et présentes de la Révolution, conservatoire de la République ; un « jury constitutionnaire » — encore une idée de Sieyès — chargé de contrôler la constitutionnalité des lois. Telles sont les conditions institutionnelles qui lui paraissent nécessaires à l'instauration des principes de 1789 dans la loi.

Que pense, à la même époque, ou un peu plus tard, dans l'été 1799, le grand spécialiste des Constitutions, l'oracle, devenu le principal personnage du pouvoir exécutif ? Il est, pour quelques mois, entre mai et novembre, ce qu'il n'a jamais été, même en 1789 et ce qu'il ne sera jamais plus : au pouvoir, partageant tous les soucis politico-constitutionnels de Madame

* *Ibid.*, p. 164.

de Staël, rendus plus urgents par la situation militaire de l'été 1799 et l'agitation néo-jacobine aux Cinq-Cents. Il incarne par excellence le personnel révolutionnaire et il utilise au mieux ce capital politique ; il a fait tout le parcours, 1789 et le régicide, le 9 Thermidor et le 18 fructidor. Ses partisans les plus proches sont les thermidoriens de l'Institut, Daunou, Roederer, Chénier, Boulay de la Meurthe. Son autorité est considérable aux Anciens ; il étend son influence aux Cinq-Cents, par Lucien Bonaparte, un des orateurs de la gauche, et il veut aussi prendre sous son aile les vétérans de 1789 et les exilés de Fructidor, La Fayette et Carnot. Dans l'armée, il a contre lui les généraux les plus jacobins, Augereau, Jourdan, Bernadotte, mais il a aussi pressenti Joubert et Moreau pour un coup de main, à l'occasion.

L'idée est encore de terminer la Révolution ; de fermer cet étrange théâtre d'une République qui n'obtient même pas l'obéissance de son administration alors qu'elle a promené ses drapeaux d'Amsterdam à Milan. Par quels moyens ? Sieyès n'a jamais révélé la Constitution qu'il portait dans le secret de son esprit. Ce qu'on en sait vient des notes de Boulay de la Meurthe, un de ses confidents les plus proches, et des restes qu'en a utilisés Bonaparte après Brumaire. L'aspect conservatoire du personnel et des intérêts révolutionnaires y était clair, par la substitution au libre jeu électoral de listes de notabilités dans lesquelles choisirait l'autorité publique, et par la création d'un Sénat destiné à perpétuer la caste conventionnelle. Mais il était mêlé à des dispositifs originaux, comme ce Grand Électeur, chef de l'État, pouvoir suprême mais pouvoir simplement arbitre, alors que l'Exécutif allait à deux consuls, l'un pour l'extérieur, l'autre pour l'intérieur. L'idée de cette magistrature a alimenté contre Sieyès l'accusation qu'il la destinait à un prince ; elle entre assez dans ses conceptions constitutionnelles pour que l'imputation soit inutile.

Dans la France de cettc époque, un coup d'État appuyé sur l'armée est suffisamment entré dans les mœurs pour que le projet soit quasiment naturel dans l'esprit du Directeur. Encore lui faut-il trouver, comme il le dit, « l'épée ». Il en a parlé à Joubert, jeune général républicain nommé à l'armée d'Italie, promesse de gloire ; mais Joubert est battu et tué à Novi le 15 août. Sieyès pense à Moreau, quand Bonaparte débarque à Fréjus.

Le retour de Bonaparte peut être peint sous les couleurs de la scène de ménage ou sous celles du triomphe. Le premier caractère en est la partie privée. Quand la nouvelle de son arrivée tombe à Paris, au soir du 13 octobre, Joséphine se jette dans une voiture pour le retrouver avant qu'il ne voie la tribu : elle a beaucoup d'infidélités à se faire pardonner. Mais elle prend la route de Bourgogne, alors que Napoléon revient par le Bourbonnais, où il rencontre d'abord Joseph et Lucien, intarissables sur l'inconduite de sa femme. C'est lui qui arrive le premier à Paris, le 16, où a lieu le surlendemain la grande scène avec Joséphine, venue en pleurs avec ses deux enfants se faire ouvrir la porte du héros, qui a déjà d'autres idées en tête.

Car l'autre aspect de ce retour, c'est son caractère triomphal. Entre Fréjus et Paris, le pays a fait fête au général : la magie italienne entoure plus que jamais ce vainqueur qui rentre d'Égypte sans son armée mais qui ramène en sa personne la gloire de la nation. Cette gloire que les hommes du Directoire ont laissée en déshérence, comme l'autorité publique, et qui l'habille déjà, lui, comme un roi dans l'opinion. Comme ils sont loin les temps où l'abbé Sieyès avait défini l'idée nationale sur l'exclusion des privilégiés, par le pouvoir constituant d'individus libres et égaux ! Dix ans après, à travers la guerre, la Terreur, les coups d'État, les Français sont las de poursuivre cette ambition qui les a si souvent trahis ; ils tiennent à la Révolution par les intérêts, non plus par les idées ; par la grandeur de la patrie, non plus par la souveraineté du peuple. Après avoir été la voix de la nation, en face du roi de l'aristocratie, Sieyès n'est plus que le mandataire d'une oligarchie de rescapés ; le rôle royal, le seul grand de l'histoire de France, a été redistribué par l'histoire de la Révolution, et il est sans emploi depuis que le peuple en corps en a été chassé. Il échoit bizarrement à ce petit gentilhomme corse entré si récemment, mais avec quel éclat, dans les annales de la nation.

De la France fatiguée, Bonaparte tire une acclamation presque unanime. Le soir où Paris apprend son retour, les théâtres interrompent leurs représentations. Sur sa route, les villages illuminent la nuit pour saluer le passage de sa voiture. Il existe une observation tout juste antérieure à l'événement, qui témoigne bien de cet état d'esprit, dans le récit d'un écrivain royaliste « fructidorisé » en 1797, Fiévée, alors retiré des affaires en Champagne : « Une seule observation me rappelait à la politique, écrit-il, tout paysan que je rencontrais dans les champs, les vignes ou les bois, m'abordait pour me demander si on avait des nouvelles du général Bonaparte et pourquoi il ne revenait pas en France ; jamais aucun ne s'informait du Directoire*. »

Sieyès n'a donc pas le choix. Pour son coup d'État, dont le scénario est prêt depuis l'été, « l'épée » ne peut être que celle de Bonaparte. D'ailleurs le milieu politique parisien lui-même est pris dans la situation nouvelle. Les Cinq-Cents, où Lucien joue les premiers rôles, saluent dans l'enthousiasme la nouvelle du retour. Paris se presse chez le revenant, flairant le pouvoir de demain. Le héros du jour passe les deux dernières semaines d'octobre à voir venir, écouter,

* Fiévée, *Mémoires*, Bibliothèque des Mémoires relatifs à l'histoire de France pendant le XVIIIe siècle, Paris, Firmin-Didot, 1875, p. 202.

distribuer des bonnes paroles à tous ; il sait qu'il ne doit se lier à aucun parti, aucune coterie ; que c'est lui qui a la mise, lui qui n'est pas remplaçable, alors que les politiciens de Paris sont impopulaires. Il veut rester, comme il dit, « national ». Il se méfie des ambitions de Sieyès, qui se méfie des siennes. La conversation a lieu d'abord par personnes interposées, surtout à travers Lucien, mais aussi Talleyrand, qui doit aplanir des querelles de préséance dans les visites de l'un à l'autre : car Sieyès ne transige pas sur ses prérogatives de Directeur ; d'ailleurs il n'a pas le tempérament courtisan. Bonaparte discute aussi avec Barras, mais c'est Sieyès qui tient les cadres politiques qui lui manquent pour la réussite du coup d'État. A partir du 10 brumaire (1er novembre), l'accord est fait sur le scénario mis au point par Sieyès, mais Bonaparte y a introduit une modification essentielle : le coup d'État ne sera pas destiné à substituer la Constitution prévue par Sieyès à celle de l'an III, mais à former un gouvernement de trois consuls, chargé de faire une nouvelle Constitution avec l'aide d'une commission parlementaire choisie dans les Conseils.

L'affaire se boucle en deux jours, les 18 et 19 brumaire (9 et 10 novembre 1799). Le premier, tout se passe comme prévu ; le second, tout a failli rater.

Le 18, les Anciens convoqués au petit jour votent le transfert des Conseils à Saint-Cloud sous prétexte d'un complot anarchiste, et confient l'exécution du décret à Bonaparte. Réunis à onze heures, les Cinq-Cents, présidés par Lucien, sont déjà très hostiles, mais s'ajournent au lendemain à Saint-Cloud. Entre-temps, Bonaparte est arrivé aux Tuileries entouré de troupes et d'un état-major de généraux ; il y est rejoint par Sieyès. Le Directoire est neutralisé : Sieyès et sa doublure Roger Ducos sont du complot ; Barras a accepté le matin de signer une lettre de démission qu'on lui tend et de se retirer dans sa propriété de Grosbois. Les deux autres, Gohier et Moulin, sont placés au Luxembourg sous garde militaire. Les ministres, l'administration se rallient, la Bourse monte, Paris s'est couvert d'affiches préparées par Roederer et qui donnent le mot d'ordre : sauver la République ! D'ailleurs le matin, dans une altercation publique soigneusement préparée contre le secrétaire de Barras, dans le jardin des Tuileries, Bonaparte a donné le la, acclamé par les troupes : « Dans quel état j'ai laissé la France et dans quel état je l'ai retrouvée ! Je vous avais laissé la paix et je retrouve la guerre ! Je vous avais laissé des conquêtes et l'ennemi passe nos frontières ! J'ai laissé nos arsenaux garnis et je n'ai pas retrouvé une arme ! J'ai laissé les millions de l'Italie et je retrouve partout des lois spoliatrices et de la misère ! » Discours où il y a déjà un peu trop de « je » pour avoir vraiment plu à Sieyès...

Dans les préparatifs du lendemain, l'ancien prêtre a vu plus juste que le général. Il aurait voulu coffrer dès l'après-midi quelques dizaines de membres jacobins des Cinq-Cents, mais Bonaparte a tenu à rester aussi « légal » que possible : il veut obtenir un blanc-seing des deux Conseils. Or, le 19, à Saint-Cloud, les choses se passent mal. Lucien ne contrôle pas son Assemblée, qui décide de procéder à un serment solennel de fidélité aux institutions de l'an III, par appel nominal. Même les Anciens tergiversent, et commencent à négocier avec les Jacobins d'à côté sur l'élection de nouveaux Directeurs. Après quelques heures de parlote, entrée de Bonaparte, qui n'est pas sur son terrain : harangue militaire, qui manque son but. Mais il veut pourtant recommencer aux Cinq-Cents, qu'il vient d'insulter ; il est accueilli aux cris de « hors-la-loi ! », bousculé, arraché aux députés par ses aides de camp. C'est Sieyès qui donne le conseil pratique : faire marcher le soldat. Et c'est Lucien, président des Cinq-Cents, lui-même menacé d'une mise hors la loi, qui prononce à cheval la harangue décisive devant les troupes, auxquelles il demande de chasser les « factieux » de l'Assemblée. Scène finale commandée par Leclerc, le beau-frère, et Murat, le futur beau-frère : leurs grenadiers dispersent au crépuscule les représentants du peuple.

Les Anciens redeviennent dociles et font ce que Sieyès leur demande : le remplacement du Directoire par une commission exécutive de trois membres, lui-même, Roger Ducos et Bonaparte. Après quoi on va dîner. Mais après dîner, Lucien veut pour le communiqué du lendemain un vote des Cinq-Cents. On rameute alors une centaine de députés égaillés dans les guinguettes de Saint-Cloud, et on termine la difficile journée à la bougie, par un vote successif : les Anciens ont dû annuler leur premier vote, pour que le second, dans la nuit, fût valide. Trois consuls, donc, assistés de deux commissions législatives pour représenter les Conseils. En passant, pour rester fidèles aux traditions, les vainqueurs ont exclu soixante-deux députés du Corps législatif.

Tout le monde rentre avant l'aube dans un Paris qui est resté très calme.

1799-1814

1799

15 décembre (24 frimaire an VIII)
Proclamation de la Constitution.
25 décembre (4 nivôse)
Installation du Conseil d'État.
27 décembre (6 nivôse)
Installation du Sénat.
28 décembre (7 nivôse)
Réouverture des églises le dimanche.

1800

1er janvier (11 nivôse)
Installation du Tribunat et du Corps législatif.
13 février (24 pluviôse)
Création de la Banque de France.
17 février (28 pluviôse)
Loi sur l'organisation administrative de la France.
19 février (30 pluviôse)
Installation de Bonaparte aux Tuileries.
3 mars (12 ventôse)
Clôture de la liste des émigrés.

14 mars (23 ventôse)
Élection de Pie VII.
18 mars (27 ventôse)
Loi sur l'organisation judiciaire.
Mai-juin
Reconquête de l'Italie.
14 juin (23 prairial)
Bataille de Marengo ; assassinat de Kléber en Égypte.
18 juin (27 prairial)
Bonaparte assiste à un *Te Deum* à la cathédrale de Milan.
2 juillet (13 messidor)
Bonaparte rentre à Paris.
12 août (24 thermidor)
Nomination de la commission préparatoire du Code civil.
3 septembre (16 fructidor)
Les Anglais reprennent Malte.
7 septembre (20 fructidor)
Bonaparte répond négativement aux avances de Louis XVIII.
20 octobre (28 vendémiaire an IX)
Radiation de 48 000 émigrés de la liste des émigrés.
5 novembre (14 brumaire)
Début des négociations concordataires.
3 décembre (12 frimaire)
Victoire de Moreau sur les Autrichiens à Hohenlinden.
24 décembre (3 nivôse)
Attentat contre Bonaparte rue Saint-Nicaise.

1801

5 janvier (15 nivôse)
Sénatus-consulte ordonnant la déportation de 130 Jacobins en conséquence de l'attentat du 24 décembre.

7 février (18 pluviôse)

Loi sur les tribunaux spéciaux.

9 février (20 pluviôse)

Paix de Lunéville : l'essentiel de Campo-Formio est confirmé et la France obtient la rive gauche du Rhin.

29 juin (10 messidor)

Ouverture d'un concile national organisé par le clergé constitutionnel à Paris.

Juin-août

Les Anglais se rendent maîtres de l'Égypte.

15 juillet (26 messidor)

Signature du Concordat.

23 juillet (4 thermidor)

Début de la discussion du Code civil au Conseil d'État.

1802

26 janvier (6 pluviôse an X)

Bonaparte devient président de la République italienne.

6 février (17 pluviôse)

Leclerc, envoyé pour réprimer la révolte de Toussaint-Louverture, débarque à Saint-Domingue.

18 mars (27 ventôse)

Épuration du Tribunat et du Corps législatif.

25 mars (4 germinal)

Paix d'Amiens.

3 avril (13 germinal)

Articles organiques portant sur les cultes catholique et protestant.

14 avril (24 germinal)

Chateaubriand publie *Le Génie du christianisme.*

18 avril (28 germinal)

Promulgation du Concordat.

26 avril (6 floréal)

Amnistie des émigrés figurant encore sur la liste

des émigrés (s'ils reviennent et jurent fidélité au régime), exception faite d'un millier.

1er mai (11 floréal)
Loi sur l'instruction publiquc : création des lycées.

19 mai (29 floréal)
Création de la Légion d'honneur.

2 août (14 thermidor)
Consulat à vie.

4 août (16 thermidor)
Constitution de l'an X.

11 septembre (24 fructidor)
Réunion du Piémont à la France.

1803

23 janvier (3 pluviôse an XI)
Réorganisation de l'Institut.

24 mars (3 germinal)
Recès d'Empire adoptant le projet français de réorganisation de l'Allemagne du 23 février.

28 mars (7 germinal)
La valeur du franc est fixée à 5 g d'argent.

9 avril (19 germinal)
Création des auditeurs du Conseil d'État.

14 avril (24 germinal)
La Banque de France reçoit le privilège de l'émission des billets.

3 mai (13 floréal)
Vente de la Louisiane aux États-Unis.

12 mai (22 floréal)
Rupture de la paix d'Amiens.

20 juin (1er messidor)
Bonaparte prohibe les marchandises d'origine anglaise.

1er décembre (9 frimaire an XII)
Institution du livret ouvrier.

2 décembre (10 frimaire)
L'armée du camp de Boulogne prend l'intitulé d'armée d'Angleterre.

1804

Février-mars
Arrestation de Cadoudal et de ses complices ; compromis, Pichegru se suicide et Moreau est banni.
21 mars (30 ventôse)
Exécution du duc d'Enghien à Vincennes ; promulgation du Code civil.
18 mai (28 floréal)
Bonaparte devient Empereur héréditaire des Français.
Juin
Exécution de Cadoudal et de ses complices.
2 décembre (11 frimaire an XIII)
Sacre de Napoléon.

1805

9 mars (18 ventôse)
Création d'un Bureau de presse pour surveiller les publications.
26 mai (6 prairial)
Napoléon est couronné roi d'Italie à Milan.
26 août (8 fructidor)
Napoléon abandonne la conquête de l'Angleterre et dessine la campagne d'Autriche.
Septembre-octobre
Campagne de Bavière.
20 octobre (28 vendémiaire an XIV)
L'armée autrichienne de Mack capitule à Ulm.
21 octobre (29 vendémiaire)
Nelson écrase la flotte de Villeneuve à Trafalgar.
14 novembre (23 brumaire)
Napoléon entre à Vienne.

2 décembre (11 frimaire)
Napoléon bat les Russes et les Autrichiens à Austerlitz.
26 décembre (5 nivôse)
Traité de Presbourg.
31 décembre
Fin du calendrier révolutionnaire.

1806

18 mars
Création des conseils des prud'hommes.
30 mars
Joseph Bonaparte, roi de Naples.
4 avril
Publication du catéchisme impérial par Bernier et d'Astros.
10 mai
Fondation de l'Université.
5 juin
Louis Bonaparte, roi de Hollande.
12 juillet
Création de la Confédération du Rhin.
6 août
Dislocation du Saint-Empire.
14 août
Création des majorats (fiefs héréditaires de l'Empire).
Octobre
Campagne de Prusse.
14 octobre
Batailles d'Iéna et d'Auerstedt.
27 octobre
Napoléon entre à Berlin.
21 novembre
Blocus continental : interdiction de tout commerce, même pour les pays neutres, avec l'Angleterre.

1807

Janvier-juin
Campagne de Prusse.
7-8 février
Bataille d'Eylau contre les Prussiens et les Russes.
14 juin
Napoléon bat les Russes à Friedland.
8 juillet
Paix de Tilsit ; alliance franco-russe.
9 août
Talleyrand quitte le ministère des Affaires étrangères.
16 août
Jérôme, roi de Westphalie.
19 août
Suppression du Tribunat.
11 septembre
Code du commerce.
16 septembre
Création de la Cour des comptes.
Novembre-décembre
Intervention française en Espagne et au Portugal.
17 décembre
Aggravation du Blocus continental : les navires neutres qui se soumettront aux visites des Anglais seront assimilés à ceux-ci.

1808

2 février
Occupation de Rome.
1er mars
Organisation de la noblesse impériale.
23 mars
Murat entre à Madrid.
Mai
Début de la rébellion espagnole.

15 juillet
Murat, roi de Naples.
20 juillet
Joseph, roi d'Espagne, entre à Madrid.
22 juillet
Capitulation du général Dupont à Bailén en Espagne.
Août
Débarquement anglais au Portugal.
30 août
Capitulation de Junot à Cintra au Portugal.
17 septembre
Monopole de l'enseignement accordé à l'Université.
27 septembre
Entrevue d'Erfurt entre Napoléon et le tsar Alexandre : la France évacue la Prusse.

1809

10 avril
Offensive autrichienne.
12-13 mai
Prise de Vienne
17 mai
Annexion des États pontificaux.
22 mai
Les Autrichiens arrêtent les Français à Aspern-Essling.
5-6 juillet
Bataille de Wagram ; arrestation de Pie VII.
14 octobre
Paix de Vienne.
15 décembre
Divorce de Napoléon.

1810

6 janvier
Alliance France-Suède.
17 février
La ville de Rome est réunie à la France.
2 avril
Mariage de Napoléon avec Marie-Louise, fille de François II, empereur d'Autriche.
6 juin
Création du Conseil du commerce et des manufactures.
9 juillet
Annexion de la Hollande à l'Empire.
21 août
Élection de Bernadotte au trône de Suède.
31 décembre
Rupture de l'alliance franco-russe.

1811

20 mars
Naissance du roi de Rome.
17 juin-20 octobre
Concile national à Paris.

1812

23 février
Rupture du Concordat.
5 mars
Alliance France-Prusse.
9 avril
Alliance Russie-Suède.
8 mai
Taxation des grains.
Juin
Début de la campagne de Russie.
19 juin

Pie VII est amené à Fontainebleau.

5-7 septembre

Bataille de la Moskowa.

14 septembre

Napoléon entre à Moscou.

19 octobre

L'armée française abandonne Moscou.

26-28 novembre

Passage de la Bérésina.

5 décembre

Napoléon quitte la Grande Armée.

18 décembre

Napoléon arrive à Paris.

1813

25 janvier

Concordat de Fontainebleau.

Janvier-février

La Prusse rompt son alliance avec la France et rejoint la Russie.

Mars

Soulèvement de l'Allemagne du Nord ; Bernadotte renforce la coalition.

30 mars

Organisation d'un Conseil de régence.

14 avril

L'Autriche rompt l'alliance française mais reste neutre.

Mai

Les Français évacuent Madrid.

Mai-juin

Offensive française en Allemagne.

12 août

L'Autriche rejoint la coalition.

Septembre-octobre

Campagne d'Allemagne.

16-19 octobre

Bataille de Leipzig.

Novembre

Murat se tourne vers les alliés.

29 décembre

Le Corps législatif se prononce contre la poursuite de la guerre.

1814

Janvier-avril

Campagne de France.

24 janvier

Joseph est nommé lieutenant-général de l'Empire.

25 janvier

Chute de Lérida, dernière place française en Espagne.

30 mars

Capitulation de Paris.

2 avril

Le Sénat prononce la déchéance de Napoléon.

6 avril

Abdication de Napoléon.

V

Napoléon Bonaparte
1799-1814

Sur le moment, le 18 Brumaire n'a pas eu pour les contemporains le sens qu'ils lui ont donné un peu plus tard, et que l'histoire a figé : l'instauration d'un régime despotique fondé sur l'autorité d'un seul, inaugurant une nouvelle période — la dernière — de l'histoire de la Révolution. La République a connu tant d'illégalités depuis sa naissance, de Vendémiaire an IV à Prairial an VII en passant par Fructidor an V, que les deux journées de Brumaire n'en constituent qu'une de plus, d'ailleurs comparable au moins à Fructidor : intervention de l'armée, expulsion de députés, cassation de pouvoirs régulièrement constitués. Il n'y manque même pas une loi de proscription contre les Jacobins. D'ailleurs la République continue, munie de trois Consuls au lieu de cinq Directeurs, forte plus que jamais de ses deux grands soutiens : l'armée qu'incarne Bonaparte et l'encadrement politique né de la tourmente révolutionnaire, représenté par Sieyès.

Pourtant quelqu'un a tout compris dès le 19 Brumaire, outre Sieyès peut-être, éclipsé la veille par le général corse et tous ses prétoriens à cheval. C'est Benjamin Constant, d'ailleurs familier du Directeur pendant tout l'été, mais pas assez important pour être dans le secret ; il lui écrit en effet dans la matinée du 19 : « Citoyen Directeur, après le premier sentiment de joie que m'a inspiré la nouvelle de notre délivrance, d'autres réflexions se sont présentées à moi, peut-être y attaché-je trop d'importance mais je vous conjure de les lire : je crois le moment décisif pour la liberté. On parle de l'ajournement des Conseils, cette mesure me paraîtrait désastreuse aujourd'hui, comme détruisant la seule barrière à opposer à un homme que vous avez associé à la journée de hier, mais qui n'en est que plus menaçant pour la république. Ses proclamations, où il ne parle que de lui, où il dit que son retour a fait espérer qu'il mettrait un terme aux maux de la France, m'ont convaincu plus que jamais que dans tout ce qu'il fait, il ne voit que son élévation. Il a cependant pour lui les Généraux, les Soldats, la populace aristocratique et tout ce qui se livre avec enthousiasme à l'apparence de la force. La République a pour elle Vous, et certes c'est beaucoup, et la Représentation, qui, mauvaise ou non, sera toujours propre à mettre une digue aux projets d'un individu[12]... »

Conseils qui forment comme un écho tardif aux hésitations de Sieyès lui-même depuis le retour de Bonaparte. Ils sont désormais inutiles, puisque le vin est tiré le 19 Brumaire. Ils frappent aujourd'hui l'historien par leur lucidité et par leur aveuglement. Constant a compris le premier — alors que Madame de Staël, tout juste rentrée de Coppet, salue le coup d'État avec joie — que les journées de Brumaire sonnent le glas de ce qui constitue pour lui la République : le gouvernement représentatif, des Assemblées, un exécutif collégial, la liberté. Il fera pourtant sa cour à Bonaparte pour obtenir enfin un poste dans les nouveaux pouvoirs, à la fin de l'année. Son apparition n'y sera pas longue : le constat établi dès le 19 Brumaire fixe, pour les quatorze années qui viennent, son opposition à la dictature.

Mais cet homme si intelligent laisse voir pourtant une grande méconnaissance de l'état de la nation. Dieu sait pourtant s'il a saisi et commenté l'extraordinaire traumatisme collectif créé dans l'opinion par les années révolutionnaires, et l'extrême difficulté à reconstituer, sur tant de ruines accumulées et de souvenirs antagonistes, un corps politique librement consenti par les citoyens. Il a multiplié les écrits, avant Fructidor, après Fructidor, pour convaincre l'opinion éclairée de refaire son unité autour d'une République et des principes de 1789. Mais il a prêché dans le désert. Chez les républicains qu'il défend, ce sont les régicides de la Convention qui donnent le ton, eux qui ont relancé la Terreur après Fructidor : fâcheuse manière d'exorciser les souvenirs. Quant à la France dont il parle, et à laquelle il s'adresse, c'est celle de la société parisienne, membres de l'Institut, députés aux Conseils, qui ont en commun avec lui à la fois la philosophie des Lumières et le goût de la société bourgeoise. Ses interlocuteurs préférés sont les royalistes constitutionnels, qu'il veut rallier. De la nation dans ses profondeurs, il ne sait pas grand-chose. Il est étranger à une de ses plus fortes passions, la grandeur nationale inséparable de la gloire. Quand il parle, dans sa lettre du 19 Brumaire à Sieyès, de la « populace aristocratique », il met bien le doigt sur la popularité de Bonaparte, mais au prix d'un contresens. Car cette « populace », s'il est bien vrai qu'elle aime le spectacle de la force et des armes, n'est pas « aristocratique », c'est-à-dire contre-révolutionnaire. Ce qu'elle salue dans le général d'Italie et d'Égypte, ce sont les armes de la Révolution. Que pèse, en face, un milieu de politiciens agrippés au pouvoir depuis si longtemps ; que pèse Sieyès, son homme ?

Pour entrer dans cette France de l'automne 1799, dont Tocqueville a si brillamment pénétré l'état d'esprit dans les deux chapitres rédigés de ce qui aurait été son histoire de la Révolution, il y a deux voies : celle des intérêts et celle de la gloire nationale. Aucune ne mène à la liberté et les deux conduisent à Bonaparte.

Tout le monde a souffert du chaos des événements. Mais il y a, au bout du chemin, beaucoup de bénéficiaires. Les paysans, les gens des villes ont acheté les terres et les immeubles de l'Église et, à une moindre échelle, ceux des émigrés. Immense transfert de propriété qui a été la banque de la Révolution, et dont la garantie est toute politique : elle serait annulée par le retour des rois. La France d'aujourd'hui offre assez d'abbayes ou de bâtiments conventuels qui furent à cette époque transformés en fabriques ou en granges, pour donner l'idée de cette grande redistribution du paysage et des intérêts immobiliers. Les fortunes spéculatives les plus visibles, constituées à travers ces ventes de l'État, s'abritent derrière la multiplicité des petites, ou simplement des avantages acquis. L'inflation née de la gestion révolutionnaire des finances publiques a accéléré les mutations de propriété. Elle a aussi largement libéré les débiteurs de leurs dettes, et les Français de l'impôt. Enfin, la Révolution a créé un très grand nombre d'emplois publics, dans l'administration et dans l'armée : beaucoup de postes qui, avant 1789, s'achetaient comme un office sont désormais ouverts aux talents, et ils se sont multipliés. Les principes de 89 fondent toute une démocratie d'intérêts, donc ils sont désormais inséparables d'une politique de conservation.

Or, la République peut-elle, sait-elle conserver ? Elle n'en donne aucune assurance au public. Des bénéficiaires de la Révolution, les politiciens thermidoriens offrent la caricature plus que l'image. Qui voudrait leur ressembler ? Ils sont trop riches, trop puissants, trop corrompus, trop bourgeois en un mot pour donner de l'immense aventure autre chose que des remords, alors que les Français veulent au contraire jouir dans la sécurité de leurs possessions nouvelles, et en effacer l'origine récente ou discutable. En outre, la forme républicaine de l'État n'a permis l'exercice de l'autorité que par la guillotine ; depuis que la Terreur a cessé, c'est à travers le coup d'État permanent que le Directoire maintient contre vents et marées la prépondérance des faibles vainqueurs de Robespierre. Mais il est arrivé à bout de course, incapable de faire taire vraiment les deux partis qui menacent la nouvelle France propriétaire, les Jacobins et les royalistes.

Incapable, aussi, comme l'a montré la crise de l'été 1799, d'affronter l'éternelle coalition des monarchies européennes contre la Révolution. Depuis 1795, et surtout depuis les victoires italiennes, la France avait présenté cet étrange spectacle d'une République au gouvernement faible et divisé, glissant peu à peu à l'anarchie intérieure, et constituant pourtant en quelques années une formidable puissance française hors de France : occupant la Belgique, la Hollande, l'Italie, la Suisse, la rive gauche du Rhin, plantant le drapeau tricolore beaucoup plus loin qu'aucun roi de France ne l'avait fait. Or l'opinion tenait à ces victoires et à ces conquêtes, très au-delà du calcul d'intérêt ; beaucoup plus que par simple fierté nationale, et sur un autre plan : l'aventure de ses armées faisait à la Révolution un trésor de bons souvenirs substitués aux mauvais ; elle transfigurait son image. Elle avait fait excuser la Terreur ; elle auréolait la République et ses soldats. La gloire militaire, dont Constant allait bientôt expliquer qu'elle était étrangère à la société moderne, tournée vers les travaux productifs de la paix, accompagnait au contraire en France la naissance de la démocratie. Elle en transformait peu à peu le caractère. A la vertu civique du sans-culotte se substituait l'héroïsme du soldat. En même temps qu'un champ illimité et rapide à la promotion des mérites, l'armée offrait une dérivation puissante à ce que la passion égalitaire de la Révolution avait toujours eu d'antique. Ainsi avait dérivé en dix ans le formidable investissement national sur la haine de l'aristocratie et les idées de 1789. Mais en favorisant cette évolution, faute d'avoir d'autres cartes à jouer, la République directoriale avait aussi creusé sa tombe.

J'en donnerai un exemple qui se situe un peu plus d'un an avant Brumaire : cette fête du 9 thermidor an VI (27 juillet 1798) par laquelle le Directoire célèbre, comme chaque année depuis 1794, son acte de naissance. Bonaparte, parti depuis mai, a déjà pris pied en Égypte ; mais c'est lui pourtant le seul héros de la fête. En effet, le gouvernement a renoncé au thème de la chute de Robespierre, qui sent trop la guerre civile ; il lui substitue le cortège triomphal de tout ce qui a été pillé dans les églises et les palais italiens. Commentaire de Delécluze, le jeune élève de David, dans ses *Mémoires* : « Cette fête à laquelle, selon le goût du temps, on donna toutes les apparences d'une cérémonie antique, flatta singulièrement l'amour-propre de la nation, et fit retentir avec plus d'enthousiasme et de reconnaissance encore le nom du jeune Bonaparte, qui était sur le point de faire son entrée dans la ville du Caire. Les objets d'art et de sciences, livres, manuscrits, statues antiques et tableaux conquis par l'armée d'Italie, avaient été débarqués à Charenton ; et pendant les dix jours qui précèdent leur entrée dans Paris, une foule de curieux remontaient la Seine jusqu'à ce village, pour considérer, sous toutes leurs faces, les caisses renfermant les trésors dus à l'épée de Bonaparte. Obéissant à une inspiration généreuse et pacifique, le gouvernement du Directoire avait saisi cette occasion d'ôter à la fête du 9 thermidor le caractère politique et haineux qu'elle avait conservé jusque-là, afin de ramener, autant qu'il était possible, les cœurs français à la Concorde par un sentiment commun, l'orgueil national*. »

---

* E.J. Delécluze, *Louis David, son école et son temps*, Paris, 1855, VII.

De là, un interminable cortège de livres, de minéraux, d'animaux et d'objets d'art, divisé en quatre sections pour lui donner un caractère encyclopédique, « idée qui dominait alors toutes les intelligences spéculatives » ; chacune des quatre divisions est entourée de détachements militaires, de membres de l'Institut et d'acteurs des théâtres lyriques, chantant des hymnes d'allégresse aux armes victorieuses de la France. Du jardin des Plantes au Champ-de-Mars, où se tiennent les Directeurs, c'est le grand concours de foule : la France célèbre en même temps ses victoires et la raison encyclopédique, identifie ses conquêtes aux progrès de l'esprit humain, unifie par ses armes l'ordre temporel, territorial même, et le pouvoir spirituel. De cette nouvelle version de la fête de l'unité, Bonaparte est le grand personnage absent, puisque son épée l'a rendue possible.

Dix ans après 1789, la Révolution française est largement devenue dans l'opinion publique ce quelque chose de très particulier qui échappe à l'analyse de Constant : un nationalisme universaliste, où l'historien retrouve ses éléments constituants, faits de passion anti-aristocratique et de rationalisme, transfigurés par l'idée d'une élection historico-militaire de la nation. A cet ensemble de sentiments, le Directoire ne peut pas plus donner un visage qu'il n'est capable de rassurer les intérêts menacés. Des deux côtés, il y a la demande implicite d'un roi, mais d'un roi qui soit radicalement différent des rois, puisque né de la souveraineté du peuple et de la raison. C'est là que naît Napoléon Bonaparte, roi de la Révolution française. En 1789, les Français avaient fait une République sous le nom d'une monarchie. Dix ans plus tard, ils font une monarchie sous le nom d'une République.

L'affaire n'est pas conclue dès le 19 Brumaire. Sur la liste des trois Consuls établie dans la soirée, Bonaparte n'apparaît qu'en troisième position, après Sieyès et Roger Ducos. Le général n'a pas, tel l'augure des assemblées révolutionnaires, sa constitution en poche ; il a fait comme sur le champ de bataille, mais moins brillamment, ce qu'il exprimera plus tard dans sa formule : « On s'avance et puis on voit. » C'est pourquoi les semaines et les mois qui suivent sont plus importants que les deux journées de Brumaire. Stendhal écrira plus tard, dans la *Vie d'Henri Brulard*, qu'il a été surpris par les nouvelles du coup d'État à Nemours, sur la route qui l'amène de son Grenoble natal à Paris : « Nous les apprîmes le soir, je n'y comprenais pas grand chose, et j'étais enchanté que le jeune général Bonaparte se fît roi de France. » Ce raccourci dit tout sur l'espèce de charme qu'a gardé l'événement sur une grande part de la tradition républicaine française au XIXe siècle : il faudra le 2 décembre 1851 pour en détruire la magie. Mais Stendhal télescope quelques mois, entre la fin de 1799 et le milieu de 1800 : ceux pendant lesquels Bonaparte *devient* roi de France.

S'il s'est affolé le 19 Brumaire, il joue la suite comme un grand politique qui sait la supériorité qu'il possède sur son rival, Sieyès. Il n'est pas homme à partager, et il est le seul à garantir. Tout se joue à l'intérieur des deux commissions parlementaires rescapées du naufrage de Brumaire où lui-même, Sieyès et Daunou ont le plus d'influence. Au fil des jours, le milieu politique parisien sent où se trouve la force et bascule vers lui. Chacun tombe d'accord pour renforcer l'exécutif : grande innovation, pour ne pas dire plus, dans la théorie du pouvoir républicain. Sieyès aurait voulu, à la tête de la République, un « Grand Électeur », pouvoir arbitre chargé de désigner deux Consuls. Voulait-il la fonction pour lui, devenu enfin gardien suprême des institutions, somptueusement entretenu par l'État, incarnation finale de sa doctrine ? A-t-il pensé enterrer son jeune rival dans les hon-

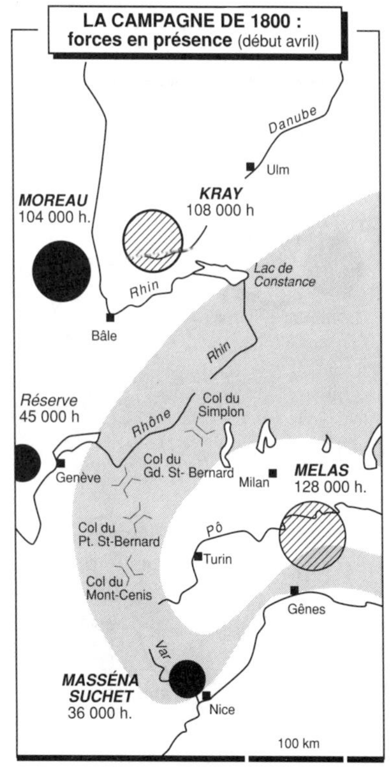
LA CAMPAGNE DE 1800 :
forces en présence (début avril)
Danube
Ulm
MOREAU
104 000 h.
KRAY
108 000 h
Rhin
Lac de
Constance
Bâle
Rhin
Réserve
45 000 h
Rhône
Col du
Simplon
Genève
Col du
Gd. St- Bernard
Milan
MELAS
128 000 h.
Col du
Pt. St-Bernard
Pô
Turin
Col du
Mont-Cenis
Gênes
Var
MASSÉNA
SUCHET
36 000 h.
Nice
100 km
1

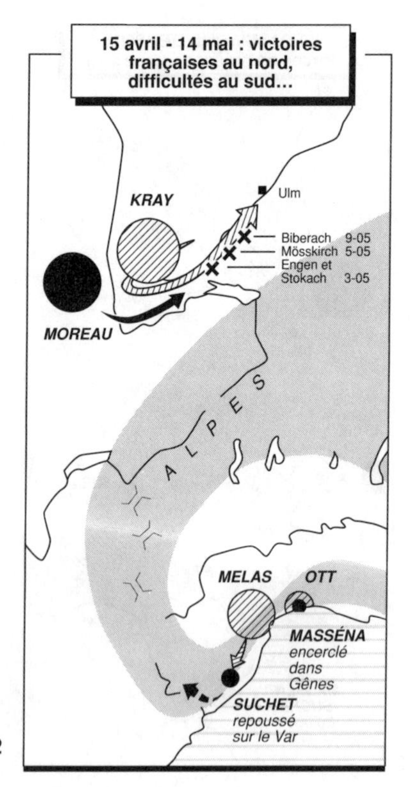
15 avril - 14 mai : victoires françaises au nord, difficultés au sud...
KRAY
Ulm
Biberach 9-05
Mösskirch 5-05
Engen et Stokach 3-05
MOREAU
ALPES
MELAS
OTT
MASSÉNA encerclé dans Gênes
SUCHET repoussé sur le Var
2

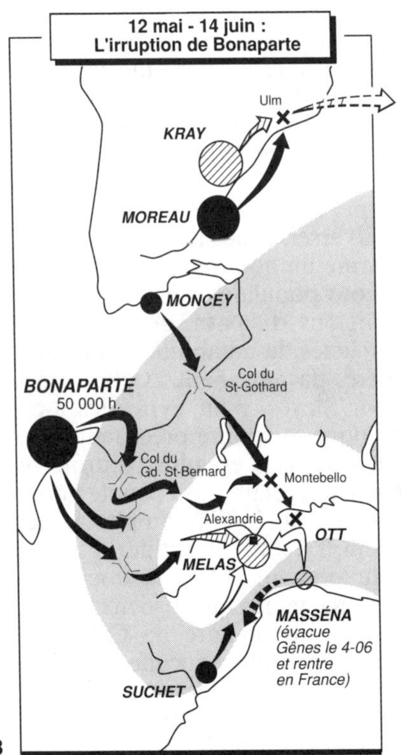
12 mai - 14 juin :
L'irruption de Bonaparte
Ulm
KRAY
MOREAU
MONCEY
Col du
St-Gothard
BONAPARTE
50 000 h.
Col du
Gd. St-Bernard
Montebello
Alexandrie
OTT
MELAS
MASSÉNA
(évacue
Gênes le 4-06
et rentre
en France)
SUCHET
3

neurs ? La première version me paraît plus probable. Mais Bonaparte, aidé par Boulay et d'autres, utilise l'antagonisme entre Sieyès et Daunou, qui ont chacun leur projet, pour imposer un texte qui lui convient. Il garde de Sieyès les listes de notabilités, qui dispensent d'élections véritables, et trois Assemblées qui se neutralisent les unes les autres — Sénat, Tribunat, Corps législatif. Il écarte le « Grand Électeur » et instaure un exécutif de trois Consuls, dont seul le Premier exerce véritablement le pouvoir, avec l'initiative des lois. C'est la fin de l'idée républicaine sous le nom de la République.

Le système électoral indique assez les limites du suffrage universel, que les brumairiens ont voulu rétablir comme un hommage aux grands principes. En réalité, le vote populaire n'est destiné qu'à fournir à tous les échelons du pays, de la commune jusqu'au Sénat, des « listes de notabilités » au sein desquelles le tri est opéré par en haut. Cette procédure a été imaginée par Sieyès, pour éviter les à-coups annuels qui ont disloqué le régime précédent ; elle instaure en fait un pouvoir qui n'est plus contrôlé par le peuple, s'il continue à se réclamer du peuple : bonne définition du despotisme éclairé. Tout au plus le peuple sera-t-il invité, de temps à autre, à ratifier d'un oui massif une initiative du pouvoir. Mais la doctrine du nouveau régime, en même temps que le vieux rêve des Lumières, tient dans ce commentaire de Cabanis : « La classe ignorante n'exerce plus aucune influence ni sur la législature, ni sur le gouvernement... tout se fait pour le peuple et au nom du peuple ; rien ne se fait par lui ni sous sa dictée irréfléchie*. »

Un mois après Brumaire, avant la fin de l'année 1799, la Constitution de l'an VIII installe ainsi Bona-

---

* Cabanis, *Quelques considérations sur l'organisation sociale en général, et particulièrement sur la nouvelle constitution*, 25 frimaire an VIII (16 décembre 1799).

parte au pouvoir. Sieyès, qui devient président du Sénat, reçoit le droit de caser ses amis. Il disparaît sous les honneurs, dans les débris de ses propres idées, qui servent au triomphe de son associé d'hier. Premier Consul, Bonaparte se choisit deux collègues dont les noms jettent un pont entre le présent et les deux grandes mémoires nationales : Cambacérès, homme de la Révolution et Lebrun, serviteur de l'Ancien Régime. Le premier a été Conventionnel et régicide (mais il a voté le sursis), le second est un ancien secrétaire du Chancelier Maupeou, le dernier grand défenseur de l'autorité royale contre les parlements. Tous deux ont la maturité sceptique de l'expérience, et préfèrent les honneurs au pouvoir. A travers eux, les deux France d'hier font cortège au jeune héros.

Mais cette réconciliation nationale — une des grandes idées de Bonaparte —, n'est pas une réhabilitation du passé, ni même une recherche d'équilibre entre l'Ancien Régime et la Révolution. Elle suppose au contraire l'acceptation de ce qui s'est passé depuis 89, et la volonté de défendre l'acquis révolutionnaire, intérieur et extérieur. Ainsi, le Premier Consul sait-il mieux que personne, dans ce premier hiver où il doit avoir l'œil à tout, que son sort se joue hors de France, sur ces champs de bataille où l'attend la coalition européenne qui a été repoussée à l'automne, mais non vaincue. Car le contrat fondamental entre Bonaparte et l'opinion, c'est la garantie des conquêtes révolutionnaires, donc la paix victorieuse. Le reste — son pouvoir, bientôt son régime, l'ordre intérieur, la réconciliation des Français — est subordonné à cette condition suspensive : la victoire. Que celle-ci tarde ou hésite, et le voilà discuté, condamné, déjà presque disparu.

Bonaparte, quelques mois après le coup d'État, est déjà impatient de ce qui lui résiste. Mais parvenu si récemment au pouvoir suprême, il n'a pas encore le contrôle de tout, et la société politique n'a pris ni la mesure ni l'habitude de son despotisme. Témoins les incidents qui se multiplient dès les premières semaines avec Madame de Staël et ses amis. Benjamin Constant, qui rêve depuis si longtemps d'être représentant du peuple, a fini par être nommé au Tribunat, l'assemblée qui est censée discuter les lois, alors que le Corps législatif les vote. Mais il réalise son ambition au moment où elle n'a plus de sens. Or, dès le 5 janvier 1800, dans une des premières séances, il affirme l'indépendance et la vocation délibérative de l'assemblée, sans laquelle « il n'y avait que servitude et silence, silence que l'Europe entière entendrait ». Aussitôt, le Premier Consul fait déclencher contre lui, et contre Madame de Staël, une violente attaque de presse, manipulée par Fouché, ministre de la Police. Première escarmouche.

L'opinion profonde du pays, recrue depuis tant d'années de discours révolutionnaires, ne prend plus d'intérêt à la liberté politique. Le pouvoir de Bonaparte est fondé en France sur un consentement fatigué à la servitude, échangée contre le retour de l'ordre. Bonaparte a fait rapporter la loi de proscription, pour bien montrer qu'elle appartenait à Sieyès. Mais il doit vaincre à l'extérieur. C'est toute l'histoire de Marengo, sept mois après Brumaire.

La campagne était propre à frapper les imaginations : rassemblement de l'armée en Bourgogne, franchissement des Alpes par le Saint-Bernard et prise à revers des armées autrichiennes qui assiègent Gênes. De fait, la descente des Français dans la riche campagne milanaise renouvela le bonheur de 1796 ; mais à Marengo, près d'Alexandrie, le 14 juin, le choc décisif avec les troupes du général autrichien Melas faillit tourner à la déroute. Car Bonaparte, dans le tracé impeccable du dessin stratégique, a commis une erreur de tactique en dispersant ses troupes pour aller « tâter » l'adversaire, et il est tombé sur toute l'armée autrichienne avec des effectifs réduits. A trois heures de l'après-midi, les Français plient sous le nombre, quand en fin de journée l'arrivée du corps de Desaix change l'issue de la bataille. Mais à Paris, on a appris la défaite avant le redressement final : pendant plusieurs heures, le Premier Consul a disparu des calculs politiques. Déjà, depuis qu'il est aux armées, les intrigues et les spéculations ont repris leurs droits dans tous les petits groupes parisiens, autour de Daunou, de Sieyès, ou dans le salon de Madame de Staël. On y parle des successeurs possibles, qui sont des généraux ambitieux ou jaloux comme Moreau et Bernadotte, des symboles de la Révolution assagis comme Carnot, ou encore ces éternels candidats à une royauté constitutionnelle qu'incarnent depuis 1789 les ducs d'Orléans père et fils. Même Joseph, le frère aîné, s'est poussé en avant, alors que Fouché et Talleyrand, de leur côté, travaillent surtout pour eux-mêmes.

Mais voilà que, sauvé par sa chance, par Desaix qui y laisse sa vie, Bonaparte rentre droit sur Paris après avoir bâclé un armistice avec Melas. Il y revient le 2 juillet dans la liesse populaire et le silence craintif des « politiques ». Il a compris que Marengo a été, bien plus que Brumaire, le sacre réel de son pouvoir et de son régime. Sacre qui n'est plus de droit divin, puisqu'il résulte au contraire du contrat le plus léonin qu'une nation ait jamais fait à son chef, contraint à l'engagement de n'être jamais vaincu. C'est en ce sens qu'il y a entre Marengo et Waterloo, entre l'arrivée de Desaix et l'absence de Grouchy, entre la chance et la malchance, une différence à la fois minuscule et capitale : le régime lui-même y est suspendu. En juin 1800, il est donc fondé. L'agent royaliste Hyde de Neuville a noté ces jours-là que « Marengo fut le baptême du pouvoir personnel de Napoléon ».

Alors commence la période la plus heureuse de sa vie : celle de ses noces avec la Révolution française. La terminologie républicaine survit à la perte de la liberté parce qu'elle définit encore la France nouvelle, sous le charme de ce nouveau souverain qui est son fils le plus brillant : ce que Bonaparte a de royal vient de ce qu'il est le héros de la République. Un Washington français, tout jeune, et tardivement trouvé. La Révolution a épuisé son répertoire, tranché à la fleur de l'âge la vie de ses chefs provisoires, changé ses survivants en rescapés et ses vainqueurs en bourgeois. C'est au moment où elle ferme son théâtre qu'elle trouve enfin son grand homme, selon son génie propre : ce Washington de trente ans n'aime pas la liberté et ne finira pas sa vie en père de la patrie. Mais pour quelques années, celles qui le séparent du sacre, il est l'homme qui enchaîne les événements et qui fonde l'État moderne sur l'héritage de la Révolution.

Si bien qu'on peut partir, pour le comprendre ou pour le cerner, de ce qui l'enracine si profond dans l'histoire de France, lui le Corse, l'Italien, l'étranger, le « Buonaparte » des douairières de la Restauration : son élection par la Révolution française, dont il a reçu l'étrange pouvoir non seulement d'incarner la nation nouvelle — d'autres l'avaient eu, comme Mirabeau ou Robespierre —, mais de l'accomplir enfin. Il a si bien senti cela que ses propos de Sainte-Hélène reviendront sur cette origine comme sur une obsession : moins pour en faire délibérément une arme de propagande posthume — ce qu'elle sera, pourtant — que par besoin de remémorer, de cette vie extraordinaire, ce qu'elle a eu d'explicable.

Le « citoyen Consul », à trente ans, est dans son plus grand éclat physique : moins olivâtre que le général d'Italie, pas encore rondouillard comme l'Empereur. Il vit dans le bruissement de sa gloire et dans l'enivrement du travail gouvernemental, les deux passions de sa vie quotidienne, donnant même un peu de son temps aux plaisirs et aux divertissements : ce sont les beaux jours de la Malmaison, racontés par la future

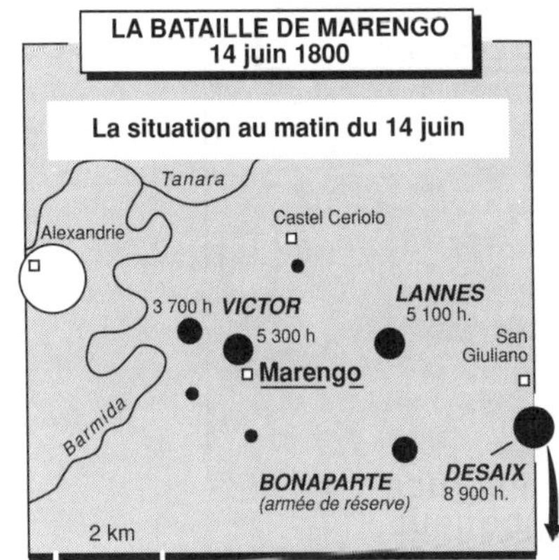

1

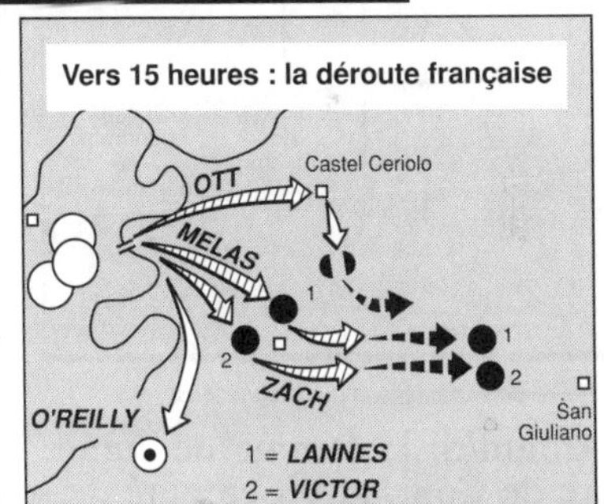

2

14 juin au soir :
la victoire grâce à DESAIX

Alexandrie
OTT
OTT
B.
1
2
O'REILLY
ZACH
DESAIX

3

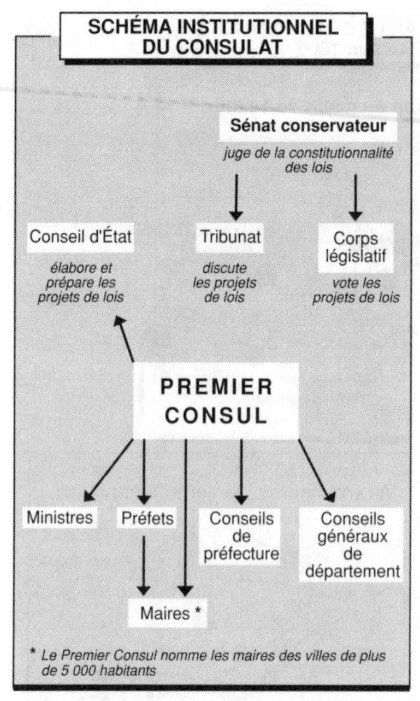

→ Nominations ou désignations

duchesse d'Abrantès, la femme de Junot. Bonaparte n'a pas encore de Cour, et vit entouré de ses aides de camp et de ses amis généraux, au-dessus de tous, mais non pas séparé d'eux. Joséphine a enfin compris qu'elle avait tiré par chance le plus gros numéro, et tous les deux figurent assez bien, par la singularité de leur aventure, les hasards de la société nouvelle ; ces deux marginaux de la Révolution, la courtisane des îles et le petit soldat corse, ont fini par incarner la France propriétaire. L'opinion découvre dans le chef qu'elle s'est donné un style et des habitudes qui ont tous les caractères de la simplicité républicaine et d'un gouvernement civil. Le Premier Consul n'a aucune des stupides habitudes des Bourbons : il mange vite, il aime la monotonie vestimentaire et les vieux chapeaux, il ne perd pas son temps en cérémonies de Cour ; il ne chasse pas, ou si peu ; il travaille et il décide.

Ces images sont celles de sa publicité, qu'il sait si bien faire, mais elles correspondent aussi à la vérité de l'époque. Napoléon Consul a mêlé les qualités d'un héros républicain et d'un roi bourgeois à ce que sa personnalité comporte déjà de despotique et d'incontrôlable. Il a fort bien compris les conditions objectives qui l'avaient porté au pouvoir et le caractère civil de sa dictature : « Ce n'est pas comme général que je gouverne, mais parce que la nation croit que j'ai les qualités civiles propres au gouvernement ; si elle n'avait pas cette opinion, le gouvernement ne se soutiendrait pas. Je savais bien ce que je faisais, lorsque, général d'armée, je prenais la qualité de membre de l'Institut ; j'étais sûr d'être compris même par le dernier tambour. Il ne faut pas raisonner des siècles de barbarie aux temps actuels. Nous sommes trente millions d'hommes réunis par les Lumières, la propriété et le commerce. Trois ou quatre cent mille militaires ne sont rien auprès de cette masse*. » Les Lumières, la propriété, le commerce : définition de la nation qu'aurait pu donner Necker, ou Sieyès, ou Benjamin Constant, et que d'ailleurs ils avaient déjà donnée, apprise chez les philosophes du siècle, mais sans pouvoir en maîtriser le potentiel d'instabilité et de luttes civiles. Lui s'en veut aussi l'héritier et le drapeau, le garant enfin trouvé auprès du pays, et il y a tout un côté bourgeois en lui qui s'accorde à ce rôle : la propriété intouchable, l'idée du mariage et de la famille, la femme à la maison, l'ordre dans la rue, les carrières ouvertes aux talents. Il donne d'un côté à tout cela, qui est au fond le legs de 1789 mis en prose, le caractère flamboyant

* 4 mai 1802, au Conseil d'État, *in* Thibaudeau, *Mémoires sur le Consulat, 1799 à 1804*, 1827, p. 79.

de son génie ; et d'un autre côté il l'enveloppe dans une sorte d'exagération corse, mêlant d'esprit patriarcal la naissance de la France moderne. Par où il croise doublement le vœu national. A peine sortis de l'épopée de la Révolution, les Français n'eussent pas accepté facilement un chef qui aurait eu moins d'éclat national ; mais fourbus du répertoire révolutionnaire et repliés sur ce qu'ils avaient acquis, ils voulaient qu'on renforçât les garanties offertes à la propriété et à l'ordre. A la fois révolutionnaire et conservateur, ce peuple rural de petits-bourgeois rencontrait le Bonaparte du Code civil. Il souscrivait spontanément à ce programme défini en novembre 1800, toujours au Conseil d'État : « Nous avons fini le roman de la Révolution : il faut en commencer l'histoire, ne voir que ce qu'il y a de réel et de possible dans l'application des principes, et non ce qu'il y a de spéculatif et d'hypothétique. Suivre aujourd'hui une autre voie, ce serait philosopher et non pas gouverner. »

Dictature d'opinion destinée à asseoir la Révolution, le Consulat est donc aussi, dans l'esprit de Bonaparte, le « commencement » de son histoire. Le « roman » de la Révolution a été écrit par les intellectuels qui en ont exploré le côté « spéculatif » : il a dans l'esprit Robespierre bien sûr, et la République de la vertu, mais aussi un peu tout le monde, de la Constituante à l'Institut, et par exemple Sieyès, son allié provisoire de Brumaire, l'homme de la Constitution parfaite. Commencer l'histoire réelle de la Révolution consiste à traiter avec la raison pratique le problème qu'ils ont abordé en métaphysiciens ; fonder enfin l'État moderne sur l'expérience et la réalité. C'est l'autre volet du Consulat, par où Bonaparte renouvelle le modèle du despotisme éclairé à travers l'héritage de la société post-révolutionnaire. Idée que, dès 1790, Mirabeau avait en vain tenté de souffler au pauvre Louis XVI, dans sa correspondance secrète avec la Cour* : pourquoi rechignez-vous, lui écrivait-il en substance, devant le nouvel état de choses ? Au lieu de regretter la société aristocratique, cette noblesse, ces parlements, ces corps privilégiés qui ne cessaient d'entraver votre autorité, prenez acte, au contraire, de sa disparition pour enraciner la monarchie dans la société nouvelle, en devenant le chef de la nation.

Conseil que le roi de l'Ancien Régime n'avait pas retenu ni même entendu, mais que le nouveau souverain a tout pour mettre en pratique : c'est un tempérament mille fois plus autoritaire que l'ancien roi, et il gouverne plus que jamais une société faite d'individus égaux, beaucoup plus désarmée que l'ancienne en face de l'État. Il possède en plus, sur 1790, l'avantage d'une marée révolutionnaire en reflux depuis plusieurs années — laquelle, en se retirant, a laissé voir dans toute sa force intacte l'idée du pouvoir absolu, héritée des rois de France et mise au service de la démocratie. La souveraineté du peuple a remplacé celle du monarque, mais elle n'a rien abdiqué de son étendue sans limites ou de sa nature indivisible. La monarchie consulaire cumule ainsi à son profit trois éléments qui en font un pouvoir plus fort qu'aucun de ceux qui ont jamais paru dans l'histoire. D'une part, elle règne sur des hommes isolés, privés du droit de s'assembler en corps et dont elle garantit l'égalité ; d'autre part, elle tient son autorité du peuple, débarrassée par là même de ce regard de Dieu sur elle qui constituait un des freins du pouvoir des rois ; enfin, elle tire sans le savoir une partie de sa force de la tradition absolutiste. La France est toujours pénétrée du sentiment très fort qu'elle a rompu les amarres avec son passé, et la guerre, les émigrés, les frères de Louis XVI sont là pour le lui rappeler. Mais le Premier

* Mirabeau, *Correspondance avec le comte de Lamarck (1789-1791)*, Paris, 1851, 3 vol.

Consul a très bien compris — il le dit à plusieurs reprises —, que son pouvoir vient aussi, pour une part, de ce passé et des habitudes nationales.

Tels sont les fondements sur lesquels il assoit ce qu'il fera de plus durable : la construction de l'État moderne en France. Car le Code civil, l'ensemble du travail d'unification juridique et de législation étaient en route avant lui, et eussent pu être achevés sans lui, d'une façon finalement peu différente. Mais l'esprit nouveau des structures administratives de l'État porte sa marque. Il puise largement dans la tradition : le rationalisme cartésien importé dans la sphère politique, le despotisme éclairé, le long travail de centralisation effectué par la monarchie absolue, la jurisprudence née des interminables conflits entre l'État et les corps sous l'Ancien Régime, la pente des coutumes et des esprits. Il y ajoute sa marque, à la fois corse et militaire, qui met l'ordre et l'autorité au-dessus de tous les besoins des hommes, et qui est si douce à sa passion principale : dominer sans partage.

L'administration est le nerf de l'État. Elle doit aller toute seule, comme un grand système d'encadrement des hommes destiné à transmettre la volonté du centre jusqu'aux lieux les plus périphériques, avec l'automatisme d'un organisme vivant : « J'avais rendu tous mes ministères si faciles que je les avais mis à la portée de tout le monde, pour peu qu'on possédât du dévouement, du zèle, de l'activité, du travail... L'organisation des préfectures, leur action, les résultats étaient admirables et prodigieux. La même impulsion se trouvait donnée au même instant à plus de quarante millions d'hommes ; et, à l'aide de ces centres d'activité locale, le mouvement était aussi rapide à toutes les extrémités qu'au cœur même*. » Ainsi la centralisation, en même temps qu'elle permet de réaliser

---

* Conseil d'État, 1806, *in* Napoléon, *Pensées politiques et sociales*, éd. par A. Dansette, Flammarion, 1969, p. 81.

l'unité et l'ubiquité du pouvoir rationnel, dispense ses agents de tout, sauf de « travail » et de « dévouement ». Tous les préfets sont des « empereurs au petit pied » dans leurs départements, mais cette puissance est indépendante de leurs mérites et de leurs personnes : elle n'est que la représentation en acte du pouvoir central.

Bonaparte a beau reprendre de temps en temps l'argument de « salut public », et dire que cette dictature de l'État sur les citoyens, qui éteint toute vie locale, est due à la situation de guerre, il est difficile de l'en croire, tant ces conceptions portent la marque de son éducation et de son caractère. Car le point fort du système est aussi son point faible : lui-même. Il apporte à animer l'administration tous les soins de son génie électrique et réaliste : capable d'assimiler très vite des choses très différentes, aimant la variété qu'offrent les circonstances aux hommes qui gouvernent, sachant le prix du détail et de l'application des décisions sur le terrain, enivré de la passion de tout savoir pour commander à tout, comme sur le champ de bataille. Il « se mêlait de toutes choses, écrira Chateaubriand ; son intellect ne se reposait jamais ; il avait une espèce d'agitation perpétuelle d'idées. Dans l'impétuosité de sa nature, au lieu d'un train franc et continu, il s'avançait par bonds et haut-le-corps, il se jetait sur l'univers et lui donnait des saccades* ». Mais cette activité même comporte son principe de corruption, et l'ambition d'autorité absolue implique la dégradation de l'autorité en tyrannie : corruption et dégradation qui se laissent observer très vite chez le Premier Consul. Personne n'exécute ses ordres avec assez de vitesse et nul ne lui obéit jamais assez complètement. Dans un pays où la courtisanerie est une tradition nationale, la flatterie exerce ses ravages sur un caractère qui ne cesse de la susciter et en est

* Chateaubriand, *Mémoires d'outre-tombe*, XXIV, 6.

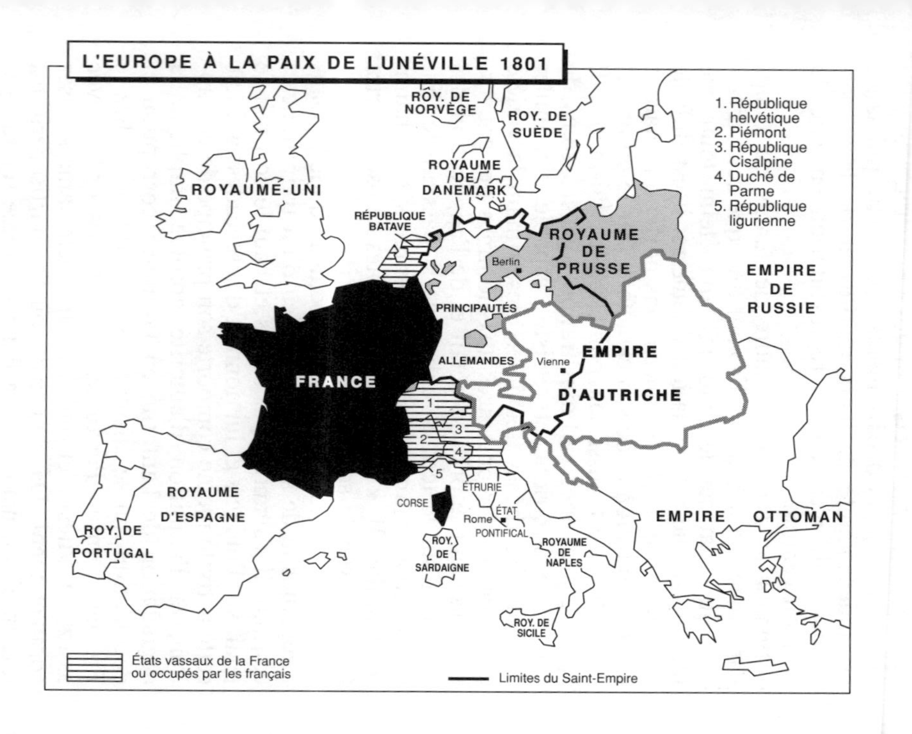
L'EUROPE À LA PAIX DE LUNÉVILLE 1801
ROY. DE NORVÈGE
ROY. DE SUÈDE
1. République helvétique
2. Piémont
3. République Cisalpine
4. Duché de Parme
5. République ligurienne
ROYAUME-UNI
ROYAUME DE DANEMARK
RÉPUBLIQUE BATAVE
ROYAUME DE PRUSSE
Berlin
EMPIRE DE RUSSIE
PRINCIPAUTÉS
ALLEMANDES
Vienne
EMPIRE D'AUTRICHE
FRANCE
ROYAUME D'ESPAGNE
ROY. DE PORTUGAL
CORSE
ÉTRURIE
Rome
ÉTAT PONTIFICAL
ROY. DE SARDAIGNE
ROYAUME DE NAPLES
ROY. DE SICILE
EMPIRE OTTOMAN
États vassaux de la France ou occupés par les français
Limites du Saint-Empire

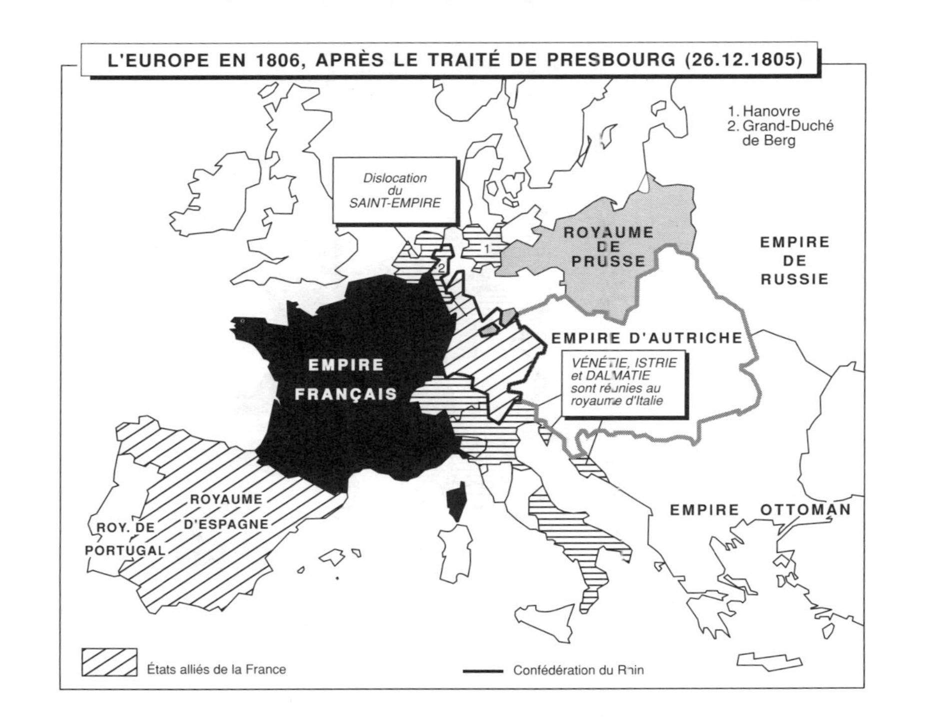
L'EUROPE EN 1806, APRÈS LE TRAITÉ DE PRESBOURG (26.12.1805)
1. Hanovre
2. Grand-Duché de Berg
Dislocation du SAINT-EMPIRE
ROYAUME DE PRUSSE
EMPIRE DE RUSSIE
EMPIRE D'AUTRICHE
VÉNÉTIE, ISTRIE et DALMATIE sont réunies au royaume d'Italie
EMPIRE FRANÇAIS
ROYAUME D'ESPAGNE
ROY. DE PORTUGAL
EMPIRE OTTOMAN
États alliés de la France
Confédération du Rhin

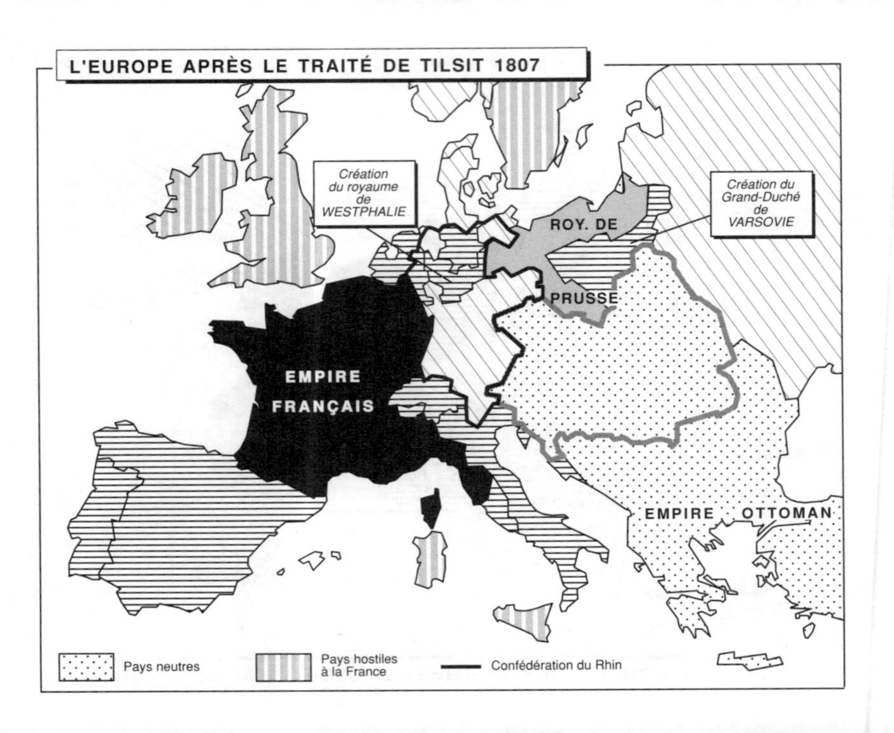
L'EUROPE APRÈS LE TRAITÉ DE TILSIT 1807
Création du royaume de WESTPHALIE
ROY. DE PRUSSE
Création du Grand-Duché de VARSOVIE
EMPIRE FRANÇAIS
EMPIRE OTTOMAN
Pays neutres
Pays hostiles à la France
Confédération du Rhin

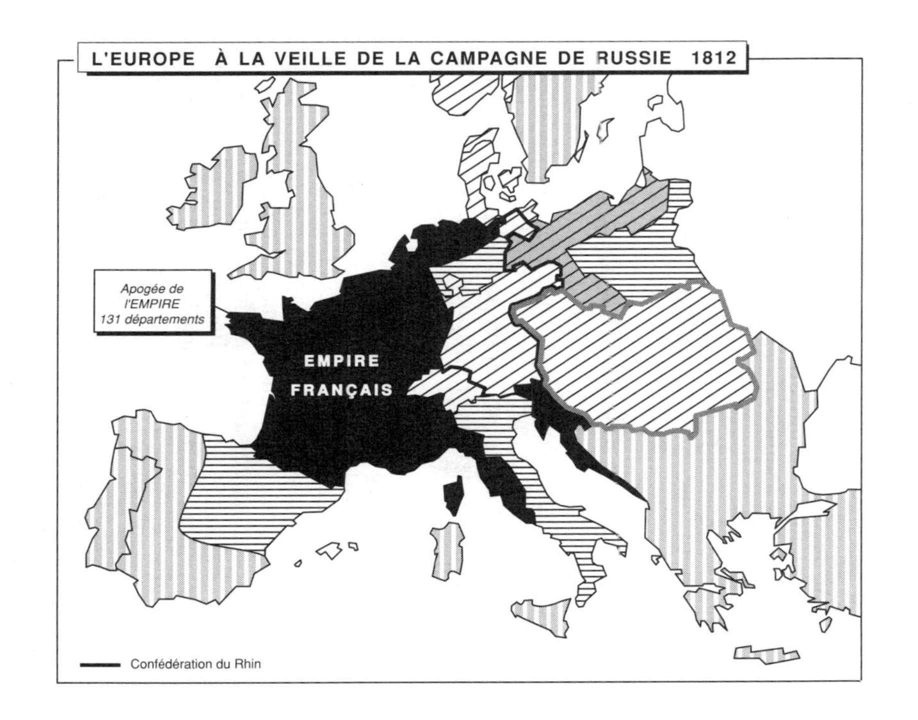
L'EUROPE À LA VEILLE DE LA CAMPAGNE DE RUSSIE 1812
Apogée de l'EMPIRE 131 départements
EMPIRE FRANÇAIS
Confédération du Rhin

très tôt intoxiqué : de là, à côté du fameux sourire de charme, cette impatience de la contradiction, cette verve violente et sombre, ces colères, cette grossièreté dans l'insulte dont Bonaparte abuse très tôt. Selon une dialectique très française, le même homme qui a divinisé la souveraineté abstraite de l'État est celui qui l'a fragilisée en l'incarnant comme si elle était tout entière en lui. Napoléon est le Louis XIV de l'État démocratique.

Mais sa passion possessive ne l'a jamais aveuglé au point de lui faire confondre privé et public. En dehors même de son tempérament, le caractère extraordinaire de son ascension suffirait à expliquer sa pente à considérer comme un patrimoine tout ce qu'il a acquis, y compris la République ; il reste pourtant l'héritier de la Révolution contre l'Ancien Régime, puisque le fondement de l'État administratif qu'il instaure contre les pouvoirs locaux est l'universalité de la loi. Il aura beau, au fil du temps, multiplier les actes arbitraires et rétablir une noblesse dotée par l'État, la force de son emprise sur la nation vient de ce qu'il est le délégué de la souveraineté populaire pour faire et faire respecter la loi, identique pour chaque citoyen. En ce sens, il est le dernier avatar de la crise de la représentation politique qui caractérise la Révolution française. Il a résolu cette crise en devenant l'unique représentant, en monarchisant le suffrage universel par le filtrage des listes de notabilités et le pouvoir législatif par l'émiettement des responsabilités des Assemblées. Mais lui — et l'administration qui n'est que l'extension de son bras — restent les symboles d'un État nouveau, fondé sur le consentement de citoyens égaux et porteur de l'intérêt général.

C'est à travers cette image collective qu'il reçoit l'accord de la nation, rétablit l'ordre et opère même la réconciliation des Français divisés par la Révolution : les ex-Constituants, les ex-Girondins, les ex-terroristes, et bien sûr les thermidoriens peuplent son administration et fournissent conseillers d'État, magistrats, préfets, commissaires aux armées, des milliers et des milliers d'emplois, du haut en bas de la fonction publique. Même les émigrés rentrent et beaucoup d'entre eux retrouvent, élargies, démocratisées, mais ornées aussi d'un éclat incomparable, les deux grandes carrières où s'illustraient leurs ancêtres : le service de l'État et l'armée. Quant au métier de courtisan, personne n'avait à le leur apprendre. Le Premier Consul les méprise et retrouvera pour parler d'eux le ton de l'abbé Sieyès de 1789 : « Je leur ai proposé des grades dans mon armée ; ils n'en ont pas voulu ; je leur ai proposé des places dans l'administration, ils les ont refusées ; mais je leur ai ouvert mes antichambres, et ils s'y sont précipités. » Phrase terrible, par où il offre, comme souvent, un concentré de tradition absolutiste et d'esprit révolutionnaire. L'aristocratie française a été soumise par la première avant d'être brisée par la seconde. Dans les salons des Tuileries, autour de ce faux prince corse, elle a perdu jusqu'à son identité.

Ailleurs, et quasiment partout, dans tout ce qui a joué un rôle — même tout petit — en France depuis 1789, quelle ruée vers les emplois ! Le Consulat est une extraordinaire foire aux places où Bonaparte joue à l'échelle de la nation un des grands rôles du roi de France à la Cour : donner des récompenses, des honneurs et des emplois. Il en a plus que n'en a jamais eu aucun roi, puisqu'il fonde l'État moderne ; il lui faut pourvoir non seulement à la « vanité », mais aux besoins d'une administration nombreuse et d'une armée immense. Il joue plus encore qu'aucun roi du passé sur la passion nationale des places. Cette transfiguration démocratique des pratiques absolutistes a été le dernier secret du gentilhomme corse ; elle réintégrait dans la nation, à sa manière, l'héritage de Cour que la Révolution avait détesté et voulu abolir. Elle apportait ainsi le renfort du passé au héros de la politique moderne.

Un dernier trait rapproche le soldat d'Ajaccio de la tradition nationale : il a trouvé la religion catholique dans son berceau. Non qu'il soit croyant, ou qu'il ait avec elle un rapport profond, mais elle fait partie de son héritage italien et de son monde français. Dans la conception qu'il s'en est faite, il entre l'utilitarisme des Lumières, qui est le fond de sa culture apprise, et la raison politique toute nue, débarrassée des passions inutiles des années révolutionnaires qui l'incline à réconcilier son régime avec les croyances séculaires de la religion. Quand il parle des choses de la foi, il passe dans ses réflexions une sagesse bourgeoise, très française, qui vient de Voltaire plus que de Machiavel, et qui nourrira la politique conservatrice au XIXe siècle : « Si vous ôtez la foi au peuple, vous n'avez que des voleurs de grand chemin*... »

Tel est Bonaparte, Premier Consul, fils et roi de la Révolution ; produit d'un événement que les Français craignent rétrospectivement mais chérissent comme un patrimoine, et dont ils veulent de ce fait se garantir enfin la jouissance paisible. Il est ce dictateur républicain qui s'est fait lui-même, et qui a couronné avec lui l'égalité. De cette rencontre d'un homme et d'un peuple, si brève, mais si éclatante, et si longue à oublier, puisqu'elle va durer presque un siècle, Chateaubriand a écrit le commentaire le plus profond : « Une expérience journalière fait reconnaître que les Français vont instinctivement au pouvoir : ils n'aiment point la liberté ; l'égalité seule est leur idole. Or, l'égalité et le despotisme ont des liaisons secrètes. Sous ces deux rapports, Napoléon avait sa source au cœur des Français, militairement inclinés vers la puissance, démocratiquement amoureux du niveau. Monté au trône, il y fit asseoir le peuple avec lui, roi prolétaire, il humilia les rois et les nobles dans ses antichambres ;

* Conseil d'État, 29 mars 1805 ; *in* A. Marquiset, *Napoléon sténographié au Conseil d'État, 1804-1805*, 1913, p. 71.

il nivela les rangs, non en les abaissant, mais en les élevant : le niveau descendant aurait charmé davantage l'envie plébéienne, le niveau ascendant a plus flatté son orgueil*. »

Marengo a donné à son tout jeune règne la paix victorieuse, ce rêve contradictoire de l'opinion publique en France. Finir la guerre est une opération du même ordre que finir la Révolution : c'est les couronner toutes deux. Marengo n'a pas suffi à mettre l'Autriche à genoux ; mais la victoire de Moreau à Hohenlinden, en décembre, amène les diplomates de l'empereur à la table de négociation : c'est la paix de Lunéville, signée en février 1801, qui étend les abandons de Campo-Formio, Belgique, Luxembourg, rive gauche du Rhin et confirme le protectorat français sur les Républiques batave, helvétique et italienne. La deuxième coalition se trouve complètement démantelée. Après l'échec des entreprises anglo-russes en Hollande, le tsar Paul a tourné casaque et s'est rapproché de la France, enlevant à Londres ses dernières troupes continentales. Paris et Londres sont alors amenés, par la force des choses, à parler, malgré toutes les arrière-pensées : Bonaparte voudrait conserver l'Égypte, et l'Angleterre refuse de cautionner même indirectement une alliance franco-russe. Mais l'Égypte est d'autant plus indéfendable que Kléber est mort en juin 1800. A Londres, Pitt est tombé ; à Pétersbourg l'assassinat du tsar Paul lève une partie des réticences anglaises à traiter. Restent la lassitude de la guerre des deux côtés de la Manche, les difficultés sociales et économiques de l'Angleterre, la volonté de Bonaparte d'être l'homme de la paix : elles expliquent les préliminaires de Londres, à l'automne 1801, et la paix d'Amiens (mars 1802). L'Angleterre rendrait l'Égypte à la Turquie, Malte à ses chevaliers, le cap de Bonne-Espérance à la Hol-

* Chateaubriand, *Mémoires d'outre-tombe,* XXIV, 6.

lande ; la France évacuerait Naples, et les deux puissances garantiraient l'indépendance du Portugal et des îles Ioniennes. Ce constat de match nul, accepté des deux côtés du bout des lèvres, est salué comme le retour durable de la paix ; mais il est en même temps ressenti par l'opinion française comme une reconnaissance internationale de la légitimité révolutionnaire. Si Londres accepte que la « grande nation » s'étende jusqu'aux Flandres et au Rhin, c'est que la pacification bonapartiste a tenu les promesses de l'an II.

Dans cette mesure même, le pouvoir intérieur du Premier Consul n'a cessé de se consolider en fait et en droit. Dès après Brumaire, le nouveau pouvoir avait, en rassurant l'opinion, retiré ses armes politiques à la chouannerie ; l'insurrection militaire s'éteignit d'autant plus vite que les chefs royalistes escomptèrent d'abord du coup d'État la restauration prochaine du prétendant. Quand Bonaparte ne leur offrit que la paix des braves, c'est-à-dire le ralliement, ils avaient perdu leurs troupes, et la chouannerie se fit complot. Le 24 décembre 1800, rue Saint-Nicaise, alors que sa voiture l'emmène au théâtre, le Premier Consul n'échappe que de très peu à l'explosion d'une machine infernale : il en prend prétexte pour liquider les restes d'une opposition jacobine qui n'est guère menaçante, mais retrouve peu après la trace des vrais coupables. Deux chouans irréductibles sont exécutés, les autres passent en Angleterre. Dans l'Ouest, un mélange de clémence et de rigueur fera le reste.

Au reste, Bonaparte dispose contre les chefs royalistes d'une arme politique bien plus terrible encore que la répression : c'est l'accord avec l'Église catholique. L'héritage est lourd, puisque l'Église constitutionnelle, animée par l'évêque Grégoire, n'a pas réussi à rallier la majorité des fidèles, et que les cultes civiques fondés sous le Directoire — religion décadaire et théophilanthropie — sont restés de froides cérémonies de notables. L'Église réfractaire et romaine réunit donc, au nom du passé, les sentiments religieux de la grande masse du peuple paysan. Bonaparte aborde le problème en politique ; il renonce au grand rêve de laïciser les consciences pour rallier le pays autour de son pouvoir : il ne croit pas un instant à l'idée de refaire une religion civile autour de la Révolution. A ses yeux, c'est une idée de notable ou d'intellectuel, un projet typique du « roman » révolutionnaire, qu'il s'agit précisément de terminer. Même l'Église constitutionnelle, que Grégoire a eu tant de mal à faire vivre, et qui a été victime à la fois de la déchristianisation terroriste et de la détente de 1795, Bonaparte la sacrifie sans regret sur l'autel de la réconciliation. Il traite avec le pape de souverain à souverain, selon sa conception des choses, en reconnaissant le territoire de son interlocuteur, que la Constituante avait voulu nier : il ne peut régler la situation de l'Église de France sans un accord négocié avec lui.

Pour délivrer le peuple catholique de la mainmise du prêtre réfractaire, et donc l'émanciper aussi du royalisme, il lui faut passer par en haut, réconcilier son régime avec Rome : « Cinquante évêques émigrés et soldés par l'Angleterre conduisent aujourd'hui le clergé français. Il faut détruire leur influence ; l'autorité du pape est nécessaire pour cela. Il les destitue, ou leur fait donner leur démission. On déclare que la religion catholique étant celle de la majorité des Français, on doit en organiser l'exercice. Le Premier Consul nomme cinquante évêques, le pape les institue. Ils nomment les curés, l'État les salarie. Ils prêtent serment. On déporte les prêtres qui ne se soumettent pas. On défère aux supérieurs pour les punir ceux qui prêchent contre le gouvernement. Le pape confirme la vente des biens du clergé : il sacre la République. On chantera : *Salvam fac rem Gallicam*. La bulle est arrivée. Il n'y a que quelques expressions à changer. On dira que je suis papiste ; je ne suis rien ; j'étais mahométan en Égypte ; je serai catholique ici pour le bien du peuple*. »

Telles sont, dans le rude langage du Premier Consul, les modalités du Concordat. Vis-à-vis de Rome, Bonaparte a eu deux exigences : la reconnaissance de la vente des biens d'Église, et la nomination de tous les nouveaux évêques, après liquidation de tous les anciens, tant réfractaires que constitutionnels, vaste coup d'éponge sur le passé. Bref, la garantie des propriétés acquises depuis 1789, et un clergé dans sa main : coup double qui le fait roi des paysans avec la bénédiction de Dieu. Les conversations ont été longues et difficiles ; mais il a obtenu satisfaction contre l'obligation d'entretenir la nouvelle Église, dont les évêques devront être « institués ». Du côté catholique, le compromis avec le nouveau maître de la France signifie que l'Église fonde les bases de l'alliance entre ce que le XIXe siècle appellera le Trône et l'Autel. Ceux qui, sur l'exemple du pape, choisissent le ralliement saisissent l'occasion inespérée de réimplanter l'autorité morale et spirituelle du catholicisme dans l'accord retrouvé avec le pouvoir temporel.

L'accord suscite la colère des prêtres réfractaires et des contre-révolutionnaires ; mais c'est une époque où l'opinion royaliste modérée, si agitée contre le Directoire, a accepté le nouveau maître, bon substitut à la vieille monarchie rancunière des émigrés. L'air du temps a changé. Chateaubriand, rentré d'exil, vient de publier le *Génie du christianisme*. La protestation, sans être vraiment bruyante, est plus sensible à Paris, chez les bourgeois républicains, les gens de l'Institut. Quand la capitale célèbre solennellement, à Pâques 1802, quelques semaines après la signature de la paix d'Amiens, les retrouvailles de la France consulaire avec l'Église de Rome, il y a bien des grognements dans le haut personnel civil et militaire du régime,

---

* Juin 1801, *in* Thibaudeau, *op. cit.*, pp. 152-153.

vieilli dans la lutte contre la « superstition ». Mais déjà le Tribunat a été épuré en mars de ce qu'il pouvait comporter d'« opposition » au moins virtuelle par l'élimination d'une vingtaine de ses membres dont, avec Benjamin Constant, les Idéologues grands prêtres de la religion civile : Chénier, Cabanis, Ginguené, Daunou. Madame de Staël, elle aussi, déteste le Concordat, mais pour d'autres raisons. A la différence des gens de l'Institut mais comme son père, elle croit la religion chrétienne indispensable à la société moderne ; mais elle a longuement expliqué, dans les *Circonstances actuelles*, que la religion d'État associée à la République devait être le protestantisme, indispensable à la fondation durable de la liberté. Bonaparte lui a répondu plus tard, de Sainte-Hélène, dans une conversation avec Las Cases : « En proclamant le protestantisme, qu'eussé-je obtenu ? J'aurais créé en France deux grands partis à peu près égaux, lorsque je voulais qu'il n'y en eût plus du tout ; j'aurais ramené la fureur des guerres de religion, lorsque les lumières du siècle et ma volonté avaient pour but de les faire disparaître tout à fait. »

C'est une date essentielle de cette première « fin » de la Révolution, que cette paix avec l'Église, qui n'enterre pas du tout le conflit noué en 1789-1790, comme le montrera la suite, mais le calme pour un temps. Bonaparte n'a traité ni voulu traiter aucune des questions spirituelles et morales qui sont au cœur de ce conflit ; il a enchaîné l'Église à son succès. Le Concordat porte la marque de son génie réaliste : un usage intelligent de sa situation de force, tempéré par le sens de la tradition et une philosophie bourgeoise de la religion. Cette Église catholique dépouillée de ses biens, arrachée à son passé par la Révolution, il lui a rendu, non pas son patrimoine, passé aux nouveaux messieurs de la ville et de la campagne, mais son unité et son statut, en échange d'une subordination plus étroite encore qu'au temps des rois de France. C'est qu'il traite avec une Église qui n'est plus le corps puissant qu'elle était sous l'Ancien Régime, imbriquée à la société aristocratique par mille liens ; il peut se donner le bénéfice public de la restaurer sans lui rendre ses anciens pouvoirs, et comme une sorte de contrefort à son autorité. C'est ce que n'ont pas compris ses anciens amis de l'Institut, ou plutôt c'est ce qu'ils ont trop bien compris : ils y voient la fin de l'esprit républicain, par la recréation de l'oppression religieuse sur les consciences individuelles. Comme une concession qu'il leur fait, Bonaparte recule la promulgation du Concordat, qu'il assortit d'une déclaration unilatérale à tonalité « gallicane » ; mais cette petite fronde des notables, parlementaires ou généraux, ne pèse rien en face de l'accord profond de l'opinion sur la double garantie donnée par le Concordat aux propriétés et aux consciences.

Car l'ordre bonapartiste, la remise en ordre du Consulat, reposent d'abord sur ce sentiment général qu'un pouvoir fort est devenu le meilleur instrument d'une consolidation des acquis révolutionnaires. La rente a remonté, les affaires ont repris, la campagne respire et les villes sont calmes. C'est sur la base de cet apaisement presque organique, après dix années de tensions et de violences, que Bonaparte fonde les institutions administratives de la France contemporaine. Là comme ailleurs, les différents pouvoirs révolutionnaires lui avaient très largement mâché le travail, sans avoir jamais trouvé, après 1789, le minimum de consensus social nécessaire à toute réalisation durable.

L'organisation du pouvoir exécutif reçoit naturellement tous les soins du Premier Consul. A côté du gouvernement, dont les membres sont nommés par lui et responsables devant lui, existe désormais le Conseil d'État, héritier du Conseil d'État du roi, si important dans le fonctionnement de l'ancienne monarchie. Son rôle est d'ailleurs semblable : mettre au point les projets de loi avant qu'ils soient soumis au Tribunat, chargé de les discuter, et trancher au sommet tout contentieux administratif. Les conseillers, auxquels on joindra un peu plus tard des auditeurs et des maîtres des requêtes, furent choisis avec le plus grand soin par Bonaparte, qui aimait cette haute bureaucratie compétente et discrète. Même principe à l'échelon local : Bonaparte garde le département, que d'ailleurs il multipliera au rythme de ses conquêtes, mais le coiffe d'un préfet, nommé et révocable par lui, comme au niveau inférieur le sous-préfet de l'arrondissement. A leurs côtés, un Conseil général du département et un conseil d'arrondissement n'ont que des attributions illusoires. Car le préfet est à la fois le représentant et l'homologue départemental du nouveau chef du pays : il nomme les maires des petites communes, et le Premier Consul désigne directement ceux des grandes, pour que rien ne soit laissé au hasard. La France contemporaine naît dans cette liquidation des anarchies locales héritées de la Révolution et dans cette réconciliation posthume de Louis XIV et de Robespierre.

Le même esprit centralisateur et autoritaire préside à la réorganisation des autres secteurs de la vie publique, où Bonaparte se montre à la fois l'héritier et le liquidateur de la Révolution. Il maintient la hiérarchie des tribunaux établie par la Constituante, mais supprime l'éligibilité des juges et restreint au criminel les pouvoirs des jurys. Il accroît considérablement le rôle et les effectifs de la police, qui devient sous Fouché un des rouages essentiels du gouvernement. En matière financière, c'est l'œuvre des dernières années du Directoire qui est consolidée par le soin donné aux administrations du Trésor et des contributions. La fiscalité reste fondée sur les trois impôts directs de la Constituante, de rendement assez faible, mais son caractère typiquement bourgeois peut se lire à l'augmentation considérable des impôts indirects, qui avaient été très légers pendant la décennie révolutionnaire. Pour lutter contre la prépondérance économique anglaise, Bonaparte, plus colbertiste qu'il ne le croyait, dote également la France d'institutions financières : c'est la loi de 1803 qui fixe pour plus d'un siècle le poids d'or du « franc germinal » ; c'est surtout la création de la Banque de France, société privée aux mains de la haute banque, mais chargée de la trésorerie de l'État.

L'enseignement enfin devient aussi un service unifié de l'État, qui recevra son nom en 1808 : l'Université impériale. Pas plus que la Convention thermidorienne et le Directoire, le nouveau régime ne s'intéresse aux écoles primaires, laissées à l'initiative privée, le plus souvent cléricale ; mais il prend grand soin du secondaire — la pépinière des élites bourgeoises : il ne s'agit pas de laisser au hasard la formation des futurs cadres de l'État. Les « écoles centrales » des thermidoriens, amputées de leurs audaces pédagogiques, deviennent les tristes lycées évoqués par Musset dans ses *Confessions d'un enfant du siècle*, et très semblables aux collèges jésuites et oratoriens de la monarchie : réveil au tambour et humanités classiques. Dans l'enseignement supérieur, les grandes écoles créées par la Convention prennent le pas sur les facultés : caractère spécifique de notre enseignement supérieur, qui date de la monarchie et qui est parvenu jusqu'à nous.

Bref, tous ces noms inséparables de la mémoire nationale — préfets, Banque de France, Conseil d'État, lycées, grandes écoles — qui viennent sous la plume de l'historien de cette époque évoquent toujours la France où nous vivons, à la fin du XXe siècle. L'organisation des pouvoirs publics est la partie fragile du Consulat, car elle est suspendue à la vie d'un homme. La fondation de l'État administratif moderne en est la part durable, parce qu'elle est le fait d'une énergie militaire éclairée par une intelligence de l'histoire civile. Elle a son monument, qui couronne l'œuvre législative de la Révolution et règle les rapports entre les citoyens de la nouvelle société : le Code Napoléon, ou le Code civil, le plus important des grands textes juridiques post-révolutionnaires, devenu le symbole même, intérieur et international, de la France d'après 1789.

Il y a dans le texte de sa promulgation, en 1804, comme la célébration d'une ambition multiséculaire enfin réalisée, après tant et tant d'efforts : « ... les lois romaines, les ordonnances, les coutumes générales ou particulières, les statuts, les règlements cessent d'avoir force de loi générale ou particulière dans les matières qui sont l'objet desdites lois composant le présent Code. » Ainsi, il n'y a plus qu'un texte qui régit pour tous les Français les rapports civils qui les lient, une seule loi pour la nation. Vieille entreprise monarchique, sans cesse remise en chantier par les légistes des rois, constamment demandée par les États Généraux, érigée en règle imprescriptible par le rationalisme des Lumières, travaillée et retravaillée par les Assemblées de la Révolution française. L'Ancien Régime n'avait jamais réussi à faire de l'édifice « gothique » de ses diverses coutumes un ordre rationnel, offrant une protection contre l'arbitraire par l'uniformité de ses dispositions, également applicables à chaque citoyen. Mais sur ce terrain, les différents courants de pensée du XVIIIe siècle avaient été presque tous d'accord pour le préconiser, des jurisconsultes aux philosophes et des encyclopédistes aux physiocrates : le Chancelier d'Aguesseau, Voltaire, Linguet et Turgot ensemble. Il n'y a probablement pas de domaine où la chaîne causale qui lie la Révolution à la philosophie des Lumières et à l'esprit du siècle soit plus visible que celui de la législation civile. Dans une grande mesure d'ailleurs, la vieille monarchie qui avait souvent constitué le bouc émissaire des philosophes avait montré l'exemple. Mais prisonnière de la tradition et des mécanismes financiers qui l'avaient rendu inséparable des particularismes et des privilèges, elle n'avait jamais pu venir à bout de la diversité juridique du royaume ; comme l'a expliqué Tocqueville, ce qu'elle en avait détruit n'avait rendu que plus odieux ce qu'elle en avait laissé ou ce qu'elle en reconstruisait sans cesse. En jetant bas toute la structure corporative ou, si l'on veut, « aristocratique », de l'ancienne société, la révolution de 1789 avait ouvert toute grande la porte à la passion française des lois, où s'exprime par excellence l'universalisme rationaliste qui est un de ses caractères dominants. Le monde social nouveau ne comporte plus que des individus égaux, soumis aux mêmes textes, qui fixent leurs droits et leurs obligations, et que le juge, en cas de litige, doit appliquer plus qu'interpréter.

La reconstruction d'une législation civile a commencé dès la Constituante, où toute une série d'importants débats furent consacrés aux questions de l'autorité paternelle, de la nature et des limites du contrat de mariage, et à la liberté de tester : apparaît déjà dominant, à cette époque, l'esprit d'égalité successorale absolue entre les héritiers, sans que le testateur puisse en favoriser aucun — de peur que ne soit reconstitué un privilège pour l'aîné. L'objectif, inscrit dans la Constitution de 1791, est l'établissement d'un code général des lois civiles, dont hérite l'Assemblée législative. Celle-ci, comme on l'a vu, est très vite happée dans la dérive vers la guerre et la chute de la monarchie ; elle vote pourtant en septembre 1792, avant de se séparer, la laïcisation de l'état civil et l'instauration du divorce. Mais le plus gros du travail est fait, pendant les années révolutionnaires, par le Comité de législation de la Convention, sous la présidence de Cambacérès, futur Consul d'après le 18 Brumaire. Un premier projet de Code est présenté par lui à la Convention en août 1793, au cours d'un des mois les plus dramatiques de l'histoire de la Révolution. Il porte la marque de l'esprit radical de l'époque, décrétant par exemple non seulement l'égalité des successions, mais l'admission des enfants naturels reconnus à des droits successoraux identiques à ceux des enfants légitimes, la puissance paternelle réduite à la protection, le mariage et le divorce mis à la seule volonté des conjoints majeurs, la communauté des biens comme règle matrimoniale unique. Deuxième projet, toujours présenté par Cambacérès en septembre 1794, donc après la chute de Robespierre, qui avance les trois grands principes du futur Code : liberté, propriété, droit de contracter. Les articles proposés, notamment sur le mariage et le divorce, ne sont pas en retrait sur ceux de l'année précédente. Il y aura encore, sous le Directoire, en juin 1796, un troisième plan Cambacérès de Code, dont la discussion est interrompue à nouveau par les aléas de la situation politique, comme si la Révolution, obsédée par les problèmes de son existence même, ne pouvait arriver à s'auto-instituer dans la législation civile : il y a comme un bon symbole de son cours dans ces ajournements circonstanciels. Il n'y a rien eu dans son déroulement de plus unanime et de plus définitif que les décrets des 4-11 août 1789 ; et dans les dix ans qui suivent, l'individualisme propriétaire ne parvient pas à écrire son code de lois positives.

Mais quand Bonaparte se saisit du dossier, par l'arrêté des Consuls du 24 thermidor (12 août 1800), bien des éléments en sont prêts : la propriété, la liberté des contrats, la sécularisation de l'état civil, le divorce, etc. Ce que le Premier Consul introduit de neuf, indépendamment du feu qu'il met dans l'entreprise, est la recherche d'un compromis juridico-politique entre la nouveauté révolutionnaire et l'ancien droit coutumier. L'idée est déjà visible chez les hommes préposés à la rédaction du Code, qui vont constituer le groupe principal de travail et de rédaction. Le personnage central est Portalis : l'un des avocats les plus distingués au parlement d'Aix-en-Provence avant

1789 ; juriste d'Ancien Régime qui s'est tenu à l'écart de la Révolution et n'y apparaît qu'avec la Constitution de l'an III ; revenu aux affaires publiques après Brumaire, il est une des autorités du Conseil d'État. Autour de lui, Tronchet, qui a défendu Louis XVI, Bigot-Préameneu, Maleville, qui ont eux aussi appris et pratiqué le droit civil des anciennes coutumes et des ordonnances royales. Ils sont enfin à pied d'œuvre pour réaliser la vieille idée de coucher par écrit, en l'unifiant, le droit coutumier. En même temps resurgissent de leur fait l'esprit de Montesquieu et une tradition de jurisprudence largement perdue de vue. Mais aux travaux préparatoires du Code sont associés aussi les spécialistes des Assemblées révolutionnaires, y compris ceux qui ont été Jacobins comme Cambacérès ou Treilhard. Ainsi s'opère la synthèse homéopathique qui est l'un des secrets du Premier Consul : modérer la Révolution française par un zeste d'Ancien Régime.

Il n'a pas besoin de forcer sa nature pour constituer le dosage. Car si le dernier mot de sa politique intérieure est de traduire en lois les principes de 1789, le fond de son tempérament et de son éducation est corse, patriarcal, inflexible sur l'autorité paternelle, la subordination de la femme, le caractère primordial de la famille et des bonnes mœurs. Trop conscient des réalités nouvelles pour refuser le divorce, car ce serait rouvrir la porte à une autorité de l'Église catholique sur la société, mais assez attaché à la valeur centrale du mariage dans l'ordre social pour rendre sa dissolution moins simple que par la volonté des parties. Il participe souvent à la discussion des principes et des textes, auxquels il attache une importance extrême : le futur Code est un des grands instruments de la réconciliation nationale.

Tel qu'il est promulgué en 1804, il affirme l'unité d'un droit civil applicable à toute la nation, et l'État, source unique de ce droit ; mais il laisse une certaine latitude au magistrat dans l'application des maximes générales, réintroduisant ainsi l'idée jurisprudentielle dans la passion légicentrique de la Révolution. D'ailleurs, les articles résultent souvent d'un filtrage du droit coutumier, au bénéfice de la coutume de Paris, déjà la plus répandue avant 1789. En ce qui concerne la propriété, les rédacteurs n'ont guère en vue que la terre, et il s'agit avant tout de consacrer la liquidation de la propriété seigneuriale. Dans ces articles qui ont été si souvent lus de façon anachronique comme annonciateurs de l'économie capitaliste, c'est une France rurale qui confirme ses droits, à la fois bourgeoise et paysanne, issue elle-même d'une très longue histoire, libérée désormais de la tutelle humiliante, coûteuse et inutile des seigneurs. Rien ne différencie plus les terres et les propriétés, dont tous les possesseurs peuvent jouir et disposer « de la manière la plus absolue ». Quinze ans après la grande exaltation d'idées de 1789, quand la France nouvelle apparaît dans la mise en ordre de ses intérêts, c'est une nation de paysans propriétaires qui fixe pour toujours ses droits sur la terre. Elle confirme en même temps tout ce qui a été acquis entre 1789 et 1792 : la société d'individus, la liberté des consciences, des contrats, et du travail, la laïcité de l'État.

Pourtant, entre 1789 et le Consulat, la rédaction d'un certain nombre d'articles reflète l'évolution politique et illustre l'infléchissement du nouveau droit civil vers le conservatisme : notamment en ce qui concerne la famille. Le divorce est maintenu, mais contenu dans des bornes plus strictes. La puissance paternelle, mise en cause par la Convention, est réaffirmée, la *patria potestas* héritée du droit romain restauré, à ceci près qu'elle est limitée jusqu'à l'âge de la majorité et qu'elle ne permet plus de déshériter un enfant pour le sanctionner. L'enfant naturel perd sa qualité d'héritier de plein droit. L'adoption reste possible, mais elle aussi bornée : il faut que l'adoptant soit sans enfants et ait passé l'âge du mariage. Mais c'est la femme la grande victime des législateurs du Code, sous l'impulsion du Premier Consul, très « méditerranéen » à cet égard : dans ses commentaires, il ne cesse d'insister sur la subordination de l'épouse au mari, indispensable à l'ordre social, et inscrite dans la faiblesse naturelle de la femme. Celle-ci est frappée d'incapacité dans la gestion des biens du ménage, dépendante en tout ce qui concerne les actes administratifs ou judiciaires, mise sous la tutelle de son mari, auquel elle est inférieure en droits, et en cas d'adultère et en cas de divorce. L'égalité des sexes, proclamée sinon pratiquée par la Convention, est récusée par le Code Napoléon.

En matière d'égalité successorale enfin, les juristes du Premier Consul reviennent aussi sur l'égalitarisme inconditionnel qui avait uni 1789 et 1793, mais c'est pour tenir compte de la diversité des coutumes de l'ancienne France, et rendre au chef de famille la possibilité de privilégier un héritier : vieille pratique paysanne en pays de droit écrit, dans le Midi de la France, destinée à maintenir la continuité de l'exploitation. La liberté rendue au droit de tester, comme d'ailleurs la coexistence du régime dotal et du régime de la communauté dans le mariage, permet de concilier habilement des traditions diverses et incompatibles, selon les régions du pays.

Tel est ce fameux Code, compromis entre l'esprit du despotisme éclairé et le legs des idées de 1789. Fierté du régime et de Napoléon, ce symbole de la nouvelle France en Europe et dans le monde est destiné à avoir de multiples imitateurs. Il ajuste la loi à l'état des esprits et des mœurs, retrouvant par là Montesquieu, qu'il concilie avec le rationalisme dominant. Au fond, le Premier Consul ne cessera pas d'en faire le monument de son traité fondamental avec les Français, qu'il a si bien sentis. La création d'une Légion d'honneur (1802), destinée à récompenser les bons serviteurs de l'État, ne réinstaure pas l'inégalité ; elle honore simplement les meilleurs de la compétition égalitaire. L'idée de « mœurs nationales », auxquelles il faut ajuster le droit, est d'ailleurs si forte dans l'esprit de Napoléon qu'elle explique, un peu plus tard (1808), la manière dont il traite le problème des juifs français, en retrait sur les principes de l'Assemblée constituante. Le particularisme mosaïque des Askenazim d'Alsace est si contraire à ses yeux à l'égalité et à l'unité civile des Français qu'il soumet ceux-ci à une législation spéciale, notamment en matière commerciale, malgré la reconnaissance par une Assemblée solennelle, le Grand Sanhédrin, du mariage civil et d'un culte soumis, comme les autres, à l'État.

Comme les structures de l'État administratif, le Code Napoléon est le legs durable du Consulat à la France moderne. Dans les deux siècles qui nous en séparent, et tout particulièrement au cours du XIXe, les régimes politiques vont changer, les monarchies, les Républiques et même un autre Empire viendront et passeront, mais le pays ne changera pas de socle, comme en 1789 ; il aura reçu pour longtemps ses institutions administratives et les traits décisifs de son droit.

Le prix payé à cet enracinement national des principes de 1789 est la disparition d'un gouvernement représentatif, soumis au choix libre des citoyens. Le personnage de Bonaparte a envahi tout le théâtre de la politique et l'occupe sans partage. Cette démocratie de notables, petits et grands, qui est née de la Révolution, a refabriqué une monarchie de fait, infiniment plus puissante et plus despotique que l'ancienne, puisque aucun corps intermédiaire ne s'oppose plus à sa domination sur des individus égaux. Dans ces toutes premières années du XIXe siècle, on comprend mieux qu'à aucun autre moment de notre histoire que l'égalité a été la passion dominante de la Révolution ; et que c'est en l'incarnant, et elle seule, que Bonaparte règne sur la France. Prisonniers du souvenir inoubliable de la dictature populaire de l'an II et de la guerre européenne, pourquoi les Français craindraient-ils un homme fort, si cet homme est né de leur propre histoire ? En ce sens, et malgré les apparences, il n'y a jamais eu de putsch moins militaire que Brumaire ; il n'y a jamais eu de pouvoir plus civil que la dictature consulaire du général en chef d'Italie et d'Égypte, puisque c'est le mouvement profond de la société tout entière qui lui assure ses conditions de succès et garantit pour l'avenir sa réforme de l'État.

Cette sensibilité nationale explique autant que les intérêts le ralliement général du personnel révolutionnaire au Consulat : la liste des émigrés a beau avoir été déclarée close quelques mois après Brumaire, Bonaparte a beau nommer dans son administration quelques nobles revenus, ou donner quelques évêchés à d'anciens prélats réfractaires, l'encadrement de la France consulaire est assuré par les hommes qui ont servi successivement et fidèlement, comme le Premier Consul lui-même, le régime de 1791, la dictature du Grand Comité et celle de Robespierre, et la République de Barras. Là où les moralistes de la politique dénoncent des trahisons successives, se dessine au contraire une fidélité fondamentale au combat de la France révolutionnaire. Seule une poignée d'intellectuels libéraux ou de Jacobins démocrates boudent le Bonaparte du Consulat ; mais les hommes de 89 et ceux de 93 peuplent le Conseil d'État : Cambacérès, Roederer, Regnault de Saint-Jean-d'Angély, Boulay de la Meurthe, Thibaudeau, Treilhard. Et les ministres de Bonaparte : Talleyrand, Carnot, Chaptal, Fouché viennent de la Constituante, de la Convention, du Grand Comité et de la Terreur. L'armée est restée, par excellence, depuis l'an II, le corps de la promotion démocratique des talents ; et voici que même l'épiscopat, depuis le Concordat, s'est presque entièrement renouvelé, puisque Bonaparte n'y maintient que seize prélats d'avant la Révolution. Ce qui est vrai des grandes carrières de l'État l'est probablement plus encore des moindres, et plus nette la ligne qui conduit l'ancien militant de la Terreur à un commissariat de police, une sous-préfecture ou un petit grade militaire. La force intérieure du Consulat tient à ce que les carrières ont été ouvertes aux talents et que Bonaparte en est à la fois le symbole et le garant : c'est le paradoxe du petit gentilhomme corse devenu, par le détour de la guerre, roi d'une France propriétaire, fière de son État et de son armée.

Plutôt que roi, il est le souverain précaire d'une conjoncture politique, le nouveau César sans légitimité et sans héritier prévisible, à la merci d'un assassin. Il le dit lui-même à son secrétaire, avec ce côté pot-au-feu surprenant chez cet homme d'aventure, le soir de février 1800 où il emménage aux Tuileries, quittant le Luxembourg des ex-Directeurs : « Bourrienne, ce n'est pas tout que d'être aux Tuileries ; il faut y rester. » D'ailleurs, le prétendant légitime lui a très vite réclamé son dû : de sa Courlande lointaine, où il a dû se réfugier, le comte de Provence l'a pressé par deux fois d'être son général Monk et de préparer les voies à sa restauration. Bonaparte a pris son temps et n'a répondu qu'après Marengo, en septembre : « J'ai reçu, Monsieur, votre lettre ; je vous remercie des choses honnêtes que vous m'y dites. Vous ne devez pas souhaiter votre retour en France ; il vous faudrait marcher sur cent mille cadavres. Sacrifiez votre intérêt au repos et au bonheur de la France. L'histoire vous en tiendra compte. » Et il ajoute in fine ces deux lignes, où l'on mesure à la fois l'habitude qu'il a déjà de parler en souverain et l'infranchissable fossé qui le sépare du royalisme : « Je ne suis pas insensible aux malheurs de votre famille. Je contribuerai avec plaisir à la douceur et à la tranquillité de votre retraite. » Dans le privé, il a eu comme d'habitude une formule plus militaire : « Le roi est à Mittau, qu'il y reste ! »

Le pacte fondamental de Brumaire ne sera donc pas trahi ; mais la première réponse royaliste rate le Premier Consul de très peu : c'est l'explosion de la machine infernale, en décembre. Pourtant, exclure une restauration royaliste ne suffit pas à définir l'avenir du régime consulaire, sur lequel tous les augures s'interrogent. Avant Marengo, on cherchait un éventuel remplaçant ; depuis, on s'interroge sur le successeur. Chaque groupe, chaque clan s'affaire autour du sphinx : après lui ? Très vite, les dix ans que lui promettent les textes de l'an VIII sont apparus un peu ridiculement provisoires, pour un homme à la fois si jeune et si vite souverain : la vieille idée du pouvoir héréditaire réapparaît inévitablement sous la nouvelle incarnation de l'État. Mais quelle solution ? Joséphine est stérile et ne lui donnera pas d'héritier ; elle sait seulement s'opposer aux ambitions du clan Bonaparte, à Joseph et à Lucien, ses vieux ennemis, qui voudraient tirer la couverture à eux et être inscrits en tête du testament. Mais Lucien dévoile trop vite ses batteries et doit quitter le ministère de l'Intérieur pour l'ambassade de Madrid. C'est que Bonaparte n'est pas pressé qu'on lui parle de sa succession : à trente ans, sans enfants ni espoir d'en avoir, pourquoi irait-il lier son avenir à un ambitieux, et se construire lui-même un rival ? Pour un élu, combien ferait-il de mécontents ?

S'il n'a pas de goût à envisager sa succession, du moins accepte-t-il de consolider son pouvoir : moins peut-être vis-à-vis des royalistes, dont il ne peut espérer briser l'hostilité, que par rapport aux ambitions rivales de ses collègues de l'armée, les Bernadotte et les Moreau. Dans cette société politique où son accession au pouvoir suprême a provoqué chez certains de ses pairs l'inévitable « pourquoi pas moi ? », le Consulat à vie qui lui est accordé en août 1802 par le vote de trois millions et demi de Français est une sérieuse prise sur l'avenir ; il s'y ajoute le droit de désigner son successeur. Le voici donc, cette fois, roi de la Révolution et d'une Révolution tellement « terminée » qu'elle renonce même à l'ombre d'un système électif : ce qu'on appelle la Constitution de l'an X réserve l'éligibilité à une oligarchie d'argent, puisque les assemblées de canton, où tout le monde vote, devront obligatoirement choisir les membres de l'assemblée du département parmi les six cents notables les plus imposés. Encore ce collège étroitement censitaire, élu à vie, ne désigne-t-il que des candidats aux fonctions publiques ou représentatives, le choix étant finalement opéré par le Sénat ou par le Premier Consul lui-même. Ainsi, les retouches institutionnelles de 1802, complétées par l'abaissement d'un Tribunat frondeur et l'élévation d'un Sénat docile, marquent bien la double volonté de créer un pouvoir stable, de le faire au sommet, et de lier étroitement ce pouvoir à une société propriétaire issue de la Révolution. Au fond, le système n'est pas tellement éloigné de ce qu'avaient imaginé Turgot avec ses « municipalités » ou Necker avec ses assemblées provinciales ; mais il aura fallu, pour qu'il fonctionne, la double liquidation de l'aristocratie et du roi : des notables à la place des nobles et une monarchie viagère substituée à celle du sacre de Reims.

Dans cette année faste de 1802, il semble donc que les contradictions de l'équation française aient été enfin résolues par la consolidation politique d'une société récente et une vaste délégation de pouvoirs au chef qu'elle a désigné. Sur le plan intérieur, un vrai équilibre a été trouvé. Tout va dépendre, une fois de plus, des rapports avec l'Europe qui nouent à nouveau l'aventure française, désormais dominée par un mystère de plus, celui du personnage Bonaparte. Il ne suffit pas de terminer la Révolution au-dedans : encore faut-il la clore à l'extérieur, ce qui signifie à la fois en définir les frontières et les faire accepter par l'Europe.

La France le peut-elle ? Napoléon le veut-il ? L'Europe y est-elle prête ? L'Angleterre y donnera-t-elle durablement la main ? Autant de questions capitales que les faits tranchent par la négative, puisque la guerre reprend dès 1803. Mais elles divisent toujours les historiens : comme toujours, il est plus facile de démêler les éléments du contentieux franco-anglais et franco-européen que de construire une interprétation générale du conflit, ou de mettre au jour la personnalité de son héros principal.

Ces éléments sont connus : Lunéville a reconduit, en les aggravant, les problèmes nés de Campo-Formio et la paix d'Amiens (1802) n'a été signée, des deux côtés, que comme un compromis sans qu'il y ait eu règlement véritable. A aucun moment et d'aucun côté il n'y a eu tentation d'aménager durablement une coexistence entre « la grande nation » révolutionnaire et le reste de l'Europe. Bonaparte mécontente l'Angleterre par sa volonté de protéger avec des barrières douanières l'espace français et par la reprise d'une politique coloniale à Saint-Domingue, en Louisiane et jusque dans l'Inde ; il irrite l'Europe entière en développant la politique thermidorienne des Républiques sœurs en Hollande, en Suisse et en Italie : il s'est fait élire en 1802 président de la nouvelle République italienne, et contrôle étroitement République batave et Confédération helvétique. La réorganisation à son profit des États allemands, par le recès de 1803, annonce la liquidation du vieil Empire romain germanique et de l'influence Habsbourg. Mais c'est le problème méditerranéen qui est le casus belli de 1803 : contrairement à ses engagements de l'année précédente, l'Angleterre se refuse à évacuer Malte ; la France maintient en contrepartie ses garnisons à Naples et dans les ports des États pontificaux. Bref, il y a une sorte de consentement mutuel à la rupture, qui se produit le 12 mai 1803 : l'Angleterre rappelle son ambassadeur à Paris. C'est le début de la deuxième aventure napoléonienne.

Mais la première, celle qui l'a mené des victoires d'Italie jusqu'aux Tuileries, ne se clôt que l'année suivante, en 1804, tant il est vrai que la guerre continue à déterminer la politique intérieure française : c'est la reprise de la guerre qui conditionne la dernière métamorphose du pouvoir de Bonaparte, en ranimant inévitablement les inquiétudes sur la fameuse succession. Non seulement la guerre fait revivre l'image du chef vulnérable au hasard des batailles, mais elle remet automatiquement en question, comme en 1792, comme en l'an II et à la veille de Brumaire, l'ensemble de l'acquis révolutionnaire : il s'agit donc de consolider l'un et l'autre, le chef et la Révolution, en allant au bout de la logique du Consulat à vie, c'est-à-dire jusqu'à l'hérédité du pouvoir.

Cette logique, au reste, les ennemis de la Révolution française la comprennent et la pratiquent aussi, de leur côté : les Cours européennes ont toujours un œil sur Mittau, où Provence n'a rien abandonné de ses droits légitimes ; l'Angleterre a recueilli Artois et ses tueurs chouans rescapés du coup de filet de 1801. Voici qu'en août 1803, elle fait retraverser le Pas-de-Calais à Cadoudal et à ses hommes, avec mission d'assassiner Bonaparte : l'intérêt anglais et le fanatisme royaliste n'ont pas eu grand mal à imaginer cette manière économique de liquider à la fois la guerre et la Révolution. Le général Pichegru, déporté comme royaliste après le 18 Fructidor, évadé de Guyane et réfugié en Angleterre, est gagné au complot ; Moreau, le vieux rival, mis au courant, refuse de s'engager. Son silence indique toutefois que l'assassinat de Bonaparte n'est pas seulement, en France, une idée royaliste, et que quelques généraux républicains y prêtent une oreille complaisante. Mais le complot est révélé à la police par un indicateur et tout le monde mis sous les verrous en mars 1804. Pichegru se suicide en prison,

Moreau est banni ; Cadoudal et ses complices sont exécutés.

A l'interrogatoire, un des conjurés révèle que le signal de l'attentat devait être la présence sur le sol français d'un prince du sang Bourbon. Bonaparte fait surveiller les ports, à la recherche du comte d'Artois. Mais en vain. C'est alors que Fouché lui signale la présence du fils du dernier Condé, le duc d'Enghien, dans le pays de Bade, à quelques kilomètres du Rhin ; sur de simples présomptions de police, d'ailleurs imaginaires, il le fait saisir en pays étranger, amener à Paris, juger et fusiller séance tenante au petit matin du 21 mars dans les fossés de Vincennes. De ce crime d'État, qui lui a été suggéré par Fouché, et où d'autres ont vu la main de Talleyrand, Bonaparte a toujours revendiqué la responsabilité pleine et entière. Même s'il a eu peur, s'il a peut-être riposté comme un homme qui a senti rôder les assassins autour de lui, il a expliqué l'exécution du duc d'Enghien comme une mesure de salut public, « tout simplement parce que la saignée entre dans les combinaisons de la médecine politique ». Il n'a jamais renié son commentaire du 21 mars : « Ces gens-là voulaient mettre le désordre dans la France et tuer la Révolution dans ma personne ; j'ai dû la défendre et la venger. J'ai montré ce dont elle est capable. » Pourquoi douterions-nous de ces raisons d'État ? Elles traduisent la même logique que celle de ses assassins ; c'est celle du régicide. Celle de Fouché, bien sûr, depuis 93, mais c'est aussi la sienne — et désormais il a son 21 janvier : il a versé lui aussi le sang Bourbon, et en reprenant à son compte l'acte collectif de la Convention, il a revêtu son pouvoir du sacrement irréversible de la Révolution. Entre lui et l'Ancien Régime, entre lui et l'Europe des rois, les chances de compromis sont de plus en plus faibles.

De fait, Bonaparte songe à franchir le pas devant

lequel Cromwell avait reculé : se faire roi. Au printemps 1803, il a fait effectuer par Talleyrand, et par l'intermédiaire de la Prusse, une démarche visant à obtenir du comte de Provence une renonciation à ses droits au trône. Et c'est juste après l'échec — prévisible — de cette exploration qu'il demande au ministre de l'Intérieur d'envisager l'installation d'une statue de Charlemagne place Vendôme. Il enjambe déjà la dynastie tombée, au profit de celle qui l'a précédée.

L'exécution du duc d'Enghien fournit l'occasion. Huit jours après la fusillade de Vincennes, première manifestation du Sénat en faveur de l'hérédité, et le Tribunat, dûment stylé désormais, enchaîne. La discussion a commencé au Conseil d'État, et le Premier Consul n'a pas caché ses desseins. Le 22 germinal, dans un entretien avec Joseph, il avoue avoir « toujours été dans l'intention de finir la révolution par l'établissement de l'hérédité* ». Ce retour au passé pour garantir l'avenir offre plusieurs avantages. Car l'hérédité, en fixant le mode d'accès à la magistrature suprême, élimine une lacune de la Constitution de l'an VIII. S'il fonde à l'intérieur une dynastie bonapartiste, ce mode traditionnel de transmission du pouvoir affaiblit aussi les raisons mêmes de la menace externe, terroriste et royaliste. Mais d'un autre côté, il abandonne toute référence à la République et à la souveraineté du peuple. C'est au moment où il est le plus étranger aux rois de la vieille Europe que Bonaparte veut fonder sa domination dans leur principe. De là la bizarrerie du projet, et du sacre, par où il s'éloigne de la Révolution sans se rapprocher des rois.

Techniquement, au surplus, le problème n'est pas simple. Le Consul n'a pas d'enfants et n'a pas l'espérance d'en avoir. Il n'est pas le fils aîné et il n'y a donc pas de sens à instaurer une règle de primogéniture : au reste, toute succession collatérale suppose un

* Miot de Mélito, *Mémoires*, 1858, t. II, p. 176.

prédécesseur commun, qui n'existe pas. D'où, une guérilla familiale avec Joseph, le frère aîné, auquel Napoléon préfère Louis, son cadet, marié à Hortense de Beauharnais, à travers laquelle resurgit la famille détestée de Joséphine. Finalement le futur souverain se fait donner le droit d'adoption de son successeur, à défaut de quoi Joseph, puis Louis, pourraient prétendre à la couronne : Lucien a été écarté en raison d'un mariage que désapprouve Napoléon. Le principe héréditaire est donc dès l'origine malmené, et dans le droit à choisir son successeur Madame de Staël dénoncera bientôt le despotisme à la manière de l'Orient*. Au Tribunat, Carnot vote contre la motion Curée sur l'hérédité, en dénonçant le risque que représente la volonté d'éterniser une dictature temporaire ; il rappelle l'exemple de César.

Au vrai, les réactions du personnel politique sont mêlées. Si l'on fait la part du climat de flatterie généralisée qui règne aux Tuileries, elles sont souvent peu enthousiastes. Miot de Mélito, conseiller d'État de 1803 à 1806 et dont la femme est dame d'honneur de la maison de Joseph, dit dans ses *Mémoires* la mélancolie d'un bilan : « Tant de sang versé, tant de fortunes détruites, de sacrifices... n'auront abouti qu'à nous faire changer de maître, qu'à substituer une famille inconnue il y a dix ans, et qui, au moment où commença la Révolution était à peine française, à la famille qui régnait depuis huit siècles sur la France* ! » Au sein même de l'armée, les sentiments sont aussi tourmentés. Roederer, qui a suivi de près toute l'affaire en jouant la médiation entre le Premier Consul et Joseph, note dans son *Journal*, chez les troupes qu'il visite à Metz au mois de juin, des « motifs de répugnance pour l'impérialité » : « C'est qu'on est humilié d'avoir parcouru le cercle de la Révolution,

* Madame de Staël, *Dix années d'exil*, Ire partie, XVIII.
* Miot de Mélito, *Mémoires, op. cit.*, t. II, p. 171.

pour revenir au même système ; à ce qu'on croit être le même système ; c'est qu'on est honteux de désavouer ce qu'on a fait et dit contre la royauté et d'abjurer l'attachement qu'on a professé si fortement et avec tant de bonne foi sous la République. Ainsi, ce n'est point l'aversion pour la suprême dignité qui tourmente ; c'est l'humiliation de s'accuser de l'aversion qu'on a témoigné pour elle, de la déclarer fausse et hypocrite, ou absurde et méprisable après l'avoir manifesté avec tant d'éclat et tant d'enthousiasme*. »

Pourtant l'affaire avance vite, puisque Bonaparte le veut. Et dans l'ensemble, le personnel de la Révolution suit, Roederer en tête. Le Tribunat a donc demandé au début de mai que lui soit conféré le titre d'« Empereur héréditaire des Français » : nouvelle modification des institutions, proposée par le sénatus-consulte du 18 mai 1804, et ratifiée par un plébiscite plus massif encore que celui de l'an VIII, puisqu'on décompte à peine plus de deux mille non. Dernier hommage républicain à ce qui est une quatrième dynastie, après les Mérovingiens, les Carolingiens et les Capétiens, et qui appartient à un autre monde politique. La preuve : le nouvel Empereur veut un sacre. Il y a chez lui une idée qu'on trouve souvent dans la littérature monarchique, même libérale, Burke, Necker par exemple, et selon laquelle le pouvoir doit être inséparable d'un imposant appareil de majesté, puissant sur l'imagination des peuples. Le sacre doit déployer ce faste, par où Napoléon quitte l'univers de Washington pour tenter de faire revivre la tradition des rois : rien moins que renouer avec Charlemagne, puisque les Capétiens ont été exclus en 1789 de leur histoire avec la nation. C'est l'Empereur lui-même qui l'explique à Roederer après l'orageuse réunion du Conseil privé de Brumaire, toujours à propos des droits de Joseph : « Je me suis

* P.-L. Roederer, *Autour de Bonaparte. Journal. Notes intimes et politiques d'un familier des Tuileries*, 1909, p. 197.

élevé par mes actions, il est resté au point où la naissance l'a placé. Pour régner en France, il faut être né dans la grandeur, avoir été vu dès l'enfance dans un palais avec des gardes, ou bien être un homme capable de se distinguer lui-même de tous les autres... L'hérédité, pour réussir, doit passer à des enfants nés au sein de la grandeur. »

D'où tout ce rétablissement d'une vie de Cour qui accompagne l'année du sacre, la création des « maisons » impériales, la renaissance d'une aristocratie sur le modèle de l'ancienne, avec des préséances, des distinctions, un acharnement ridicule à retrouver les secrets de l'étiquette autour des rois. « Un vieux gentilhomme, ancien page du roi, raconte Pelet de la Lozère*, fut appelé de la province pour donner les traditions de Versailles. Son arrivée dans le salon des Tuileries fut un événement. On n'avait vu depuis longtemps qu'au théâtre les personnages de l'ancienne Cour avec leur tête poudrée et frisée, leur air important et frivole ; celui-ci se présentait comme un oracle qui va révéler le secret des âges, et renouer, comme on dit, la chaîne des temps. On parvint, avec son aide, à retrouver les lois de l'ancienne étiquette, et à en composer un volume aussi considérable que celui du Code civil. »

La cérémonie du sacre a lieu à Notre-Dame, le 11 frimaire an XIII. Depuis le Conseil privé du 3 floréal, qui avait fixé la date du sacre au 14 Juillet** et le sénatus-consulte du 28 floréal, qui fixait le serment au peuple dans les deux ans suivant l'avènement de l'Empereur, la date et le lieu de la cérémonie ont changé plusieurs fois. 14 Juillet, 27 thermidor (15 août), date de naissance de Napoléon, 18 Brumaire ; Champ-

---

* Pelet de la Lozère, *Opinions de Napoléon sur divers sujets de politique et d'administration, recueillies par un membre de son Conseil d'État*, 1833, p. 69.

** Miot de Mélito, *Mémoires, op. cit.*, t. II, p. 183.

de-Mars, église des Invalides : ce sont les jours et les lieux dont il est question dans les six mois qui séparent la proclamation de l'Empire de sa célébration. L'histoire détaillée de ces discussions illustre bien le sens qu'on veut attribuer au sacre par rapport aux souvenirs de la Révolution, à la nouvelle légalité démocratique, et au pouvoir civil de l'État face au pouvoir religieux de l'Église de Rome. En fait, ces discussions s'entrecroisent avec les négociations diplomatiques entamées avec le Vatican pour faire venir le pape à la cérémonie. D'abord réticente, car elle souhaite des garanties, puis favorable, mais à des conditions précises, la Cour pontificale sème la négociation d'incertitudes, jusqu'à déclencher une sorte d'ultimatum chez les Français. Le résultat de ces discussions laborieuses sera un cérémonial singulier, absolument unique : le sacre de Napoléon n'a pas de précédent et n'aura pas d'imitateurs.

Il en va de même pour le lieu. Le choix de Notre-Dame est tardif. Il l'emporte sur celui de l'église de Saint-Louis des Invalides, arrêté par le décret du 21 messidor, pour des raisons pratiques comme l'espace, mais aussi symboliques, tel que le « caractère plus auguste et plus propre à entourer la cérémonie d'une sorte de respect divin* ». Mais au départ, l'idée était d'utiliser le Champ-de-Mars. Discutée au Conseil d'État, défendue par Regnault de Saint-Jean-d'Angély, cette proposition est rejetée avec force par l'Empereur : « On a songé au Champ-de-Mars par réminiscence de la Fédération, mais les temps sont bien changés : le peuple alors était souverain, tout devait se faire devant lui : gardons-nous de lui donner à penser qu'il en est toujours ainsi. Le peuple aujourd'hui est représenté par les pouvoirs légaux. Je ne saurais voir d'ailleurs le peuple de Paris, encore moins le peuple français, dans vingt ou trente mille poissardes, ou autre gens de cette

* Pelet de la Lozère, *Opinions..., op. cit.*, p. 89.

espèce qui envahiraient le Champ-de-Mars : je n'y vois que la populace ignare et corrompue d'une grande ville. Le véritable peuple, en France, ce sont les présidents de canton et les présidents des collèges électoraux ; c'est l'armée dans les rangs de laquelle sont des soldats de toutes les communes de France* ! »

Les décors. Aménagés par Percier et Fontaine, les travaux à l'intérieur de la cathédrale organisent l'espace autour de deux centres. D'une part, le chœur fermé d'une estrade, de l'autre le grand trône impérial, à l'entrée de la nef. Ce partage des lieux correspond aux deux parties de la cérémonie. La première, essentiellement religieuse qui unit le sacre au couronnement selon la volonté du pape, aura lieu dans le chœur de la cathédrale. A la gauche de l'autel auquel on accède par onze marches, on a installé le trône du pape. A la droite prennent place les cardinaux. Des deux côtés du chœur, les archevêques, les évêques et le clergé de Paris. Au milieu, on a placé les deux fauteuils, les coussins et les prie-Dieu pour l'Empereur et son épouse, associée au rite en première ligne malgré les criailleries de la tribu corse. La deuxième partie de la cérémonie, laïque et constitutionnelle, aura lieu à l'autre bout de l'église, à l'entrée de la grande nef. C'est là qu'on a placé le grand trône, au sommet d'un escalier de vingt-quatre marches, sous un arc de triomphe décoré des aigles, et d'où descend une tenture de velours rouge. La cathédrale de Paris est au goût du jour, temple grec pour fêter le nouvel Alexandre.

Séparés et opposés, les deux espaces communiquent, pour ainsi dire, à travers la continuité de la nef, où sont placés les six mille invités. A partir du grand trône de l'Empereur, des deux côtés, sur les gradins, figurent ministres, grands officiers, conseillers d'État et présidents du Corps législatif et du Tribunat. La hiérarchie de l'Empire y siège au grand complet, par

---

* *Ibid.*

ordre de dignité décroissante au fur et à mesure que l'on s'approche de l'autel. Près du grand trône se trouvent donc les sénateurs, les législateurs, les tribuns, les membres de la Cour de cassation, les grands officiers de la Légion d'honneur, enfin toutes les autorités constituées, nationales et provinciales. Des tribunes impériales, à la droite et à la gauche du trône, sont réservées — selon l'usage de l'Ancien Régime — aux invités de rang, aux membres de la Cour et au corps diplomatique.

Convoqués par lettre close à assister au sacre (« La divine providence et la constitution de l'Empire, ayant placé la dignité impériale dans notre famille... »), les invités marquent avec leur arrivée dans la cathédrale le début de la solennité. Mais le vrai commencement de la cérémonie est lié à l'arrivée du pape. Pie VII, selon le protocole, devra quitter les Tuileries où il loge au Pavillon de Flore, à 9 heures du matin. Après avoir été accueilli d'une manière cavalière par l'Empereur qui, lors d'une chasse à courre à Fontainebleau, a simulé la rencontre fortuite, Pie VII va continuer d'être l'objet d'un protocole destiné à limiter son importance symbolique. Ainsi, il a été décidé qu'il arriverait à Notre-Dame avant Napoléon. Mais à l'extérieur de la cathédrale, du côté de la Seine, Percier et Fontaine ont installé une galerie en bois, décorée d'aigles aux ailes déployées, qui a pour but de relier l'archevêché à l'église. Pie VII sera d'abord reçu par l'archevêque de Paris, puis, dans la grande salle de l'archevêché, il revêtira les ornements pontificaux. Première réduction de son éclat : prenant le prétexte de l'étroitesse de la galerie qu'il devra parcourir pour arriver à l'église, les diplomates français ont convaincu le pape de renoncer à la *sedia gestatoria* portée par douze palefreniers en damas rouge. Ainsi, Pie VII fait son entrée sous un dais blanc mais à pied. Il est précédé par les évêques, coiffés de leurs mitres, rangés selon l'ordre de leur institution canonique par le pape et non selon l'ordre de la consécration qui suit la nomination par le souverain temporel, comme l'Empereur l'aurait souhaité.

L'arrivée de Napoléon est prévue une heure après celle du pape. Mais l'attente, au jour fixé, sera beaucoup plus longue, ce qui va fonder les griefs du Vatican. Accompagné de Joséphine, Napoléon parvient donc tard à l'archevêché où il revêt le grand costume du sacre. Ce costume, établi par décret le 29 messidor, comporte un habit de velours pourpre, parsemé d'abeilles d'or ; des branches d'olivier, de laurier et de chêne sont brodées autour de la lettre N. Ce long manteau, doublé d'hermine, devait être le signe du pouvoir unique et de l'extraordinaire prééminence de l'Empereur sur tous les autres princes de la famille et les grands dignitaires de l'Empire. En effet, quelques semaines avant le jour du sacre, Napoléon avait ordonné que personne d'autre que lui ne paraisse en manteau long*.

Dieu sait que des princes et des dignitaires du nouvel Empire, la cathédrale de Paris est pleine, ce jour-là ! Leurs titres mêlent la tradition de l'ancienne monarchie française et la grandeur du Saint-Empire. Il y a un Grand Électeur, Joseph, un archi-Chancelier, Cambacérès, un archi-Trésorier, Lebrun, mais aussi un Connétable, Louis, un Grand Amiral, Murat, un Grand Écuyer, Caulaincourt et un Grand Chambellan, Talleyrand, pour ne rien dire de tous ces maréchaux de France, les plus attachés aux principes républicains, mais qui portent le titre de « Monseigneur » pour assurer à la divinité impériale le titre de « majesté », comme l'explique Napoléon à Roederer. Pourtant, ce jour-là, aucun d'entre eux n'a droit au manteau long. L'attribution des places et des rôles a comme de juste été l'objet de querelles de préséances acharnées, par où la France de Napoléon Ier ressuscitait avec un autre

---

* Miot de Mélito, *op. cit.*, p. 234.

public celle de Louis XIV. Les disputes les plus violentes ont opposé les femmes de la famille, les Bonaparte et les Beauharnais. Les sœurs, Élisa, Pauline et Caroline, ne décolèrent pas de la place attribuée à Joséphine. Elles n'ont finalement consenti à porter la traîne de l'interminable manteau (vingt-trois mètres !) de l'Impératrice qu'à la condition de la « soutenir » seulement, et d'avoir elles aussi des préposés à leur « traîne ».

Le manteau pourpre de l'Empereur, ouvert du côté gauche, laisse voir l'épée, soutenue par une écharpe de satin blanc brodée d'or. Napoléon fait donc son entrée déjà vêtu des symboles du pouvoir. La couronne de laurier d'or sur la tête, le sceptre dans la main droite et la main de justice dans la gauche indiquent qu'il est déjà détenteur de la pleine souveraineté. Nouveauté remarquable par rapport à la tradition du sacre royal, dont on supprime beaucoup de cérémonies, comme celle du « lever du roi », et l'ancien rituel précédant l'arrivée dans l'église, où le roi devait apparaître vêtu d'une simple tunique, et complètement dégarni des insignes du pouvoir. Cette simplification rituelle montre bien la volonté d'expurger le sacre impérial de toute trace d'investiture ecclésiastique. Elle indique aussi la liberté prise par rapport à la tradition historique de la monarchie capétienne.

Symbole visuel de la double référence historique que l'Empire choisit pour s'ancrer dans l'histoire, Clovis et Charlemagne dominent l'arc de triomphe par lequel se termine la galerie en bois et qui cache le portail de Notre-Dame du côté du parvis. L'arc est surplombé par les armes de l'Empereur et les figures des seize cohortes de la Légion d'honneur : signe que c'est la synthèse militaire qui unit le fondateur d'une dynastie au « prince philosophe, législateur, patriote et conquérant ». Legs de la lecture républicaine de Mably, Charlemagne se prête parfaitement au projet politique de l'Empire, auquel il offre un point de rattachement inaugural. Il permet de définir la nouvelle monarchie en lui donnant un passé qui ne soit pas l'Ancien Régime détesté, mais une tradition vénérable, élaborée par la philosophie du XVIIIe siècle. Napoléon a l'œil sur elle, d'ailleurs, depuis longtemps, puisqu'il a eu le projet d'ériger une statue de Charlemagne sur la colonne de la place Vendôme ; dans les mois qui ont précédé le couronnement, il a ordonné la collecte des reliques médiévales de ce grand prédécesseur et il est allé méditer sur sa tombe à Aix-la-Chapelle. Le jour du sacre, le protocole prévoit beaucoup d'éclat pour les insignes représentant les « honneurs de Charlemagne ». Il y a une couronne d'or, fabriquée d'après d'anciennes inscriptions, et tenue par Kellermann, une épée, portée par Lefebvre, un sceptre, par Pérignon. Les « honneurs » de Napoléon, qui sont confiés à Bernadotte, Eugène de Beauharnais, et Berthier, comportent un objet inédit au sacre des anciens rois : un globe impérial, pour évoquer le Saint-Empire. Quand l'Empereur arrive dans la cathédrale, les maréchaux portent les « honneurs » jusque vers l'autel, où ils les déposent ; puis ils se tiennent juste en face, où on les voit encore immortalisés par David.

Dans ce kitsch carolingien par où Napoléon montre qu'il n'appartient qu'à lui-même, est-ce qu'il entre aussi l'idée de la monarchie universelle ? Toujours est-il que l'autre caractère dominant de la cérémonie est la limitation du rôle du pontife romain. L'Empereur a voulu sa présence à son couronnement, pour recevoir l'onction de ses augustes mains, mais pour l'avoir aussi à son triomphe en position de subordination. Il ne se soumet pas, allant tout seul à l'autel, à l'admonition traditionnelle du souverain par le pape. De sa profession de foi de souverain chrétien, en réponse à l'interrogation rituelle, on a retranché tout ce qui tient à la promesse de maintenir l'Église dans la possession de biens qu'elle n'a plus : concession acceptée par le Saint-Père à condition de n'être pas astreint à assister au serment constitutionnel qui va suivre la cérémonie religicuse. Après la profession de foi impériale (« *Profiteor* », dit simplement Napoléon) viennent les prières, le pape agenouillé, mitre en tête, l'Empereur et Joséphine restant assis sur le petit trône ; puis la triple onction au couple souverain. Alors commence la messe solennelle, pendant laquelle a lieu la bénédiction des insignes — main de justice, sceptre et anneau — et le couronnement proprement dit. Napoléon monte à l'autel, prend la couronne et la place sur sa tête. Ensuite, il prend celle de l'Impératrice, la rejoint et la couronne ; pendant ce temps, le pape récite la même prière que celle que prononçait l'archevêque de Reims au couronnement des rois de France. L'hypothèsc d'un geste improvisé, empiétant sur les prérogatives pontificales (idée accréditée par Thiers et d'Haussonville au XIXe siècle) est inexacte : Pie VII y a consenti d'avance à la veille de la cérémonie. Le ministre de l'Intérieur, Champagny, lui a représenté que « l'Empereur désire également prendre la couronne pour éviter toute discussion entre les grands dignitaires de l'Empire qui prétendraient la lui donner au nom du peuple. Il pense que Sa Sainteté bénissant la couronne et prononçant une prière pendant que l'Empereur la met sur sa tête, est censée remplir suffisamment l'ancien cérémonial ».

Ainsi couronné, le couple impérial, entouré des princes, des dignitaires, des grands officiers porteurs des insignes de l'Empereur et de ceux de Charlemagne, quitte le chœur pour l'entrée de la cathédrale, où se trouve le grand trône. Le pape y rejoint Napoléon et l'intronise avec la formule de Reims. Il repart vers l'autel au milieu des vivats et entonne alors, avant la fin de la messe, le Te Deum : détail fondamental, et pour une fois concession impériale, parce que cela va lui permettre de s'éclipser dès la messe finie et de ne pas assister au serment constitutionnel qui doit clôturer la cérémonie. Mais il lui faudra auparavant accepter un dernier accroc à la religion : le procès-verbal du sacre ne fait aucune allusion à la communion de l'Empereur et de son épouse. En fait, après avoir accepté d'abord l'idée du sacrement, Napoléon a, au dernier moment, insisté pour en être dispensé : demande exorbitante, qui annule d'ailleurs la valeur religieuse des onctions, mais que Pie VII a dû accepter.

La messe finie, le pape quitte la cathédrale. Il dépose ses ornements à la sacristie, tandis que l'on s'apprête à célébrer la partie laïque du rite inaugural. Le serment constitutionnel a lieu autour du grand trône. Le grand aumônier apporte à l'Empereur le livre des Évangiles. Le Grand Électeur, le prince Joseph, qui a fini par accepter la volonté de son frère, lui présente le président du Sénat (Neufchâteau), le plus ancien président du Conseil d'État (Defermon), le président du Corps législatif (Fontanes) et le président du Tribunat (Fabre de l'Aude). Ils mettent la formule du serment sous les yeux de l'Empereur, puis se rangent à la gauche du trône. Napoléon, la couronne sur la tête, la main levée sur l'Évangile, prête serment assis. Il jure « de maintenir l'intégrité du territoire de la République de respecter et de faire respecter les lois du Concordat et la liberté des cultes, l'égalité des droits, la liberté politique et civile, l'irrévocabilité des ventes des biens nationaux ; de ne lever aucun impôt, de n'établir aucune taxe qu'en vertu de la loi ; de maintenir l'institution de la Légion d'honneur ; de gouverner dans la seule vue de l'intérêt, du bonheur et de la gloire du peuple français ». C'est la promesse de terminer la Révolution sans en trahir l'héritage. Les nouvelles acclamations sont suivies par une décharge d'artillerie. Le clergé revient au trône avec le dais pour reconduire les souverains à l'archevêché. Puis le cortège de l'Empereur, suivi par celui du pape, va traverser les rues de Paris. L'itinéraire mène au Châtelet à travers le Pont au Change, puis aux boulevards et à la place de la Concorde. Michelet, qui a six ans, est dans la foule. Cinquante ans après, dans ses volumes sur l'*Histoire du XIXe siècle*, il se souvient n'avoir remarqué dans cette journée qu'un « morne et lugubre silence ».

A partir de là commence une histoire qui ne peut être séparée de ce qui la précède, puisque le même homme en occupe tout l'espace ; mais qui pourtant en est distincte, à la fois à l'intérieur et à l'extérieur. On peut comprendre ce tournant à partir de la cérémonie du sacre, qui en constitue un bon symbole. Napoléon Ier n'est plus, comme depuis 1800, le roi viager de la République française, mais un souverain absolu héréditaire, entouré d'une Cour et bientôt d'une nouvelle aristocratie. L'Empereur a une politique étrangère qui se laisse de moins en moins cerner en termes d'héritage révolutionnaire et même de tradition nationale. Dans le mythe carolingien, il y a le mystère des grands conquérants et rien d'autre. Si bien qu'une grande partie de cette vie extraordinaire appartient autant, sinon plus, à la mémoire de l'Europe qu'à celle de la France. Tout ou presque tout ce que Bonaparte a fait de durable dans l'histoire nationale est accompli entre 1800 et 1804. Rien de ce qu'il a bouleversé dans les frontières et la situation internationale du pays ne survit à sa chute. Quand il tombe, en 1814, les Bourbons retrouvent le territoire du royaume qu'ils ont quitté un quart de siècle auparavant.

Commençons l'inventaire par l'intérieur. Madame de Staël a décrit l'Empire comme un despotisme « oriental et carolingien tout ensemble », opérant une contre-Révolution. Elle l'entend d'abord au sens politique, pour peindre le caractère autocratique de l'autorité, la surveillance policière généralisée, le contrôle méticuleux de l'opinion et la multiplication des « prisonniers d'État » : la liberté, après tout, faisait aussi partie des promesses de 89. Mais elle veut dire aussi que « Bonaparte conçut l'idée d'opérer la contre-Révolution à son avantage, en ne conservant dans l'État, pour ainsi dire, aucune chose nouvelle que lui-même. Il rétablit le trône, le clergé et la noblesse : une monarchie... sans légitimité et sans limites ; un clergé qui n'était que le prédicateur du despotisme ; une noblesse composée des anciennes et des nouvelles familles, mais qui n'exerçait aucune magistrature dans l'État, et ne servait que de parure au pouvoir absolu* ». Bref, dans ce retour des « anciens préjugés », Madame de Staël voit l'Ancien Régime restauré par celui qui avait été le plus brillant soldat de la Révolution.

A-t-elle raison ? Non, pas complètement. Car même dans le bric-à-brac carolingien du sacre ont survécu la cérémonie civile et la prestation du serment de fidélité aux grandes conquêtes de 1789. L'Empereur a garanti la liberté politique et civile des Français ; il ne tient que la deuxième moitié de son engagement (qui pouvait d'ailleurs nourrir quelque illusion sur la première ?), mais, sur elle, il n'abandonne rien d'essentiel. Il reste la garantie des biens nationaux vendus et donc de la spoliation du clergé et des émigrés. Il maintient le nouveau droit civil des individus libres et égaux, reconnaît et organise les cultes minoritaires (protestant et juif), codifie instruction criminelle et droit pénal. Il est vrai qu'il a rétabli une Cour et multiplié les pensions, distinctions, dotations ; mais comme tous ces avantages ne comportent pas de privilèges et ne sont pas héréditaires, ils sanctionnent la méritocratie nouvelle, essentiellement militaire, à laquelle ils donnent le cachet d'utilité publique. La dialectique de l'égalité et du statut tisse plus que jamais la société napoléonienne.

De fait, la critique de Madame de Staël s'applique mieux à ce que devient l'Empereur après 1808, date du sénatus-consulte qui rétablit une vraie noblesse : noblesse de fonctions, qu'il concède pour services rendus, mais héréditaire, liée à des grands fiefs qu'il

* Madame de Staël, *Considérations sur la Révolution française*, *op. cit.*, IV, 11.

attribue dans ses États vassaux ou à des majorats — domaines transmissibles par substitution au seul fils aîné. Le divorce avec Joséphine et le mariage Habsbourg, en 1810, accentuent l'évolution vers l'esprit aristocratique d'Ancien Régime. La Cour se repeuple toujours plus d'ancienne noblesse. C'est à cette époque que l'Empereur dit à Molé : « Ces doctrines que l'on appelle les principes de 1789 seront à jamais une arme menaçante à l'usage des mécontents, des ambitieux et des idéologues de tous les temps. » Pourtant, même dans les années du mariage autrichien, même après la naissance du roi de Rome en 1811, Napoléon ne parviendra jamais à donner à son Empire une vraie légitimité dynastique, gardée par une aristocratie de service. Sa domination sur la France conserve comme assises fondamentales la garantie du nouveau droit civil et la gloire militaire. Elle reste suspendue à ses victoires. En se faisant Empereur, et même en épousant Marie-Louise, il n'est pas entré dans la famille des rois.

Mais l'a-t-il voulu vraiment ? Ce qui caractérise l'histoire de Napoléon Ier entre 1804 et 1814 n'est pas ce qu'il fait à l'intérieur : la rencontre, puis les noces du général corse avec la France ont déjà été célébrées, et elles ont produit leurs fruits quand le jeune chef de la République consulaire décide de devenir Empereur. Ce qui commence alors, ou plutôt ce qui a commencé en 1803, quand la guerre a repris avec les Anglais, c'est son aventure avec l'Europe. C'est la guerre perpétuelle, victorieuse, impossible à arrêter, jusqu'à la défaite. L'aventure du grand conquérant a définitivement pris le pas sur le fondateur de l'État français moderne ; l'organisateur autoritaire d'une nation de propriétaires a cédé le pas à l'Empereur qui veut redessiner l'histoire du monde civilisé. Les deux personnages ont toujours coexisté en Bonaparte, mais le Napoléon carolingien du sacre révèle un souverain devenu largement indépendant de la Révolution française. Le contrat de Brumaire a été rempli ; le destin de l'Empereur se joue hors de France, comme une aventure sans fin.

Pourtant, dans cet enchaînement, avant de parler de lui, il faut encore faire sa part à la Révolution. Napoléon a hérité d'elle une armée très nombreuse, recrutée par conscription, aux termes de la loi Jourdan de 1798 ; comme les jeunes gens aisés échappent à l'obligation militaire par la possibilité de payer un remplaçant, cette armée nationale est très largement une armée paysanne : Napoléon prélèvera plus d'un million d'hommes sur les campagnes françaises. La chute de la natalité, qui s'affirme dans les dernières décennies du XVIIIe siècle, n'a pas encore affecté les classes d'âge mobilisables. Vues sous cet angle, les guerres de l'Empire peuvent apparaître comme un emploi supplémentaire offert aux nombreux enfants de l'ancienne France rurale, et comme une incitation indirecte à la hausse des salaires, puisqu'il y a moins de bras disponibles. Mais on en peut d'autant moins conclure à leur « nécessité » démographique ou économique que bien d'autres facteurs ont contribué simultanément à réduire la surpopulation française : la diminution du nombre des enfants par famille et la multiplication de la propriété paysanne par achat de biens nationaux ont dû jouer dans ce sens. Plus encore, la reprise économique et la prospérité relative qui marquent la fin du Directoire et surtout les années 1800 : bonnes récoltes, retour au numéraire, puis à la confiance, reprise industrielle et commerciale, élargissement de l'offre de travail, hausse des profits et des salaires. Il paraît ainsi difficile de penser que la France post-révolutionnaire se soit trouvée dans l'impossibilité économique de démobiliser son armée et de rendre ses quelques centaines de milliers de soldats à leurs activités civiles. Certes, aucune prépondérance française en Europe n'eût été possible sans la forte croissance démographique du XVIIIe siècle ; mais celle-ci ne suffit pas à expliquer celle-là.

Au vrai, des raisons d'un autre ordre, mais peut-être plus décisives, contribuent à faire comprendre les réalités et les rêves dont la France de cette époque nourrit ses soldats. La réalité, c'est la promotion sociale : Napoléon en est lui-même le symbole par excellence, petit officier corse devenu Empereur et resté néanmoins le Petit Caporal, frère imaginaire de tous ces hommes dont les blessures et les batailles ont rythmé l'avancement, la brusque sortie du monde rural vers l'aventure, les grades, parfois les honneurs. La gloire est aussi une carrière. Tout a commencé avec les volontaires de l'an I et la levée en masse, et l'encadrement de l'armée reste assuré par les héros de la République menacée, qui sont devenus, dix ans après, de jeunes vétérans. Comment envisageraient-ils un autre avenir que la gloire toute proche du passé ? Ni le 9 Thermidor ni le 18 Brumaire ni même le sacre du 2 décembre n'ont remué en profondeur cette armée républicaine, s'il est vrai que l'opposition d'un Bernadotte ou d'un Moreau à l'Empire relèvent plus de jalousies individuelles que d'une idéologie. Le soldat n'est intervenu dans la vie publique qu'au 18 Fructidor, précisément pour sauver la République menacée. C'est que les autres grandes cassures intérieures de la vie politique française n'ont pas mis en cause son avenir.

Cet avenir ne se réduit pas à une promotion individuelle, et cette armée, pépinière et couronnement des talents, n'est pourtant pas une armée de métier ; elle incarne le rêve national, la grande nation libératrice en lutte contre les tyrans des peuples. Le transfert du messianisme français sur l'armée, qui est vieux comme la guerre révolutionnaire elle-même, s'est accentué au fur et à mesure que les passions populaires se sont éteintes à l'intérieur : on a vu qu'après Thermidor, le syndicat des régicides qui gouverne la République est d'autant plus lié à la guerre qu'il a désarmé les faubourgs parisiens ; il ne peut arracher la Terreur aux sans-culottes que s'il leur conserve au moins la guerre avec l'Europe des rois. Après Brumaire, dans le grand silence de la vie politique intérieure, l'attachement psychologique et idéologique à la République libératrice des peuples s'est investi dans l'ancien général en chef d'Italie, et ce n'est pas par hasard si subsiste, dans les premières années de l'Empire, la double désignation de l'État : « République française. Napoléon Empereur. » C'est que Napoléon n'a pas cessé d'être le fondé de pouvoir de la grande République. Et le héros de la guerre internationale est plébiscité pour les mêmes raisons que l'homme de la paix civile ; ce pouvoir fort, cette dynastie glorieuse qui exorcisent à la fois la Terreur et le retour des rois sont en même temps conditions et symboles de la mission française dans le monde. La France a fait la paix avec son passé à l'intérieur. Mais elle combat encore l'Ancien Régime hors de ses frontières.

Il n'est pas douteux pourtant que l'opinion française ait accueilli avec satisfaction Lunéville, puis Amiens ; mais au prix d'un malentendu. Car il s'agissait pour elle d'une paix victorieuse, c'est-à-dire d'une reconnaissance implicite, par l'Europe et l'Angleterre, de la « grande nation » et de sa mission universelle. Or, voici que rien n'a changé : dès décembre 1802, moins d'un an après la signature de la paix d'Amiens, à la nouvelle que le comte d'Artois, « revêtu d'un ordre d'une monarchie que l'Angleterre ne reconnaît plus », a passé en revue un régiment, Bonaparte prie Talleyrand de représenter à Londres « qu'il est de notre dignité, et nous osons le dire, de l'honneur du Gouvernement britannique, que les princes soient renvoyés d'Angleterre, ou que, si l'on veut leur donner l'hospitalité, on n'en souffre pas qu'ils portent aucun ordre d'une monarchie que l'Angleterre ne reconnaît plus ; que c'est une injure perpétuelle faite au peuple français : que le temps de la tranquillité est arrivé en

Europe ». Cette « tranquillité » était si peu arrivée qu'à peine la guerre reprise, ce sont des assassins que l'Angleterre paie aux Bourbons contre l'usurpateur de Paris. Ce qui fait dire à Bonaparte au matin de l'exécution du duc d'Enghien : « Je ne consentirai à la paix avec l'Angleterre qu'autant qu'elle renverra les Bourbons, comme Louis XIV renvoya les Stuarts, parce que leur présence en Angleterre sera toujours dangereuse pour la France. » Ce qu'exprime le Premier Consul en termes de dynastie — au fond, dans le même langage que ses assassins — n'est qu'une traduction de la conviction populaire selon laquelle il n'y aura jamais de paix entre la République libératrice et les rois oppresseurs. Car la paix continue à signifier pour tout le monde le retour des rois de France, et la guerre, la victoire de la République. Dans ce sens, cet Empire, construit sur une pyramide de notables, reste une royauté démocratique et paysanne : on le verra bien aux Cent-Jours.

Si cette guerre est démocratisée par une idéologie révolutionnaire qui mêle nationalisme et universalisme, si elle tire son caractère inexpiable de ce qu'elle est un conflit de valeurs, il reste qu'elle a d'autres sources, en amont et en aval de la Révolution. Vers l'amont, le conflit anglo-français est plus que séculaire, marqué par les abandons français aux traités d'Utrecht (1713) et de Paris (1763) ; les rivalités économiques et coloniales ont souvent dressé les opinions publiques l'une contre l'autre, et l'égoïsme stérile de la ploutocratie de Londres est un thème physiocratique avant d'être un aphorisme révolutionnaire. La révolution industrielle anglaise, qui démarre dès les années 80, a accru la pression économique de Londres sur les marchés étrangers ; les craintes politiques qu'y a rapidement suscitées la Révolution de 89 ont été renforcées par l'expansion française en Europe dans les années du Directoire, et par la politique à la fois coloniale et protectionniste du Consulat : une Belgique française, une Hollande « protégée », une Europe occidentale et méditerranéenne liée aux manufactures françaises, la reconquête de Saint-Domingue et les brèves velléités françaises en Louisiane — voilà autant de données inacceptables, même à court terme, pour le commerce anglais. Et si la paix d'Amiens se rompt à propos de Malte, c'est que tout cela a pesé lourd, aussi, dans le plateau de la balance qui a penché vers la guerre. Le problème de l'hégémonie coloniale sera vite tranché au profit de l'Angleterre ; mais l'enjeu du marché européen va rester au centre du conflit anglo-français, superposé à la guerre idéologique : enjeu immense du côté anglais, par suite de la précocité industrielle et de la structure des échanges de la grande île, et moindre sans doute du côté français, dans la mesure où la domination territoriale de l'Europe n'apparaît pas comme une nécessité inscrite dans les chiffres encore modestes de la production industrielle et des exportations nationales. La politique néo-colbertiste de l'Empereur est plus une conséquence qu'une cause de sa politique tout court.

Sa politique : voilà le grand problème, en aval du torrent révolutionnaire qui l'a porté au pouvoir. Que veut-il, cet héritier formidable et accidentel d'une heure exceptionnelle de la nation ? L'interminable guerre contre l'Ancien Régime, qui l'a porté au trône impérial, a transformé aussi son principat républicain en une dictature royale, suspendue à son caractère et à son destin. C'est à partir du sacre de 1804, au moment où sa domination sur la Révolution devient une royauté, qu'elle échappe le plus visiblement à une définition des fins et des moyens ; c'est quand il est roi héréditaire qu'il est le plus indépendant de la France révolutionnaire, mais aussi le plus soumis à ce qu'il faut bien appeler son étoile. *Sa* politique : voilà le grand problème, en aval du torrent révolutionnaire qui l'a mis sur le trône. A l'intérieur, elle révèle davantage jour après jour la corruption opérée sur son caractère dominateur par l'exercice du pouvoir absolu, la manie de tout contrôler et de tout décider, la surestimation de sa chance et de ses forces, le développement d'une tyrannie policière dont Louis XIV n'eût même pas osé rêver. Mais les Français, prisonniers de sa gloire plus encore que de sa police, n'ont pas d'avenir politique de rechange : les Bourbons ramèneraient les nobles ; la République, la Terreur ou le désordre. Le sort de l'Empire se joue à l'extérieur, c'est-à-dire dans le mystère de ses intentions et le hasard de ses guerres.

Que veut-il donc ? Qu'a-t-il voulu ? Rien d'autre que sa chimère : « Je suis appelé à changer la face du monde ; je le crois du moins. Quelques idées de fatalité se mêlent peut-être à cette pensée, mais je ne les repousse pas ; j'y crois même, et cette confiance me donne les moyens de succès*. » Il est plus facile de définir ce qu'il possède et qui explique la grosse marge de supériorité dont il dispose par rapport à chacun de ses adversaires pris isolément. Il est maître d'un État moderne, centralisé et efficace dont il peut mobiliser au mieux toutes les ressources ; chef d'une société fondée sur l'égalité civile où l'administration et l'encadrement de l'armée sont recrutés dans toutes les parties du corps social. Bref, aucun secret technologique — c'est l'Angleterre qui les a — mais un secret social : un pays et une armée du XVIIIe siècle, libérés par l'explosion révolutionnaire et rationalisés par son despotisme éclairé. Pourtant, le secret le plus important, c'est son génie de l'action et l'énergie infatigable investie dans la domination du monde : car si la Révolution ne s'est jamais donné clairement des buts de guerre — Danton avait les siens, et Carnot, et Sieyès —, lui le peut encore moins. Il a appris la guerre, il l'a rencontrée, il est né d'elle, il n'a cessé d'y

* Napoléon à Joseph, novembre 1804, *in* Miot de Mélito, *op. cit.*

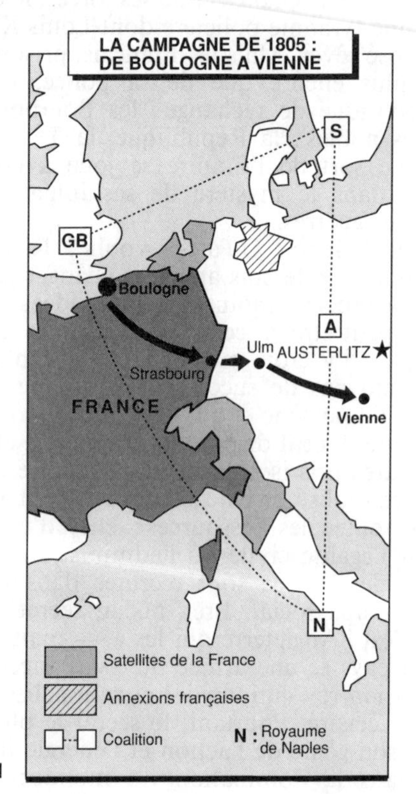
LA CAMPAGNE DE 1805 :
DE BOULOGNE A VIENNE
S
GB
Boulogne
A
Ulm
AUSTERLITZ
Strasbourg
FRANCE
Vienne
N
Satellites de la France
Annexions françaises
Coalition
N : Royaume de Naples
1

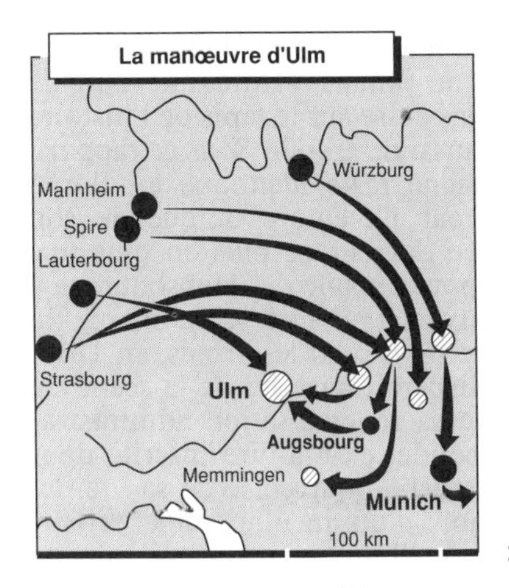
La manœuvre d'Ulm
Würzburg
Mannheim
Spire
Lauterbourg
Strasbourg
Ulm
Augsbourg
Memmingen
Munich
100 km
2

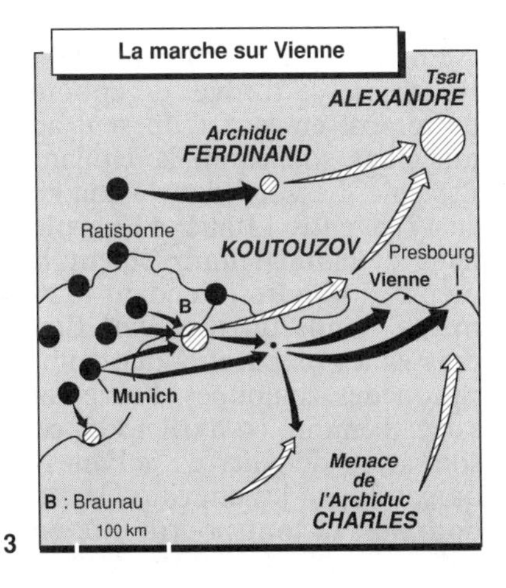
La marche sur Vienne
Tsar
ALEXANDRE
Archiduc
FERDINAND
Ratisbonne
KOUTOUZOV
Presbourg
Vienne
B
Munich
Menace
de
l'Archiduc
CHARLES
B : Braunau
100 km
3

modeler sa vie ; condamné non seulement à ne pas faire la paix, mais à ne jamais perdre une bataille importante, il remet sans cesse sur le tapis de l'histoire une mise qui ne cesse aussi de grossir. Sous ce rapport, le Bonaparte-Charlemagne reste identique au Bonaparte-Consul, obsédé par l'aventure unique de son existence. Si son armée devient de plus en plus une armée de métier, s'il épouse la fille des Habsbourg, s'il rêve à un Empire universel, il reste à la merci du hasard. Dans la minute où il rend les armes, en 1814, son fils, son héritier, disparaît avec lui de la scène du monde. Au fond, seule sa réorganisation administrative de la France est solide, c'est-à-dire inscrite dans une nécessité ; c'est la partie bourgeoise de sa vie. Le reste est l'improvisation d'un incomparable artiste, qui laboure l'histoire de l'Europe, mais qui ramène finalement la France à ses frontières des premières années de la Révolution.

Reste que tous les événements dont est tissée cette improvisation forment l'histoire de l'Europe et de la France en Europe : c'est ce qui invite, dans le cadre de ce livre, à en peindre les traits principaux.

En 1803, au moment de la rupture d'Amiens, Bonaparte se trouve, exceptionnellement et pour peu de temps, en face d'un seul adversaire, alors qu'il a mis dans son camp la Hollande vassale et la faible Espagne. Le voici donc à son grand projet, déjà étudié en 1798, entre l'Italie et l'Égypte : débarquer en Angleterre et clore définitivement la guerre en son cœur même, à Londres. Pendant toute l'année 1804, dans le même temps où il se fait Empereur, il ne cesse de presser les préparatifs du camp de Boulogne, la fabrication des chaloupes, l'inventaire du matériel nécessaire. Témoin, en avril 1805, ce mot à Soult qui peint son style de guerre : « Faites-moi connaître si, en quinze jours, les chevaux, les approvisionnements, les hommes, et tout pourra être embarqué. Ne répondez pas métaphysiquement à cette question, mais voyez les magasins et les différents dépôts. » Mais pour débarquer et courir à Londres sans être coupé de ses arrières, il faut à Napoléon la maîtrise de la Manche au moins pendant quelques semaines : d'où les ordres donnés aux escadres françaises et espagnoles d'attirer la flotte anglaise, supérieure en nombre et plus encore en valeur, vers les lointaines Antilles.

Le plan surestime à la fois la valeur de la flotte française, celle de ses équipages et celle de son commandement. L'amiral Villeneuve, chef de la plus forte escadre, renonce à affronter Nelson dans la mer des Caraïbes et retraverse l'Atlantique pour se faire bloquer sans gloire à Cadix. Jamais l'Empereur n'a pu s'assurer la liberté du Channel. D'ailleurs, au milieu de 1805, il est de toute façon trop tard : Pitt, revenu au pouvoir, a acheté l'alliance russe et l'Autriche, Naples et la Suède se joignent pendant l'été au traité anglo-russe pour former une nouvelle coalition (la troisième, depuis 1793) contre la France. Napoléon, ajournant le projet anglais — qu'il ne reprendra jamais —, fait pivoter ses troupes de Boulogne vers le Rhin, marchant au secours de la Bavière, son alliée : c'est la plus classique de ses campagnes, celle où le hasard, son vieux partenaire, s'efface le plus devant son génie.

Il s'agit, grâce à la rapidité de mouvement, de battre séparément les armées ennemies, dont la principale barre la route de Vienne. En un mois, la Grande Armée est sur le Rhin : admirable instrument de guerre, le meilleur que Napoléon aura jamais, troupe d'expérience et d'enthousiasme, reposée et confiante ; encerclé dans Ulm, le général autrichien Mack capitule le 20 octobre, et Napoléon couche à Schönbrunn moins d'un mois après. L'Empereur François II a renoncé à défendre Vienne pour faire sa jonction plus à l'est, en Moravie, avec l'armée russe : le 2 décembre 1805, jour anniversaire du sacre, en présence des trois empereurs, Russes et Autrichiens sont taillés en pièces près du village d'Austerlitz.

Entre-temps, les triomphes d'Ulm et d'Austerlitz ont été balancés par Trafalgar (21 octobre 1805) : Villeneuve, fouaillé par les reproches de Napoléon, est sorti imprudemment de Cadix pour se faire écraser par Nelson. Sur le moment, les services de la publicité impériale masquent Trafalgar par Ulm, Vienne, Austerlitz, mais la disparition de la flotte française est désormais une donnée capitale du conflit européen : elle condamne Napoléon à ne plus attaquer l'Angleterre qu'en Europe continentale. De fait, toute une réorganisation européenne s'esquisse déjà avec l'effondrement de l'Autriche : le traité de Presbourg, en décembre 1805, aggrave Campo-Formio et Lunéville en liquidant toute influence autrichienne en Italie ; les Habsbourg sont également évincés d'Allemagne au profit des électeurs de Bavière, du Wurtemberg et de Bade. La fin du Saint-Empire donne naissance, en juillet 1806, à une Confédération du Rhin dont Napoléon devient le « protecteur » et où entrent les princes vassalisés comblés des dépouilles de François II, comme l'électeur de Bavière qui prend le titre de roi, ou tout simplement créés, comme le beau-frère Murat, qui devient grand-duc de Berg. Le frère aîné, Joseph, a été « nommé » à Naples un peu avant, en remplacement des Bourbons destitués par décret et qui se réfugient en Sicile. La famille est entrée dans la ronde des couronnes.

Jusqu'alors, la Prusse n'a pas bougé, satisfaite d'occuper le Hanovre anglais abandonné à ses convoitises, pendant que le tsar s'est replié chez lui. Mais la réorganisation allemande mécontente d'autant plus Berlin qu'au cours de négociations officieuses entre la France et l'Angleterre, dans l'été 1806, Napoléon propose aux Anglais la restitution du Hanovre : volte-face de Frédéric-Guillaume III qui se retourne contre la France, à côté des Russes. Depuis Valmy, la France n'a plus jamais affronté cette armée redoutable, terreur du XVIIIe siècle, héritière du grand Frédéric : or en six jours et en deux batailles, Iéna et Auerstedt, celle-ci a cessé d'exister, en même temps que l'État dont elle est l'épine dorsale ; le 27 octobre 1806, Napoléon entre à Berlin. Reste les Russes, forts de leurs plaines infinies, qui posent déjà des problèmes stratégiques redoutables à Napoléon : l'Empereur est l'homme des petites distances, des bonnes routes, et des concentrations fulgurantes. Voici que cet amoureux de la vitesse, ce méditerranéen tout en nerfs étire interminablement ses lignes au travers de la grande plaine glacée du Nord. Au terme d'une terrible campagne, il remporte un succès incertain et sanglant à Eylau, en février 1807, conquiert la Prusse orientale et délivre la Pologne, bat enfin les Russes à Friedland en juin. Aucune des deux victoires n'est décisive, s'il est vrai que Napoléon reste maître du terrain : mais déjà, des deux côtés, on est décidé à substituer l'alliance à la guerre.

Alexandre est las de l'alliance britannique : l'Angleterre paie mal et ne tente aucune diversion en Europe. Et Napoléon désire l'alliance russe : il n'aime pas cette guerre interminable et cruelle, qui le tient si longtemps loin des Tuileries, où, comme toujours, les grands dignitaires de son régime supputent dans son dos les chances et les risques. Il a besoin des Russes pour régler le contentieux prussien laissé en suspens et verrouiller à l'Est toute revanche éventuelle des héritiers de Frédéric ; mais surtout pour achever son grand dessein anti-anglais et fermer l'Europe entière aux marchands de Londres. Faudra-t-il qu'il s'aventure jusqu'à Moscou pour obtenir la paix ? Non : il réussit en 1807 ce qu'il ratera cinq ans plus tard ; c'est la rencontre de Tilsit, le radeau sur le Niémen où les deux empereurs mutuellement séduits font payer à la Prusse la nouvelle carte de l'Europe, par la double création d'un grand-duché de Varsovie donné au fidèle roi de Saxe et d'un royaume de Westphalie dont

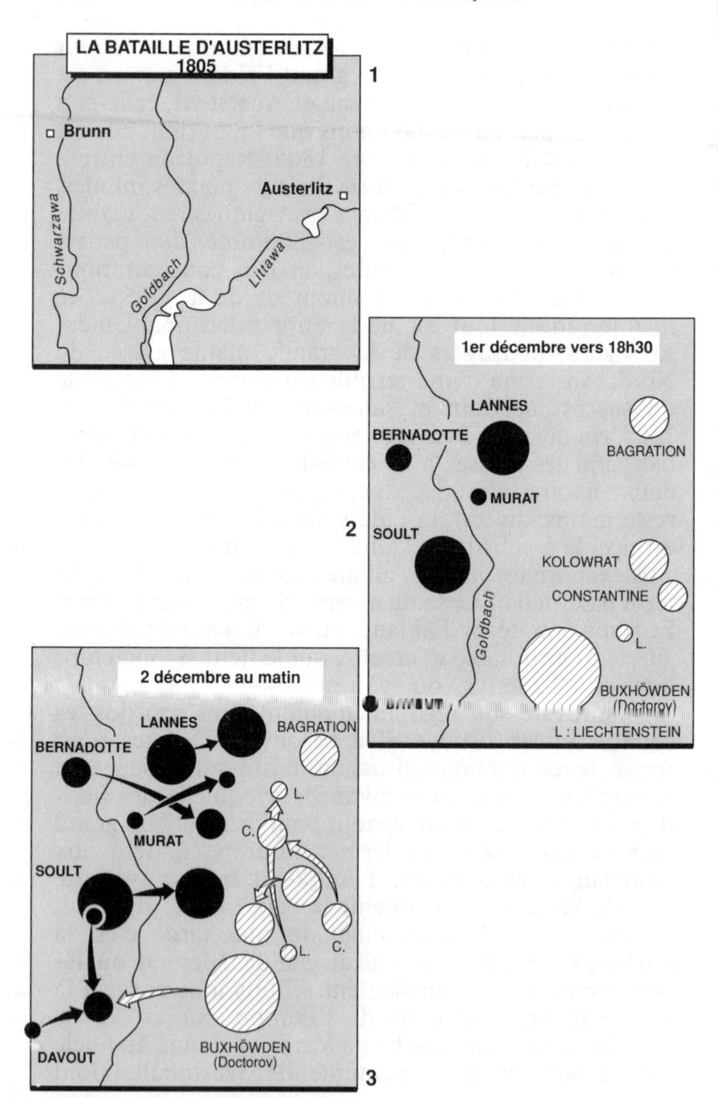
LA BATAILLE D'AUSTERLITZ
1805
1
Brunn
Austerlitz
Schwarzawa
Goldbach
Littawa
1er décembre vers 18h30
LANNES
BERNADOTTE
BAGRATION
MURAT
2
SOULT
KOLOWRAT
CONSTANTINE
Goldbach
L.
BUXHÖWDEN
(Doctorov)
L : LIECHTENSTEIN
2 décembre au matin
LANNES
BAGRATION
BERNADOTTE
L.
C.
MURAT
SOULT
L.
C.
DAVOUT
BUXHÖWDEN
(Doctorov)
3

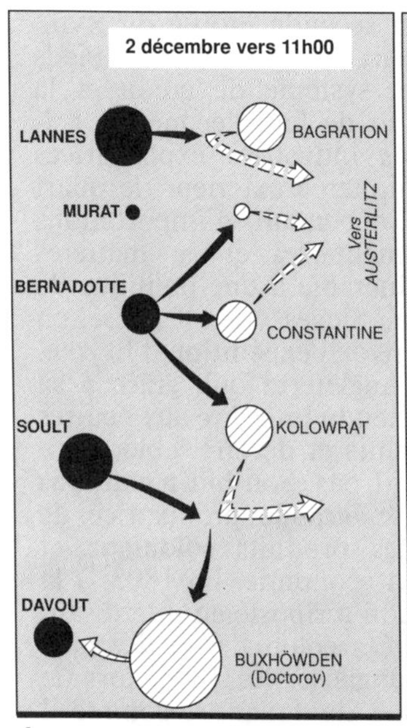

4

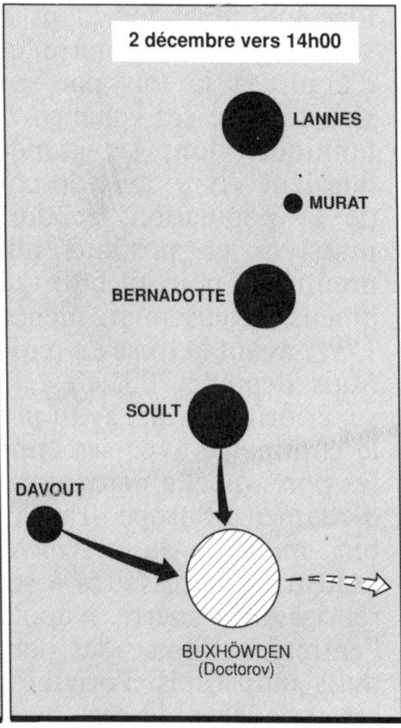

5

Jérôme, le plus jeune frère, reçoit la couronne, nouveau membre de la Confédération du Rhin. Napoléon promet son appui contre le sultan, le tsar Alexandre contre l'Angleterre : l'alliance franco-russe devient l'axe et la garantie du nouvel équilibre européen, tout entier construit contre l'Angleterre.

Une nouvelle fois, l'Angleterre reste le seul adversaire : Pitt est mort et son grand rival Fox aussi, mais les nouveaux fondés de pouvoir de l'oligarchie anglaise sont plus que jamais résolus à une lutte sans merci. Impossible, depuis Trafalgar, de reprendre le projet de débarquement. Aussi Napoléon veut-il changer de stratégie et retourner contre Londres l'arme de sa supériorité industrielle et commerciale. C'était une idée très répandue, dans la seconde moitié du XVIIIe siècle, que l'Angleterre était un colosse aux pieds d'argile, à la fois par son système de crédit et la structure de ses échanges. Et de fait, l'économie britannique, dont les grandes industries exportatrices faisaient vivre, avec le commerce extérieur, le quart de la population, et qui dépendait d'importations massives en produits alimentaires et en matières premières, pouvait être vulnérable à une politique de blocus sérieusement menée : Sieyès y avait pensé, en 1798, avant la mise en œuvre de l'expédition d'Égypte. Mais depuis 1793, c'est l'Angleterre qui, grâce à sa supériorité navale, avait prétendu interdire aux neutres le commerce avec ses ennemis et déclaré « bloqués » les ports qu'elle ne contrôlait pas. Son but n'était pas d'affamer l'Europe française, grande productrice de blé, mais de la priver des produits coloniaux et industriels nécessaires à son économie. En 1803, à la reprise de la guerre, Napoléon a riposté en interdisant l'entrée en France des denrées coloniales et des produits industriels d'origine anglaise. En 1806, fort de ses conquêtes, de ces « postes de douane », comme il dit, que tiennent par exemple Louis en Hollande ou Joseph à Naples, il veut étendre le système : c'est le sens des décrets de Berlin et de Milan. Le premier, signé juste après la victoire sur la Prusse (1806), déclare « les Iles britanniques en état de blocus » et interdit tout commerce avec l'Angleterre non seulement en France, mais dans tous les pays alliés ou occupés, de l'Espagne à la Vistule. A Tilsit, l'année suivante, la Russie s'y rallie. Il s'agit d'asphyxier les exportations anglaises et de créer ainsi les conditions d'une surproduction industrielle et d'une crise généralisée de l'économie britannique. L'Angleterre riposte en bombardant Copenhague, en s'ouvrant la Baltique à coups de canon, et en prétendant contrôler le trafic des pays neutres. Deuxième texte napoléonien, signé à Milan à la fin de 1807, réputant de bonne prise tout bâtiment neutre « contrôlé » par les Anglais. Le Blocus continental interdit désormais toute neutralité : mais il faut dès lors que l'Europe entière soit française, peuplée de soldats et de douaniers.

Le Portugal inaugure la série des annexions « économiques » : devant l'hostilité de cette vieille colonie anglaise, Napoléon envoie Junot fermer le port de Lisbonne. Par un enchaînement prévisible, l'occupation du Portugal entraîne celle de l'Espagne, l'arbitrage par l'Empereur des lamentables querelles de la famille régnante, et finalement la nomination de Joseph au trône de Madrid, pendant que Murat passe à Naples. Mais voici que Napoléon, habitué à battre en rase campagne les armées mercenaires des rois de l'Europe, trouve contre lui une guérilla populaire : le trône de Joseph est à reconquérir sur un peuple qui redemande ses rois légitimes. Déclenchée en mai, l'insurrection est bientôt maîtresse du pays et fait capituler en juillet, à Bailén, une armée française démoralisée : c'est un coup de tonnerre en Europe. Junot doit peu après céder Lisbonne aux Anglais. Qu'importe si Napoléon, accouru à la tête de la Grande Armée, réinstalle Joseph en décembre ? Il laisse sur ses talons une Espagne debout, merveilleux champ de manœuvre pour les corps de débarquement du futur Wellington, qui s'appelle encore Wellesley. La même année, la logique du Blocus continental a élargi sa politique italienne : annexion de la Toscane et de Parme à l'Empire, occupation de Rome, qui sera rattachée l'année suivante. Pie VII riposte par l'excommunication ; il est mis en résidence surveillée à Savone, martyr solitaire aussi dangereux que tous les guérilleros espagnols.

A ces charges supplémentaires, à ces adversaires nouveaux s'ajoutent les premières déchirures de ce qui est le tissu même de l'Europe napoléonienne : l'alliance franco-russe et l'Allemagne française. Deux ans après, l'esprit de Tilsit ne règne plus à Erfurt ; Napoléon, sur le point d'emmener la Grande Armée en Espagne, voudrait à nouveau la parole d'Alexandre. Mais doublement sensible à la pression de ses boyards et à l'échec français en Espagne, le tsar finasse et temporise, encouragé en sous-main par Talleyrand ; il fait dire à Vienne qu'il restera neutre en cas de nouveau conflit entre la France et l'Autriche. C'est que, dès l'automne de 1808, la Cour de Vienne a refait son armée et se prépare, une fois de plus, à venger Campo-Formio, Lunéville et l'humiliation du traité de Presbourg (1805) : elle a reçu, comme toujours, l'argent de Londres, mais cette fois, elle peut compter sur l'appui d'une population allemande lasse de la domination française. La guerre éclate au printemps 1809 en même temps que des insurrections au Tyrol et dans l'Allemagne du Nord. Napoléon est victorieux en trois mois, après avoir frôlé la défaite ; l'archiduc Charles l'a laissé entrer à Vienne, mais en repliant ses troupes vers l'est, sur la rive gauche du Danube ; et à la fin du mois de mai, une partie de l'infanterie française, aventurée sur cette rive à travers des ponts de fortune, est obligée de se replier en hâte devant la contre-offensive autrichienne. La Grande Armée n'arrive à traverser le fleuve qu'un mois plus tard ; elle remporte la victoire décisive à Wagram le 6 juillet. La paix de Vienne, signée en octobre, enlève à l'Autriche la Galicie, donnée au grand-duché de Varsovie, et ce qui lui reste de provinces adriatiques, directement rattachées à l'Empire.

A la fin de 1809, voilà donc la construction napoléonienne à son apogée. Jetons un coup d'œil sur la carte fantastique et provisoire de cette Europe française : une Autriche exclue d'Allemagne et coupée de la mer, une Prusse presque ramenée à ses origines et un Empire français de cent trente départements qui vont de Brest à Hambourg, d'Amsterdam à Rome et à Trieste — 750 000 km², plus de soixante-dix millions d'habitants, dont trente sont Français. Adossés à cet

Empire, les États satellites disposés en arc de cercle : la Confédération du Rhin, la Suisse « médiatisée », la République italienne, Murat à Naples, Joseph à Madrid. Enfin, avant-garde de la France vers l'est, le grand-duché de Varsovie, figure d'une Pologne renaissante mais fragile, coincée par les ambiguïtés de l'alliance franco-russe.

Cette Europe française, construite de pièces et de morceaux au fil des événements, répond de moins en moins aux objectifs de son fondateur et de plus en plus aux espoirs de ses adversaires. Elle a été bâtie pour ruiner le commerce britannique. De fait, en 1808, l'Europe de Tilsit et du début de Milan se ferme aux produits anglais, aussi bien en Baltique, malgré la Suède, qu'en Méditerranée, malgré l'entrepôt maltais. Dans le même temps, les mesures de rétorsion prises par les États-Unis contre les agressions dont leurs vaisseaux avaient fait les frais aggravent le déficit des exportations anglaises, qui baissent de plus d'un quart ; l'Angleterre est engorgée de stocks invendus, dont les prix baissent dangereusement, entraînant le marasme industriel, le chômage et l'agitation sociale. Mais, après avoir fléchi, la courbe des exportations se redresse brillamment en 1809, accusant un maximum : en effet, les marchandises anglaises pénètrent mieux en Europe du Nord, par le développement de la contrebande suédoise, la complaisance intéressée d'un certain nombre de fonctionnaires français et la réouverture des ports hollandais, puisque Louis a cédé à la pression de ses nouveaux sujets ; il est si vrai que le Blocus est une arme boomerang que Napoléon lui-même a réentrouvert la porte de la France au commerce anglais, par la délivrance de licences spéciales. La même année, le commerce anglais avec les États-Unis reprend lentement et se développe surtout avec l'Amérique espagnole et portugaise, facilité par l'exil de la dynastie portugaise au Brésil et la dislocation du commerce espagnol avec l'Empire sud-américain. La prospérité anglaise est si éclatante que Napoléon resserre en 1810 les mailles de son filet, arrache son royaume à Louis, rattache directement à son autorité le littoral allemand de la mer du Nord. Mais comment pourrait-il fermer le débouché et le réservoir américain ?

Paradoxalement, la crise économique qui frappe l'Angleterre en pleine prospérité, à la fin de 1810, n'est pas née du Blocus continental : elle traduit le fléchissement cyclique de la conjoncture, aggravé par l'inflation qui finance les dépenses de guerre et la désorganisation des échanges traditionnels. Tout a commencé avec la chute de la livre sterling et la récolte catastrophique de 1809, la hausse brutale du prix des grains et la menace de famine. En même temps, le resserrement du Blocus, la saturation du marché sud-américain dont la capacité avait été surestimée, le renouveau de difficultés et bientôt la guerre avec les États-Unis atteignent profondément les exportations : à long terme, les pays du Nouveau Monde ne peuvent payer les produits anglais qu'en denrées coloniales — lesquelles ne sont vendables par Londres qu'en Europe. La crise anglaise de 1811-1812 est donc fort grave, et la misère populaire retrouve son cortège d'émeutes ouvrières et de violences sauvages : c'est le moment où, grâce à la conjonction de la crise économique et de la fermeture des États-Unis, le système napoléonien frappe l'Angleterre au cœur.

Par chance pour l'Angleterre, le Blocus n'est véritablement appliqué que pendant deux ans, du milieu de 1810 jusqu'à ce que Napoléon s'enfonce dans l'immense Russie. C'est aussi que la grande crise de 1811 n'épargne ni la France ni l'Europe. Et la rupture des échanges avec l'Angleterre l'aggrave à son tour, même s'il est vrai qu'elle a favorisé d'abord l'essor des productions continentales. Que l'aristocratie foncière ne puisse plus exporter ses blés ou ses bois, passe encore : elle n'a jamais aimé, moins encore soutenu le soldat parvenu de la France révolutionnaire. Mais

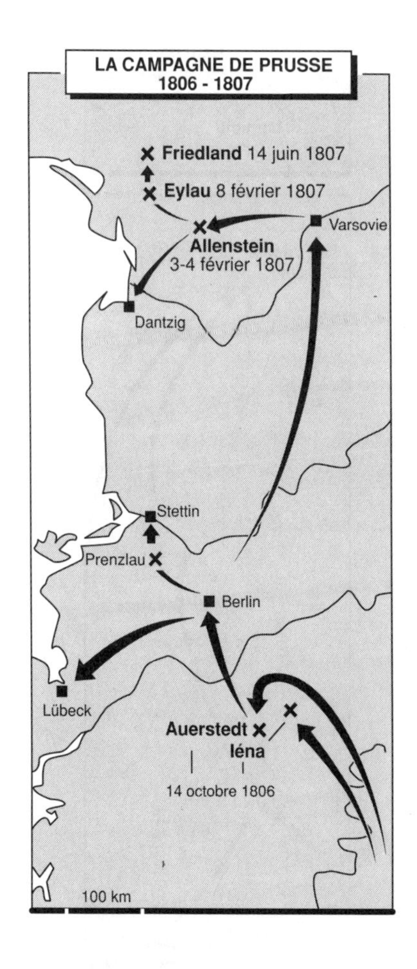
LA CAMPAGNE DE PRUSSE
1806 - 1807
Friedland 14 juin 1807
Eylau 8 février 1807
Varsovie
Allenstein
3-4 février 1807
Dantzig
Stettin
Prenzlau
Berlin
Lübeck
Auerstedt
Iéna
14 octobre 1806
100 km

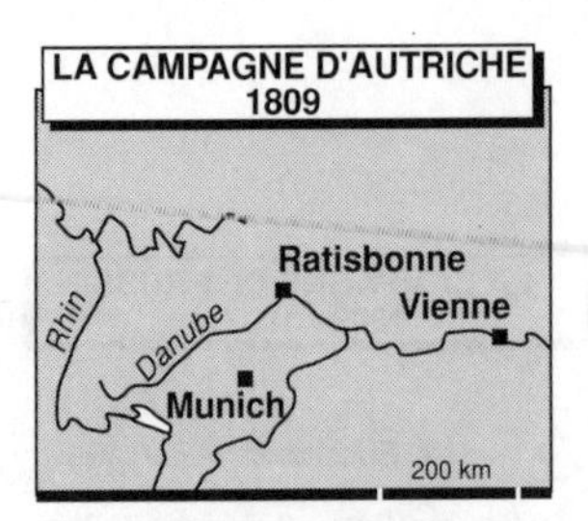
LA CAMPAGNE D'AUTRICHE
1809
Ratisbonne
Vienne
Rhin
Danube
Munich
200 km

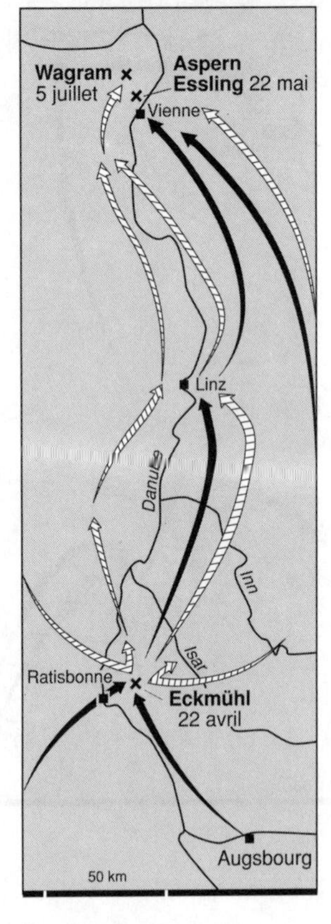
Wagram
5 juillet
Aspern
Essling 22 mai
Vienne
Linz
Danube
Inn
Isar
Ratisbonne
Eckmühl
22 avril
Augsbourg
50 km

voici que les bourgeoisies et les peuples européens se dressent à leur tour contre lui et que, même en France, son ordre n'apparaît plus que comme une aventure.

L'échec du Blocus continental recouvre ici un autre échec, plus ancien et plus fondamental : celui d'une Europe française, ralliée au modèle idéologique et social né de la Révolution. Les conquêtes consulaires et impériales s'étaient accompagnées de l'extension des réformes sociales et administratives françaises dans les pays satellites : abolition du servage, des droits seigneuriaux et de la dîme, égalité civile, Code Napoléon, liberté des cultes et des consciences, centralisation gouvernementale. En Allemagne par exemple, l'État de Bade, le Wurtemberg et la Bavière, considérablement agrandis, ont été profondément transformés ; les créations napoléoniennes comme le grand-duché de Berg de Murat ou la Westphalie de Jérôme sont prises en main, comme des États modèles, par un personnel français de haute qualité, souvent bien reçu par la société locale. Ainsi, le jeune Stendhal, qui se fait donner du « Monsieur l'Intendant », voire du « Monseigneur », passe de charmantes années de jeunesse dans la petite « société » provinciale du Brunswick, rattaché à la Westphalie : car les réformes françaises, en Allemagne, en Italie, pour ne rien dire du grand-duché de Varsovie, ont rallié une bonne partie des élites formées par le XVIIIe siècle. L'essor économique y a contribué aussi, facilité par la conjoncture de prospérité, l'amélioration des routes, la naissance d'un marché européen protégé.

Pourtant, même dans ces États regroupés, rationalisés, libérés de leurs minuscules oligarchies réactionnaires, la double ponction fiscale et militaire de l'occupation française constitue à la longue la base d'un mécontentement général : c'est que la guerre doit nourrir la guerre, et que l'armée de Napoléon devient de moins en moins française et de plus en plus européenne, prélevée sur le Grand Empire et sur les

États satellites. Pendant que les élites s'effraient d'une aventure qui n'a pas de fin, ce qui parvient aux peuples du glorieux message de la Révolution française n'est plus l'égalité civile ou la libération sociale, mais l'oppression nationale ; ainsi, le messianisme révolutionnaire français va-t-il nourrir dans toute l'Europe un messianisme contre-révolutionnaire et nationaliste, aubaine inespérée pour les prêtres, les seigneurs et les rois. Dès 1807 se font jour deux condamnations significatives de l'entreprise napoléonienne : l'une de Talleyrand, attaché à l'équilibre européen, interprète lucide et corrompu de la tradition et de l'avenir, préparant à l'avance, en même temps qu'une autre carrière, le compromis qu'il juge nécessaire entre les élites françaises et européennes. L'autre, c'est celle des millénaristes allemands identifiant Bonaparte à l'Antéchrist, écume d'un flot puissant qui va ranger les paysans d'Europe sous la bannière de la religion et des rois : immense et nouvelle Vendée qui surgit d'Espagne pour gagner l'Allemagne et l'Italie, et dont le moujik russe sera le dernier et le plus formidable soldat.

Encore faut-il, pour que la croisade contre-révolutionnaire prenne force, que les grands États européens l'encadrent mieux que par le passé. C'est précisément le cas. Les vieilles monarchies d'Europe centrale et orientale ont conservé la haine des idées révolutionnaires que Napoléon n'a cessé d'incarner à leurs yeux ; mais habituées à mesurer l'adversaire à la valeur de son armée, elles ont inévitablement subi la fascination de l'organisation française. Après Iéna (1806), la Prusse a assoupli la rigidité de l'État frédéricien, intégrant paysans et bourgeois dans l'effort de résurrection nationale. En Autriche, où l'aristocratie refuse de rien céder de sa prépondérance sociale, on a pourtant réorganisé l'armée, instrument de la revanche. Les vieux conflits du XVIIIe siècle entre aristocratie et centralisation monarchique se sont tus au profit de la priorité nationale exaltée par les professeurs et les étudiants, et qui va intégrer les masses populaires aux États les plus traditionalistes de l'Europe. C'est le cas aussi de la Russie, où Alexandre et ses conseillers caressent par instants des chimères libérales, sans finalement rien modifier aux équilibres traditionnels qui feront du paysan illettré le plus fanatique défenseur des popes et du tsar. La « grande nation », devenue Empire, voit son propre message de libération se retourner contre elle-même et contre les valeurs qu'elle prétendait universaliser. Bref, une formidable réaction antinapoléonienne, c'est-à-dire nationale et contre-révolutionnaire tout ensemble, prend appui sur le réveil de la foi catholique et les philosophies du nationalisme et de l'autorité.

Tout contribue, vers 1810-1811, à accélérer cette évolution : les pressions fiscales et militaires croissantes de la France dans les pays conquis ou vassaux, le conflit de l'Empereur et du pape, l'alliance russe qui chancelle depuis Erfurt, la profonde crise économique qui balaie la prospérité des affaires. Même en France, la magie impériale se défait, la conscription est devenue bien lourde, la guerre bien coûteuse. Les vastes passions collectives qui font les grandes guerres sont passées chez l'adversaire.

Napoléon sent tout cela. Une fois de plus — et la dernière —, il est, au retour de Wagram, en face de l'éternelle question : comment légitimer son aventure, comment stabiliser ce qui est devenu l'Empire ? Dans son dos, comme toujours, tout le monde parle d'un successeur plus reposant et plus maniable — Joseph, Murat, ou encore Eugène de Beauharnais. Lui ne songe plus à l'adoption, depuis que le fils aîné de Louis et d'Hortense est mort ; il sait, depuis l'aventure polonaise avec la comtesse Walewska, qu'il peut avoir un enfant ; il se décide au divorce et au mariage royal. Au moment où l'Europe emprunte ses moyens à la Révolution, le soldat de la Révolution va chercher une femme dans l'Ancien Régime : il veut ancrer son

Empire dans une filiation dynastique directe et dans une alliance familiale. Son idée est une princesse russe, une des sœurs du tsar, destinée à éterniser l'Europe de Tilsit ; mais Alexandre fait traîner l'affaire à dessein, pour s'abriter ensuite derrière le refus de sa mère. Napoléon saute alors sur le mariage Habsbourg proposé par la Cour de Vienne qui y voit au moins un répit, peut-être une assurance ; il épouse Marie-Louise, fille de François II, au début d'avril 1810. En mettant dans son lit la première princesse de l'Europe, lui qui avait été bluffé déjà, quinze ans auparavant, par ce que Joséphine racontait de sa « naissance », peut-être s'est-il senti enfin dans le cercle des rois ? En refaisant le mariage de Louis XVI, il a cru, tout comme un Bourbon, s'assurer une garantie à Vienne. Mais il pense aussi assurer son héritier d'une moitié de vraie légitimité monarchique et réinstaller ce petit-fils de la Révolution dans la tradition des rois de France. C'est sa façon de traduire le « Pourvu que ça dure » de Madame Mère.

Le roi de Rome, né l'année suivante, est ainsi la dernière et la plus touchante des assurances sur l'avenir prises par Napoléon. Mais c'est aussi la plus illusoire : l'Empereur des Français peut bien tenter de faire revivre l'Ancien Régime dans les formes et dans les usages, il peut nommer dans ses Conseils de plus en plus d'aristocrates et multiplier par ailleurs les exemples d'un pouvoir absolu, il n'a pas cessé d'incarner pour l'Europe la Révolution couronnée. Peut-il même avoir été dupe des mots ? Lui qui écrit à François II « Mon cher Frère et Beau-Père », il sait bien qu'il reste un usurpateur. A peine plus d'un an après la naissance de son fils, le monarque comblé est redevenu le « Petit Caporal ».

A la question : comment Napoléon peut-il tout remettre en jeu, et tout perdre, au moment où il semble tout dominer, il n'y a donc d'autre réponse que l'extraordinaire précarité de sa prépondérance territoriale en 1811. Cette précarité, qu'il sent plus que jamais, Napoléon a tendance à l'attribuer à la rupture de ce qu'il a toujours considéré comme l'axe de son système européen : l'accord franco-russe. D'où sa guerre de 1812, moins destinée peut-être à briser un adversaire qu'à rétablir un partenaire.

Les rapports entre Napoléon et Alexandre n'ont cessé de se détériorer depuis Erfurt ; la mésentente croissante recouvre à la fois des griefs réels et des procès d'intention. Dans leur immense majorité, les boyards russes continuent à détester tout ce qui touche de près ou de loin à la Révolution française ; exportateurs traditionnels des blés et des bois de leurs domaines en Angleterre, ils sont lésés par le Blocus. Sensible à leur pression, Alexandre tient de moins en moins la main à l'application des décrets napoléoniens ; il a tergiversé pendant la campagne de 1809, finassé à nouveau dans l'affaire du mariage avant de refuser. Il craint l'expansion française vers l'Est, à laquelle conduit la logique du Blocus : après la Hollande enlevée à Louis, les villes hanséatiques « réunies » à l'Empire, c'est le grand-duché d'Oldenburg, de l'autre côté de la péninsule danoise, qui est arraché à un beau-frère du tsar. Que pèsent, en face de cet étirement sans fin de l'Empire français, les acquisitions russes depuis Tilsit — la Galicie, la Finlande ou la Bessarabie ? Et qui peut dire si Napoléon n'ira pas, malgré ses promesses, reconstruire une vraie Pologne, enfant de la France en plein monde slave ? Pour toutes ces raisons, Alexandre est prêt à la rupture au début de 1812 ; il a l'appui secret du nouveau roi de Suède, Bernadotte, qui a épousé l'hostilité de ses sujets au Blocus napoléonien, et l'assurance non moins secrète de la non-intervention autrichienne et prussienne. Napoléon, de son côté, se sent fort de l'alliance officielle avec Vienne et Berlin. Il s'agit, une fois de plus, de mettre la dernière pierre à son édifice européen par la dernière guerre, c'est-à-dire de rétablir l'esprit de Tilsit, condition de l'application du Blocus et de la victoire sur l'Angleterre : donc une guerre courte, une grande bataille, un nouveau radeau sur le Niémen. C'est ce qu'il écrit à Alexandre, le 1er juillet, au moment d'entrer en Russie : « La guerre est donc déclarée entre nous. Dieu même ne peut pas faire que ce qui a été n'ait pas été. Mais mon oreille sera toujours ouverte à des négociations de paix... » Dans cette illusion, où il revit 1807, gît tout le drame de 1812 : Napoléon n'a pas compris que les conditions mêmes de la guerre européenne ont changé.

Lui-même franchit le Niémen à la tête d'une armée cosmopolite, presque à moitié étrangère, levée dans l'Empire et ses dépendances ; deux cent mille soldats allemands, notamment, sur sept cent mille hommes. En face, c'est le désert, l'armée russe qui s'évanouit dans la retraite, le moujik qui brûle sa récolte, et l'invasion déjà est difficile : les Russes ont changé les règles du jeu. Pour tenter de briser l'alliance nationale du tsar et de son peuple, Napoléon dispose d'une arme, à laquelle il a songé : refaire la guerre révolutionnaire de sa jeunesse et proclamer l'émancipation du moujik. Mais, devenu le cousin des rois, hanté surtout par l'accord prochain avec Alexandre, il ne se décide pas à l'employer. Retardée par les difficultés de ravitaillement, diminuée déjà par les désertions, l'immense armée n'entre à Smolensk qu'au milieu d'août et n'atteint la Moskowa qu'au début de septembre. Les troupes russes prises en main par le vieux Koutouzov acceptent enfin la bataille à Borodino, sanglante et incertaine : Napoléon entre à Moscou le 14 septembre, à l'extrême fin de l'été, avec des troupes affaiblies et sans avoir sérieusement entamé celles de l'adversaire. Du moins espère-t-il que la prise de la grande ville exotique, à l'autre bout de l'Europe, va constituer un gage de paix : dominant une métropole morte, dévastée par l'incendie, il attend au Kremlin

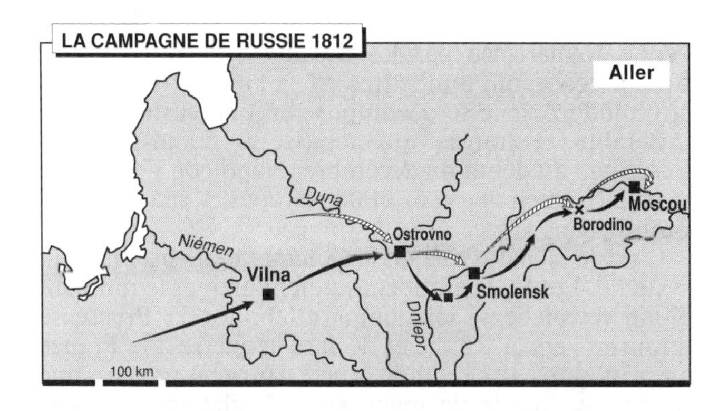
LA CAMPAGNE DE RUSSIE 1812
Aller
Duna
Niémen
Vilna
Ostrovno
Dniepr
Smolensk
Borodino
Moscou
100 km

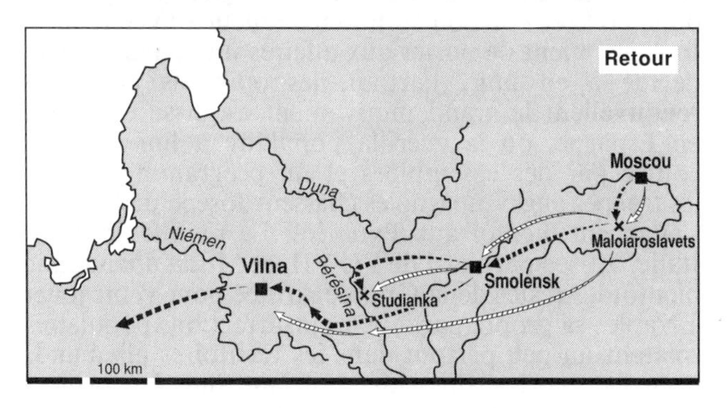
Retour
Moscou
Duna
Niémen
Vilna
Bérésina
Studianka
Smolensk
Maloiaroslavets
100 km

les émissaires d'Alexandre. Au milieu d'octobre, quand il a enfin compris qu'il n'y aurait pas de nouveau Tilsit, il se décide à rentrer, lui qui n'a jamais aimé être longtemps absent des Tuileries. Mais il est déjà trop tard. Koutouzov lui barre le retour par le sud, et il lui faut reprendre l'interminable route de Smolensk, déjà morte des pillages de l'aller. Poursuivie par l'ennemi, harcelée par les cosaques, décimée par le froid précoce, qui tombe très vite à moins vingt degrés, la Grande Armée se décompose en une vaste colonne misérable et transie qui repasse à grand-peine la Bérésina : au début de décembre, Napoléon ne ramène vers le Niémen que cent mille rescapés. Voilà le Grand Empire sans armée.

C'est le signal d'une crise générale de l'ensemble du système. Les États européens voient arriver le moment d'une revanche si longtemps attendue : la Prusse se retourne vers la Russie et déclare la guerre à la France au printemps 1813, tandis que l'Autriche prépare une médiation lourde de menaces. L'Angleterre, qui sort de la crise et voit son commerce refleurir avec le recul français, vient de porter aux affaires un gouvernement décidé à en finir. Partout, les opinions publiques renouvellent le grand mouvement esquissé en 1809 : en Espagne, où la guerilla populaire a fini par être coiffée par des assemblées et un programme libéral, les troupes anglo-espagnoles chassent Joseph de Madrid, s'avancent bientôt aux Pyrénées. La révolte court en Italie, attisée par l'exil de Pie VII, et Murat abandonne bientôt les restes de la Grande Armée pour venir jouer à Naples sa propre partie. Des insurrections populaires éclatent un peu partout dans les territoires allemands occupés par les Français, pendant que les princes attendent, un œil sur Vienne, l'autre sur Paris. À peine rentré, Napoléon a passé l'hiver à lever de nouveaux soldats et à préparer la guerre du printemps ; mais c'est dans un climat intérieur très lourd, où la défaite réveille la lassitude de ce conflit sans fin et le refus

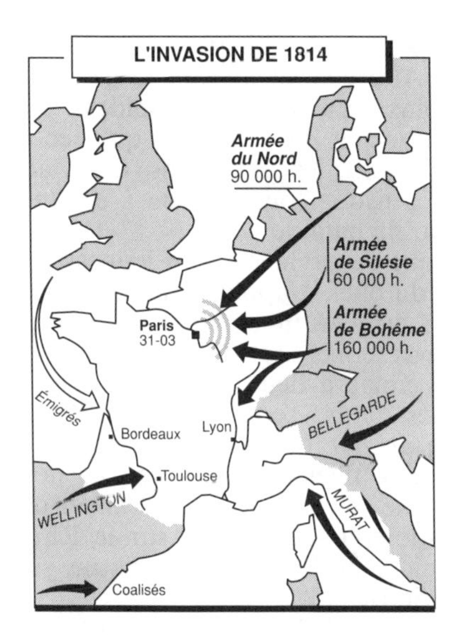

croissant du despotisme d'un seul. Le royalisme libéral, qui se répand chez les notables du pays, indique à quel point les temps de l'unanimité consulaire sont loin ; toute une France nantie est prête à liquider l'aventure, à reprendre même ses anciens rois, contre un solide contrat d'assurance sur ses biens.

Il est clair qu'entre Napoléon et l'Europe, il n'y a plus guère, au printemps 1813, de compromis imaginable : Napoléon ne peut plus régner, même en France, que par une victoire nouvelle ; hors de France, ni l'Europe des rois ni celle des peuples ne se sont soulevées pour un petit remaniement territorial. C'est pourquoi la médiation autrichienne, qui propose de revenir à Lunéville, n'a de chance de succès ni d'un côté ni de l'autre : après les victoires françaises sur les Russo-Prussiens à Lutzen et à Bautzen en mai, la courte négociation qui s'engage n'est qu'un sursis général. Napoléon s'en tient aux frontières de 1812. En août, l'Autriche et la Suède se joignent à la coalition : plus d'un million de soldats. Napoléon ne peut plus négocier, in extremis, qu'avec ses prisonniers, Pie VII ou les Bourbons de Madrid : mais qu'importe, puisque tout se joue à quitte ou double sur le champ de bataille.

Soit manque de cavalerie, soit jeunesse des troupes, soit fatigue du chef, Napoléon laisse s'opérer la jonction de trois armées ennemies, sous Bernadotte, Blücher et Schwarzenberg, et dès lors la bataille décisive s'engage à Leipzig à deux contre un, trois cent vingt mille coalisés contre cent soixante mille Français et alliés ; la loi du nombre, puis la défection des contingents allemands alliés au troisième jour de la bataille, expliquent une défaite qui se transforme vite en déroute. Napoléon se retrouve sur le Rhin avec des débris d'armée, et la France menacée sur ses plus vieilles frontières.

Mais cette fois, c'est une France lasse, cassée par le despotisme et l'aventure, pays de notables mécontents, de maréchaux fatigués et de révolutionnaires vieillis. Napoléon pourra bien faire accomplir encore quelques prodiges stratégiques à ses nouveaux conscrits, les « Marie-Louise », il ne peut plus mobiliser aucune force nationale qui équilibre, en nombre et en volonté de vaincre, la formidable coalition adverse. Son seul recours reste la modération relative de Metternich, qui craint les ambitions russo-prussiennes ; mais la main de fer de l'Angleterre, qui distribue subsides et consignes, est là pour imposer le combat jusqu'au bout, et aux frontières françaises de 1792. Dès lors, la brillante campagne de France, où Napoléon rejoue contre trois armées ennemies la démonstration allègre et rapide du Bonaparte d'Italie, ne peut que retarder l'échéance : Paris, abandonné à ses notables par Marie-Louise et Joseph, capitule le 30 mars, et Napoléon se résigne à abdiquer le 6 avril, avant de rejoindre la

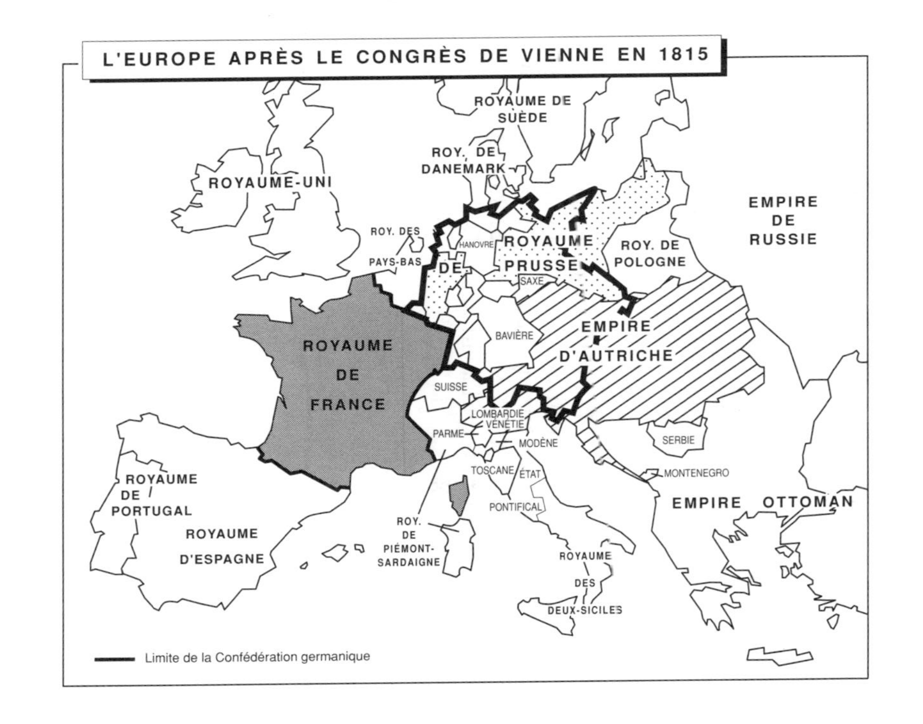
L'EUROPE APRÈS LE CONGRÈS DE VIENNE EN 1815
ROYAUME-UNI
ROYAUME DE SUÈDE
ROY. DE DANEMARK
EMPIRE DE RUSSIE
ROY. DES PAYS-BAS
HANOVRE
ROYAUME DE PRUSSE
SAXE
ROY. DE POLOGNE
BAVIÈRE
EMPIRE D'AUTRICHE
ROYAUME DE FRANCE
SUISSE
LOMBARDIE VÉNÉTIE
PARME
MODÈNE
SERBIE
TOSCANE
ÉTAT PONTIFICAL
MONTENEGRO
EMPIRE OTTOMAN
ROYAUME DE PORTUGAL
ROYAUME D'ESPAGNE
ROY. DE PIÉMONT-SARDAIGNE
ROYAUME DES DEUX-SICILES
Limite de la Confédération germanique

minuscule île d'Elbe qui lui est assignée par les vainqueurs.

Déchu par le Sénat, abandonné par ses maréchaux, il a tenté de sauver le trône pour son fils. Mais sa maison, sa monarchie disparaissent avec lui comme châteaux de sable, mettant à nouveau face à face, après un quart de siècle, les Bourbons et la France de la Révolution. Ramené par force à sa Méditerranée natale, Napoléon ferme une période de l'histoire nationale qu'il avait un moment couronnée. Alors commence notre XIXe siècle, sur les débris de ce qu'il laisse, par le retour de ce qu'il avait cru terminer : l'Ancien Régime et la Révolution à nouveau face à face.

Il l'avait d'ailleurs compris d'avance. Il avait dit en octobre 1813, après Leipzig, au début du naufrage : « Après moi, la Révolution, ou plutôt les idées qui l'ont faite, reprendront leur cours. Ce sera comme un livre dont on ôtera le signet, en recommençant la lecture à la page où on l'avait laissée*. »

---

* Discours de Mathieu Molé recevant Tocqueville à l'Académie française le 21 avril 1842. On trouve le même propos rapporté, *in* marquis de Noailles, *Le Comte Molé*, Paris, 1922, t. I.

NOTES

1. M. Antoine, *Le Conseil du roi sous le règne de Louis XIV*, Droz, 1970.

2. Edgar Faure, *La Disgrâce de Turgot*, Gallimard, coll. « Les Trente Journées qui ont fait la France ».

3. J'utilise ici partiellement un texte sur Louis XVI paru dans le *Dictionnaire critique de la Révolution française*, Flammarion, 1988, pp. 34-39.

4. Je résume dans les pages qui suivent (pp. 96-105) un article que j'ai écrit pour un recueil intitulé *The Political Culture of the Old Regime*, Pergamon Press, 1987.

5. Michael Walzer (éd.), *Regicide and Revolution : Speeches at the Trial of Louis XVI*, Cambridge, 1974.

6. Mona Ozouf, « Procès du roi », *Dictionnaire critique de la Révolution française* (F. Furet et M. Ozouf éd.), Flammarion, 1988.

7. Georges Lefebvre, « Sur Danton », *Annales historiques de la Révolution française*, t. IX, 1932.

8. Mona Ozouf, « Thermidor ou le travail de l'oubli », *in L'École de la France*, Gallimard, 1984.

9. François Furet et Denis Richet, *La Révolution française*, chap. 8 : « Thermidor ou l'impossible oubli. »

10. Georges Lefebvre, *La Révolution française*, P.U.F.,

1950, IV, 3 : « La Réaction thermidorienne et les traités de 1795. »

11. Ce portrait de Bonaparte est une version élargie d'un texte écrit pour le *Dictionnaire critique de la Révolution française*, *op. cit.*. *Cf.* aussi, au chapitre suivant, p. 398 sq.

12. Lettre publiée *in* « Les Lettres de Benjamin Constant à Sieyès », éd. Norman King et Etienne Hofman, *Annales Benjamin Constant*, 1983, 3.

BIBLIOGRAPHIE

Les pages qui suivent ne visent pas à constituer une bibliographie plus ou moins exhaustive de la Révolution française, entreprise au demeurant de plus en plus problématique au fil des années. En les écrivant, j'ai seulement voulu offrir au lecteur un inventaire raisonné des articles et des livres qui ont nourri mon propre travail, chapitre après chapitre. Je souhaite que cette reconnaissance de dettes puisse aussi servir de guide aux étudiants, en leur proposant un parcours bibliographique balisé.

I
L'ANCIEN RÉGIME

Ce chapitre constitue une introduction à la crise révolutionnaire. Il cherche moins à donner une description complète de l'ancienne société française et de l'ancienne monarchie qu'à faire comprendre comment se sont constitués les éléments de leur négation radicale par la « table rase » de 1789.

Sur l'idée d'Ancien Régime, telle que la Révolution l'a élaborée pour désigner un passé qu'elle rejette tout entier :

VENTURINO Diego, « La Naissance de l'Ancien Régime », *in The French Revolution and the Creation of Modern*

Political Culture, 2 vol., vol. II : *The Political Culture of the French Revolution,* éd. par Colin Lucas, Oxford, Pergamon Press, 1988.

FURET François, « L'Ancien Régime », *in Dictionnaire critique de la Révolution française,* Paris, Flammarion, 1988.

Sur l'Ancien Régime, et le rapport de continuité-discontinuité qui le lie à la Révolution française, l'ouvrage décisif, auquel le présent livre doit beaucoup de son architecture intellectuelle, reste celui de :

TOCQUEVILLE Alexis de, *L'Ancien Régime et la Révolution française* (1856), *Œuvres complètes* en dix-huit t., t. II, vol. I et II (pour les Fragments et notes inédites de Tocqueville sur la Révolution), Paris, Gallimard, 1952 et 1953 ; rééd. en coll. « Folio Histoire », 1987. Voir aussi :

TAINE Hippolyte, *Les Origines de la France contemporaine* (1876-1896), rééd. Paris, Robert Laffont, coll. « Bouquins », (t. I : *L'Ancien Régime-La Révolution ;* t. II : *La Révolution-Le Régime moderne).*

GOUBERT Pierre, *L'Ancien Régime,* 2 vol., (I. *La Société ;* II : *Les Pouvoirs.* Le second volume concerne plus particulièrement l'articulation entre la société et l'État), Paris, Armand Colin, coll. « U », 1969-1973.

FURET François, *Penser la Révolution française,* Paris, Gallimard, coll. « Folio Histoire », 1978.

Sur l'esprit qui a présidé à la formation de la monarchie absolue, les deux ouvrages philosophiques les plus importants me semblent être :

BODIN Jean, *Les Six Livres de la République (1576),* Paris, Fayard, (Corpus des œuvres de philosophie en langue française), 1986, 6 vol.

BOSSUET Jacques-Bénigne, *Politique tirée des propres paroles de l'Écriture Sainte* (1709) ; rééd. Genève, Droz, 1967.

Sur les institutions :

LEMAIRE André, *Les Lois fondamentales de la monarchie*

française d'après les théoriciens de l'Ancien Régime, Paris, 1907 ; rééd. Genève, Slatkine, 1975.

MOUSNIER Roland, *Les Institutions de la France sous la monarchie absolue, 1598-1689,* Paris, P.U.F., 1974-1980, 2 t.

ANTOINE Michel, « La Monarchie absolue », *in The French Revolution and the Creation of Modern Political Culture,* 2 vol., vol. I : *The Political Culture of the Old Regime,* éd. par Keith Michael Baker, Oxford Pergamon Press, 1987.

A qui veut entrer dans le fonctionnement de ces institutions au XVIIIe siècle :

ANTOINE Michel, *Le Conseil du Roi sous le règne de Louis XV,* Paris-Genève, Librairie Droz, 1970.

Sur le remodelage incessant de la société aristocratique par l'action de la monarchie absolue, à travers la vente des offices et des rangs, le meilleur auteur est un historien américain, David Bien ; de lui il faut lire :

« Offices, Corps and a System of State Credit : The Uses of Privilege under the Ancien Régime », *in The French Revolution and the Creation of Modern Political Culture,* vol. I : *The Political Culture of the Old Regime, op. cit.* Article tout à fait essentiel à l'intelligence de la société d'Ancien Régime.

« La Réaction aristocratique avant 1789 : l'exemple de l'armée », *in Annales ESC,* 1974. A consulter également sur le même sujet :

BOSSENGA Gail, « From "Corps" to Citizenship : the "Bureaux des Finances" before the French Revolution », *in Journal of Modern History,* Septembre 1986.

Sur la noblesse et ses rapports avec le reste de la société :

MEYER Jean, *La Noblesse bretonne au XVIIIe siècle,* Paris, 1966, 2 vol. ; rééd. Flammarion, 1972.

FORSTER Robert, *The Nobility of Toulouse in the 18th Century,* Baltimore, 1960.

TAYLOR George, « Non Capitalist Wealth and the Origins

of the French Revolution », *in American Historical Review*, 1967.

COBBAN Alfred, *The Social Interpretation of the French Revolution*, Cambridge University Press, 1968. Trad. franç. : *Le Sens de la Révolution française*, Paris, Julliard, 1984.

LUCAS Colin, « Nobles, Bourgeois and the Origins of the French Revolution », *in Past and Present*, n° 60, 1973.

CHAUSSINAND-NOGARET Guy, *La Noblesse française au XVIIIe siècle, de la Féodalité aux Lumières*, Paris, Hachette, 1976 ; rééd. Bruxelles, Éd. Complexe, 1984.

Sur les Parlements et leurs conflits avec la monarchie au XVIIIe siècle, utile publication de documents par :

FLAMMERMONT Jules, *Remontrances du Parlement de Paris au XVIIIe siècle*, Paris, Imprimerie nationale, 1888-1889, 3 vol. ; rééd. en fac. sim., Genève, Megariotis, 1974.

Sur les institutions :

DOYLE William, *The Parlement of Bordeaux and the End of the Old Regime, 1771-1790*, New York, St. Martin's Press, 1974.

BLUCHE François, *Les Magistrats du Parlement de Paris, 1715-1771*, Paris ; rééd. Economica, 1986.

Sur le conflit :

EGRET Jean, *Louis XV et l'opposition parlementaire*, Paris, Armand Colin, 1970.

DOYLE William, « The Parlements of France and the Breakdown of the Old Regime, 1771-1788 », *in French Historical Studies*, 1970.

Sur les idées véhiculées par le conflit, le principal ouvrage, aujourd'hui absurdement méconnu, est celui de :

CARCASSONNE Élie, *Montesquieu et le problème de la Constitution française au XVIIIe siècle*, Paris, 1927, rééd. en fac.-sim., Genève, Slatkine, 1970. Voir aussi :

BICKART R., *Les Parlements et la notion de souveraineté nationale au XVIIIe siècle*, Paris, F. Alcan, 1934.

RICHET Denis, « Autour des origines idéologiques loin-

taines de la Révolution française : élites et despotisme » *in Annales E.S.C.,* 1969.
VAN KLEY Dale, *The Jansenists and the Expulsion of the Jesuits from France, 1757-1785,* New Haven and London, 1975.

Sur la crise financière de la monarchie française au XVIIIe siècle, la meilleure introduction au sujet est encore la lecture de l'*Administration des finances de la France,* de NECKER, paru en 1784 (t. IV et V des *Œuvres Complètes,* 15 t., Darmstadt, Scientia Verlag Aalen, 1970, réimp. de l'éd. de Paris de 1820).

Deux articles récents importants à connaître :

MORINEAU Michel, « Budgets de l'État et gestion des finances royales au XVIIIe siècle », *in Revue Historique,* 1980.
GUÉRY Alain, « Le roi dépensier : le don, la contrainte, et l'origine du système financier de la monarchie française d'Ancien Régime », *in Annales E.S.C.,* 1984.

Enfin, un excellent livre :

BOSHER John-Francis, *French Finances, 1770-1795, from Business to Bureaucraty,* Cambridge University Press, 1970.

Sur la philosophie des Lumières et son influence sur les mœurs et les esprits des Français du XVIIIe siècle, rien ne peut se substituer à la fréquentation des auteurs, grands et petits, et dans tous les genres : traités, essais, histoire, économie, romans, sans oublier les correspondances. Je n'essaierai même pas d'entrer dans l'océan de commentaires que le mouvement des idées et les grands auteurs ont suscité depuis deux siècles, sinon peut-être pour indiquer que la meilleure synthèse reste à mes yeux celle de :

CASSIRER Ernst, *La Philosophie des Lumières,* Paris, Fayard, 1983. Publié en 1932 à Tübingen, en Allemagne, aux éditions Mohr, *Die Philosophie der Aufklärung* a fait l'objet d'une traduction française par P. Quillet en 1966 pour les éditions Fayard.

Depuis un demi-siècle, les historiens ont porté une

attention particulière à la circulation des idées dans la société. Voir, par exemple :

MORNET Daniel, *Les Origines intellectuelles de la Révolution française, 1715-1789,* Paris, Armand Colin, 1933, 6e éd., 1967.

GROETHUYSEN Bernard, *Les Origines de l'esprit bourgeois en France,* Paris, Gallimard, réédition coll. « Tel », 1977.

ROCHE Daniel, *Le Siècle des Lumières en province, académies et académiciens provinciaux, 1680-1789,* 2 vol., Paris-La Haye, Mouton éditeur et École des hautes études en sciences sociales, *Civilisation et Sociétés nº 62,* 1978.

TUCOO-CHALA Suzanne, *Charles-Joseph Panckoucke et la librairie française, 1736-1798,* Paris, Pau Marrimpouey Jeune, 1977.

DARNTON Robert, *The Business of Enlightenment, A Publishing History of the Encyclopédie, 1775-1800,* traduit par M.-A. Revellat, sous le titre : *L'Aventure de l'Encyclopédie, 1775-1800 : un best-seller au siècle des Lumières,* Paris, Librairie académique Perrin, 1982. Du même auteur : *The Literary Underground of the Old Regime Enlightenment,* Cambridge, Mass., 1982.

Le lecteur désireux d'avoir les éléments généraux de la fameuse question du rapport entre les idées des Lumières et la Révolution française se reportera utilement à deux ouvrages anciens, presque contemporains de l'événement :

MOUNIER Jean-Joseph, *De l'influence attribuée aux philosophes, aux francs-maçons et aux illuminés sur la Révolution de France,* Tübingen, J.-G. Cotta, 1801.

PORTALIS Jean-Étienne Marie, *De l'usage et de l'abus de l'esprit philosophique durant le dix-huitième siècle,* Paris, A. Egron, 1820, 2 vol. Précédé, dans la 2e éd., d'un *Essai sur l'origine, l'histoire et les progrès de la littérature française et de la philosophie,* Paris, Moutardier, 1827, 3e éd. en 1834, 2 vol. (Tocqueville, quand il traite ce problème, emprunte une partie de son analyse à Portalis.)

Un livre tout récent, composé pour l'essentiel d'articles un peu plus anciens, s'attache à montrer la pénétration des idées des Lumières dans la culture politique de l'ancien régime :

BAKER Keith, *Inventing the French Revolution. Essays on French Political Culture in the XVIIIth Century,* Cambridge University Press, 1990.

L'étude la plus récente peut être trouvée dans le *Dictionnaire critique de la Révolution française,* par François FURET et Mona OZOUF, Paris, Flammarion, 1988. Voir les articles « Montesquieu » (par Bernard Manin), « Rousseau » (par Bernard Manin), « Voltaire » (par Mona Ozouf), « Physiocrates » (par Pierre Rosanvallon), « Lumières » (par Bronislaw Baczko).

Sur les différents épisodes politiques que parcourt ce chapitre, j'indique les ouvrages qui me paraissent les plus utiles.

Sur la réforme Maupeou voir :

ANTOINE Michel, *Louis XV,* Paris, Fayard, 1989.

Sur le « ministère Turgot » :

FAURE Edgar, *La Disgrâce de Turgot, 12 Mai 1776,* Paris, Gallimard, coll. « Trente journées qui ont fait la France », 1961.

Sur Necker :

EGRET Jean, *Necker, ministre de Louis XV (1776-1790),* Paris, Champion, 1975.

Enfin, sur Louis XVI et Marie-Antoinette :

GIRAULT DE COURSAC Pierrette, *L'Éducation d'un roi : Louis XVI,* Paris, Gallimard, 1972.

BLUCHE François, *La Vie quotidienne au temps de Louis XVI,* Paris, Hachette, 1980.

MADAME DE CAMPAN, Jeanne Louise Henriette, *Mémoires sur la vie de Marie-Antoinette,* publié par F. Barrière, Paris, Firmin-Didot, 1879.

Madame de Campan : première femme de chambre de Marie-Antoinette, Paris, Mercure de France, coll. « Le temps retrouvé », 1988.

THOMAS Chantal, « L'Héroïne du crime : Marie-Antoinette dans les pamphlets » *in* Bonnet Jean-Claude, *La Carmagnole des muses. L'homme de lettres et l'artiste dans la Révolution,* Paris, Armand Colin, 1988.

II
LA RÉVOLUTION DE 1789

Au moment d'entrer dans l'histoire de la Révolution française proprement dite, j'indique ici les histoires générales auxquelles j'ai eu recours le plus constamment :

Michelet Jules, *Histoire de la Révolution,* Paris, Chamerot, 1847-1853, 7 vol. ; récente rééd. établie par Gérard Walter, Paris, Gallimard, La Pléiade, 1976-1977, 2 t. Ouvrage qui reste la pierre d'angle de toute l'historiographie révolutionnaire en même temps qu'un monument littéraire. Disponible également aux Éditions Robert Laffont, coll. « Bouquins », t. I : Livres I à VII ; t. II : Livres VIII à XXI, 1979.

Taine Hippolyte, *Les Origines de la France contemporaine, op. cit.* La plus grande œuvre historique inspirée depuis deux cents ans par un esprit hostile à la Révolution.

Jaurès Jean, *Histoire socialiste de la Révolution française* (1901-1904), éd. par J. Rouff en 10 vol., Paris, s.d. ; réédité en 1922-1924 par A. Mathiez en 8 vol., Paris, Librairie de l'Humanité ; nouvelle éd., en 7 vol. par A. Soboul et E. Labrousse, Paris, Messidor/Éd. sociales, 1968-1973. Classique de l'interprétation sociale de la Révolution, mêlée à une histoire politique et parlementaire suivie de très près.

Lefebvre Georges, *La Révolution française,* Paris, P.U.F., coll. « Peuples et Civilisations », 1951 ; rééd. 1980. Historien d'inspiration jacobine, Georges Lefebvre est, au XXe siècle, le grand spécialiste de l'histoire de la Révolution française, celui qui a possédé sur le sujet l'information la plus complète et la plus sûre. On peut aussi consulter ses cours à la Sorbonne (polycopies).

Palmer Robert R., *The Age of the Democratic Revolu-*

tion. A Political History of Europ and America, 1760-1800, 2 t., Princeton University Press, 1959-1964. Excellente mise en perspective internationale de la Révolution française, intelligente et informée.

En dehors de ces ouvrages généraux, le lecteur qui s'intéresse aux débats plus récents sur l'interprétation de la Révolution française peut consulter :

COBBAN Alfred, *The Social Interpretation of the French Revolution, op. cit.*

FURET François, *Penser la Révolution française,* Paris, Gallimard, coll. « Folio Histoire », 1978.

Sur les années pré-révolutionnaires 1787-1789, parfois baptisées « la pré-Révolution », la meilleure synthèse disponible est celle de :

DOYLE William, *Origins of the French Revolution,* Oxford University Press, 1980. L'ouvrage a fait l'objet d'une traduction française, par Béatrice Vierne, sous le titre : *Des Origines de la Révolution française,* Paris, Calmann-Lévy, 1988. Voir aussi :

COCHIN Augustin, *Les Sociétés de pensée et la Révolution en Bretagne (1788-1789),* Paris, Plon, 1928, 2 vol.

EGRET Jean, *La Pré-Révolution française, 1787-1789,* Paris, P.U.F., 1969 ; rééd. Genève, Slatkine reprints, 1978.

La Révolution des notables. Mounier et les Monarchiens, 1789, Paris, Armand Colin, 1950.

GRUDER Vivian, *Class and Politics in the Revolution : the Assembly of French Notables of 1787, in Vom Ancien Regime zur Französischen Revolution Forschungend und Perspektiven,* Ernst Hinrichs, Eberhard Schmitt, Rudolf Vierhaus, Vanderhoeck & Ruprecht, 1978.

Sur la convocation et la réunion des États généraux, l'ouvrage documentaire fondamental est celui de :

BRETTE Armand, *Recueil de documents relatifs à la convocation des États généraux de 1789,* Paris, Imprimerie nationale, 1894-1915, 4 vol., voir aussi :

COCHIN Augustin, *La Campagne électorale de 1789 en Bourgogne,* Paris, Champion, 1904.

HALÉVI Ran, « États généraux » *in Dictionnaire critique de la Révolution française, op. cit.*

Et, les contributions de :

FURET François, « La monarchie et le règlement électoral de 1789 », et HALÉVI Ran, « La monarchie et les élections : position des problèmes », *in The French Revolution and the Creation of Modern Political Culture,* vol. II : *The Political Culture of the Old Regime,* éd. par Keith Michael Baker, Pergamon Press, 1988.

On peut aborder ensuite les grands événements de l'année 1789 à travers une très vaste littérature contemporaine de ces événements, où je distinguerai deux catégories de textes. La première est faite des récits des témoins et des acteurs de ce qui se passe à Versailles et à Paris. Les plus intéressants sont à mon avis.

YOUNG Arthur, *Voyages en France dans les années 1787, 1788 et 1789,* Paris, rééd. Armand Colin, 1976, 3 vol.

MORRIS Gouverneur, *Journal de Gouverneur Morris pendant les années 1789, 1790, 1791 et 1792,* trad. de l'anglais par E. Pariset, Paris, Plon, Nourrit et Cie, 1901.

LAMETH Alexandre, comte de, *Histoire de l'Assemblée Constituante,* Paris, Moutardier, 1828-1829, 2 vol.

DUQUESNOY Adrien-Cyprien, *Journal d'Adrien Duquesnoy, député du Tiers-État de Bar-le-Duc, sur l'Assemblée Constituante, 3 mai 1789-3 avril 1790,* publié par Robert de Crèvecœur, Paris, Picard et fils, 1894, 2 vol.

FERRIÈRES Charles Élie, marquis de, *Mémoires du Marquis de Ferrières, avec une notice sur sa vie,* Paris, Baudouin fils, 1821, 3 vol.

BAILLY Jean Sylvain, *Mémoires,* Paris, Baudouin fils, 1821-1822, 3 vol.

Enfin, mention particulière doit être faite des souvenirs du Suisse Étienne DUMONT :

Souvenirs sur Mirabeau et sur les deux premières assemblées législatives, ouvrage posthume, publié par J.-L. Duval, Paris, C. Gosselin, 1832. Ouvrage absolument capital pour l'intelligence des débats à la Constituante.

La seconde catégorie est celle des textes plus directement liés aux débats et aux enjeux politiques nouveaux : journaux, pamphlets, discours. Les différents écrits politiques d'Emmanuel-Joseph SIEYÈS ont été récemment republiés, sans le moindre appareil critique malheureusement, par Dorigny Marcel chez EDHIS ; le lecteur y trouvera les trois pamphlets fondamentaux de Sieyès de l'automne-hiver 1788-1789 : l'« Essai sur les privilèges », les « Vues sur les moyens d'exécution dont les représentants de la France pourront disposer en 1789 », et le fameux « Qu'est-ce que le Tiers-État ? ». (*Qu'est-ce que le Tiers-État ?* également édité chez Droz, 1970, et aux P.U.F., coll. « Quadrige », 1982). Il n'y a pas de meilleure introduction aux événements de 1789 que ces trois écrits.

Sur Sieyès, le livre ancien de :

BASTID Pierre, *Sieyès et sa pensée,* Paris, rééd. Hachette, 1970 ; ou Genève, Slatkine, 1978.

Et celui, plus récent de :

BREDIN Jean-Denis, *Sieyès, la clef de la Révolution française,* Paris, Éd. de Fallois, 1988.

On peut compléter cette bibliographie par deux articles consacrés plus spécialement à la pensée politique de Sieyès :

« Qu'est-ce que le Tiers-État ? », article de Clavreuil Colette *in* CHATELET François, DUHAMEL Olivier, PISIER Évelyne, *Dictionnaire des Œuvres politiques,* Paris, P.U.F., 1986.

« Sieyès » par BAKER Keith, *in Dictionnaire critique de la Révolution française, op. cit.*

En ce qui concerne les discours et les mémoires justificatifs des autres grands leaders d'opinion en 1789, on peut en trouver un florilège dans :

FURET François, HALÉVI Ran, *Orateurs de la Révolution française,* t. I : *Les Constituants,* Paris, Gallimard, La Pléiade, 1989. Ma recommandation serait d'y lire en priorité Mounier et Lally-Tollendal pour les « Monarchiens », Mirabeau et Sieyès pour les « Patriotes ».

A lire, enfin, à tout prix, deux grands témoignages d'époque sur cette année 1789 :

Les célèbres *Reflections on the Revolution in France* de l'Anglais Edmund BURKE, publiées à la fin de 1790 ; rééd. française récente sous le titre : *Réflexions sur la Révolution de France,* suivi d'un choix de textes sur la Révolution, trad. P. Andier, importante préface de Philippe Raynaud et annotations conséquentes, Paris, Hachette, coll. « Pluriel », 1989.

Et une *Histoire de la Révolution française* que Jacques NECKER écrivit en 1794-1795 dans l'exil de Coppet, *in Œuvres complètes,* réimpr. de l'éd. de Paris, 1820, Darmstadt, Scientia Verlag Aalen, 1970. *De la Révolution française,* vol. 9 et 10.

Le premier est la grande source où vont s'alimenter toutes les critiques de l'événement français. Le second offre un récit détaillé et une analyse profonde de l'enchaînement des circonstances qui ont tissé l'année 1789, par un des acteurs principaux du grand drame.

Sur les principales étapes du développement de la Révolution, dans l'année 1789, les livres ou articles suivants me paraissent importants :

Sur la composition de l'Assemblée Constituante :

LEMAY Edna-Hindie, « La composition de l'Assemblée nationale Constituante : les hommes de la continuité ? » *Revue d'histoire moderne et contemporaine,* t. XVI, Juil.-Sept. 1977.

Sur le 14 Juillet 1789 :

GODECHOT Jacques, *La prise de la Bastille : 14 Juillet 1789,* Paris, Gallimard, coll. « Trente journées qui ont fait la France », 1965.

Sur l'insurrection rurale :

LEFEBVRE Georges, *La Grande Peur de 1789,* Paris, Armand Colin, 1932 ; rééd. (suivi de : *Les Foules révolutionnaires*), Armand Colin, 1988.

Sur la nuit du 4 août, la meilleure analyse se trouve dans :

JAURÈS Jean, *Histoire socialiste de la Révolution française,*

t. I, chap. III : « Journées révolutionnaires », pp. 393 *sq.* dans l'édition Messidor/Éd. sociales, 1968-1973.

Lire aussi :

FURET François, « Nuit du 4 août » *in Dictionnaire critique de la Révolution française, op. cit.*

La Déclaration des Droits de l'homme : le sujet a été récemment renouvelé par :

GAUCHET Marcel, *La Révolution des Droits de l'homme,* Paris, Gallimard, 1989.

Sur les débats constitutionnels décisifs d'août-septembre 1789, les deux grandes Chambres et le droit de veto, voir les articles suivants :

« Sieyès », « Constitution », « Souveraineté » par Keith BAKER. « Monarchiens » par Ran HALÉVI ; « Mirabeau » par François FURET, *in Dictionnaire critique de la Révolution française, op. cit.*

Sur la question coloniale :

JAURÈS Jean, *Histoire socialiste de la Révolution française, op. cit.,* t. II, chap. IV : « Le mouvement économique et social en 1792 — la question coloniale. »

La question politique centrale qui domine toute l'histoire de l'Assemblée Constituante est celle de la monarchie, clef de voûte de l'Ancien Régime détruite par le nouveau, et pourtant conservée comme pouvoir subordonné à l'Assemblée. Les Monarchiens n'ont pas réussi en août-septembre 1789 à lui obtenir de rôle plus actif, et les journées d'Octobre 1789 confirment *de facto* le caractère purement théorique du droit de veto suspensif qui a été accordé au roi en septembre. Mirabeau, ensuite, consacre en vain son génie à la réhabilitation du principe et de l'autorité monarchique à l'intérieur de la Révolution. Il n'y a pas de texte plus intéressant sur cette période que la correspondance secrète de Mirabeau avec le comte de La Marck :

Correspondance entre le Comte de Mirabeau et le Comte de La Marck publiée par A. de Bacourt, Paris, Librairie Vve Le Normant, 1831, 3 vol ; rééd. par CHAUSSINAND-NOGARET, *Mirabeau entre le roi et la Révolu-*

tion : Notes à la Cour et discours, Hachette, coll. « Pluriel », 1986.

Sur les affaires religieuses et la Constitution civile du clergé, on peut commencer par l'étude de la mise à la disposition de la nation des biens de l'Église, avec les articles « Biens nationaux » de Louis Bergeron et « Assignats » de Michel Bruguière *in Dictionnaire critique de la Révolution française, op. cit.*

Sur la question proprement religieuse, le livre qui permet le mieux de faire comprendre à quel point elle constitue le cœur philosophique et politique de l'énigme révolutionnaire est celui de :

QUINET Edgar, *Le Christianisme et la Révolution française,* 1846 ; rééd. Fayard, 1984.

Voir aussi :

MATHIEZ Albert, *Rome et le clergé français sous la Constituante,* Paris, Armand Colin, 1911.

LA GORCE Pierre de, *Histoire religieuse de la Révolution française,* Paris, Hachette, 1946-1950, 2 vol.

TACKETT Timothy, *Religion, Revolution and Regional Culture in Eighteenth Century France : the Ecclesiastical Wrath of 1791,* Princeton University Press, 1985. Trad. franç. : *La Révolution, l'Église et la France : le serment de 1791,* Paris, Éd. du Cerf, 1986.

VAN KLEY Dale, « The Jansenist. Constitutional Legacy in the French Pre-Revolution », *Historical Reflections,* t. XIII, 1986.

Varennes et la révision constitutionnelle. On peut entrer dans cette période de l'Assemblée Constituante en lisant les discours et les écrits posthumes de Barnave qui en a été à la fois l'homme politique et le philosophe.

Pour les premiers, on peut consulter le recueil déjà cité de François FURET, et Ran HALÉVI, *Orateurs de la Révolution française.*

Pour les seconds, on se reportera aux :

Œuvres de BARNAVE, publiées en 1843 (4 vol.) par Bérenger de la Drôme, et notamment aux deux premiers tomes. Voir la réédition établie et annotée par Patrice GUENIFFEY, sous le titre : *La Révolution et de la Constituante,* Presses Universitaires de Grenoble, 1988.

L'autre ouvrage essentiel à l'intelligence de cette période est celui de :

MICHON Georges, *Essai sur l'histoire du parti feuillant, Adrien Duport,* Paris, Payot, 1924.

Sur Barnave et Duport, voir *in Dictionnaire critique de la Révolution française,* les articles « Barnave » par François FURET et « Feuillants » par Ran HALÉVI.

Sur l'œuvre de la Constituante en général et sur la Constitution de 1791, l'œuvre la plus importante pour comprendre la pensée constitutionnelle de la Constituante et la souveraineté absolue de la loi, faite par les représentants du peuple, est celle du grand juriste :

CARRÉ DE MALBERG Raymond, *Contribution à la théorie générale de l'État,* Paris, Sirey, 1920-1922, 2 vol., rééd. Paris, CNRS, 1962. *La loi, expression de la volonté générale,* Paris, Éd. Sirey, 1931 ; rééd. Economica, 1984.

Une autre contribution juridique à l'étude de la même question, sous un angle différent, est celle de :

DUCLOS Pierre, *La Notion de Constitution dans l'œuvre de l'Assemblée Constituante de 1789,* Paris, Dalloz, 1934.

Voir aussi :

TROPER Michel, *La Séparation des pouvoirs et l'histoire constitutionnelle française,* Paris, LGDJ, Biblioth. constitutionnelle et de science politique, 1973 ; rééd. 1980.

Dans l'ensemble des mesures qu'on pourrait dire inséparablement sociales, économiques et financières de la Constituante, c'est la vente des biens de l'Église, la création de l'assignat et sa transformation rapide en papier-monnaie qui ont les plus vastes conséquences.

Michelet est le plus constant commentateur du transfert de propriété qui s'opère au profit du bourgeois et du paysan à travers l'aliénation des propriétés de l'Église. Il ne cesse d'en souligner le caractère primordial, dans le mariage de la Révolution et des nouveaux propriétaires fonciers (passim entre le livre III et le livre X de l'*Histoire de la Révolution française*).

Sur la politique financière où s'engouffre en 1790 l'Assemblée Constituante, l'inflation délibérément choisie comme mode de financement des dépenses publiques et les conséquences sociales et politiques qu'elle entraîne, bonne mise au point générale, dans un livre récent :

AFTALION Florin, *L'Économie de la Révolution française,* Paris, Hachette, coll. « Pluriel », 1987.

Sur la gestion des finances publiques en général par les hommes de la Révolution, il y a peu de choses, mais un excellent ouvrage est récemment paru de :

BRUGUIÈRE Michel, *Gestionnaires et Profiteurs de la Révolution. L'Administration des finances françaises de Louis XVI à Bonaparte,* Paris, Olivier Orban, 1986.

III
LA RÉPUBLIQUE JACOBINE

Le mieux est d'aborder cette période « héroïque » de la Révolution, qui a nourri tant de passions et de débats, en lisant des textes qui restituent l'air du temps. Directement ou indirectement, selon qu'il s'agit d'écrits et de discours contemporains, ou de mémoires publiés plus tard, sous la Restauration surtout, par les acteurs. Dans la première catégorie, je conseillerai surtout les discours de Brissot et de Vergniaud sur la guerre, dans l'automne et l'hiver 1791-1792, ceux qui concernent le procès du Roi entre novembre 1792 et janvier 1793, la présentation par Condorcet de sa Constitution démocratique (février 1793), et bien sûr les grandes interventions de Robespierre à la Convention, surtout dans l'automne et l'hiver 1793-1794. On en trouvera ci-après les références. Quant au deuxième groupe de sources, dont il faut toujours vérifier, cas par cas, l'authenticité (certains prétendus « Mémoires » ayant été largement réécrits), j'en retiendrai par priorité les auteurs suivants :

THIBAUDEAU Antoine Claire, comte de, *Mémoires, 1799-1815,* Paris, Plon Nourrit, 1913.

MADAME ROLAND, *Mémoires de Madame Roland,* Paris, Mercure de France, coll. « Le Temps retrouvé », 1966. Publiés par Basc. en 1795 (édition tronquée) sous le titre d'*Appel à l'impartiale postérité,* par Champagneux en 1800 sous le titre *Œuvres de M. J.-Ph. Roland,* et par Berville et Barrière en 1820 dans la *Collection des mémoires relatifs à la Révolution française.* Les manuscrits de Madame Roland seront véritablement repris en 1864 avec l'édition de Dauban et Faugère. En 1905, Claude Perroux republiera dans une édition critique les *Mémoires de Madame Roland.*

BUZOT François, *Mémoires sur la Révolution,* Paris, Béchet aîné, 1923 ; rééd. Paris, Pichon et Didier, 1928.

PÉTION Jérôme, BUZOT François, BARBAROUX Charles-Dauban, *Mémoires inédits de Pétion,* suivi de mémoires de Buzot et de Barbaroux et de notes inédites de Buzot, Paris, Plon, 1866.

LA RÉVELLIÈRE-LÉPEAUX Louis-Marie, *Mémoires,* Paris, Plon, Nourrit et Cie, 1895, 3 t.

NODIER Charles, *Souvenirs, épisodes et portraits pour servir à l'histoire de la Révolution française et de l'Empire,* Paris, A. Levasseur, 1831 ; rééd. en 2 vol., *Souvenirs de la Révolution et de l'Empire,* Paris, Charpentier, 1850 ; rééd. récente, *Souvenirs et portraits de la Révolution et de l'Empire,* Paris, Tallandier, coll. in-texte, 1988, 2 vol. Ces volumes de Nodier forment à mon sens la pièce la plus précieuse de l'immense littérature de souvenirs sur la Révolution française.

Des Assemblées révolutionnaires, la Législative est la parente pauvre. Elle n'a siégé qu'une petite année, chassée par l'insurrection populaire qui a brisé le trône et qui lui a enlevé à la fois sa raison d'être et son pouvoir. Coincée entre les deux formidables figures de la Constituante et de la Convention, elle n'a de quoi rivaliser ni avec ce qui l'a précédé ni avec ce qui l'a suivi. Pourtant, elle joue un rôle capital dans la marche à la guerre et la radicalisation de la Révolution : il suffit pour le comprendre de comparer les deux derniers mois de la Constituante, marqués par la stabilisation feuillante, et les deux premiers de la Législative, octobre et novembre 1791, où l'on voit rejaillir dans toute sa force l'esprit de surenchère révolutionnaire brandi par Brissot et ses amis. J'ai essayé de comprendre ce contraste dans une communication donnée à un Colloque sur les Girondins qui s'est tenu à Saint-Émilion (avril 1990) et dont les Actes sont à paraître. Le secret en gît largement dans les élections de l'été 1791 ; voir sur le sujet la contribution capitale apportée par la thèse de Patrick GUENIFFEY consacrée aux élections de 1791 et 1792, et soutenue en 1989 à l'École des hautes études en sciences sociales (à paraître en 1991).

Sur la guerre qui commence en avril 1792 entre la Révolution et les Habsbourg, pour s'étendre à l'Europe dans l'année qui suit, il existe l'ouvrage admirable de :

SOREL Albert, *L'Europe et la Révolution française,* Paris, Plon-Nourrit, 1903-1906, 9 vol., qui met en valeur la continuité de la politique étrangère de la Révolution et de celle des Bourbons.

On doit consulter aussi le vieux livre de l'historien Allemand VON SYBEL Henri, publié à Dusseldorf de 1853 à 1870 en 4 volumes, et traduit en français en 1869 : *Histoire de l'Europe pendant la Révolution française,* Paris, Germer Baillière, 1869-1875, 3 vol. C'est un ouvrage plus cité que lu par les historiens français, et qui reste un monument d'érudition et d'intelligence comparable à celui de Sorel, plus sensible pourtant à la nouveauté du phénomène révolutionnaire.

Sur la déclaration de guerre du 20 avril 1792, et les responsabilités politiques qu'y ont les « Girondins », la meilleure analyse est celle de JAURÈS, dans le t. II de l'*Histoire socialiste de la Révolution française,* chap. II, « La Guerre ou la paix ». L'historien socialiste explique comment la guerre fut, pour Brissot et ses amis, une manœuvre de politique intérieure, destinée à parvenir au pouvoir contre les Feuillants, en prenant le risque de la chute du trône.

Sur le 10 août 1792, la dictature provisoire de la Commune de Paris, la première Terreur et les menaces de Septembre, la réunion de la Convention.

Le récit le plus circonstancié du 10 Août est encore celui de :

MATHIEZ Albert, *Le 10 Août 1792,* Paris, 1931, rééd. Montreuil, Éd. de la Passion, 1989. On peut y adjoindre un ouvrage portant en général sur la sociologie des grandes « journées » parisiennes pendant la Révolution :

RUDE Georges, *The Crowd in the French Revolution,* Oxford, 1959, traduit en français par A. Jordan : *La foule dans la Révolution française,* Paris, Maspéro/la Découverte, 1982.

Sur la commune de Paris, un livre ancien fait toujours autorité :

BRAESCH Frédéric, *La Commune du 10 Août 1792. Étude sur l'histoire de Paris du 20 Juin au 2 décembre 1792,* Paris, 1911 ; rééd. Genève, Mégariotis Reprints, 1978.

Sur les massacres de Septembre 1792 dans les prisons parisiennes, il existe un travail classique, celui de :

CARON Pierre, *Les Massacres de Septembre,* Paris, Maison du livre français, 1935.

A compléter, dans l'évaluation des responsabilités et des complicités, par :

BLUCHE Frédéric, *Septembre 1792 : Les logiques d'un massacre,* Paris, Robert Laffont, 1986.

La Convention élue en août se réunit en Septembre 1792. Il existe un *Dictionnaire des Conventionnels,* par KUSCINSKI Auguste, Paris, Rieder, 1916, ouvrage posthume publié par les soins d'Aulard et réédité en 1973, Breuil-en-Vexin, Éd. du Vexin français.

Sur la composition politique de la nouvelle assemblée, le meilleur ouvrage disponible est celui de :

PATRICK Alison, *The Men of the French First Republic: Political Alignments in the National Convention of 1792,* Baltimore, John Hopkins, 1972, sur lequel je vais revenir.

En effet, la Convention est d'emblée le siège du conflit entre les deux groupes que l'historiographie a retenus sous le nom de Girondins et de Montagnards; la masse de l'Assemblée, son centre, qu'on appelle la Plaine, est l'arbitre entre les deux groupes.

L'historiographie du XIXe siècle, qui touche encore aux événements par la mémoire orale, n'a jamais examiné de près la réalité sociale et politique de la dichotomie Girondins/Montagnards. Celle du XXe, quand elle s'est écrite sous l'influence du marxisme, comme en France, a désespérément cherché à tracer une ligne de classe, ou de sous-classe, entre les deux groupes, mais sans jamais convaincre; témoin de ces efforts inutiles, le colloque de 1975, *Girondins et Montagnards* dont les Actes ont été édités par Albert SOBOUL, Paris, Société des Études robespierristes, 1980.

De son côté, l'historiographie de langue anglaise s'interroge, depuis un quart de siècle, sur la validité de la notion même d'un groupe « girondin » et d'un groupe « montagnard ». Le doute a été jeté par Michael J. SYDENHAM, *The Girondins,* Londres, 1961; rééd. Greenwood, 1973. Alison Patrick, dans le livre cité plus haut, a mesuré la cohérence croissante du groupe à partir des six appels nominaux qui ont eu lieu à la Convention entre le procès du roi et le rétablissement de la Commission des Douze: elle conclut à une distinction visible entre une « Plaine » plus ou moins amorphe et une minorité « girondine ».

Un article récent, œuvre de trois historiens américains, modifie un peu les conclusions d'Alison Patrick en montrant que l'on ne peut parler d'une véritable cohérence des votes girondins avant le printemps 1793, c'est-à-dire à la veille de la défaite:

« Was There a Girondist Faction in the National Convention (1792-1793)? » *in French Historical studies,* spring

1988, vol. 15, n° 3, par LEWIS Michael S, HILDRETH Anne et SPITZER Alan B.

Quant aux problèmes et aux positions qui séparent Girondins et Montagnards, la meilleure synthèse est fournie par les deux articles de Mona OZOUF, *in Dictionnaire critique de la Révolution française, op. cit.*

Sur le procès du roi, scène centrale de la Révolution, peu étudiée pourtant par les historiens du XXe siècle, on retiendra deux auteurs essentiels qui explorent le sens du face à face entre la royauté et la Convention :

MICHELET Jules, *Histoire de la Révolution française, op. cit.,* Livre X.

JAURÈS Jean, *Histoire socialiste de la Révolution française,* t. V, *La mort du roi et la chute de la Gironde,* ch. II « Le Procès du roi », *op. cit.*

Sur la marche du procès lui-même, et le difficile comptage des différents votes au moment du jugement, voir :

JORDAN David, *The King's Trial : Louis XVI vs the French Revolution,* University of California Press, Berkeley, 1979.

PATRICK Alison, *op. cit.*

Dans la littérature la plus récente, consulter l'ouvrage de :

WALZER Michaël, *Regicide and Revolution : Speeches at the Trial of Louis XVI,* Cambridge, 1974, traduit en français par J. Debouzy, sous le titre *Régicide et Révolution : le procès de Louis XVI,* suivi *de Discours au procès de Louis XVI,* traduit par A. Kupiec, Paris, Payot, 1989. Il s'agit de la publication des principaux discours prononcés à la Convention autour du procès du roi, précédés d'une longue introduction. Dans l'édition française, le livre comporte en postface la discussion entre M. Walzer et F. Feher ; le politologue américain défend l'idée que le procès a été entouré du maximum de légalité compatible avec la situation politique, alors que le philosophe hongrois réfugié aux États-Unis y voit les prodromes de la Terreur.

Sur la crise de l'été 1793, le meilleur tableau d'ensemble est donné à mon sens par le cours de LEFEBVRE Georges sur « Le Gouvernement révolutionnaire », cours polycopié, Centre de documentation universitaire, Paris, 1947.

Il n'existe qu'un ouvrage érudit consacré aux journées du 31 mai et du 2 juin 1793, celui de SLAVIN Morris, *The Making of an Insurrection. Parisian Sections and the Gironde,* Harvard University Press, 1986.

Mais c'est dans MICHELET (*Histoire de la Révolution française,* livre X) et dans JAURÈS (*Histoire socialiste de la Révolution française,* tome V, chap. X « La Révolution du 31 mai et 2 juin 1793 ») que se trouvent à la fois le récit le plus circonstancié et l'analyse la plus profonde de la purge de la Convention.

Sur les origines de la guerre de Vendée, il existe une immense littérature, ancienne et récente, prise très longtemps dans la longue survie des souvenirs de la guerre civile aux XIXe et XXe siècles. Le lecteur peut partir d'un des derniers livres sur la question, celui de MARTIN Jean Clément, *La Vendée et la France,* Paris, Le Seuil, coll. « L'Univers Historique », 1987, ainsi que de la synthèse que j'ai tenté de faire de la question dans l'article « Vendée » du *Dictionnaire critique de la Révolution française.* Les historiographies « blanche » et « bleue » de la Vendée ont été longtemps aussi séparées que les deux camps dont elles célébraient les gloires incompatibles. En cette fin du XXe siècle, ces affrontements ont perdu de leur intensité en même temps que se sont transformées les idées qui les nourrissaient ; l'ouvrage de MARTIN Jean Clément en est un des signes, comme celui de GÉRARD Alain, *Pourquoi la Vendée,* Paris, Armand Colin, 1990.

Sur l'épisode contre-révolutionnaire lyonnais, à partir de mai 1793, voir l'excellent, livre d'HERRIOT Édouard, *Lyon n'est plus,* Hachette, 1937-1938, 4 vol.

Sur ce qu'on appelle la crise « fédéraliste » consécutive

à l'expulsion des Girondins, la dictature montagnarde et le « gouvernement révolutionnaire ».

On a beaucoup étudié le schisme entre Girondins et Montagnards sous l'angle de ses conditions sociales : l'alliance provisoire entre les Montagnards et les sans-culottes est scellée par l'exclusion des Girondins. La Montagne n'est pas sans arrière-pensée dans cette alliance avec les militants des sections parisiennes.

C'est un des sujets les plus travaillés depuis la Seconde Guerre mondiale, avec une profusion de travaux et d'articles. Je m'en tiendrai aux trois auteurs principaux, qui sont, chacun à leur manière, très significatifs :

Guérin Daniel, *La Lutte des classes sous la Première République, Bourgeois et bras nus (1793-1797),* Paris, Gallimard, 1946 ; rééd. en 1968, 2 vol. ; version abrégée sous le titre : *Bourgeois et bras nus (1793-1797),* Gallimard, coll. « Idées », 1973. Interprétation gauchiste de la Révolution française, avec Robespierre en centriste « bourgeois ».

Soboul Albert, *Les Sans-culottes parisiens en l'an II : mouvement populaire et gouvernement révolutionnaire, 2 juin 1793-9 thermidor an II,* Paris Clavreuil, 1958. Interprétation sociale et politique de l'alliance entre bourgeoisie montagnarde et petit peuple parisien, sous la houlette de Robespierre.

Cobb Richard, *The Police and the People : French Popular Protest 1789-1820,* Oxford University Press, 1970, trad. franç. par M.-F. De Palomera sous le titre : *La protestation populaire en France : 1789-1820,* Paris, Calmann-Lévy, 1975 ; rééd. Presses Pocket, 1989. Critique du concept d'un « mouvement » sans-culotte au profit d'une conception plus individualiste de la marginalité sociale.

Après ces trois ouvrages, il faut citer encore celui qui les a rendus possibles, en soulevant la question des rapports entre règlementation économique et mouvement populaire :

Mathiez Albert, *La vie chère et le mouvement social sous*

la Terreur, 2 vol., Paris, Payot, 1927 ; rééd. Payot, 1973.

L'instauration du « gouvernement révolutionnaire ». La substitution d'un gouvernement *de facto* à la Constitution montagnarde bâclée en juin par Hérault de Séchelles s'opère en deux grandes étapes, mars-avril, juillet et septembre 1793, de la création du Comité de Salut public à la Terreur mise à l'ordre du jour.

PALMER Robert R., *Twelve who Ruled : the Committee of Public Safety During the Terror,* Princeton University Press, 1941 (trad. franç. par M.-H. Dumas : *Le gouvernement de la Terreur : l'année du Comité de Salut public,* Paris, Armand Colin, 1989). Un ouvrage qui rend bien compte du caractère largement improvisé du gouvernement révolutionnaire.

Voir, pour la chronologie du processus, le cours polycopié de Georges LEFEBVRE, cité plus haut, et l'article « Gouvernement révolutionnaire », rédigé par moi-même, *in Dictionnaire critique de la Révolution française.* Lire enfin le grand discours de Robespierre à la Convention le 25 décembre 1793 ; c'est le manifeste philosophique du gouvernement révolutionnaire. Discours reproduit notamment *in* :

ROBESPIERRE Maximilien de, *Discours,* Paris, U.G.E., 10/18, rééd. 1988.

Le jacobinisme et la Terreur. Le présent livre défend l'idée que le caractère dictatorial du gouvernement révolutionnaire n'est pas simplement, ou seulement, le produit d'une réaction de défense devant les périls, mais aussi la manifestation d'une virtualité de la culture politique de la Révolution française. Non que la Terreur ait été inscrite à titre de nécessité dans les principes de 1789 ; mais les circonstances à coup sûr exceptionnelles de 1793 ont porté à l'incandescence des idées et des passions qui n'étaient pas facilement compatibles avec l'établissement de la liberté politique. Sur l'ensemble de cette interprétation, le lecteur peut se reporter aux articles « Jacobinisme » et « Terreur », rédigés par moi-même, *in Dictionnaire critique de la Révolution française.*

La première ligne d'analyse consiste en effet à étudier derrière la dictature révolutionnaire le magistère d'orthodoxie exercé à l'échelle nationale par le club des Jacobins. Sur ce point, les deux auteurs capitaux sont :

MICHELET Jules, *Histoire de la Révolution française, op. cit,* Livre X.

COCHIN Augustin, *Les sociétés de pensée et la démocratie,* Études d'histoire révolutionnaire, Paris, Plon, 1931.

On peut y joindre :

BRINTON Crane, *The Jacobins : An Essay in the New History,* New York, Macmillan, 1930.

JAUME Lucien, *Le discours jacobin et la démocratie,* Paris, Fayard, 1989.

Sur la Terreur proprement dite, on manque d'études de cas, selon qu'il s'agit par exemple du Tribunal révolutionnaire de Paris, ou de l'action punitive de tel représentant en mission, ou d'exécutions massives sans jugement, comme à Lyon et en Vendée. Encore faudrait-il distinguer aussi les périodes : la centralisation de la Terreur à Paris à partir d'avril 1794 modifie les données de la question. Une des meilleures analyses de la Terreur révolutionnaire est à trouver dans :

QUINET Edgar, *La Révolution,* Paris, 1865 (livres XVI et XVII) ; rééd. Paris, Belin, 1987.

Dans l'érudition moderne, un travail classique :

COBB Richard, *Les Armées révolutionnaires, instrument de Terreur dans les départements : avril 1793-floréal an II,* Paris, EHESS, 1961, 2 vol. ; et Mouton-De Gruyter, 1961.

Une bonne monographie locale récente :

LUCAS Colin, *The Structure of the Terror : the Example of Javogues and the Loire,* London, Oxford University Press, 1973.

Une étude, récente aussi, de la répression de masse en Vendée entre janvier et mai 1794 :

SECHER Reynald, *Le Génocide franco-français : La Vendée-vengé,* Paris, P.U.F., 1986.

Une étude statistique des condamnés à mort sous la Terreur :

GREER Donald, *The Incidence of the Terror During the French Revolution : A Statistical Interpretation,* Harvard University Press, 1935.

La dictature de Robespierre. Pour comprendre la domination que Robespierre finit par exercer seul sur le cours de la Révolution, entre avril et juillet 1794, la lecture de ses grands discours s'impose.

Les œuvres de Robespierre ont fait l'objet de plusieurs éditions, Laponneraye (3 vol., 1840), Vellay (1910) et, après le départ de Vellay, l'édition continuée par la Société des études robespierristes.

On trouvera les grands discours de Robespierre, soit dans le tome X de ses *Œuvres Complètes,* publiées par Bouloiseau et Soboul en 1967 et réunissant les discours du 27 juillet 1793 au 27 juillet 1794, soit, plus facilement, dans les 3 tomes de *Textes choisis,* textes réunis par Jean Poperen, Paris, Éditions sociales, coll. « Les Classiques du peuple », 1974.

Les biographies françaises de Robespierre sont gâchées par l'hagiographie, ainsi le *Robespierre* de HAMEL Ernest, rééd. Ledrappier, 1987, 2 t. ; le *Robespierre* de MASSIN Jean, Paris, Livre Club Diderot, 1956 ; rééd. Aix-en-Provence, Alinéa, 1988 ; et le *Robespierre* de WALTER Gérard, Paris, 2 vol., 1936-1940 ; rééd. Paris, Gallimard, 1961.

Je conseillerais plutôt :

THOMPSON James Matthew, *Robespierre,* Oxford, Basic Blackwell, 1935, 2 vol.

JORDAN David P., *The Revolutionary Career of Maximilien Robespierre,* New York, Free Press, 1985.

Voir aussi l'article « Robespierre » par GUENIFFEY Patrice, *in Dictionnaire critique de la Révolution française.*

Sur la lutte des factions, l'élimination des hébertistes et des dantonistes par Robespierre, il existe, au XXe siècle, une vaste littérature érudite, souvent polémique, puisque le sujet ranime par excellence le vieux débat Aulard-

Mathiez entre dantonistes et robespierristes. L'arbitrage est rendu par Georges Lefebvre, dans ses cours et dans son ouvrage sur *La Révolution française,* P.U.F., coll. « Peuples et Civilisations », 1951 ; rééd. 1980. Danton n'était sans doute pas ce modèle de vertu patriotique décrit par Aulard, mais sa liquidation, sans rapport avec cette exigence de moralité célébrée par Mathiez dans Robespierre, n'obéit qu'à des ambitions de pouvoir.

Sur les problèmes de la déchristianisation voulue par les sans-culottes à l'automne 1793, le coup d'arrêt donné par Robespierre, et les cultes révolutionnaires de substitution au catholicisme, le lecteur peut encore partir de Michelet, *op. cit.,* livre cinquième *(La Religion)* et livre seizième *(La Religion sous la Terreur)* qui reprochent à la Révolution sa timidité en la matière. Il peut continuer avec Aulard et Mathiez, dans un registre moins profond :

Aulard Alphonse, *Le Culte de la Raison et de l'Être suprême, 1793-1794,* Paris, F. Alcan, 1892, et les deux livres de :

Mathiez Albert, *La Révolution et l'Église,* Paris, Colin, 1910.

Origines des cultes révolutionnaires : 1789-1792, Paris, Société nouvelle de librairie et d'édition, 1904.

Un des mystères de cette période est l'aggravation de la Terreur par la loi du 22 prairial (10 juin), deux jours après la fête de l'Être suprême. Il n'y a pas, sur ce mystère, d'ouvrage ou d'article convaincant. L'époque de la « Grande Terreur » n'a pas encore trouvé son historien.

Sur le 9 Thermidor, et l'isolement croissant de Robespierre depuis la dernière quinzaine de juin, il existe un livre suggestif :

Ollivier Albert, *Le Dix-huit Brumaire, 9 Novembre 1799,* Paris, Gallimard, 1959.

IV
LA RÉPUBLIQUE THERMIDORIENNE

A partir de la chute de Robespierre commence la période où la Révolution despotique et égalitaire arrête sa course en avant, pour laisser réapparaître les mouvements de la société civile. Les idées de 1789 ont accouché d'un système d'intérêts en même temps que d'un capital de souvenirs et de passions contradictoires : ensemble presque impossible à gérer, et auquel se superpose la logique de la guerre et de la conquête, incarnée depuis 1796 par la gloire d'un jeune général.

C'est à cette époque qu'apparaissent les plus profonds commentateurs ou les meilleurs observateurs de la Révolution française.

Dans le premier groupe, je distinguerai deux familles d'esprit : d'abord celle de ceux qui inaugurent le grand débat des libéraux sur le caractère mêlé des événements révolutionnaires, le contraste entre les principes de 1789 et la dérive terroriste de 1793 : au premier rang, Benjamin Constant et Madame de Staël, dont les ouvrages de circonstance écrits entre 1795 et 1799 restent fondamentaux.

CONSTANT DE REBECQUE Benjamin de, *Lettres à un député de la Convention,* publiées dans les *Nouvelles politiques, nationales et étrangères, juin 1795 (Messidor an III),* reprises *in Recueil d'articles 1795-1817,* Genève, Droz, 1972, 1978, 1980.

De la force du gouvernement actuel de la France et de la nécessité de s'y rallier, s.l., 1796.

Des réactions politiques, s. 1, an V (1797) ; 2e éd. augmentée de l'*Examen des effets de la Terreur,* s.l., an V.

Certains écrits de Benjamin Constant sous le Directoire ont été d'abord publiés par Olivier Pozzo di Borgo sous le titre : *Écrits et discours politiques,* Paris, Pauvert, 1964, 2 vol. Écrits récemment réédités : *De la force du gouvernement actuel de la France et de la nécessité de s'y rallier,* suivi de *Des Réactions politiques,* et de *Des Effets de la*

Terreur, Paris, Flammarion, coll. « Champs », 1988, préface et notes de Philippe Raynaud.
STAËL Germaine de, *Réflexions sur la paix adressées à M. Pitt et aux Français,* éditées sans lieu ni nom d'éditeur, s.1., s.n., en 1795.
Réflexions sur la paix intérieure, publiées anonymement.
De l'influence des passions sur le bonheur des individus et des nations, Lausanne, Mourer, Hignon et Cie, 1796 ; 2e éd., Paris, Dufart, 1797 et Desenne, 1797.
Des circonstances actuelles qui peuvent terminer la Révolution et des principes qui doivent fonder la République en France, ouvrage écrit en 1798 mais non publié. Paru à Paris, Fishbacher, 1906 ; rééd. Genève, Paris, Droz, 1979.

On peut y ajouter Roederer (notamment ses contributions au Journal d'Économie publique) et Lezay-Marnesia :

ROEDERER Pierre-Louis, *De l'usage à faire de l'autorité publique dans les circonstances présentes* suivi d'un *Traité de l'émigration,* Paris, Desenne, an V.
Mémoires d'économie publique, de morale et de politique, Paris, Impr. du Journal de Paris, an VIII.
Du Gouvernement, Paris, Impr. du Journal de Paris, 1795.
Mémoires sur quelques points d'économie publique, lus au Lycée en 1800 et 1801, Paris, Firmin-Didot, 1840. Voir aussi les *Œuvres* en 8 vol., Paris, Firmin-Didot, 1853-1859.
LEZAY-MARNESIA Adrien, *Des Causes de la Révolution et de ses résultats,* Paris, Desenne, 1797.
De la faiblesse d'un gouvernement qui commence, et de la nécessité où il est de se rallier à la majorité nationale, Paris, B. Mathey, an VI.

Il existe un livre allemand sur Adrien Lezay-Marnesia :

WESTERHOLT Egon Graf von, *Lezay-Marnesia, Sohn der Aufklärung und Präfekt Napoléons (1769-1814),* Meisenheim am Glan, Hain, 1958.

Enfin, sur tous ces débats entre libéraux sous le Directoire, le lecteur peut se reporter aux articles « Constant » et « Staël » rédigés par GAUCHET Marcel *in Dictionnaire critique de la Révolution française, op. cit.*

La deuxième famille est celle qui regroupe les premiers grands auteurs contre-révolutionnaires français :

MALLET DU PAN Jacques, *Considérations sur la nature de la Révolution française et sur les causes qui en prolongent la durée,* Londres, Bruxelles, Plon, 1793.

Correspondance inédite de Mallet du Pan avec la cour de Vienne (1794-1798), Paris Plon, Nourrit et Cie, 1884, 2 vol.

Correspondance politique pour servir à l'histoire du républicanisme français, Hambourg, imp. de P.F. Fauche, 1796.

Les *Mémoires et Correspondance* de Mallet du Pan, *pour servir à l'histoire de la Révolution française* ont été publiés en 2 vol., Paris, Amyot et Cherbuliez, 1851.

Mémoires (extraits), Paris, M. Gautier, 1894.

MAISTRE Joseph de, *Considérations sur la France,* publiées à Neuchâtel, 1796, et à Londres, Fauche-Borel, 1797. Voir *Œuvres complètes,* t. I, 14 t. en 7 vol., Genève, Slatkine Reprints, 1979, réimpr. de l'édition de Vitte et Perrussel, Lyon, Libr. générale catholique et classique, 1884-1886.

Les *Considérations sur la France,* suivi de l'*Essai sur le principe générateur des constitutions politiques* ont été réédités tout récemment à Bruxelles, Éd. Complexe, 1988.

BONALD Louis de, *Théorie du pouvoir politique et religieux dans la société civile, démontrée par le raisonnement et par l'histoire, par M. de B..., gentilhomme français,* 3 t., ouvrage publié, sous l'anonymat, à Constance en 1796. Voir les t. XII à XV des *Œuvres complètes,* 15 t. en 9 vol., Genève, Slatkine, 1982, réimpr. de l'édition de Paris, Libr. d'Adrien Le Clerc et Cie, 1817-1843.

Essai analytique sur la loi naturelle de l'ordre social, publié en 1797, repris en 1801 sous le titre *Essai analytique sur la loi naturelle ou Du pouvoir, du ministre et du sujet.* Voir *Œuvres complètes,* t. I et II.

Enfin, le recours à la littérature des Mémoires est indispensable. Notamment :

MOLÉ comte, *Souvenirs d'un témoin de la Révolution et de l'Empire : Mathieu, comte Molé 1791-1803,* publiés par la marquise de Noailles, Genève, Éd. Milieu du monde, 1943 ; voir aussi NOAILLES marquis de, *Le Comte Molé, 1781-1855, sa vie, ses mémoires,* Paris, Champion, 1922-1930, 6 vol.

PASQUIER Étienne-Denis, chancelier, *Histoire de mon temps. Mémoires du chancelier Pasquier,* publiés par le duc d'Audiffret-Pasquier, Paris, Plon, 1893-1895, 6 vol. (Les vol. I, II et III concernent la Révolution, le Consulat et l'Empire ; les vol. IV, V et VI concernent la Restauration).

BARRAS Paul, *Mémoires de Barras, membre du Directoire,* publiés par G. Duruy, Paris, Hachette, 1895-1896, 4 vol.

CHASTENAY comtesse Victorine de, ou Madame de, *Mémoires 1771-1815,* publiés par A. Roserot, Paris, Plon, Nourrit et Cie, 1896, 2 vol.

LA TOUR DU PIN Henriette-Lucie, marquise de, *Journal d'une femme de cinquante ans (1778-1815),* publié par son arrière-petit-fils, le colonel Cte Aymar de Liederkerke-Beaufort, Paris, Impr. de R. Chapelot, 1907-1911, 4 vol.

LA REVELLIÈRE-LÉPEAUX, *op. cit.*

DELECLUZE Étienne-Jean, *Louis David et son temps,* Paris, Didier, 1855 ; rééd. Macula, 1983.

SAND George, *Histoire de ma vie,* Paris, V. Lecou, 1854-1855, 20 vol. ; rééd. Michel-Lévy frères, 1856, 5 vol. ; rééd. récente chez Stock, 1985 ; et Gallimard, La Pléiade, 1970-1971 : *Œuvres autobiographiques,* 2 t. (t I : I. *Histoire d'une famille, de Fontenoy à Marengo* — II. *Mes premières années, 1800-1810* — III. *De l'enfance à la jeunesse, 1810-1819 ;* t II : IV. *Du mysticisme à l'indépendance, 1810-1822* — V. *Vie littéraire et intime, 1832-1850).*

Et quelques mémoires d'émigrés :

FRENILLY Auguste-François, *Mémoires : 1768-1848. Sou-*

venirs d'un ultra-royaliste, rééd. Paris, Libr. Académique Perrin, 1987.

MONTLOSIER comte de, *Souvenirs d'un émigré, 1791-1798,* publiés par le comte de Montlosier-Larouzière et Ernest d'Hauterive, Paris, Hachette, 1951.

ESPINCHAL comte d', *Journal d'Émigration,* publié par Ernest d'Hauterive, Paris, Perrin, 1912.

FABRY Abbé de, *Mémoires de mon émigration*, Paris, Champion, 1933.

BLONDIN DE SAINT-HILAIRE, *Onze ans d'émigration. Mémoires du chevalier Blondin d'Abaucourt, adjudant major des gardes-suisses,* Paris, Picard, 1897.

Histoires générales de la période :

LEFEBVRE Georges, *Les Thermidoriens,* Paris, Armand Colin, 1937.

Le Directoire, Paris, Armand Colin, 1946.

SCIOUT Ludovic, *Le Directoire,* Paris, Firmin-Didot et Cie, 1895-1897, 4 vol.

MATHIEZ Albert, *Le Directoire du 11 brumaire an IV au 18 Fructidor an V,* Paris, Armand Colin, 1934.

FURET François et RICHET Denis, *La Révolution française,* t. II, Paris, Hachette, 1966 ; rééd. Fayard, 1973, ou Hachette-Pluriel, 1986, deuxième partie du livre.

On peut lire plus particulièrement sur les crises qui ont scandé toute l'histoire politique de la période :

MEYNIER Albert, *Les coups d'État du Directoire,* Paris, Presses universitaires de France, 1927-1928, 3 vol. (t. I : *Le Dix-huit Fructidor an V* ; t. II : *Le Vingt-deux floréal an VI (11 Mai 1798) et le Trente prairial an VII (18 Juin 1799)* ; t. III : *Le Dix-huit Brumaire an VIII (9 Novembre 1799) et la fin de la République).*

SURATTEAU Jean-René, « Les Opérations de l'assemblée électorale de France (4 brumaire an IV-octobre 1795) », in *A.H.R.F. (Annales historiques de la Révolution française),* 1955.

« Les élections de l'an V aux Conseils du Directoire », *A.H.R.F.,* 1955.

Sur le 13 Vendémiaire an IV :
ZIVY H., *Le 13 Vendémiaire an IV,* Paris, 1898, Fasc. 6 de la Bibliothèque de la faculté des lettres de l'université de Paris.

Sur Babeuf et le babouvisme, il existe une vaste littérature d'inspiration communiste, très répétitive et déjà très « datée ». Il est préférable de se reporter au livre qui a fondé la tradition babouviste :
BUONARROTI Philippe, *Conspiration de l'Égalité dite de Babeuf,* suivie du procès auquel elle donna lieu, et de ses pièces justificatives, etc., 2 vol., Paris, 1828 ; rééd. Paris, Éditions sociales, 1957.
Dans la recherche contemporaine, un article intéressant d'un historien américain sur la sociologie parisienne du babouvisme :
ANDREWS Richard M., « Réflexions sur la conjuration des Égaux », *Annales E.S.C.*, 1974.

Sur le 18-Fructidor an V :
BALLOT Charles, *Le coup d'État du 18-Fructidor : rapports de police et documents divers,* Paris, 1900.
MATHIEZ Albert, « Saint-Simon, Lauraguais, Barras, Benjamin Constant et la réforme de la constitution de l'an III après le coup d'État du 18-Fructidor an V », *in A.H.R.F.*, 1929.

Sur les « coups d'État » du 22 Floréal an VI et du 30 prairial an VII, voir :
MEYNIER Albert, *op. cit.,* t. II.

Sur le 18-Brumaire an VIII :
VANDAL Albert, *L'Avènement de Bonaparte,* t. I : *La Genèse du Consulat. Brumaire. La Constitution de l'an VIII,* Paris, Plon, Nourrit et Cie, 1902.
BAINVILLE Jacques, *Le 18-Brumaire,* Paris, Hachette, 1925.

Je conseille également la lecture de quelques travaux récents sur la culture politique de l'époque, notamment sur la tyrannie du souvenir de la Convention et de la Terreur dans les esprits :

OZOUF Mona, « Thermidor ou le travail de l'oubli », *in L'École de la France, essais sur la révolution, l'utopie et l'enseignement,* Paris, Gallimard, coll. « Bibliothèque des histoires », 1984.

BACZKO Bronislaw, *Comment sortir de la Terreur : Thermidor et la Révolution,* Paris, Gallimard, coll. « Essais », 1989.

WOLLOCK Isser, *Jacobin Legacy. The Democratic Movement under the Directory,* Princeton University Press, 1970.

Un livre ancien mais important sur l'émigration :

DAUDET Ernest, *Histoire de l'émigration pendant la Révolution française,* 3 vol., *Les émigrés et la seconde coalition, 1797-1800,* Paris, Librairie illustrée, 1886-1890.

Un recueil de documents essentiel pour flairer l'état de l'opinion publique :

AULARD Alphonse, *Paris pendant la réaction thermidorienne et sous le Directoire,* Paris, Le Cerf, 1898-1902, 5 vol.

Sur la campagne d'Italie :

GUYOT Raymond, *Le Directoire et la paix de l'Europe des traités de Bâle à la deuxième coalition (1795-1799),* Paris, F. Alcan, 1911.

FERRERO Guglielmo, *Aventure, Bonaparte en Italie (1796-1797),* Paris, Plon, 1936.

REINHARD Marcel, *Avec Bonaparte en Italie, d'après les lettres inédites de son aide de camp, Joseph Sulkowski,* Paris, Hachette, 1946.

GODECHOT Jacques, *Les commissaires aux armées sous le Directoire. Contribution à l'étude des rapports entre les pouvoirs civils et militaires,* Paris, Fustier, 1938, 2 vol.

BONAPARTE, *Lettres à Joséphine, pendant la première campagne d'Italie, le Consulat et l'Empire,* Paris, Firmin-Didot, 1833.

Lettres de Napoléon à Joséphine et lettres de Joséphine à Napoléon, Paris, Le Livre club du libraire, 1959.

Napoléon et Joséphine, leur roman, éd. intégrale, nombreux inédits des lettres de Napoléon à Joséphine, recueillis par Jean Savant, Paris, Fayard, 1960.

Lettres de Napoléon à Joséphine et de Joséphine à Napoléon, éd. intégrale par J. Haumont, Paris, J. de Bonnot, 1968.

V
NAPOLÉON BONAPARTE

Pour entrer dans cette histoire dominée et même incarnée par un seul homme, le plus utile est de commencer par lire les « Écrits » de Napoléon lui-même qui le peignent mieux que tout commentaire. Ce sont le plus souvent des textes d'ordre militaire ou gouvernemental, ou encore des propos rapportés par ses familiers. On les trouvera par exemple dans :

Vie de Napoléon par lui-même, d'après les textes, lettres, proclamations, écrits, Paris, Gallimard, 1930.

NAPOLÉON BONAPARTE, *Proclamations, ordres du jour, bulletins de la Grande Armée,* Paris, U.G.E., 10/18, 1964. On doit consulter aussi la *Correspondance* de Napoléon, publiée à l'instigation de Napoléon III, 1858-1869, 32 vol., Paris, Imprimerie Impériale ; rééd. Plon, 1858-1870, 32 vol.

La seconde catégorie de sources est constituée par les témoignages contemporains, en l'occurrence particulièrement nombreux, je citerai notamment :

ABRANTÈS Joséphine Amet, duchesse d', *Mémoires ou souvenirs historiques sur Napoléon,* Paris, Ladvocat, 1831-1835, 18 vol. ; rééd. Paris, Garnier frères, 1893, 10 vol.

BARANTE Amable, baron de, *Souvenirs,* Paris, 1890-1901, 8 vol. (voir t. I et II).

BOURRIENNE Louis Antoine Fauvelet de, *Mémoires sur Napoléon, le Directoire, le Consulat et la Restauration,* Paris, 1829-1831, 10 vol. ; rééd. Paris, Garnier frères, 1899, 4 vol.

BEUGNOT Jacques Claude, comte de, *Mémoires du comte Beugnot, ancien ministre (1783-1815),* Paris, E. Dentu, 1866, 2 vol.

CHASTENAY comtesse Victorine de, ou Madame de, *Mémoires, 1771-1815,* publiés par A. Roserot, Paris, Plon, Nourrit et Cie, 1896, 2 vol.

HYDE DE NEUVILLE Jean Guillaume, baron, *Mémoires et souvenirs,* publiés par Mme de Sardonnet, Paris, 1888-1892, 3 vol.

MIOT DE MELITO André François, comte de, *Mémoires du Comte Miot de Melito, ancien ministre, ambassadeur, conseiller d'État et membre de l'Institut, (1788-1815),* Paris, Michel-Lévy frères, 1858, 3 vol.

PASQUIER Étienne-Denis, chancelier, *Histoire de mon temps. Mémoires du chancelier Pasquier,* publiés par le duc d'Audiffret-Pasquier, Paris, Plon, 1893-1895, 6 vol.

PELET DE LA LOZÈRE comte Privat Joseph, *Opinions de Napoléon sur divers sujets de politique et d'administration, recueillies par un membre de son conseil d'État,* Paris, Firmin-Didot frères, 1833.

SAVARY duc de Rovigo, *Mémoires pour servir à l'histoire de Napoléon,* Paris, A. Bossangre, 1828, 8 vol. ; rééd. Paris, Garnier frères, 1900, 4 vol.

TALLEYRAND-PÉRIGORD Charles-Maurice, duc de, *Mémoires du prince de Talleyrand,* publiés par le duc de Broglie, Paris, Calmann-Lévy, 1891-1892, 5 vol. Réédition par Couchoud, Paul-Louis, 2 vol., Paris, Plon, 1957.

SÉGUR Philippe, comte de, *Histoire et mémoires,* Paris, Firmin-Didot, 1873, 7 vol.

La troisième catégorie prioritaire de documents écrits est faite de l'immense littérature des portraits de Napoléon. Voici une liste possible, très sélective, par ordre chronologique :

STAËL Madame de, *Mémoires de Mme de Staël, Dix années d'exil,* publiés par le duc de Broglie et le baron de Staël, Paris, 1818 ; rééd. Charpentier, 1861 ; Plon-Nourrit, 1904.

STENDHAL Henri Beyle, dit, *Vie de Napoléon,* Paris,

Calmann-Lévy, 1876 ; rééd. récente, Paris, Payot, « Petite Bibliothèque Payot », 1969.

CHATEAUBRIAND François-René, vicomte de, *Mémoires d'outre-tombe,* Paris, paru de 1848 à 1850 en « feuilleton » dans le quotidien *la Presse* et publiés en volumes à la même époque, Paris, Penaud frères, 1849, 12 vol. ; rééd. Paris, Dufour, Mulat et Boulanger, 1860, 6 vol. ; rééd. Paris, Garnier frères, 1895, 6 vol. ; rééd. chez Garnier par Edmond Biré en 1899-1900, puis par Levaillant dans son édition du centenaire chez Flammarion. Parmi les éditions récentes, Gallimard, La Pléiade, 1947, 1951, t. I, Livres I à XXIV ; t. II, Livres XXV à XLIV. Également en édition de poche, 3 t., Livre de poche.

TAINE Hippolyte, *Les Origines de la France contemporaine (1876-1896),* rééd. Paris, Robert Laffont, coll. « Bouquins » 2 t. (t. I : *L'Ancien Régime-La Révolution* ; t. II : *La Révolution-Le Régime moderne.* Voir *in Le Régime moderne,* le chap. I consacré à Napoléon Bonaparte.)

FAURE Élie, *Napoléon,* Paris, CRES, 1921.

A citer enfin, dans un ordre moins littéraire, l'ouvrage fondamental de :

MASSON Frédéric, *Napoléon et sa famille,* Paris, Ollendorf, 1897-1919, 13 vol.

Ouvrages généraux :

BAINVILLE Jacques, *Napoléon,* Paris, Fayard, 1931. C'est encore la synthèse la plus brillante sur l'homme et l'œuvre.

LEFEBVRE Georges, *Napoléon,* Paris, P.U.F., coll. « Peuples et Civilisations », 1935, rééd. 1947, 1965.

MARKHAM Felix Maurice Hippisley, *Napoléon,* New Am. lib., Weidenfeld, Ryerson Press, 1963.

TULARD Jean, *Napoléon ou le mythe du sauveur,* Paris, Fayard, 1977 ; rééd. Hachette, « Pluriel », 1988.

Napoléon à Sainte-Hélène, Paris, R. Laffont, coll. « Bouquins », 1981.

Napoléon et la noblesse d'Empire, avec la liste des

membres de la noblesse impériale (1808-1815), Paris, Tallendier, 1986.
MISTLER Jean, *Napoléon et l'Empire,* Paris, Hachette, 1968, 2 vol.

La France impériale. Sur les idées qui servent à fonder la légitimité du régime, l'auteur le plus significatif est :

FIÉVÉE Joseph, *Correspondance et relations de J. Fiévée avec Bonaparte (1802 à 1813),* Paris, A. Desrez, 1836, 3 vol.
Correspondance politique et administrative, commencée au mois de mai 1814, Paris, Le Normant, 1815-1819, 3 vol.

Sur la législation civile :

FENET P.-Antoine, *Recueil complet des travaux préparatoires du Code civil,* Paris, 1827, 15 vol. ; rééd. Paris, Videcoq, 1836, 15 vol.
SAGNAC Philippe, *La législation civile de la Révolution française (1784-1804), essai d'histoire sociale,* Paris, Hachette, 1898.
Et l'article « Code civil » de J. GOY *in Dictionnaire critique de la Révolution française, op. cit.,* qui peut servir d'introduction à ces études.

Sur le gouvernement et l'administration :

PONTEIL Félix, *Napoléon Ier et l'organisation autoritaire de la France,* Paris, Armand Colin, 1956.
DURAND Charles, *L'exercice de la fonction législative de 1800 à 1814,* Aix-en-Provence, extrait des Annales de la faculté de droit d'Aix-en-Provence, 1956.
Les auditeurs au Conseil d'État de 1803 à 1814, Aix-en-Provence, La Pensée universitaire, 1958.
THUILLIER G., « L'administration vue par un préfet de l'Empire », *in La Revue administrative,* 1955.
TULARD Jean, *Paris et son administration (1800-1830),* Paris, Ville de Paris, Commission des travaux historiques, 1976.

Sur le sacre, un excellent ouvrage :

CABANIS José, *Le Sacre de Napoléon (2 décembre 1804),* Paris, Gallimard, 1970.

Sur le Concordat et le règlement provisoire des rapports de l'Église catholique et de la société post-révolutionnaire :

DANSETTE Adrien, *Histoire religieuse de la France contemporaine,* Paris, Flammarion, 1948, t. I.
LEFLON Jean, *E. A. Bernier, évêque d'Orléans, et l'application du Concordat,* Paris, Plon, 1938, 2 vol.
DELACROIX Simon, *La réorganisation de l'Église de France après le Concordat (1801-1809),* Paris, Éd. du Vitrail, 1962.
GODEL Jean, *Histoire religieuse du département de l'Isère. La reconstruction concordataire dans le diocèse de Grenoble après la Révolution (1802-1809),* La Tronche, l'auteur, 1968.
LANGLOIS Claude, *Le diocèse de Vannes (1800-1830),* Rennes Université, Klincksieck, 1974.

Sur les bases sociales du régime impérial :

BERGERON Louis et CHAUSSINAND-NOGARET Guy, *Les Collèges électoraux du Premier Empire,* Paris, CNRS, 1978.
TULARD Jean, « Les composantes d'une fortune : le cas de la noblesse d'Empire », *Revue historique,* 1975.
VALYNSEELE Joseph, *Les maréchaux du Premier Empire, leur famille et leur descendance,* Paris, l'auteur, 1957.
Les Princes et Ducs du Premier Empire, non maréchaux, leur famille et leur descendance, Paris, l'auteur, 1959.

La politique extérieure de la France. La domination de la France en Europe. Mon livre néglige volontairement cet aspect capital de l'histoire napoléonienne, dans la mesure où il se cantonne à l'étude de la politique intérieure de la France. Les pages qui lui sont consacrées tirent leur principale inspiration des ouvrages suivants :

SOREL Albert, *op. cit.,* t. V à VIII.
LEFEBVRE Georges, *op. cit.*

Le lecteur trouvera une bibliographie systématique dans :

GODECHOT Jacques, *L'Europe et l'Amérique à l'époque napoléonienne,* Paris, P.U.F, coll. « Nouvelle Clio », 1967.

INDEX DES PERSONNAGES

D

E

F

L

S

T

V

W

INDEX THÉMATIQUE

R

S

T

U

V

W

SOMMAIRE

Cartes et schémas

Imprimé en France par I.M.E. - 25110 Baume-les-Dames - N° 11928
HACHETTE LITTÉRATURES - 74, rue Bonaparte - Paris
Collection n° 25 - Édition n° 01
Dépôt légal : 5635, novembre 1997
ISBN : 2.01.278881.5
ISSN : 0296.2063
27.8881.8